Diccionario ilustrado de computación

para

inexpertos

Diccionario ilustrado de computación

para

inexpertos

por Dan Gookin,
Wally Wang y Chris Van Buren

MEGABYTE
NORIEGA EDITORES
MÉXICO • España • Venezuela • Colombia

Reconocimientos

Quisiera agradecer a los siguientes amigos que me ayudaron a hacer realidad este diccionario. Primero, el reconocimiento es para mis dos coautores, el inefable Wally Wang y el tenaz Chris Van Buren; gracias también al grupo de colaboradores de IDG: David Solomon, Mary "berrinches" Bednarek, Laurie Smith, Drew Moore, Pam Mourouzis, Eric Dafforn, Kezia Endsley, Beth Baker, Cindy Phipps y Tricia Reynolds. Un último agradecimiento es para Beth Slick, la editora técnica. Nadie con nombre "Webster" ha sido involucrado en este proyecto.

Dan Gookin
Coer d'Alene, Idaho.

El editor quisiera agradecer en especial a Patrick J. McGovern por su valiosa ayuda, que hizo posible la realización de este libro.

Acerca de los autores

Dan Gookin, el autor de *Dos para inexpertos*, *Dos para inexpertos segunda edición*, *WordPerfect para inexpertos*, *WordPerfect 6 para inexpertos*, *Word para Windows para inexpertos* y coautor de *PCs para inexpertos,* es un escritor y "gurú" de la computadora, cuyo trabajo consiste en recordarle a todo el mundo que las computadoras no deben ser tomadas tan en serio. En la actualidad, el señor Gookin trabaja para sí mismo, como escritor independiente; cuenta con un título en Comunicaciones de la Universidad de California, en San Diego, y es un contribuyente regular para las publicaciones *InfoWorld, PC/Computing, DOS Resource Guide* y *PC Buying World.* Dan se ha mudado en fecha reciente a la región silvestre de Idaho con su esposa e hijos.

Wally Wang, cómico de noche, también escribe una columna de información de software para una circular de comedia, da clases de computación para compañías locales y ha escrito otros libros acerca de este tema. Tanto Dan como

Wally compartieron en una ocasión un programa de radio en la KVSD de San Diego.

Chris Van Buren, autor de varios libros, éxitos de venta, acerca de la computación, ha escrito una docena de títulos para su crédito, lo que incluye *PC World You Can Do It With DOS* y *PC World You Can Do It With Windows* (IDG Books, 1992). En la actualidad se dedica de tiempo completo a escribir libros sobre computación y proporciona servicios de consultoría en el área de la bahía de San Francisco.

¡Más palabras!

¡Queremos escuchar más palabras!

Escuchen, lectores del *¡Diccionario ilustrado de computación para inexpertos!* de MEGABYTE. Es hora de que tomen ventaja de un nuevo y directo *conducto* para los lectores de los Bestsellers internacionales de IDG y MEGABYTE: los famosos libros… *para inexpertos.*

Pipeline (conducto)

Pronunciación: *paip lain.*

Significado: El túnel, cañería para los roedores, pasaje y conducto para los autores y editores de los libros IDG a nivel mundial.

Enunciado: "Sigan con su envío de correspondencia, amigos, y pronto estarán conectados con el *conducto* directo de los lectores con los autores y editores de los libros IDG a nivel mundial".

Pero en serio, nos gustaría recibir su información para las futuras impresiones y ediciones de este libro. Díganos lo que le gustó (y lo que no) acerca del *Diccionario ilustrado de computación para inexpertos*. Siéntase en libertad de sugerirnos nuevos términos si así lo desea.

¡Lo agregaremos a nuestro *club de admiradores de las bases de datos para inexpertos* y lo mantendremos al tanto de lo último en libros, noticias, calendarios, caricaturas y más... *para inexpertos*!

Por favor, envíe su nombre, dirección y número telefónico, así como sus comentarios, preguntas y sugerencias a:

... For Dummies Coordinator
IDG Books Worldwide
3250 N. Post Road, Ste. 140
Indianapolis, IN 46226.

¡Gracias por su colaboración!

Introducción

He aquí *el Diccionario ilustrado de computación para inexpertos*, su escudo en la constante batalla que toma lugar entre los nerds, geeks y los tecnowinis, así como las personas como nosotros que tenemos que estar al tanto del argot. Hemos explorado las revistas, los manuales y los libros que contienen esos términos. Hemos estado a su acecho en la oscuridad, en los calabozos de los programadores, hemos escuchado conversaciones grabadas de los grandes cerebros en habla codificada, e incluso hemos creado algunas palabras nosotros mismos. El resultado final es este enfoque ligero para entender los términos de la computación y —si se atreve— aprender a incorporar grandes términos en sus conversaciones diarias.

El enfoque lógico

Después de largos períodos de una consideración cuidadosa, decidimos realizar este libro en un formato alfabético y, más adelante, alfabetizar todas las palabras para sus necesidades de referencia. Los símbolos ("@#$%^&*!") y los números (0 al 9) se listan al principio del libro. Pero después de eso, lo demás es de la A a la Z, con todas las letras intermedias en el orden apropiado (hemos asumido que usted conoce el alfabeto, cantado al tono de aquella canción infantil pero en caso de que lo haya olvidado, pregunte a cualquier niño de cuatro años).

Las palabras se presentan en el siguiente formato. Primero, le damos la palabra en inglés, después, entre paréntesis, su significado en español, posteriormente una guía de pronunciación seguida por el significado o la definición de la palabra y en seguida un ejemplo de utilización:

Dictionary (diccionario)

Pronunciación: *dik-sho-na-ri.*

Significado: El libro que contiene una lista de palabras, sus pronunciaciones y significados. Cuando no sepa lo que una palabra significa, deberá buscarla en el diccionario. Cuando desee estar seguro de que utiliza una palabra correctamente, deberá buscar en el diccionario. Cuando esté por perder un argumento y necesite citar una fuente al azar, pero que suene profesional, utilice el diccionario.

Enunciado: "Mi hijo siempre me pregunta lo que significan las palabras, por lo que le digo —busca en el *diccionario*— dado que me apena admitir que yo mismo no sé lo que estas significan".

Cuestiones filosóficas

Nuestro propósito detrás de este diccionario es, tanto iluminar como informar. También hemos agregado algún valor de entretenimiento. Siempre se piensa que las computadoras son esos dispositivos de grandes tormentos, fríos, severos y serios, como las monjas en una escuela católica. La verdad es que no lo son. Esto es, no son monjas (¡y las monjas tampoco son grandes y severas!). En lugar de eso, las computadoras cuentan con un vasto potencial para el humor y el disfrute (al igual que las monjas). Este libro presenta información técnica con esta actitud, con la esperanza de que la entienda mejor. Y si no es así, entonces al menos podrá tolerar la terminología con una pequeña dosis de ligereza.

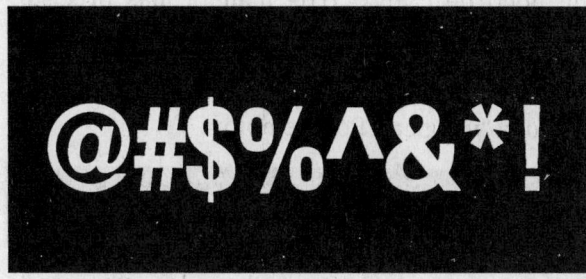

\

Nombre del símbolo: *diagonal invertida.*

Usos: Símbolo utilizado en MS-DOS para separar los directorios y los nombres de archivos tales como C:\WINDOWS \SYSTEM o A:\PASCAL. No vaya a confundir la diagonal invertida con la diagonal normal (/) que se encuentra en la tecla del signo de interrogación (?). De otra manera, MS-DOS no tendrá ni la menor idea de lo que usted intenta hacer.

.

Nombre del símbolo: *asterisco-punto-asterisco.*

Usos: La designación *.* utiliza el comodín * que puede tomar cualquier valor. En MS-DOS, *.* se refiere a todos los archivos. Para eliminar todos los archivos en un directorio, deberá escribir **DEL *.*** y presionar la tecla Enter (no intente esto en casa, a menos que sepa lo que hace).

&

Nombre del símbolo: *ampersand.*

Usos: En ocasiones este símbolo es utilizado para representar "and" (y en inglés), como el caso de "tal & tal" o "nena,

¿quieres un poco de c&dy?" o de manera más precisa, "Sterling, Worbletyme & Grockmeister". La mayoría de los puritanos rechaza esta forma y prefieren deletrear A-N-D.

En la programación de las computadoras, & representa en ocasiones una "y lógica". Por ejemplo:

```
IF (NUMERO=1 & LETRA=A) THEN "Estamos en el
principio".
```

En el lenguaje de programación C, se utilizan dos ampersand (&&).

El carácter es llamado de manera correcta ampersand. *Ampers* viene del antiguo vulcano y significa "este símbolo ilegible significa" y *and* significa "y".

+

Nombre del símbolo: *más*.

Usos: Este símbolo se utiliza en la adición debido a que (y para nuestra fortuna) se encuentra en el teclado y puede hacer una pobre imitación de la letra T.

```
2 + 2 = 5
```

(Esto solía suceder en muchas ocasiones con las hojas de cálculo antiguas.)

El signo más también puede ser utilizado para conectar dos ítems; por ejemplo:

```
COPY A.DOC+B.DOC AB.DOC
```

En DOS el comando precedente pega el archivo B.DOC al final del archivo A.DOC, lo que crea un nuevo archivo llamado AB.DOC. Esto se conoce como *encadenado*, que literalmente es como si "pegáramos a dos gatos

juntos", no obstante que el concepto de "pegar dos objetos juntos", es por lo general aceptado.

#

Nombre del símbolo: *símbolo de número, o gato.*

Usos: Símbolo de número, se localiza sobre el número 3 en
los teclados estadunidenses. Este símbolo se utiliza en el
lenguaje escrito para representar números o ítems: "Está
bien, Rebeca, tú elige el #3 —instrumental médico que he
encontrado en la playa".

En algunas versiones de UNIX, el # es el indicador del
sistema.

El símbolo # también tiene su atractivo como un agradable carácter sólido. Algunas personas lo utilizan de manera
decorativa, o para producir gráficas burdas:

```
   ######
  #      #
  #  # #  #
  #      #
  # ####  #
  #  ##   #
  #      #
   ######
```

En los teclados británicos, el símbolo # se remplaza
por £, que en realidad significa libra (# es el carácter "repe-
tido").

>>

Nombre del símbolo: *símbolo para aplicar al final.*

Usos: No existe en realidad una forma de pronunciar estos
símbolos, aunque el "agh-agh" se utiliza con frecuencia.
Algunos dicen "doble mayor que". Otros sólo dicen "símbolo para aplicar al final", que es la función de estos caracteres
en DOS.

```
TYPE SIGNATUR.TXT >> CARTA.DOC
```

El comando DOS precedente, lleva la información al archivo SIGNATUR.TXT y la pega al final del archivo CARTA.DOC. Observe que este truco sólo funciona con los archivos de texto. No con los documentos creados con un procesador de palabras u otros documentos formateados.

>=

Nombre del símbolo: *mayor o igual a que.*

Usos: Estos símbolos son utilizados para poder comparar dos valores en una prueba (como en una consulta de base de datos, por ejemplo). La prueba tiene éxito si el primer valor es mayor o igual al segundo valor. Por ejemplo:

10 >= 9 es verdadero.

10 >= 10 es verdadero.

10>= 11 es falso.

El bien >= el mal —esperemos que sea verdadero.

<=

Nombre del símbolo: *menor o igual que.*

Usos: Estos símbolos son utilizados para comparar los valores en una prueba. Tal prueba tiene éxito si el primer valor es menor o igual que el segundo. Por ejemplo:

9 <= 10 es verdadero.

10 <= 10 es verdadero.

10 <= 9 es falso.

Hollywood <= "la vida real" siempre es verdadero.

!

Nombre del símbolo: *signo de admiración, bang.*

Usos: El símbolo de admiración se utiliza al final de un enunciado para denotar emoción: "¡Su esposa está aquí!" o quizá sorpresa, "¡Mi corazón!" (en español, se utiliza tanto al principio como al final del enunciado).

En el lenguaje C de programación, el ! se utiliza para significar *no.* Por ejemplo:

```
!TRUE = FALSE
```

Lo anterior significa "no verdadero es lo mismo que falso", que es una verdad universal casi en todas partes con excepción de Washington, D.C.

```
!=
```

Este símbolo significa *no igual a:* "el ver un partido de beisbol en la TV es != a estar en el parque de pelota".

En el sistema de correo electrónico USENET, ! es denominado *bang.* Se usa en la dirección electrónica de alguien, como un código postal efectivo. Por ejemplo:

```
crash!dang
```

Esta es la dirección electrónica de *dang* del sistema *crash.* La dirección es "crash, bang, dang" (una dirección real, por cierto).

¿Alguna vez observó que todos los enunciados en la revista *Mad* finalizan ya sea en signo de exclamación o en signo de interrogación?

"

Nombre del símbolo: *comillas.*

Usos: Este símbolo se utiliza con frecuencia para *abrazar* al texto, lo que se denomina una *cadena* de texto; por ejemplo:

"Los pastelillos eran malos y el café sabía como si lo hubieran colado con un calcetín sucio del gimnasio".

El texto entre las comillas es la "cadena", pero las comillas mismas, no lo son.

$

Nombre del símbolo: *signo de dólar; cadena; hexadecimal.*

Usos: El signo de dólar es utilizado de varias maneras, en la mayoría de ellas en realidad tiene que ver con el dinero. Como es obvio, cuando va seguido de un número, como en el caso de $1,000,000, este signo significa dólares, billetiza, pasta.
En el lenguaje de programación BASIC, el signo de dólar se utiliza para identificar una *cadena* o variable de texto. PRIMERO$ pudiera ser una variable denominada "PRIMERO" que tiene un valor de cadena. Se pronuncia cadena PRIMERO, por cierto; y no first signo de dólares.

En unos lenguajes de programación podrán utilizar este signo para denotar un número *hexadecimal* (de base 16). Por ejemplo, $14 es el valor hexadecimal 14 (en decimal, 20). $A1 sería el valor hexadecimal A1 (en decimal, 161). En este uso, el $ se pronuncia "ex". $A1 es ex a1.

En MS-DOS, un lugar en el que se utiliza el signo de dólar es en el archivo AUTOEXEC.BAT para cambiar la apariencia del indicador C, como en:

```
Prompt $p$g
```

%

Nombre del símbolo: *por ciento.*

Usos: El símbolo de por ciento se utiliza por todas partes, en ocasiones para representar de verdad un valor: 15% significa 15 por ciento, o 15 veces de cada 100 o .15 o un valor que sea considerado lo bastante bueno tanto para los analistas meteorológicos como para los economistas.

El por ciento juega numerosos papeles en varios lenguajes de programación.

En BASIC, el símbolo de por ciento denota una variable entera: ITEM% sería una variable entera denominada ITEM. No deberá pronunciar el %.

En el lenguaje de programación C, el % se utiliza como operador "valor absoluto" (que obtiene el residuo cuando un número es dividido por otro). También se utiliza para formatear los datos de salida.

'

Nombre del símbolo: *apóstrofo; comilla sencilla; palito.*

Usos: El apóstrofe se utiliza en el texto en inglés para marcar el posesivo "Bill's deficit" (el déficit de Bill) y en ocasiones se utiliza en conjunto con el acento grave (apóstrofo invertido ') en las comillas:

```
"Esto es más serio de lo que pensé".
```

En el lenguaje de programación BASIC, el apóstrofo al principio de una línea, marca un comentario.

( )

Nombre del símbolo: *paréntesis, paren.*

Usos: Los paréntesis se utilizan en la programación para agrupar objetos. Por lo general esto sucede en largas operaciones matemáticas; lo que aparece entre los paréntesis es calculado primero. La mayoría de los lenguajes de programación también utilizan paréntesis para agrupar opciones y "argumentos" para ciertos comandos y palabras clave.

Un solo paréntesis se denomina *paren*. Cuando alguien dice "paren izquierdo", se refiere al carácter (. El paren derecho es él). Esto es útil cuando se tienen que leer instrucciones de escritura por teléfono.

Nombre del símbolo: *símbolo de derechos de copia.*

Usos: Muchos paquetes de software utilizan una gran C en un paréntesis para representar el símbolo © (derechos de copia) debido a que el © no se encuentra en la mayoría de los teclados. De manera similar, pudiera haber un (TM) que significa Trademark (marca registrada).

*

Nombre del símbolo: *asterisco, estrella, splat.*

Usos: El asterisco se utiliza de manera común en forma decorativa. De manera ocasional, puede aparecer para dar énfasis cuando no se encuentran disponibles las letras cursivas o el subrayado:

```
Estaba tan *apenado*.
```

El asterisco puede ser utilizado como una forma de autocensura cuando se envía un mensaje por el correo electrónico:

```
¡Come **** y muérete!
```

En ocasiones el asterisco aparece para marcar una nota de pie.

En DOS, el asterisco se utiliza como carácter comodín, y se dice "estrella". La estrella puede representar desde uno hasta varios caracteres, lo que se adapta a otros nombres de archivo que se utilizan con varios comandos DOS.

Nathan Hale no dijo "lamento no tener más que un asterisco para mi país".

Otros nombres para el * incluyen "dingbat" y "splat". Splat es el resultado final de dejar caer algo suave desde una gran altura. La marca formada sería algo como esto:

¡Splat!

Nombre del símbolo: *menos, guión.*

Usos: El signo menos es utilizado en varios ángulos de las matemáticas computarizadas. Primero, aparece como el clásico signo menos: 4 - 5 y otros por el estilo. También se utiliza para identificar un número negativo: -5.

El gemelo diabólico del signo menos es el guión, que es el mismo carácter, pero utilizado con palabras, como en el caso de México-Americano. Dos guiones podrán ser utilizados en un texto para denotar una cláusula o un elemento de paréntesis —¡como éste!

En términos tipográficos, existen guiones, guiones cortos y guiones largos, que son utilizados en diferentes circunstancias. El guión es el más pequeño de los tres. Un *guión corto* es un carácter con la misma anchura de la letra *n*. En cambio, el guión largo es un carácter más largo, con la misma anchura de la letra *m*.

Nombre del símbolo: *punto.*

Usos: El punto es utilizado en el texto para marcar el final de un enunciado.

En matemáticas, el punto se utiliza para marcar la porción decimal de un número: 3.141. En ese caso se pronuncia "tres punto uno cuatro uno".

En algunos países el punto se utiliza para separar los centésimos de los milésimos o los milésimos de los diez milésimos: 1.000 es mil (en estos raros lugares, la coma es utilizada como punto decimal. Qué extraño).

En DOS, el punto se utiliza para separar un nombre de archivo de su extensión. Otros sistemas operativos utilizan también el punto como separador.

En un juego de hockey, se pueden anotar tres puntos: ...

/

Nombre del símbolo: *diagonal; símbolo de división.*

Usos: El carácter diagonal es utilizado en el texto para separar ítems: encendido /apagado, arriba/abajo, etcétera.

En las matemáticas computacionales, el símbolo / es utilizado para la división. Esto se debe a que el carácter común del guión entre dos puntos no se encuentra en la mayoría de los teclados. Por lo tanto, 15/3 significa "15 dividido entre 3".

Los nombres para este carácter son: diagonal, diagonal hacia adelante, pincelada, vírgula, la cosa que apunta hacia enfrente en la tecla del signo de interrogación, y otros por el estilo.

:

Nombre del símbolo: *dos puntos.*

Usos: En DOS, se utilizan los dos puntos después de los nombres de la unidad, como es el caso de la unidad C:, para referirse a su unidad de disco duro y después de los nombres de dispositivos tales como PRN:, para referirse a la impresora. En el lenguaje C, los dos puntos se usan algunas veces, como en el caso de declarar plantillas de estructura para campos de bits.

;

Nombre del signo: *punto y coma.*

Usos: En los archivos INI de Windows, así como en el archivo CONFIG.SYS de DOS, una línea que empieza con un punto y coma es considerada como un comentario:

```
; Esta línea será ignorada: ¡la computadora tiene
   miedo de ella!
```

<>

Nombre del símbolo: *menor que, mayor que; desigual; paréntesis angulares.*

Usos: Tales paréntesis angulares, se utilizan en ocasiones una vez que la gente angular se cansa de los paréntesis normales.

En algunos idiomas europeos, tales caracteres se utilizan como comillas, a pesar de estar duplicados: «es la comilla inicial y» es la comilla final. «¡Françios! ¡Sujeta esta hermosa caja de lápices amarillos!».

=

Nombre del símbolo: *igual.*

Usos: Se utiliza para denotar igualdad o cuando algo es igual a algo más. Por ejemplo, CALORÍAS = BUEN SABOR.

==

Nombre del símbolo: *doble signo igual; "es igual a".*

Usos: En algunas instancias se utiliza para denotar que dos objetos son iguales. En el lenguaje de programación C, el doble signo igual se utiliza para comparar dos valores.

?

Nombre del símbolo: *signo de interrogación.*

Usos: En ocasiones el signo de interrogación se coloca al final del enunciado, cuando tal enunciado es una pregunta. Por ejemplo: ¿es así? (en español se utiliza tanto al principio como al final del enunciado).

Utilizado de manera ocasional como carácter "comodín", un separador de espacio para que otros caracteres sean igualados en una búsqueda.

@

Nombre del símbolo: *arroba, signo en, acerca de, strudel, rosa, col.*

Usos: Puede significar "en", aunque este pequeñín críptico es el carácter favorito para múltiples usos.

[]

Nombre del símbolo: *corchetes.*

Usos: Los paréntesis que en realidad nunca encierran. En su mayoría, usted encontrará que los corchetes se utilizan para describir las opciones de un comando. Por ejemplo:

```
spin [/fast] [/backward]
```

Los corchetes significan que los ítems dentro de ellos son opcionales (en este diccionario, se utilizan para guiar la pronunciación).

^

Nombre del símbolo: *circunflejo, cucurucho, sombrero, de control.*

Usos: Se utiliza como una abreviatura para "control", por ejemplo, al escribir una combinación de teclas, o el carácter producido por dicha combinación. Así que Ctrl-S produce el carácter ^S (control-S).

Utilizado como un operador matemático para "elevar a la potencia de" en algunos lenguajes. 2^4 significa dos a la cuarta potencia. Otros lenguajes de programación pudieran contar con usos interesantes para el circunflejo.

—

Nombre del símbolo: *subrayado; bajo seña.*

Usos: Por lo general no se usa para cualquier cosa, aunque ciertos programadores o archivos de computadora gustan del uso de este carácter en lugar de un espacio entre palabras. Por ejemplo, NOMBRE_ARCHIVO sería la forma en que ellos escriben NOMBRE ARCHIVO, cuando está prohibido colocar un espacio entre dos palabras.

'

Nombre del símbolo: *acento grave.*

Usos: La parte más difícil acerca del trato con este amigo consiste en la pronunciación. Es "grave" de tono, o ¿significa que el paciente está listo para entrar a terapia intensiva?, ¿o pudiera ser gravè, que es la manera en que un francés pediría salsa gravey?

Algunas personas utilizan el acento grave para simular las comillas. Por ejemplo, "Oui, oui. Es una salsa que hacemos a partir de grasa y harina". El apóstrofo doble se utilizaría para finalizar la cita.

{ }

Nombre del símbolo: *llaves.*

Usos: Es una forma alternativa de los paréntesis, que se encuentra con mayor frecuencia en los programas de lenguaje C. Las llaves se utilizan para "mantener" ítems en el programa, ítems que pertenecen a ciertas partes del programa o que realizan funciones específicas.

|

Nombre del símbolo: *barra vertical; tubo.*

Usos: El símbolo de tubo se utiliza como el operador lógico, matemático, en muchos lenguajes de programación. Por lo tanto, SEIS DE UNO | MEDIA DOCENA DEL OTRO.

En DOS y UNIX, el tubo se utiliza para controlar la salida de un comando. Tal carácter va a continuación del comando DOS y envía su salida —lo que de manera normal iría a la pantalla— a un programa especial llamado *filtro*. El filtro modifica la salida.

~

Nombre del símbolo: *tilde.*

Usos: En algunos idiomas, la tilde aparece sobre los caracteres para darles un significado especial. Por ejemplo, *año* en español, que es equivalente a "year" en inglés.

Algunos lenguajes de programación pudieran utilizar ~ a fin de significar "no". Véase ! (signo de admiración).

0 al 9

101-key keyboard (teclado de 101 teclas)

Pronunciación: *wan-o-wan-kii-boord.*

Significado: Es un teclado que consta de 4 partes distintas: un teclado de máquina de escribir, uno de cursor, uno numérico y una fila de teclas de función.

Enunciado: "Mi nueva computadora tenía un pequeñísimo teclado que no contaba con un teclado numérico o de cursor por separado. Es por eso que adquirí un *teclado de 101 teclas* para remplazarlo".

16-bit (16 bits)

Pronunciación: *six-tin-bit.*

Significado: Adjetivo que describe el hecho de que algo puede transferir o procesar 16 bits de información en un momento dado.

Enunciado: "Mi primera computadora fue una vieja Apple IIe de 8 bits. Mi siguiente computadora fue una IBM AT de *16 bits*. Ahora mi hijo juega con un video juego Nintendo de 16 bits. Caramba, me siento viejo".

2 bit (2 bits)

Pronunciación: *tu-bit.*

Significado: Algo barato, insignificante o que no vale la pena dedicarle atención, como muchas personas que conoce.

Enunciado: "Ignóralo. Es sólo un jugador de *2 bits*. No tenemos que preocuparnos por él".

286

Pronunciación: *tu-ei-di-siks (dos ochenta y seis).*

Significado: Abreviatura del microprocesador 80286, utilizado en las computadoras IBM de tipo AT.

Enunciado: "Ya nadie vende una *286*. Yo utilizo mi vieja 286 como tope para la puerta".

3-D

Pronunciación: *tri-di (tres de).*

Significado: Abreviatura de tridimensional.

Enunciado: "Las más recientes hojas de cálculo ofrecen la posibilidad de analizar datos en *3D*. Ya tengo suficientes problemas con el solo hecho de mover el cursor en la hoja de cálculo".

32-bit (32 bits)

Pronunciación: *tir-di-tu-bit.*

Significado: Adjetivo que describe algo que puede transferir o procesar 32 bits de datos en un momento dado.

Enunciado: "Mi vieja computadora tiene un procesador de *32 bits*, por lo que es más rápida que un procesador de 16 bits. Casi no puedo esperar a que pongan a la venta el procesador de 128 bits. Así mi computadora podrá confundirme más rápido que antes".

386

Pronunciación: *tri-ei-di-siks (tres ochenta y seis).*

Significado: Abreviatura del procesador 80386DX.

Enunciado: "Cuando fui el primero de la cuadra en tener una computadora 286, todos se pusieron verdes de envidia. Cuando fui el primero en tener una computadora *386*, se pusieron aún más celosos. Ahora que ya no tengo dinero para comprar comida o pagar la renta después de haber comprado tantas computadoras, nadie se interesa por mí".

486

Pronunciación: *for-ei-di-siks(cuatro ochenta y seis).*

Significado: Abreviatura del procesador 80486DX.

Enunciado: "Justo cuando pensaba que un procesador *486* sería suficiente, tenían que salir con el procesador Pentium que es más avanzado y hace que mi computadora se vuelva obsoleta, ¿cómo es posible que sienta que pierdo mi tiempo al tratar de mantenerme al paso?"

640K limit (la barrera de los 640K)

Pronunciación: *siks-for-disin-lim-it.*

Significado: Restricción en las computadoras compatibles con IBM que las limita a utilizar un máximo de 640 K de memoria principal.

Enunciado: "Atiborré mi computadora con 8 megabytes de memoria, pero mis programas aún no pueden tener acceso a ella debido al *límite de los 640 K.* ¿Quién fue el tonto que pensó que 640 K de RAM siempre sería suficiente?"

6502, 65C02, 65C16

Pronunciación: *siks-di-faiv-ou-tu, siks-di-faiv-si-ou-tu, siks-di-faiv-si-wan-siks (sesenta y cinco cero dos, sesenta y cinco ce cero dos, sesenta y cinco ce dieciseis).*

Significado: Es la familia de procesadores utilizados en Apple IIe, IIc y IIgs.

Enunciado: "Mi vieja Apple IIe sólo contaba con un pequeñísimo procesador *6502.* Ahora tengo una Macintosh con un procesador 68030. Es como cambiar de un triciclo a un auto de carreras".

68000

Pronunciación: *siks-di-eit-tau-sand (sesenta y ocho mil).*

Significado: Designación numérica para el procesador motorola utilizado en las computadoras originales Macintosh.

Enunciado: "Cuando compré una Macintosh allá en 1985, su procesador *68000* parecía como el objeto más poderoso sobre la tierra. Ahora se ve como una pistola de agua en comparación con mi Macintosh IIfx".

680x0

Pronunciación: *siks-di-eit-ou-eks-ou (sesenta y ocho cero equis cero).*

Significado: Abreviatura para indicar la familia de procesadores 68000 de Motorola, lo que incluye al 68000, 68020, 68030 y el 68040.

Enunciado: "Todas las computadoras Macintosh utilizan el procesador *680x0.* ¿A quién le importa siempre y cuando todo funcione bien?"

68881

Pronunciación: *siks-di-ei-eit-ei-di-wan (sesenta y ocho ocho ocho uno).*

Significado: Coprocesador matemático utilizado con el procesador 68000.

Enunciado: "Si de verdad desea capacidades aplasta-números, conecte un coprocesador matemático *68881* en su computadora. Esto hará que su computadora corra más rápido, a menos que sólo utilice video juegos o algo por el estilo".

8-bit (8 bits)

Pronunciación: *eit-bit.*

Significado: Adjetivo que describe algo que puede transferir o procesar 8 bits de datos en un momento dado.

Enunciado: "Mi vieja Apple IIe era sólo una computadora de *8 bits.* Y pensar que cuando la compré en 1979, yo pensaba que era la computadora más avanzada del mundo".

0286

Pronunciación: *ei-ditu-ei-di-siks (ochenta dos ochenta y seis).*

Significado: Designación numérica para el procesador utilizado en la familia de las computadoras IBM AT.

Enunciado: "Encontré una computadora con un *80286* en una venta de garaje. El tipo que la vendía sólo quería $100 por ella, así que la compré para mis hijos. Lástima que sus juegos de nintendo sean más poderosos".

80386, 80386DX

Pronunciación: *ei-ditri-ei-di-siks, ei-ditri-ei-di-siks-di-eks (ochenta tres ochenta y seis, ochenta tres ochenta y seis de equis).*

Significado: Designación numérica para el procesador usado en algunas computadoras compatibles con IBM. 80386 es la abreviatura para la designación oficial del procesador 80386DX.

Enunciado: "El requerimiento mínimo para poder correr Windows es un procesador *80386*. Una vez más, estará en mejores condiciones con un 80486 o un Pentium, a menos que quiera mirar el icono del reloj de arena para siempre".

80386SL

Pronunciación: *ei-ditri-ei-di-siks-es-el (ochenta tres ochenta y seis ese ele).*

Significado: Una versión diseñada de manera especial del procesador 80386 para el ahorro de energía, que se encuentra con frecuencia en las computadoras laptop.

Enunciado: "Le dije al vendedor que deseaba tener un 80386 en una laptop, pero él me dijo que todas las laptops utilizan un *80386SL*. Hoy en día, arrastro un carrito detrás de mí para llevar mi 80386 de escritorio a donde quiera que voy".

80386SX

Pronunciación: *ei-ditri-ei-di-siks-es-eks (ochenta tres ochenta y seis ese equis).*

Significado: Una versión de bajo costo y más lenta del procesador 80386DX. Igual que el 80386DX, este procesador puede manejar 32 bits de datos en un momento dado, pero sólo puede transferir 16 bits al mismo tiempo.

Enunciado: "En los viejos tiempos, podíamos ahorrar dinero al comprar un 80386SX en lugar de un verdadero 80386. Hoy en día, un *80386SX* es demasiado lento para correr cualquier cosa que no sea un Pacman".

80387

Pronunciación: *ei-ditri-ei-di-seven (ochenta tres ochenta y siete).*

Significado: Coprocesador matemático diseñado para funcionar con los procesadores 80386DX, 80386SX y 80386SL.

Enunciado: "Conecté un procesador matemático *80387* a mi computadora para hacer que corriera más rápido. Aun así, no es tan bueno como un procesador 80486, así que tiré el aparato entero y compré una nueva computadora".

80486, 80486DX

Pronunciación: *ei-di-for-ei-di-siks, ei-di-for-ei-di-siks-di-eks (ochenta cuatro ochenta y seis, ochenta cuatro ochenta y seis de equis).*

Significado: Designación numérica para los procesadores utilizados en muchas computadoras compatibles con IBM.

Enunciado: "Vendí mi vieja computadora 80386 para poder comprar una *80486*. Ahora ya no tengo dinero para la renta, así que tuve que vender mi auto para poder comprar un monitor de color superVGA".

80486SX

Pronunciación: *ei-di-for-ei-di-siks-es-eks (ochenta cuatro ochenta y seis ese equis).*

Significado: Una versión de bajo costo y más lenta del procesador 80486DX. La diferencia principal radica en que a este procesador le falta la capacidad del coprocesador matemático del 80486DX.

Enunciado: "Si es demasiado tacaño como para gastar $100 extra y no realiza mucho el aplastado de números, con seguridad se las arreglará con un *80486SX*".

80487

Pronunciación: *ei-di-for-ei-di-seven (ochenta cuatro ochenta y siete).*

Significado: Coprocesador diseñado para funcionar con el 80486SX. Juntos le darán el poder y la velocidad casi equivalentes a los del 80486DX que se requieren.

Enunciado: "Si de verdad le gusta desperdiciar su dinero, compre un 80486SX y después un coprocesador matemático *80487*. Esto no sólo costará más que comprar un 80486DX desde un principio, sino que también correrá más lento".

80586

Pronunciación: *ei-di-faiv-ei-di-siks (ochenta cinco ochenta y seis)*.

Significado: Designación extra oficial para el procesador Pentium. La razón principal por la que Intel decidió no poner nombre a su más reciente procesador, el 80586, es debido a que de ninguna manera pudieron registrar el nombre y amenazar con demandar a cualquiera que lo utilizara sin su consentimiento.

Enunciado: "Pedí una computadora *80586*, y el vendedor de chatarra pensó que quería una 80486 en lugar de un procesador Pentium. Qué barbaridad, apuesto que la semana pasada, este vendedor ofrecía productos de casa en casa".

8086

Pronunciación: *ei-di-ei-di-siks (ochenta ochenta y seis)*.

Significado: Procesador de 16 bits que se utiliza en las versiones anteriores de las computadoras compatibles con IBM PC.

Enunciado: "No obstante que la primera computadora IBM PC utilizaba el procesador 8088, las computadoras compatibles más recientes utilizan un procesador *8086*, debido a que éste es un poco más rápido. (El "6" significa "16 bits" y el "8" significa "8 bits", así que 8088 es en realidad más lento que 8086). Una vez más, es todavía más lento que un 80486".

8087

Pronunciación: *ei-di-ei-di-séven (ochenta ochenta y siete)*.

Significado: Coprocesador matemático diseñado para funcionar con los procesadores 8088 y 8086.

Enunciado: "Muchos usuarios de las IBM PC compraron un coprocesador *8087* para que sus hojas de cálculo Lotus 1-2-3 pudieran correr más rápido. Ahora estas mismas computadoras sólo están arrumbadas en un garaje o en un clóset al tiempo que se cubren de polvo".

8088

Pronunciación: *ei-di-ei-di-eit (ochenta ochenta y ocho)*.

Significado: Primer procesador utilizado en la IBM PC. A pesar de que es un procesador de 16 bits, sólo puede transmitir 8 bits de datos en un momento dado.

Enunciado: "IBM escogió el *8088* sobre el 8086, debido a que deseaban tener compatibilidad con los periféricos de 8 bits. Entonces, cuando el mercado cambió hacia el poder de 16 bits, las computadoras compatibles con IBM empezaron a utilizar el 8086".

80x86

Pronunciación: *eit-ou-eks-ei-di-siks (ochenta equis ochenta y seis)*.

Significado: Designación que cubre toda la familia Intel de microprocesadores, lo que incluye a los 8088, 8086, 80286, 80386 y 80486.

Enunciado: "Muchos programas sólo funcionan con procesadores *80x86*, lo que por lo general significa que son compatibles con IBM. A los científicos les gusta utilizar la <designación 80x86> en lugar de <compatibilidad con IBM> debido a que luce más científico e importante".

aardvark (oso hormiguero)

Pronunciación: *árd-vark.*

Significado: Una de las primeras palabras listadas en
los buenos diccionarios viene de la frase de los viejos

africanos que significa "cerdo de tierra", lo que se refiere
a un mamífero nocturno que cava su madriguera en el suelo
africano y come termitas al tiempo que arrastra sus grandes
orejas colgantes y su pesada cola.

Enunciado: "No tengo ni idea de lo que esto tenga que ver
con las computadoras, pero pensé que tal vez me metería en
problemas si dejaba el término fuera del diccionario".

ABC

Pronunciación: *ei-bi-si (a be ce).*

Significado: Abreviatura de Atanasoff-Berry Computer; un
dispositivo que fue precursor del ENIAC y por tanto es
considerado en ocasiones como la primera computadora
digital electrónica. La ABC fue creada por el profesor John
Atanasoff y el estudiante Clifford Berry de la Universidad
Estatal de Iowa a principios de los años cuarenta.

Enunciado: "La *ABC* tenía suficientes bulbos como para
llenar un cuarto reservado para viejos televisores. Me gustaría ver el tipo de aire acondicionado que aquellos amigos
debieron tener para poder enfriar eso".

abort (anular)

Pronunciación: *a-bórt.*

Significado: Detener algo antes de que sea demasiado tarde, como el caso de un programa fuera de control; los métodos populares incluyen el golpear de manera frenética la tecla Esc, Ctrl-C o la tecla Break. Rente la película *Juegos de guerra* y sabrá a lo que me refiero.

Enunciado: "Me colé al cuarto de computadoras del Pentágono y lancé un misil nuclear rumbo a Cleveland, pero tuve que *anular* cuando mi mamá se dio cuenta".

Abort, Retry, Fail, Ignore? (¿anular, repetir, fallar, ignorar?)

Pronunciación: *a-bórt, ri-trái, feil, ig-nór.*

Significado: Mensaje críptico que despliega DOS cuando no sabe qué sucederá a continuación. El hecho de escribir **A** detiene cualquier programa que corra en ese momento. Al teclear **R** se fuerza a la computadora para que vuelva a intentar. Al pulsar la tecla **F** se detiene el comando actual que ha causado el problema, pero mantiene la corrida del programa. El escribir **I** le indica a la computadora que haga de cuenta que el problema nunca existió y siga su proceso de cualquier modo. Este comando Ignore en ocasiones puede provocar que la computadora pierda o revuelva los datos (véase también *MS-DOS*).

Enunciado: "Traté de desplegar el directorio de mi unidad de disco, pero olvidé insertar un disquete. Entonces, la computadora preguntó, `Anular, Repetir, Fallar, Ignorar?` Ya que odio tomar decisiones, en lugar de eso, apagué la computadora".

About box (cuadro Acerca de)

Pronunciación: *a-báut-box.*

Significado: Pequeñísima ventana que aparece a la mitad de la pantalla y despliega el nombre del programa, el número de la versión y cualquier otra cosa que los programadores consideran que el público en general desearía saber (por ejemplo, vea la opción "About Program Manager" en el menú de Ayuda de Windows).

Enunciado: "Siempre que me aburro de trabajar y no se me ocurre nada qué hacer, despliego el *cuadro Acerca de* en mi pantalla a fin de que parezca que sí sé lo que hago".

ABS

Pronunciación: *ei-bi-es.*

Significado: Abreviatura de valor ABSoluto. ABS es un comando utilizado en muchos lenguajes de programación y programas de hoja de cálculo para poder calcular el valor absoluto de un número.

Enunciado: "De acuerdo con mi hoja de cálculo, mi balance de impuestos resulta en -$12,500, lo que significa que debo impuestos al gobierno. Pero cuando calculo el valor *ABS* de mi deuda, luce como si el gobierno me debiera $12,500".

absolute reference (referencia absoluta)

Pronunciación: *áb-so-lut-réfe-rence.*

Significado: Término utilizado en las hojas de cálculo que indica la fórmula para usar una celda o un grupo específico de celdas. Aunque si cambia la fórmula de una celda a otra, en una fecha posterior, la fórmula aún empleará la celda específica definida con anterioridad.

Enunciado: "La mayor parte del tiempo, las hojas de cálculo utilizan referencias relativas para calcular fórmulas. *Referencia absoluta* es algo que tendrá que declarar de manera específica si desea asegurarse de que sus fórmulas no se arruinen".

AC

Pronunciación: *ei-si (a ce)*.

Significado: Abreviatura de corriente alterna.

Enunciado: "Todos los hogares americanos utilizan corriente *AC* en lugar de DC. Esto es un buen punto de información en caso de que alguna vez le hagan esta pregunta en el juego de televisión *Jeopardy*".

accelerator board (tarjeta aceleradora)

Pronunciación: *ad-se-le-réi-torbord*.

Significado: Tarjeta especial de circuito que se conecta en la computadora y hace que corra más rápido. Las tarjetas aceleradoras por lo general contienen un procesador de mayor velocidad que remplaza o complementa el procesador existente de la computadora (véase también *processor*).

Enunciado: "En lugar de comprar una nueva computadora, he conectado una *tarjeta aceleradora* a mi vieja computadora. Ahora ésta corre más rápido, pero todavía luce como chatarra".

access time (tiempo de acceso)

Pronunciación: *ác-sestaim*.

Significado: La cantidad de tiempo necesaria para que un dispositivo de almacenamiento recabe información.

Enunciado: "Mi disco duro tiene un *tiempo de acceso* de 28 milisegundos. No sólo pienso que eso es velocidad, sino que también considero que cualquier persona que se tome el tiempo de medir estas cosas, necesita tener metas más altas en su vida".

ACK

Pronunciación: *ack (ak).*

Significado: Significa reconocimiento, y se utiliza con frecuencia cuando una computadora marca a otra a través de un módem. Antes de que dos computadoras puedan transferir información, necesitan primero saber que la otra existe y que se encuentra preparada (véase también *modem*).

Enunciado: "Por el tiempo más largo del que he tenido conocimiento, mi computadora rehusaba obtener una señal *ACK* de la otra computadora. Fue entonces cuando me dí cuenta que tenía que conectar el módem en el enchufe del teléfono".

acoustic coupler (acoplador acústico)

Pronunciación: *a-kústik-ko-pler.*

Significado: Un módem antiguo que funciona al colocar el auricular del teléfono en dos receptáculos de goma que parecen un sostén futurista de alta tecnología.

Enunciado: "Ustedes los muchachos de hoy, la tienen fácil. Yo, no sólo tenía que caminar 5 millas todos los días para llegar a la escuela, sino que también tenía que utilizar un *acoplador acústico* si deseaba conectar mi computadora con la línea telefónica".

acronym (acrónimo)

Pronunciación: *á-kro-nim.*

Significado: Palabra creada al tomar las letras de dos o más palabras con la finalidad de dar origen a una nueva. Los ejemplos son BASIC, FORTRAN y DOS.

Enunciado: "Este manual de computación está tan lleno de *acrónimos,* que no entiendo ni una sola palabra. Para mi buena fortuna no tengo que entender nada, puesto que soy el jefe".

active window (ventana activa)

Pronunciación: *ák-tivwín-dow.*

Significado: Ventana de una pantalla que está en uso por el momento. Si dos o más de las ventanas aparecen en pantalla, la ventana activa entonces, por lo general será más brillante en sus bordes (véase también *window*).

Enunciado: "Cuando mi procesador de palabras, mi hoja de cálculo y mi base de datos corren en ventanas diferentes, tengo que asegurarme de que mi procesador de palabras sea *la ventana activa* antes de empezar a escribir cartas amenazadoras a mi gato".

Ada

Pronunciación: *ei-da.*

Significado: Lenguaje estructurado de programación que se supone debe ser el idioma estándar para todo el trabajo que se relacione con el departamento de defensa de Estados Unidos. Como es natural casi nadie lo utiliza, no obstante que hemos pagado su desarrollo con nuestros impuestos. Ada recibió ese nombre en honor a Ada, la condesa de Lovelace, quien por lo general recibe el crédito de haber escrito el primer programa de computadora para la máquina que diseñó Charles Babbage.

Enunciado: "Allá en los años setentas, el departamento de la defensa decidió crear su propio lenguaje denominado *Ada* que deseaban que todos utilizaran. Ahora casi todo el mundo utiliza C, lo que significa que Ada es más bien un desperdicio de dinero y tiempo de todo el mundo".

Adam West

Pronunciación: *á-damwest.*

Significado: La estrella de la serie de televisión *Batman* que se transmitía en los años sesentas.

Enunciado: "Me aburrí de las computadoras, por lo que fui a un espectáculo RV, donde pude ver a *Adam West* y al batimóvil en desplegado".

adapter *(adaptador)*

Pronunciación: *a-dáp-ter.*

Significado: Equipo que se conecta en una computadora y en otro dispositivo tales como el monitor o la impresora. Permite que cables diferentes, conexiones, o sistemas funcionen juntos (véase también *EGA* y *network adapter*).

Enunciado: "No pude conectar mi módem en mi impresora porque los enchufes eran de diferente tamaño. Después de comprar un *adaptador,* todo se conecta bastante bien".

add-on program *(programa de añadidura)*

Pronunciación: *ad-on pro-gram.*

Significado: Programa que funciona con y mejora la funcionalidad de otro programa.

Enunciado: "El problema con Lotus 1-2-3 es que no se puede utilizar para un simple procesamiento de palabras. Es por eso que compré un programa especial *de añadidura* que me proporciona el procesamiento de palabras cuando utilizo Lotus 1-2-3. Es una lástima que todavía no sepa cómo utilizar Lotus 1-2-3".

address *(dirección)*

Pronunciación: *á-dress.*

Significado: Locación de un ítem en la memoria o en una hoja de cálculo. Los ítems que se almacenan en la memoria tienen una dirección de memoria. Los ítems que se almacenan en una hoja de cálculo tienen una dirección de renglón y columna.

Enunciado: "La *dirección* de la primera celda en una hoja de cálculo es A1. Ese es también el nombre de mi salsa favorita para bistec, que compro en un supermercado con dirección: Calle principal # 123".

AI (IA)

Pronunciación: *ey-ay (i a)*.

Significado: Abreviatura de Inteligencia Artificial, que es la fascinante ciencia de crear computadoras tan inteligentes como los seres humanos (lo cual puede ser un paso de retroceso en algunos casos).

Enunciado: "La milicia utiliza computadoras que tienen *IA;* es por eso que sus proyectos por lo general cuestan más de lo que deberían y no funcionan de la manera que se supone deben funcionar. Sus computadoras en realidad piensan como personas".

ALGOL

Pronunciación: *al-gol.*

Significado: El lenguaje de programación pionero que es el acrónimo de Lenguaje ALGOrítmico. ALGOL fue uno de los primeros lenguajes de programación que alentaban la programación estructurada. Pascal es un descendiente directo de ALGOL.

Enunciado: "Una vez intenté programar en *ALGOL*, pero ya nadie utiliza ese lenguaje. Es por eso que cambié a Ada. Nadie utiliza ese lenguaje tampoco, pero al menos el gobierno me paga buen dinero por no hacer nada con él".

algorithm (algoritmo)

Pronunciación: *ál-go-ritm.*

Significado: Juego de instrucciones paso por paso que de verdad hace que algo valga la pena. Con frecuencia se utiliza para escribir las instrucciones escritas en un lenguaje de programación como C, BASIC o Pascal (véase también *BillClintonrithm*).

Enunciado: "Mi programa funciona de manera perfecta, debido a que mis *algoritmos* son impecables. Siempre y cuando nadie utilice mi programa, seguirá su funcionamiento a la perfección".

alias

Pronunciación: *ei-li-as*

Significado: Al utilizarse con el Sistema 7.x en Macintosh, el alias le permitirá crear una o más copias de un icono del programa para ser desplegadas en otras ventanas. Un archivo alias funciona al correr el archivo original a partir del que éste fue creado. Al elaborar uno o más archivos alias, podrá tener acceso a sus programas sin importar cuál de las ventanas se encuentra desplegada. Considere a los archivos alias como los imitadores de Elvis Presley que aparecen por dondequiera que usted mire.

Enunciado: "He creado dos archivos *alias* a partir de mi procesador de palabras y he almacenado uno en mi carpeta de Negocios para la casa. Y el otro en mi carpeta de trabajo. De esa manera, puedo correr mi procesador de palabras con rapidez al hacer clic en el archivo alias, en vez de tratar de localizar el lugar donde he almacenado mi archivo de procesador de palabras".

aliasing (alisamiento)

Pronunciación: *éi-li-as-ing.*

Significado: La fea apariencia de escalones o línea dentada de las diagonales en las imágenes gráficas. En ocasiones conocidas como "los dentados".

Enunciado: "El tratar de dibujar líneas diagonales en una computadora es casi tan fácil como dibujar círculos en el juego Dibuja un bosquejo. Esto debido a que siempre que trace una línea diagonal, estará por *alisar,* lo que hace que su línea recta parezca más bien como una escalera mal dibujada".

alignment (alineación)

Pronunciacion: *a-láin-ment.*

Significado: Cuando se utiliza para describir discos duros, la alineación se refiere a la habilidad por parte de la cabeza de la unidad de disco duro para leer y escribir información sin errores. Cuando se utiliza para describir texto, la alineación se refiere a la relación del texto con los márgenes izquierdo y derecho, como "centrado", "alineado a la izquierda", etcétera.

Enunciado: "Al tratar de ajustar la *alineación* del texto en mi procesador de palabras, le pegué a mi computadora y saqué de golpe al disco duro de su *alineación*".

allocate (asignación)

Pronunciación: *á-lo-keit.*

Significado: El proceso de dividir los recursos de una computadora entre dos o más ítems.

Enunciado: "Cuando mi programa corre, la computadora le *asigna* una cierta cantidad de memoria para que funcione. Cuando mi programa no funciona, asigno una cierta cantidad de furia emocional y frustración a la computadora".

alpha test (prueba alfa)

Pronunciación: *ál-fa-test.*

Significado: Prueba inicial de un nuevo programa, por lo general conducida por los programadores y sus amigos de confianza. Las pruebas alfa casi nunca funcionan de la manera correcta.

Enunciado: "Antes de que Microsoft pusiera en el mercado el MS-DOS 6.0, lo corrieron a través de una *prueba alfa* sus propios empleados. Una vez que localizaron los primeros errores, pusieron el programa en prueba beta para que todos los demás pudieran localizar esos mismos errores".

alphanumeric characters (caracteres alfanuméricos)

Pronunciación: *al-fa-nu-mé-ric ká-rac-ters.*

Significado: Caracteres que consisten en letras y números.

Enunciado: "Siempre que escriba un comando, la computadora por lo general espera un comando *alfanumérico.* Si escribe algo que no tenga sentido como '| __ | +_,' su computadora no podrá entenderlo".

Alt

Pronunciación: *alt* (¡no puede ser más simple que eso!).

Significado: La tecla en las computadoras IBM que se utiliza junto con otras teclas para proporcionar comandos a la computadora. Comandos de este tipo son Alt-X para abandonar y Alt-P para imprimir un archivo.

Enunciado: "En algunos programas, deberá presionar *Alt-X* para abandonar el programa. En otros, presionará Alt-X para cortar los datos de un documento. Debido a que las computadoras nunca parecen funcionar de la manera esperada, ahora podrá entender por qué muchos programadores de computadoras se vuelven locos".

Altair

Pronunciación: *ál-tar.*

Significado: Nombre de una de las primeras computadoras personales disponibles.

Enunciado: "Antes de que Apple, IBM, o incluso Radio Shack vendiera computadoras, lo único que se podía comprar era una *Altair*".

alternating current (corriente alterna)

Pronunciación: *ál-ter-nei-tingkúr-rent.*

Significado: Tipo de electricidad que se utiliza en América. Con frecuencia se emplea la abreviatura AC.

Enunciado: "Hoy en día, todos utilizan *corriente alterna*. En aquellos días cuando la electricidad era algo novedoso, Thomas Edison intentó que todos utilizaran corriente directa en lugar de corriente alterna debido a situaciones financieras en juego".

Amiga

Pronunciación: *a-mí-ga.*

Significado: Nombre de la computadora personal más avanzada en tecnología y barata del mercado en la actualidad, que casi nadie toma en cuenta.

Enunciado: "Deseaba comprar una *Amiga* por su bajo precio y geniales gráficas de color, pero todo el mundo parece utilizar una IBM o una Macintosh. Es por eso que para permanecer compatible con el resto del mundo, gasté tres veces más en una Macintosh y sólo obtuve la mitad de las capacidades gráficas de una Amiga".

amp

Pronunciación: *am-pa.*

Significado: Abreviatura de AMPere, que es una unidad para medir la corriente eléctrica.

Enunciado: "Su computadora utiliza demasiados *amps*. No hay duda de que los focos bajan su intensidad cada vez que usted la enciende".

analog (analógico)

Pronunciación: *á- na-log.*

Significado: Forma de almacenamiento de información como valores múltiples. Analógico es lo opuesto de almacenamiento de información como valores discretos (digital). Las ondas de sonido, por ejemplo, pueden ser analógicas debido a que tienen una señal que puede variar de manera continua. Cuando el sonido es digitalizado, es separado en muestras como valores discretos que pueden ser almacenados en forma de unos y ceros dentro de una computadora u otro dispositivo. Es por eso que su reproductor de discos compactos suena tan bien (véase también *digital*).

Enunciado: "Las computadoras son digitales, lo que significa que entienden Encendido y Apagado, Sí y No. Las personas son analógicas porque entienden Sí, No, No lo sé, ¿a quién le importa?, ¿por qué me pregunta esto?, y tal vez".

animation (animación)

Pronunciación: *a-ni-méi-shon.*

Significado: Para utilizar su computadora de $3,000 en la creación de caricaturas como las de la televisión. Para dar la apariencia de movimiento en los objetos dibujados (véase también *Mickey Mouse*).

Enunciado: "Compré un programa de gráficas que me permite crear *animación*. De esa manera mis informes de negocios lucen más como caricatura. Ahora todo lo que necesito es una banda sonora de risas para acompañarlos".

ANSI

Pronunciación: *an-si.*

Significado: Abreviatura del American National Standards Institute (Instituto nacional estadunidense de estándares), una organización que define los estándares para diferentes industrias, que de todos modos la gente ignora.  En la industria de las computadoras, los estándares ANSI se refieren a la manera en que los lenguajes de programación deben funcionar; la forma en que las pantallas de computadora despliegan caracteres y al modo en que las computadoras de las redes se comunican. Este estándar es denominado con frecuencia gráficas ANSI (asimismo, el término técnico utilizado para indicar el hecho de cómo se ponen los niños cuando han estado en el auto por mucho tiempo).

Enunciado: "Si compra un compilador FORTRAN, asegúrese de que sigue el estándar *ANSI* para el FORTRAN. De esa manera, podrá correr su programa en diferentes computadoras sin tener que modificarlo".

ANSI C

Pronunciación: *an-si-si.*

Significado: Definición estándar para el lenguaje de programación C, tal como es definido por el American National Standards Institute. Casi todos los compiladores C tratan de seguir el estándar ANSI C tan apegado como sea posible y después añaden mejoras que muy bien destruyen el propósito entero del estándar establecido.

Enunciado: "Muchos compiladores C claman tener un 100% de compatibilidad con el estándar *ANSI C*. Pero también muchas personas dicen que Elvis todavía está vivo".

ANSI character set (juego de caracteres ANSI)

Pronunciación: *an-siká-rac-ter-set.*

Significado: Lista de caracteres predefinidos que utilizan las computadoras. El juego de caracteres ANSI incluye letras y números ordinarios además de pequeños símbolos extraños como los símbolos de idiomas extranjeros, caras sonrientes, líneas y cuadros.

Enunciado: "Toda computadora en la actualidad utiliza el *juego de caracteres ANSI*. Así que dígale al vendedor que no sabe lo que dice".

ANSI graphics (gráficas ANSI)

Pronunciación: *an-sigrá-fiks.*

Significado: Caracteres especiales que crean gráficas simples tales como las líneas, cuadros y colores. Con frecuencia se utilizan en los BBSs para desplegar información en la pantalla.

Enunciado: "La primera vez que marqué a un BBS, me preguntó si deseaba utilizar *gráficas ANSI*. Si hubiera dicho no, la pantalla BBS hubiera lucido muy simple. Puesto que dije sí, la pantalla BBS luce agradable y llena de color. Aún me siento confundido, pero al menos esos bellos colores me tienen divertido".

ANSI screen control codes (ANSY.SYS) (códigos de control de pantalla ANSI)

Pronunciación: *an-sicon-tról-kouds.*

Significado: Un estándar más que especifica una serie de caracteres que limpian las pantallas de las computadoras.

Las computadoras IBM sólo utilizan los *códigos de control de pantalla ANSI* si el archivo CONFIG.SYS contiene la línea:

```
DEVICE = ANSI.SYS
```

Los códigos de control de pantalla ANSI empiezan con Esc y son con frecuencia denominados códigos de escape.

Enunciado: "Si una computadora no tiene la línea DEVICE= *ANSI.SYS* en su archivo CONFIG.SYS, verá todo tipo de símbolos extraños como los corchetes ([), números, letras y caracteres (@) en lugar de cuadros y líneas".

answer mode (modo de respuesta)

Pronunciación: *án-sermoud.*

Significado: El estado de un módem cuando está listo para recibir llamadas de otras computadoras.

Enunciado: "Tuve que instalar mi módem en *el modo de respuesta* antes de poder aceptar llamadas de otras computadoras. Después tuve que desactivar el modo de respuesta en mi hija adolescente, para hacer que los muchachos dejaran de llamarla".

API

Pronunciación: *ey-pi-ai.*

Significado: Acrónimo de Application Program Interface (Interfaz de programas de aplicación), que es una forma más en la que se supone que las computadoras se vuelven más fáciles de lo que en realidad son. API define una manera estándar en la que los programas funcionan con menús descendentes, cuadros de diálogo y ventanas. Microsoft Windows, OS/2 y Macintosh son ejemplos del API en acción.

Enunciado: "Los programas Macintosh tienden a lucir iguales debido a que siguen el mismo *API*. Los programas DOS tienden a lucir como una mezcla de todo, debido a que una pequeña parte de ellos sigue el mismo API".

APPEND

Pronunciación: *a-pénd.*

Significado: Comando MS-DOS que le indica a su computadora en cuál diccionario buscar los archivos de datos. Este es similar al comando PATH que le indica a MS-DOS en cuál directorio buscar los archivos del programa.

Enunciado: "Siempre que corro mi programa de base de datos, obtengo un mensaje de error `Archivo no encontrado`. Es entonces cuando uso el comando *APPEND* para indicarle a DOS que busque en mi directorio C:\DATA y después de eso todo funciona bien. Pensé que las computadoras serían más inteligentes".

Apple Computer Inc.

Pronunciación: *á-polcom-piú-ter ink.*

Significado: Los creadores de la serie Apple II, la serie Macintosh y varios otros nuevos y muy exitosos productos. Radicados en Cupertino, California, Steve Jobs y Steve Wozniak, que habían sido amigos de la adolescencia, fundaron la compañía en una cochera de la familia en Silicon Valley. La Apple  Macintosh introdujo la ahora famosa interfaz para el usuario que mejoraba el empleo de los iconos, un ratón, menús descendentes, cuadros de diálogo, etc. Muchas de estas ideas nacieron de la investigación realizada en el Centro de Investigaciones de Xerox en Palo Alto, California. A pesar de que las máquinas Apple han sido la principal contraparte de la tecnología compatible con IBM por varios años, las líneas de distinción se han desvanecido ahora que Windows de Microsoft tiene una interfaz similar en la plataforma de DOS. Sin embargo, los usuarios de DOS y los usuarios de Mac aún tienden a verse entre sí como si vinieran de diferentes planetas.

Enunciado: "Si tuviera tanto dinero como la *Apple Computer Inc;* no necesitaría una computadora. Podría ser como nuestro presidente de la compañía en el trabajo: es la única persona que conozco que no tiene una computadora sobre su escritorio. Eso se debe a que su secretaria hace todo su trabajo".

Apple Desktop Bus (ADB) (Bus de escritorio de Apple)

Pronunciación: *á-poldésk-topbus.*

Significado: En ocasiones abreviado como ADB, esto define un estándar de interfaz para conectar teclados, ratones, *trackballs* y así como otros dispositivos de entrada a las computadoras Apple Macintosh.

Enunciado: "Ya que toda computadora Macintosh tiene un *ADB,* podrá estar seguro de que cualquier impresora que la Apple venda funcionará con su computadora. Es una lástima que

"No señora, el bus de escritorio de Apple no hace parada aquí".

cualquier impresora de la marca Apple cueste el doble de lo que puedo pagar".

Apple II

Pronunciación: *á-pol tu.*

Significado: Una de las primeras computadoras personales que en realidad hizo algo útil. Luego de la introducción de la Apple II, la Apple lanzó modelos mejorados bajo el nombre Apple IIe, Apple IIc y por último, Apple IIgs. En última instancia, la Apple decidió retirar a la familia entera y así enfocarse a la venta de las Macintosh.

Enunciado: "Mi primera computadora fue una *Apple IIe* con 48 K de RAM y una unidad de disco. Pagué $2,500 por ella y ahora sólo vale alrededor de $10".

Apple III

Pronunciación: *á-pol tri.*

Significado: Computadora que se suponía debería remplazar a la Apple II, pero terminó por ser ignorada por el público en general. Después de convertirse en una vergüenza pública para la Apple, la Apple III desapareció en silencio y ahora puede ser encontrada entre los escombros a lo largo del país.

Enunciado: "Después de haber gastado $2,500 por una Apple II, invertí $3,000 en una *Apple III* pues consideré que hacía una buena inversión. Cielos, en realidad me siento estúpido".

Apple menu (menú Apple)

Pronunciación: *á-pol mé-niu.*

Significado: La pequeña manzanita (con una mordida) que aparece en la esquina superior izquierda de la barra de menús en las computadoras Macintosh. El hacer clic sobre este menú hace descender los accesorios de escritorio y los programas simples que se pueden utilizar mientras corre otro programa.

Enunciado: "Para indicarle a su Macintosh qué impresora deberá utilizar, tendrá que elegir el Selector a partir del *Menú Apple.* Si no tiene idea de lo que acabo de decir, lo más seguro es que su computadora sólo almacene polvo por ahora".

AppleShare

Pronunciación: *á-pol sher.*

Significado: El sistema operativo de red desarrollado por la Apple para funcionar con las computadoras Macintosh.

Enunciado: "Después de conectar todas nuestras Macintosh en una red, tuvimos que utilizar *AppleShare* para hacer que funcionaran juntas. Ay, si fuera así de fácil el hacer que nuestro personal trabajara al unísono, todos estaríamos instalados".

AppleTalk

Pronunciación: *á-pol tok.*

Significado: Red estándar de área local desarrollada por la Apple para enlazar a las computadoras Macintosh y las IBM PC. Toda máquina Macintosh tiene un puerto Apple-Talk integrado (no se puede decir lo mismo de las computadoras IBM). AppleTalk es una forma barata de crear una red que sin embargo tiende a ser algo más lenta que otros tipos de redes (véase *network*).

"¡Me dijeron que tiene gusanos!"

Enunciado: "Necesitábamos enlazar nuestras Macintosh a una sola impresora láser y a una IBM. No contábamos con mucho dinero o experiencia técnica, por lo que utilizamos *AppleTalk*".

application (aplicación)

Pronunciación: *a-pli-kéi-shon.*

Significado: Otro nombre para programas como los procesadores de palabras, las hojas de cálculo o las bases de datos.

Enunciado: "Trate de correr la *aplicación* en *mi* computadora. Después podremos decir si en realidad el programa está estropeado o su computadora lo está".

ARC

Pronunciación: *ark.*

Significado: Nombre de un programa popular de compresión de datos que toma múltiples archivos y los comprime en uno solo, más pequeño. Utilizado de manera extensa hace tiempo en las computadoras IBM, el estándar del archivo ARC ha sido remplazado por el estándar ZIP.

Enunciado: "En ocasiones podrá marcar a un BBS, pudiera entonces observar archivos con la extensión *.ARC*; eso significa que para utilizar esos archivos, tendrá que correr el programa ARC que los devuelve a su forma original".

architecture (arquitectura)

Pronunciación: *ar-ki-téct-shur.*

Significado: La forma particular (y arbitraria) en la que el equipo de la computadora es diseñado. También puede referirse al diseño de un sistema de comunicaciones como en el caso de "arquitectura de la red" (véase también *open architecture*).

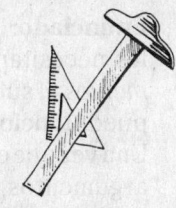

Enunciado: "La *arquitectura* de la IBM es muy fácil de entender, lo que explica el por qué muchas personas pueden construir su propia computadora compatible con IBM. En comparación, la arquitectura de la Macintosh es más complicada. Es por eso que casi nadie ha construido su propia computadora Macintosh".

archive (archivero)

Pronunciación: *ar-káiv.*

Significado: Almacenamiento de archivos importantes en un lugar donde nunca los pueda volver a encontrar.

Enunciado: "Hice una copia en el *archivero* de mi devolución de impuestos para poder tenerla en caso de necesitarla y aún la tengo, sólo que no sé en dónde está".

argument (argumento)

Pronunciación: *ár-guiu-ment.*

Significado: Valor dado a un subprograma. Término utilizado con mayor frecuencia cuando usted escribe sus propios programas.

Enunciado: "Los programas principales necesitan proporcionar dos *argumentos* al subprograma para que éste pueda funcionar de manera adecuada. Una vez que el subprograma recibe los argumentos, podrá hacer trama de la siguiente aparición posible de Elvis, Pie grande y el Monstruo del lago Ness".

ARPANET

Pronunciación: *ár-pa-net.*

Significado: Red nacional de computadoras creada por el Departamento de la Defensa de Estados Unidos para enlazar las instituciones de investigación junto con las universidades. ARPANET se ha fusionado con varias otras redes para crear INTERNET.

Enunciado: "Utilicé *ARPANET* para llamar a una computadora de Boston. Ahora tengo que utilizar INTERNET. Mañana tendré que recordar un nuevo acrónimo para poder hacer lo mismo".

array (arreglo)

Pronunciación: *a-réy.*

Significado: Colección de datos similares (como números, letras o cadenas) almacenados bajo el mismo nombre. Los datos son asignados con un número diferente en el arreglo. Un arreglo para almacenar 5 números podría lucir como ArregloNúmero[1..5] of Integer, lo que depende del lenguaje que utilice.

Enunciado: "Si alguna vez ha escrito programas para su computadora, con seguridad usa *arreglos* para agrupar información relacionada. Una vez más, podría contratar a un programador para que realice este trabajo por usted y así pueda irse a la playa o algo por el estilo".

arrow key (tecla de flecha)

Pronunciación: *á-rou ki.*

Significado: Teclas especiales en el teclado que mueven el cursor hacia arriba, abajo, a la izquierda o a la derecha. Sin ser sorprendente, las teclas de flecha tienen unas pequeñas flechas impresas.

Enunciado: "Para mover el cursor una línea hacia arriba, sólo presione la *tecla de flecha hacia arriba*. Para mover el cursor una línea hacia abajo, utilice la tecla de flecha hacia abajo. Para confundir de manera absoluta a la computadora, presione todas las teclas de flecha en forma simultánea".

artificial intelligence (inteligencia artificial)

Pronunciación: *ar-ti-fí-shal in-té-li-yens.*

Significado: En ocasiones abreviado como IA (véase también *AI*).

Enunciado: "¡Mi botón favorito es el que dice *'la inteligencia artificial es mejor que nada!'*"

ascender (signo diacrítico superior)

Pronunciación: *as-sén-der.*

Significado: Parte de la letra que se extiende hacia arriba. Las letras *t* y *h* tienen signos diacríticos. Las letras *l, u* y *n* no los tienen.

Enunciado: "Las letras con *signos diacríticos* pueden encimarse en la línea de la parte superior, a menos que haga el espacio entre líneas lo bastante amplio".

ascending order (orden ascendente)

Pronunciación: *as-sén-ding ór-der.*

Significado: El ordenamiento de información a partir del elemento menor al mayor.

Enunciado: "Mi base de datos de inventario me permite arreglar los datos en un *orden ascendente*. De esa manera puedo observar qué ítem se vende menos y qué ítem se vende más rápido".

ASCII

Pronunciación: *ass-kii.*

Significado: Acrónimo que significa American Standard Code for Information Interchange (Código estándar americano para el intercambio de información). ASCII define un estándar para la representación de los caracteres en las computadoras.

Enunciado: "Siempre que utilice caracteres *ASCII* en su informe, podremos copiarlo y utilizarlo en diferentes computadoras. Si no utiliza caracteres ASCII, entonces no tendrá ni la menor idea de lo que ha escrito".

ASCII file (archivo ASCII)

Pronunciación: *ass-kii fail.*

Significado: Archivo que contiene sólo caracteres ASCII. En ocasiones se le denomina archivo de texto.

Enunciado: "La única manera segura de transferir archivos entre procesadores de palabras diferentes, consiste en almacenar todo en *archivos ASCII*. No podrá utilizar el subrayado, las fuentes, o los tamaños, pero al menos la información permanecerá sin cambio".

aspect ratio (relación de aspecto)

Pronunciación: *ás-pect réi-tio.*

Significado: La relación de la dimensión horizontal de un objeto respecto a su dimensión vertical. Término utilizado en las gráficas.

Enunciado: "Intenté dibujar un círculo en mi computadora, pero la *relación de aspecto* estaba equivocada y mi dibujo parecía más bien una salchicha. Después de cambiar esta relación, mis círculos aún se veían graciosos, pero eso se debe a que no soy bueno para dibujar aunque se tratara de salvar mi vida".

assembler (ensamblador)

Pronunciación: *as-sém-bler.*

Significado: Programa especial utilizado para convertir programas escritos en lenguaje ensamblador al código de máquina que la computadora puede entender.

Enunciado: "Después de haber escrito un programa por medio de lenguaje ensamblador, la computadora no podía utilizarlo. Fue entonces cuando alguien me dijo que necesitaba un *ensamblador* para hacer que mi programa funcionara. Caracoles, todos estos términos computacionales van a hacer que mi cabeza explote".

assembly language (lenguaje ensamblador)

Pronunciación: *as-sém-bli lán-wash.*

Significado: Un tipo de lenguaje de programación que manipula en forma directa el microprocesador de una computadora. Los programas en lenguaje ensamblador son por lo general más largos y difíciles de leer que los programas escritos en lenguaje C o BASIC. Por otra parte, los programas en lenguaje ensamblador corren más rápido y ocupan menos espacio que los programas similares escritos en otros lenguajes. El lenguaje ensamblador es usado cuando la velocidad y la eficiencia son más importantes que la claridad y portabilidad (la capacidad de correr en diferentes computadoras sin realizar modificaciones).

Enunciado: "Después de que muchas compañías escriben programas por medio de lenguaje C, o Pascal, lo optimizan al remplazar grandes secciones con *lenguaje ensamblador.* Por supuesto que estos programas corren más rápido, pero es más difícil modificarlos más adelante. Para remediar este problema, la mayoría de las compañías sólo estipulan un cargo extra".

asterisk (asterisco)

Pronunciación: *ás-te-risk.*

Significado: El símbolo * del teclado. Muchos sistemas operativos, como es el caso de MS-DOS, consideran al asterisco como un comodín cuando se utiliza con comandos ordinarios del sistema operativo.

Enunciado: "Si quisiera eliminar todos los archivos en un directorio por medio de MS-DOS deberá escribir **DEL*.*** y presionar la tecla Enter. Si quisiera eliminar todos los archivos con la extensión .EXE, deberá escribir **DEL*.EXE** y presionar la tecla Enter. Si quisiera eliminar de manera permanente todos los archivos sobre la faz de la tierra, rocíe gasolina sobre su computadora y encienda un cerillo".

asynchronous (asíncrono)

Pronunciación: *a-sín-cro-nus.*

Significado: Cualquier proceso que no esté sincronizado. Se utiliza con frecuencia cuando se envían o reciben datos vía telefónica. Con seguridad un término que nunca utilizará en su vida, pero que puede hacerlo parecer conocedor cuando se codee con otros geeks de la computación.

Enunciado: "La mayoría de las computadoras utilizan transmisión *asíncrona,* que envía un carácter a la vez. Algunas computadoras utilizan la transmisión síncrona que puede enviar más de un carácter a la vez".

AT

Pronunciación: *ey-ti (a te)*.

Significado: Acrónimo (¿no les parece que la industria de la computación ya está saturada de éstos?) que inventó la IBM para significar Advanced Technology (tecnología avanzada). Cuando la IBM presentó una nueva computadora que utilizaba el procesador 80286, la llamaron IBM AT.

Enunciado: "Allá en 1985, adquirí una IBM AT por $4,000. Ahora sólo vale unos $200. Esto es lo que se conoce como tecnología avanzada".

AT&T

Pronunciación: *ei-ti and ti*.

Significado: Acrónimo para American Telephone and Telegraph. Familiarizada con los teléfonos, AT&T trató de introducirse al mercado de las computadoras y amenazar a la IBM. Esto fue como si McDonalds se introdujera al mercado del software y tratara de desbancar a Microsoft.

Enunciado: "*AT&T* adquirió a la NCR como un intento adicional para consagrarse en el mercado de las computadoras".

audio

Pronunciación: *áu-dio*.

Significado: La reproducción o creación de sonido.

Enunciado: "Mi computadora tiene capacidad de *audio*. Cada vez que la enciendo, escucho una voz que me dice que me he equivocado otra vez".

AUTOEXEC.BAT

Pronunciación: *áu-to ek-sék bat*.

Significado: Versión corta de AUTOEXECutable BATch file (archivo por lote autoejecutable). Se encuentra de manera común en las computadoras IBM, este archivo contiene instrucciones que la computadora sigue antes de esperar a que usted introduzca más comandos. Si alguna vez siente que su computadora lo ignora cuando arranca, el responsable se llama AUTOEXEC.BAT.

Enunciado: "Mi archivo *AUTO-EXEC.BAT* se borró, así que tuve que escribir todos los comandos yo mismo, antes de que estuviera lista para poder funcionar".

AUX

Pronunciación: *ei yu eks.*

Significado: En MS-DOS es la abreviatura de AUXiliary port (puerto auxiliar), que es el puerto de comunicaciones (COM) que MS-DOS utiliza como omisión.

Enunciado: "Conecte su módem en el puerto *AUX.* Si no funciona, quiere decir que lo ha conectado en el puerto equivocado".

Avogadro's Number (número de Avogadro)

Pronunciación: *a-vo-gá-drous nóm-ber.*

Significado: Valor constante utilizado por los científicos, que representa algo tan importante que han decidido llamarlo así en honor al tipo que lo descubrió. Corre el rumor de que si marca el número de Avogadro a la inversa, podrá escuchar mensajes satánicos.

Enunciado: "Estoy cansado de llamar a las chicas para pedirles una cita y que me la nieguen. Denme el *número de Avogadro* y tal vez pueda platicar con él acerca de la física o algo por el estilo".

axis (ejes)

Pronunciación: *ak-sis.*

Significado: Líneas de guía imaginarias que se utilizan para trazar gráficas en la pantalla de la computadora. Para medir un punto en la horizontal, deberá utilizar el eje X. Para medir un punto en la vertical, deberá usar el eje Y.

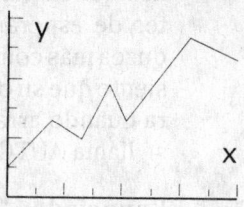

Enunciado: "La esquina superior izquierda de la pantalla de la computadora se considera con frecuencia el punto (0,0) de los ejes X y Y. ¿No lo hace recordar su clase de geometría?"

B

back door (puerta trasera)

Pronunciación: *bak dor.*

Significado: Forma secreta de introducirse en un programa que por lo general sólo conoce el programador original (es como una contraseña secreta).

Enunciado: "Muchos programadores desenfadados colocan *puertas traseras* en sus programas. De esa forma, si alguna vez son despedidos, podrán volver a entrar y utilizar el programa sin que nadie se dé por enterado".

background (segundo plano)

Pronunciación: *bak graund.*

Significado: Consiste en esconder una ventana u otro programa de la vista sin removerlo del todo de la computadora. Es lo opuesto de activar (véase también *active window*).

Enunciado: "Siempre que corra dos o más programas de manera simultánea, sólo podrá utilizar un programa a la vez. Cualquier otro programa que cargue, correrá en el *segundo plano* hasta que lo necesite o hasta que su computadora despedace todo".

backlit (iluminado de fondo)

Pronunciación: *bák-lit.*

Significado: Consiste en iluminar la pantalla con luz adicional que surge del fondo. Con frecuencia se utiliza para resaltar pantallas LCD que se localizan en las computadoras laptop.

Enunciado: "Mi computadora laptop es difícil de usar porque no cuenta con una pantalla de *iluminado de fondo*. Se me cansa la vista cada vez que trabajo con ella y siento que me vuelvo ciego".

backslash key (diagonal invertida)

Pronunciación: *bak-slash ki.*

Significado: La tecla \ que todos confunden con la tecla /. La diagonal invertida se utiliza para separar nombres de directorios como en el comando:

```
DIR C:\WINDOWS\SYSTEM
```

Enunciado: "En el teléfono, usted pudiera decir: 'escriba CD *diagonal invertida* DOS y presione la tecla Enter'. Esto lo moverá al directorio DOS si todo funciona de la manera esperada".

BackSpace (tecla de retroceso)

Pronunciación: *bak speis.*

Significado: La tecla que tiene el letrero BackSpace impreso. En la mayoría de los programas, esta tecla borra el carácter que se encuentra a la izquierda del cursor (como un pequeño Pacman).

Enunciado: "Presioné la tecla *BackSpace* para borrar todo lo que había escrito. Fue entonces cuando descubrí que podría haber apagado la computadora sin guardar mi archivo, en lugar de utilizar BackSpace".

backup (respaldo)

Pronunciación: *bák-op.*

Significado: La copia que hace de un archivo en caso de que el archivo original sea destruido. También se puede referir a la copia actual del archivo. En MS-DOS, podrá utilizar el comando BACKUP para hacer respaldos de sus archivos.

Enunciado: "Hemos hecho *respaldos* de todos nuestros datos importantes. Ahora tenemos el doble de disquetes que almacena la misma cantidad de información inútil".

BAK

Pronunciación: *bak.*

Significado: Extensión de archivo de tres letras que se da a los archivos de respaldo, de manera especial a los que son creados de manera automática por algunas aplicaciones (como en el caso de algunos procesadores de palabras).

Enunciado: "Si desea ahorrar espacio en su disco duro, borre todos los archivos *.BAK.* Sólo asegúrese de no necesitar esos respaldos en caso de que sus archivos originales se estropeen".

balloon help (globo de ayuda)

Pronunciación: *ba-lún jelp.*

Significado: A partir del Sistema 7 de Macintosh, Apple ha introducido los globos de ayuda, que proporciona pequeñas ventanas de útil información sobre la pantalla. El globo de ayuda se llama así debido a que las ventanas que despliega lucen como los globos que tienen los textos en las tiras cómicas.

Enunciado: "El *globo de ayuda* sólo despliega un poco de ayuda, a diferencia del menú normal de ayuda que despliega montones de útil información que de todas formas no podrá utilizar o entender".

bank switching (cambio de bloques de memoria)

Pronunciación: *bank suít-ching.*

Significado: Una forma de cambio rápido entre dos grupos diferentes de chips de memoria, lo que da la ilusión de que es parte de la misma cantidad de memoria. El cambio de bloques de memoria se utiliza para sobreponerse a las limitaciones integradas. Las computadoras IBM tienen un límite de 640 K de RAM. La memoria expandida le permitirá añadir hasta 16 MB de RAM, pero la computadora aun utilizará sólo 640 K de RAM en un momento dado. A menos que sea un técnico, nunca tendrá que preocuparse acerca del cambio de bloques de memoria durante el resto de su vida (véase también *expanded memory*).

Enunciado: "Mi computadora tiene 16MB de RAM, pero aun así piensa que sólo tiene 640 K de RAM. Para mi fortuna, el *cambio de bloques de memoria* hace que mi computadora utilice la memoria extra en porciones de 640 K de manera que pueda utilizar toda la memoria con que cuenta".

bar code (código de barras)

Pronunciación: *bar koud.*

Significado: Patrón lineal de tiras angostas en blanco y negro. Se localiza en casi todo lo que usted compra, puesto que los códigos de barras proporcionan la información que los dispositivos de análisis pueden entender.

Enunciado: "Muchos negocios utilizan computadoras para examinar los *códigos de barras* de tal forma que puedan mantener la pista de su inventario. Nuestra prisión utiliza los códigos de barras para mantener la pista de los reclusos".

base

Pronunciación: *beis.*

Significado: Número de dígitos en un sistema de conteo. La base 10 usa diez dígitos, la base 2 (binaria) utiliza dos y la base 16 (hexadecimal) utiliza 16.

Enunciado: "La mayor parte de las personas utiliza la base 10 debido a que tenemos cinco dedos en cada mano. Mi gato sólo tiene cuatro en cada pata, por lo que él cuenta con base 8".

BASIC

Pronunciación: *béi-sik (beisic).*

Significado: Lenguaje de programación diseñado de manera especial para hacer que la programación sea más fácil. Es el acrónimo de "Beginners All-purpose Symbolic Instruction Code" (código de instrucción para todo propósito para principiantes). No obstante que BASIC es fácil de utilizar, muchos programadores lo desprecian y lo consideran como un lenguaje "de juguete" debido a que las versiones tempranas de éste evitaban que se pudieran crear muy buenos programas que podrían limpiar los contenidos de su disco duro o hacer pedazos su módem. Las versiones más nuevas del BASIC ofrecen tanta flexibilidad y poder como el lenguaje C y el Pascal, pero el BASIC aún es visto como esnobismo, sólo para hacer que los programadores del BASIC se sientan inseguros y fuera de lugar.

Enunciado: "La mayoría de las computadoras cuenta con *BASIC* para que usted pueda experimentar y escriba sus propios programas. Eso suena genial, pero yo ni siquiera puedo programar mi videocasetera".

BAT

Pronunciación: *bat* (como el que utilizan esos señores que juegan beisbol para poder golpear a esa indefensa pelotita).

Significado: Extensión de archivo de tres letras que se utiliza para identificar a los archivos por lote.

Enunciado: "Borré todos mis archivos *BAT* por error. Ahora tengo que crear un nuevo archivo AUTOEXEC.BAT para que mi computadora funcione como antes".

batch file (archivo por lote)

Pronunciación: *batch fail.*

Significado: Archivo especial que contiene una lista de los comandos del sistema operativo. Al escribir el nombre del archivo por lote le indicará a la computadora que siga las instrucciones almacenadas en tal archivo.

Enunciado: "He creado un *archivo por lote* para cargar Word-Perfect y copiar mis archivos en un directorio de respaldo de manera automática. En lugar de escribir estos comandos yo mismo, sólo escribí el nombre del archivo por lote y permití que la computadora hiciera el trabajo sucio".

Batman

Pronunciación: *bat-man.*

Significado: Personaje popular de las tiras cómicas que se viste como un murciélago que hace el bien por donde va, en ese lugar asolado por el crimen que se llama Ciudad Gótica.

Enunciado: "Me gusta *Batman* porque es el único super héroe que no ha recibido radiación o algún tipo de mutación para obtener sus poderes sobrehumanos".

battery backup (batería de reserva)

Pronunciación: *bá-te-ri bák-op.*

Significado: Batería que está lista para proporcionar electricidad en el momento que ocurra un corte en el suministro de la corriente (véase también *UPS*).

Enunciado: "Si el suministro de corriente falla, aún podré utilizar mi computadora debido a que cuento con una *batería de reserva*. Una vez más, no sé lo que haría si mis baterías fallaran al mismo tiempo".

baud

Pronunciación: *baud.*

Significado: Unidad que mide la velocidad de transmisión, como en el caso de los datos por medio de un módem. Los modems son calificados por el índice de bauds que varía desde 300, 1200, 2400, 9600 hasta 14,400. De manera eventual, el índice de bauds subirá tanto como el déficit nacional.

Enunciado: "No pude marcar el número de la computadora debido a que mi módem sólo tiene un índice de *baud* de 300 y la otra computadora necesitaba al menos 1200 baud".

BBS

Pronunciación: *bi bi es.*

Significado: Acrónimo que significa Bulletin Board System (Sistema de tablero para boletines); un programa que le permite a otras personas llamar a una computadora y copiar archivos, dejar mensajes y elevar su cuenta telefónica.

Enunciado: "La mayoría de las ciudades cuenta con una lista de números *BBS* a los que podrá llamar con su módem".

BCD

Pronunciación: *bi si di.*

Significado: Otro acrónimo para Binary Coded Decimal (código binario decimal). Es una técnica que los programas utilizan para asegurar la precisión en los cálculos financieros.

Enunciado: "La mayoría de las hojas de cálculo utiliza *BCD* para que los errores de redondeo no afecten sus cálculos. Yo le pago a un contador para que no afecte los míos".

beachball pointer (apuntador de pelota de playa)

Pronunciación: *bích-bol póin-ter.*

Significado: Símbolo que aparece en la pantalla para indicarle que la computadora en realidad hace algo aunque parezca que nada sucede. Tal símbolo se asemeja a una pelota de playa que gira, de donde obtiene su nombre. El apuntador de la pelota de playa es la contraparte Mac al reloj de arena de Windows.

Enunciado: "Mi computadora es tan lenta que observo el apuntador de pelota de playa con más frecuencia de lo que observo mi trabajo".

bells and whistles (campanas y silbatos)

Pronunciación: *bels and wí-sels.*

Significado: Modismo utilizado para describir la multitud de funciones extra que ofrece un programa.

Enunciado: "Cada vez que mejoran el WordPerfect, añaden más *campanas y silbatos*. ¿Por qué no primero hacen que el artefacto sea más fácil de usar?"

benchmark (punto de referencia)

Pronunciación: *bénch-mark.*

Significado: Prueba especial que mide la actuación de un programa o el equipo con relación a un estándar básico.

El benchmark debe ser una medida justa de la ejecución, pero nadie piensa así con excepción de la compañía, cuyos productos ocupan el primer lugar.

Enunciado: "Los programas con frecuencia espían para ver qué tan rápido pueden correr ciertos *benchmarks*. En realidad, lo que deseo es saber qué programas funcionan sin tener que pasar el resto de mi vida en la prueba de los mismos".

Bernoulli box (caja de Bernoulli)

Pronunciación: *ber-nú-li box.*

Significado: Sistema de almacenamiento en masa que utiliza cartuchos removibles. Nombrado así en honor a un científico suizo que predijo las dinámicas del disquete de giro rápido alrededor de un objeto fijo y decidió que su educación universitaria no había sido una pérdida de tiempo después de todo.

Enunciado: "Para almacenar todos nuestros archivos, hemos comprado una *caja de Bernoulli*. Fue más caro que comprar otro disco duro, pero apenas habíamos recibido una herencia muy buena del gran tío Luis (que en paz descanse)".

berserk

Pronunciación: *ber-sérk.*

Significado: Ataque de cólera que los vikingos tenían con frecuencia durante el calor de la batalla. Hoy en día se refiere a la rabia que experimentan los usuarios de las computadoras cuando éstas no funcionan de la manera que ellos pensaban funcionaría.

Enunciado: "Cuidado con Fred. Creo que está a punto de tener un *bersek* con nosotros otra vez".

beta test (prueba beta)

Pronunciación: *béi- ta test*.

Significado: La segunda etapa de prueba (la prueba Alfa es la primera) de un programa antes de darlo a conocer al público en general. Las personas que utilizan un programa de prueba Beta, son llamadas probadores Beta. Estos programas en ocasiones son denominados "versión 1.0" por las compañías que están ansiosas por introducir su programa al mercado antes de que éste se encuentre listo.

Enunciado: "Antes de que Microsoft introdujera MS-DOS, se lo proporcionaron a cincuenta mil personas en todo el país para que hicieran una *prueba beta* para ellos. Una vez que el programa sobrevivió a la prueba beta, lo vendieron al resto de nosotros".

Bézier curve (curva Bézier)

Pronunciación: *bé-si-er kiurv*.

Significado: Línea generada en forma matemática para desplegar curvas de forma irregular. Para poder crear las curvas Bézier en la mayoría de los programas de gráficas para computadora, deberá trazar una línea y después manipular dos puntos intermedios, denominados manijas de control. El mover tales manijas de control en direcciones diversas, gira la línea hasta formar una curva Bézier.

Enunciado: "Las *curvas Bézier* parecen la pesadilla sicópata de algunas carreteras en las que he manejado".

big iron (gran plancha)

Pronunciación: *big ái-ron*.

Significado: Modismo utilizado para designar la estructura de la computadora que cuesta millones de dólares, ocupa la mitad de una habitación y realiza el trabajo de una computadora personal de $10,000 actuales.

Enunciado: "Cuando nuestra compañía por fin cambie a las computadoras personales, donaremos nuestra *gran plancha* al museo de las computadoras".

billclintonrhythm (BillClintonritmo)

Pronunciación: *bil-clin-ton-rí-dem.*

Significado: Juego de instrucciones paso por paso que intenta hacer algo que valga la pena (véase también *algorithm*).

Enunciado: "Mi nuevo programa de impuestos funciona a la perfección debido a que mis BillClintonritmos son impecables. Mientras nadie me vea en el programa nocturno de variedades por televisión, mi nuevo programa de saxofón funcionará también a la perfección".

billisecond (bilisegundo)

Pronunciación: *bi-li-sé-cond.*

Significado: Una billonésima de segundo, abreviada como BS.

Enunciado: "Algunos consultores de computadoras cuestan tanto que parece que le cobran billonésimas cantidades de dólares. En ocasiones, los programas que le dan corren en términos de *bilisegundos,* lo que es lento para los estándares de las computadoras".

BIN

Pronunciación: *bin.*

Significado: Extensión de archivo de tres letras para identificar los archivos que contienen datos binarios.

Enunciado: "No borre sus archivos *BIN* porque su programa no funcionará sin ellos".

binary (binario)

Pronunciación: *bái-na-ri.*

Significado: Sistema de conteo que utiliza dos dígitos, el cero y el uno. En ocasiones se emplea para describir otros sistemas que ofrecen sólo dos posibilidades, tal es el caso de los partidos republicano y demócrata.

Enunciado: "Las computadoras sólo cuentan por pares, por medio de aritmética *binaria.* Las personas cuentan por decenas, utilizando para ello la aritmética decimal".

binary file (archivo binario)

Pronunciación: *bái-na-ri-fail.*

Significado: Archivo que contiene bits y bytes de información que sólo una computadora (o un geek de la computadora) puede entender. Con frecuencia se identifica con la extensión de archivo de tres letras BIN.

Enunciado: "La mayoría de los programas almacenan información adicional en *archivos binarios* por si se necesitan más tarde".

BIOS

Pronunciación: *báy-os.*

Significado: Acrónimo de Basic Input/Output System (Sistema básico de entrada/salida). El BIOS es un juego de instrucciones que le indica a la computadora cómo actuar. La mayoría de las computadoras cuentan con un BIOS integrado en forma de chip que se conecta a la computadora.

Enunciado: "Muchas computadoras IBM utilizan el *BIOS* Phoenix, que mimetiza el *BIOS* IBM y hace que la computadora piense que en realidad es una computadora IBM".

bit

Pronunciación: *bit.*

Significado: Abreviatura de BInary digiT (dígito binario), que puede ser un 0 o un 1. Los bits son utilizados con frecuencia para medir la capacidad de un microprocesador al procesar datos, tal es el caso de 16 bits o 32 bits. Cuatro bits forman un nibble y 8 bits forman un byte.

Enunciado: "Las viejas computadoras utilizaban un procesador de *8 bits*. La computadora más poderosa emplea un procesador de 32 bits y puede manejar, a grandes rasgos, cuatro veces el total de información. Es una lástima que las computadoras con un procesador de 32 bits sean tan difíciles de usar como las que tienen un procesador de 8 bits".

bitmap (mapa de bits)

Pronunciación: *bit-map.*

Significado: Imagen gráfica representada por pequeños puntos de luz llamados pixeles. Entre más pixeles utilicen, más nítida será la imagen.

Enunciado: "Si desea desplegar un 'papel tapiz' en Microsoft Windows tendrá que emplear una gráfica de *mapa de bits*".

bitmapped font (fuente de mapa de bits)

Pronunciación: *bit-mapd font.*

Significado: Un estilo de escritura almacenado como una matriz de puntos pequeñísimos. Cuando agrande el tamaño de una fuente de mapa de bits, ésta presentará una tendencia a lucir mellada. Estas fuentes engullen una gran cantidad de memoria.

Enunciado: "Siempre podrá identificar una *fuente de mapa de bits* debido a que cuando cambie su tamaño, las letras se verán burdas y melladas como si hubieran sido elaboradas en una impresora barata de matriz de puntos en lugar de una impresora láser".

bitmapped image (imagen de mapa de bits)

Pronunciación: *bit-mapd í-mash.*

Significado: Imagen formada por patrones de pequeños puntos (pixeles). La mayoría de los programas de pintura, como es el caso de MacPaint o PC Paintbrush, crean imágenes de mapa de bits. Estas imágenes pueden ser difíciles de modificar debido a que se tendría que cambiar los pixeles uno por uno.

Enunciado: "La creación de una *imagen de mapa de bits* decente es casi tan fácil como crear la imagen de un perro por medio de granos coloreados de arena".

black box (caja negra)

Pronunciación: *blak box.*

Significado: Colección de tarjetas de circuito que realiza una función específica sin que el usuario sepa cómo funciona el circuito.

Enunciado: "Dado que el equipo de hoy en día es tan complicado, las compañías los crean a partir de las cajas negras. En lugar de intentar la depuración y reparación de algo, sólo se deshacen de la caja negra que causa el problema y la remplazan con una que funcione".

block (bloque)

Pronunciación: *blok.*

Significado: Colección de información en un solo paquete para satisfacer a conveniencia. 1) Cuando se transfieren

archivos con un protocolo de comunicaciones como es el caso de XModem o ZModem, los datos se transfieren en bloques.
Con XModem el tamaño de un bloque es
de 128 bytes. Con ZModem el tamaño de
los bloques es de 1024 bytes. 2) En un pro-

cesador de palabras, un bloque es una porción resaltada
de texto.

Enunciado: "Cada vez que envío un archivo por medio de mi
módem, éste me indica cuántos bloques ha enviado y cuántos *bloques* restan hasta que el archivo completo es transmitido. El observar esto puede ser divertido durante unos diez
segundos antes de que se vuelva aburrido y decidamos
hacer algo más".

BMP

Pronunciación: *bi em pi.*

Significado: Una extensión de archivo de tres letras que
se utiliza para identificar archivos gráficos de mapa de
bits.

Enunciado: "Si no desea desplegar papel tapiz con el Microsoft Windows, podrá borrar todos sus archivos *BMP* sin
ningún problema".

BNC connector (conector BNC)

Pronunciación: *bi en si ko-néc-tor.*

Significado: Piececilla al final de un cable que se gira para
conectar éste a la parte trasera de su computadora o a otro
cable. BNC debe significar Big Nobby Connector (Gran conector inteligente).

Enunciado: "Necesito un cable con un conector *BNC* porque pagué mucho dinero por mi hardware de red".

boat anchor (ancla de bote)

Pronunciación: *bout án-kor.*

Significado: Modismo que se usa para designar algo tan estorboso que bien pudiera estar unido a una cadena y ser utilizado como peso muerto para evitar que los botes se vayan a la deriva.

Enunciado: "Con mucha dificultad los programas de hoy en día correrían en mi vieja IBM PC con sólo 128 K de RAM y una sola unidad de disco. Esta cosa es un *ancla de bote*. Bien pudiera deshacerme de ella".

bogus (imitación)

Pronunciación: *bóu-gus.*

Significado: Algo falso.

Enunciado: "Vaya programa de *imitación*. Y yo que pensé que en realidad le daría inteligencia artificial a mi computadora".

boilerplate (plantilla)

Pronunciación: *bói-ler-pleit.*

Significado: Documento predefinido que se puede utilizar una y otra vez cuando no se tienen ganas de pensar. Los usos comunes para los documentos en plantilla son las cartas de forma, documentos legales, o cartas de amor para varias compañeras.

Enunciado: "Tenía que escribir un informe de negocios y no tenía ni la menor idea de cómo empezar. Para buena fortuna, utilicé un documento de plantilla y sólo tuve que cambiar algunas palabras. En los negocios, esto es lo que se llama *productividad*. En la escuela, esto es lo que se llamaría *plagio*".

bold (negritas)

Pronunciación: *bold.*

Significado: Desplegar o imprimir el texto con caracteres más oscuros.

Enunciado: "Para dar énfasis, muchas personas gustan de desplegar sus palabras en *negritas*. Es por eso que tuve esta negra idea de cambiarlas a cursivas".

bomb (bomba)

Pronunciación: *bomb.*

Significado: Programa diseñado para realizar un movimiento escurridizo en un momento específico. Dichos programadores desenfadados escriben bombas en sus programas para que, en caso de ser despedidos, la bomba explote por sí misma y destroce el programa de la compañía. Asimismo, cuando una Mac sufra un colapso, desplegará un cuadro de diálogo que contiene una bomba.

Enunciado: "Escribí una *bomba* y la coloqué en el sistema de contabilidad de mi compañía. De esa forma, si no me dan un aumento, mi bomba eliminará toda su información para siempre".

boogie man (el coco)

Pronunciación: *bú-gui man.*

Significado: Monstruo imaginario que los padres utilizan para asustar a sus niños cuando se portan mal, al decirles: "si no dejas de llorar, vendrá el Coco y te comerá".

Enunciado: "Solía creer que el Coco era sólo un cuento. Ahora estoy seguro de que trabaja como recaudador de impuestos para el gobierno".

boolean (boleano)

Pronunciación: *bo-li-an.*

Significado: Valores verdadero o falso que se utilizan con frecuencia en la programación.

Enunciado: "Si necesito el auto para el fin de semana, reviso los valores *boleanos* de mi papá. Si resulta verdadero que está de buen humor, entonces le pido las llaves. Si el resultado es falso, entonces me voy en autobús".

boot (carga)

Pronunciación: *buut* (así se pronuncia en inglés la palabra botas, como las que utilizan los vaqueros en los pies).

Significado: Es la acción de arrancar la computadora. Se deriva de la idea de que la computadora tiene que "amarrarse las correas de las botas para poder dar marcha a la inicialización" o de la creencia que se tiene de que la única manera de hacer que una computadora funcione es amenazarla con darle un puntapié con las botas puestas.

Enunciado: *"Cargué* la computadora sin poner un disquete en la unidad de disco. De esa manera, la computadora tendrá que utilizar el disco duro".

bootstrap (inicialización)

Pronunciación: *buut strap.*

Significado: Creación de algo a partir de la nada, como es el caso de "amarrarse las correas de las botas".

Enunciado: "Iniciamos esta compañía sin contar con nada en absoluto. Tuvimos que dar una *inicialización* a nuestro camino hacia la cima".

bozo (payaso)

Pronunciación: *bóu-zo.*

Significado: Alguien que no tiene la menor idea de lo que hace, pero que cuenta con la autoridad suficiente para evitar que los demás lo ignoren por completo.

Enunciado: "Mi jefe es un *payaso*. Él creía que respaldar una computadora significaba darle todo el apoyo".

BPS

Pronunciación: *bi pi es.*

Significado: Acrónimo de Bits Per Second (bits por segundo), lo que es la medida de la velocidad de transmisión de los datos. Se utiliza de manera intercambiable con baud.

Enunciado: "Tengo un módem que corre a 2,400 *bps,* pero deseo conseguir uno más rápido que corra a 9,600 baud".

brain damaged (daño cerebral)

Pronunciación: *brein dá-mash.*

Significado: Algo que luce bien desde el exterior, pero que en su interior está dañado o limitado.

Enunciado: "El procesador 80486sx tiene un *daño cerebral* debido a que no cuenta con el coprocesador matemático que tiene el 80486".

branch (bifurcación)

Pronunciación: *branch.*

Significado: Cuando la computadora sigue una serie de instrucciones y de repente empieza a seguir un juego por completo diferente. Con frecuencia es utilizado por los programadores para describir la lógica de sus programas.

Enunciado: "Primero, la computadora corre estas instrucciones y después se *bifurca* a las instrucciones más allá. Es entonces cuando ocurre el milagro y el programa funciona a la perfección".

break (interrupción)

Pronunciación: *breik.*

Significado: El acto de detener a la computadora para que deje de hacer lo que hacía en ese momento (véase también *abort* y *Esc.*).

Enunciado: "Enviaba un archivo por medio de mi módem cuando la policía apareció y tuve que *interrumpir* la conexión y hacer de cuenta que jugaba Nintendo".

breakpoint (punto de interrupción)

Pronunciación: *bréik-point.*

Significado: Un lugar donde la computadora detiene de manera temporal la corrida del programa. Los puntos de interrupción son utilizados para la depuración de tal forma que los programadores pueden ver cómo se comporta un programa en un punto específico.

Enunciado: "Si su programa no funciona, coloque un *punto de interrupción* a mitad del camino. Si el programa funciona hasta ese punto, entonces sabrá que es la última parte de su programa la que no funciona".

broken disk (disco roto)

Pronunciación: *bróu-ken disk.*

Significado: Modismo utilizado para designar una unidad de disco duro o de disquete que se niega a funcionar.

Enunciado: "No utilice esa computadora, porque tiene el *disco roto*. Despedazó el disquete del último tipo que lo utilizó y borró todos sus archivos también".

brute force (fuerza bruta)

Pronunciación: *brut fors.*

Significado: Obligar a determinado instrumento a funcionar sin tomar en cuenta la apariencia, la elegancia o la fineza.

Enunciado: "Mi programa tiene un comando que se supone debe expulsar el papel en mi impresora una hoja a la vez. En lugar de utilizar este comando, utilizo la *fuerza bruta* y yo mismo jalo el papel para sacarlo de la impresora".

bubble memory (memoria de burbuja)

Pronunciación: *bó-bol mé-mo-ri.*

Significado: Tipo de memoria que mantienen los contenidos aun después de que el suministro de corriente es interrumpido. La memoria de burbujas se utiliza con frecuencia en las computadoras laptop que no cuentan con espacio para un disco duro.

Enunciado: "Algún día podrá ver memoria de burbuja en las computadoras de escritorio. De esa forma, no tendrá que acordarse de guardar su archivo cada vez que apague la computadora".

buffer

Pronunciación: *bó-fer.*

Significado: Área de almacenamiento para mantener los datos de manera temporal. Un buffer de impresora, por ejemplo, copia los datos de la computadora y los mantiene hasta que la impresora está lista para imprimirlos.

Enunciado: "Si no le gusta esperar a que su impresora haga su trabajo, consiga un *buffer* de impresora, para que pueda imprimir y utilizar su computadora al mismo tiempo. Si esto le ocasiona un dolor de cabeza, use un Bufferin para eliminarlo".

bug (error)

Pronunciación: *bog.*

Significado: Problema que evita que un programa funcione de la manera apropiada. Algo que todos los programas tienen.

Enunciado: "Este programa no hace una sola de las tareas que debería hacer. Debe estar lleno de *errores*".

bulletproof (a prueba de balas)

Pronunciación: *bú-let pruf.*

Significado: Software que funciona sin importar cuántas teclas presione el usuario de manera incorrecta. Un mito que los programadores cuentan a sus hijos junto con historias como Blanca Nieves y Bambi.

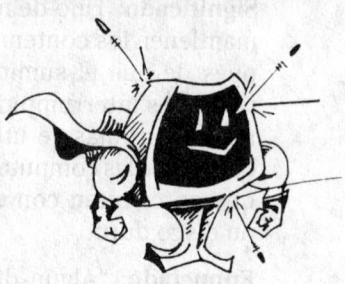

Enunciado: "Este programa es *a prueba de balas.*

No importa lo que intente hacer, funcionará a la perfección. Una vez más, tal vez lo que sucede es que ni siquiera funciona y no soy capaz de notar la diferencia".

bundled software (software empaquetado)

Pronunciación: *bón-dold sóft-wer.*

Significado: Software que viene gratis (en apariencia) cuando compra una computadora. Por lo general, el software empaquetado es algo que se necesita de cualquier forma (como el MS-DOS) o los programas que no se venden bien, por lo que el publicista trata de regalarlos sólo para limpiar sus bodegas.

Enunciado: "La mayoría de las computadoras ofrecen *software empaquetado* como en el caso de MS-DOS y Windows. Para contar con una atracción adicional, algunos proveedores incluyen un procesador de palabras o una hoja de cálculo como parte del software del paquete".

burn in (fundido)

Pronunciación: *búrn-in.*

Significado: El proceso de prueba del equipo electrónico para asegurarse de que funciona. Siempre que compre una computadora nueva, deberá dejarla encendida durante 48 horas continuas. Si algo falla, lo más probable es que sea este período de fundido.

Enunciado: "Antes de vender una computadora, la mayoría de los concesionarios dejan que se *funda* durante 48 horas. Aun así, usted deberá dejarla fundir durante 48 horas también, sólo para estar seguro. Una vez más, la mayoría de los problemas con las computadoras ocurre con el software y no con el hardware".

burn out (quemado)

Pronunciación: *búrn aut.*

Significado: Lo que sucede cuando mira de manera fija a la pantalla de la computadora por un largo período, como ocurre en el caso de escribir una enorme lista de términos computacionales con el objeto de ser publicados en un diccionario de computación. La sensación de cansancio y lentitud que lo hace colapsarse en la superficie horizontal más cercana que soporte su peso.

Enunciado: "El trabajar en mi computadora me hace sentir *quemado* después de ocho horas de observar la pantalla de la computadora, no puedo esperar más para irme a casa y observar la pantalla de mi televisión para relajarme".

bus

Pronunciación: *bos.*

Significado: Sistema de transporte electrónico para los electrones. A diferencia de un sistema normal de transporte de la ciudad, un bus de computadora corre de manera eficiente y conduce a los electrones a su destino correcto de manera oportuna.

Enunciado: "Toda computadora tiene un *bus* para enviar datos. Es una lástima que ninguna computadora contenga datos que valga la pena recordar".

bus mouse (ratón de bus)

Pronunciación: *bus maus.*

Significado: Ratón que se conecta en una tarjeta de expansión, conectada a un bus de computadora, en contraste con el ratón serial que se conecta en el puerto serial de la computadora.

Enunciado: "Un *ratón de bus* es de utilidad si no se cuenta con un puerto serial de reserva para poder conectar un ratón normal".

button (botón)

Pronunciación: *bó-ton.*

Significado: Pequeño rectángulo que aparece en la pantalla para que el usuario pueda comunicar los comandos a la computadora. Los botones aparecen de manera común en la pantalla como rectángulos de color gris con los comandos impresos (véase también *mouse button*).

Enunciado: "Cuando salga de Microsoft Windows, el programa desplegará dos *botones.* Un botón dirá OK y el otro dirá Cancel. Sólo haga clic en el botón que desea seleccionar".

byte

Pronunciación: *bait.*

Significado: La cantidad de memoria que se necesita para almacenar un carácter ya sea letra o número. La memoria de la computadora y el espacio en los discos se mide en kilobytes, megabytes y gigabytes (véanse estos términos más adelante en el libro).

Enunciado: "Mi disquete está saturado. Sólo tiene 5,630 *bytes* libres. Mi cerebro está saturado después de leer estos términos computacionales. Supongo que ya sólo cuento con unos 1,030 bytes disponibles en mi cabeza".

C

Pronunciación: *sí* (para los amigos que hablen español, no digan no, sólo digan sí. ¿De acuerdo?).

Significado: Lenguaje de programación desarrollado en los laboratorios Bell allá en los años setentas, cuando la música disco estaba de moda. C es un lenguaje de propósito general tal como BASIC y Pascal, pero con la habilidad de manipular las entrañas de una computadora como un lenguaje ensamblador. El lenguaje C ha sido utilizado para escribir muchos programas populares, entre los que se incluye el sistema operativo UNIX, Lotus 1-2-3 y Microsoft FoxPro.

C cuenta con tres ventajas sobre los demás lenguajes:

1. Los programas en C son casi tan fáciles para escribir y entender como los programas en BASIC o en Pascal (observe el énfasis en la palabra "casi").

2. Los programas en C corren tan rápido como el lenguaje ensamblador, pero son más fáciles de entender.

3. Los programas en C son *portátiles,* lo que significa que podrá correr el mismo programa C en computadoras diferentes tales como las IBM, Macintosh y la Amiga, sin tener que cambiar el programa.

En contraste, los programas en BASIC y Pascal por lo general corren más lentos que el lenguaje C y no pueden correr en computadoras diferentes sin tener extensivas modificaciones que por lo general implican un esfuerzo que no vale la pena. Para mala fortuna, debido a que el lenguaje C fue diseñado para proporcionar una eficiencia máxima, es muy difícil de aprender para los principiantes.

Enunciado: "Sólo los debiluchos utilizan BASIC o Pascal. Los programadores buenos emplean lenguaje *C,* pues de esa manera no tienen que volver a escribir el mismo programa para utilizarlo en computadoras diferentes".

Programa C de muestra:

```
# include <stdio.h>
main ()
{
    printf ("Sólo los debiluchos utilizan
    BASIC o Pascal.\n");
    printf ("Los buenos programadores siem-
    pre utilizan C.");
}
```

C++

Pronunciación: *si plos plos.* Es como decir "si plos", pero con un tartamudeo al final (*ce más más*).

Significado: Versión mejorada del lenguaje C que añade extensiones orientadas a objetos. C++ se ha vuelto popular debido a que es fácil de aprender para los programadores del lenguaje C, proporciona características orientadas a objetos para hacer que la programación de grandes objetos sea más fácil y vendan muchísimos libros. De manera similar al C, C++ es rápido, portátil y confuso para leer y entender.

Enunciado: "Sólo los debiluchos utilizan C. Los buenos programadores utilizan *C++* para que puedan escribir programas más grandes sin volverse locos".

Programa de muestra:

```
#include <iostream.h>
main
{
    cout << "Sólo los debiluchos utilizan
    C.\n";
    cout << "Los buenos programadores siem-
    pre utilizan C++.";
}
```

cable

Pronunciación: *kéi bol.*

Significado: Los cables conectan diferentes partes por lo que en realidad pueden hacer algo útil. Por ejemplo, un cable conecta su monitor a su computadora, su computadora a su impresora y su módem a su impresora. Los cables siempre deben ser conectados a un puerto, que por lo general tiene un orificio con la forma del conector que se localiza en la parte posterior de su computadora.

El cable que conecta su monitor a su computadora se conecta en la tarjeta de video de su computadora. El cable que conecta su computadora a su impresora, denominado *cable de impresora,* se conecta en el puerto paralelo o en el puerto serial. El cable que conecta su computadora a su módem, llamado *cable serial,* se conecta en un puerto serial.

Enunciado: "No pude hacer que mi impresora funcionara debido a que el vendedor olvidó venderme un *cable* de impresora. Después me vendió un *cable* de impresora que no se adaptaba al puerto en paralelo de mi computadora. Ahora cumplo una condena de 5 a 7 años por asalto con agravio".

cache (caché)

Pronunciación: suena como *cash.*

Significado: Lugar en la memoria donde la computadora puede almacenar datos de manera temporal, para poder evitar el acceso al lento disco duro o a la unidad de disco flexible una y otra vez. Con frecuencia se denomina caché RAM. Algunas computadoras cuentan con una caché integrada que promocionan como "¡Incluye una caché de 256 K!" También podrá forjar una caché a partir de la memoria de su computadora por medio de un programa especial de utilería como el PC Tools Deluxe.

Enunciado: "La computadora de Bob corre más rápido puesto que tiene una caché integrada. Yo podría usar un programa de utilería para crear una *caché* en mi computadora, pero ésta engulliría una buena parte de la memoria de mi computadora. Así que en lugar de eso, voy a utilizar la computadora de Bob".

cache memory (memoria caché)

Pronunciación: *cash mé-mo-ri.*

Significado: Los chips específicos de la memoria o la porción de ésta que se utiliza para hacer las veces de caché, con la finalidad de que la computadora corra más rápido.

Enunciado: "Mi computadora tiene una *memoria caché* integrada de 256 K y tengo un programa de utilería que crea 1 MB adicional de este tipo de memoria. Mi computadora sería la más veloz si tan sólo pudiera saber cómo conectarla".

CAD

Pronunciación: suena como *kad.*

Significado: Acrónimo para Computer-Aided Design (Diseño asistido por computadora), que sustituye las capacidades gráficas de la computadora para dibujar con lápiz y papel. Las computadoras que corren programas CAD requieren enormes cantidades de espacio en el disco duro, desplegados de video de alta resolución y un muy veloz microprocesador. CAD ha sido responsable del diseño de los logros de ingeniería más recientes, lo que incluye el tanque de gasolina del Ford Pinto 1972, los reactores nucleares de la isla Three Mile y los lentes de enfoque del telescopio espacial Hubble.

Enunciado: "No soy capaz de dibujar una línea recta con un lápiz, pero diseñé mi propio automóvil por medio de *CAD*. Claro que éste voló en pedazos cuando giré la llave de encendido".

CAD/CAM

Pronunciación: suena como *kad/kam* y rima con *bam-bam*.

Significado: Acrónimo combinado que significa Computer-Aided Design y Computer-Aided Manufacturing (Diseño asistido por computadora y Manufactura asistida por computadora). CAM significa permitir que las computadoras en realidad hagan lo que alguien diseñó por medio de CAD, o con un simple lápiz y papel.

Enunciado: "Muchas compañías utilizan *CAM* para crear productos más eficientes y menos costosos. Nuestra compañía no puede costear la compra de computadoras, por lo que utilizamos mano de obra infantil en lugar de ellas".

call (llamada)

Pronunciación: Combine el sonido de un gato que se ahoga y que tose para escupir una bola de pelos y hágalo que rime con *bol*.

Significado: Término de la programación que describe la transferencia temporal del control a partir del programa principal hacia un subprograma. Puede ser utilizado en los archivos por lote, por ejemplo, para arrancar otro archivo por lote.

Enunciado: "Escribí un programa que *llama* a tres subprogramas. Para añadir más características, únicamente necesitaré llamar más subprogramas. Si eso no funciona, entonces llamaré a otro programador y le pediré ayuda".

call waiting (espera de llamada)

Pronunciación: *col wéi-ting.*

Significado: Opción telefónica que suena si alguien trata de llamarlo al tiempo que usted utiliza el teléfono. En ese momento usted podrá colocar su llamada actual en espera y tomar la segunda llamada sin tener que colgar primero el teléfono. Si habla por teléfono, la espera de llamada puede ser muy útil. Si se comunica por medio de un módem, la espera de llamada puede interrumpir su conexión. Para deshabilitar de manera temporal la espera de llamada cuando utiliza su módem, marque *70, espere por el tono de llamada y marque el número en forma normal. Si utiliza un módem compatible con Hayes y desea marcar el número 555-1234, tendrá que marcar *70W555-1234 o *70,,555-1234.

Enunciado: "Estaba a punto de trasmitir, vía electrónica, un millón de dólares del banco a mi cuenta personal, cuando mi suegra llamó y la *espera de llamada* interrumpió mi conexión. Y peor aún, tuve que charlar con mi suegra".

camera-ready (presteza de cámara)

Pronunciación: *ká-me-ra-re-di.*

Significado: Fotografía, dibujo o texto impreso que luce tan nítido que se pueden hacer millones y millones de copias y la última copia aún tendrá muy buena calidad. Este término se utiliza con frecuencia por los publicistas que trabajan con software de autoedición.

Enunciado: "Cuando los fotógrafos profesionales toman imágenes de bellas modelos en bikini que retozan en la playa, producen imágenes de *presteza de cámara* para la edición anual de trajes de baño de la revista *Deportes ilustrados.* Cuando tomo fotografías del tío Fred en bata de baño, con mi cámara Kodak Instamatic, no puedo producir imágenes de presteza de cámara por ningún medio".

cancel *(cancelación)*

Pronunciación: *kán-sel.* Si se pronuncia rápido suena como la frase can´t sell que en inglés significa "no pude vender", lo cual es una forma de cancelación.

Significado: Retroceder o revertir una acción. Cuando le da a la computadora el comando Cancel, en esencia le indica "ay, ay, ay, olvídate de eso y déjalo como estaba antes". Los cuadros de diálogo en Windows con frecuencia le ofrecen el comando Cancel como una opción.

Enunciado: "Escribí **FORMAT C:** y borré casi todo mi disco duro. Para mi buena fortuna, cuando DOS me preguntó que si procedía con la operación, escribí N para *cancelar* ese comando".

Caps Lock *(bloqueo de mayúsculas)*

Pronunciación: *kaps lock.*

Significado: Esta tecla, en toda computadora, le permite escribir letras mayúsculas (o altas) sin necesidad de presionar la tecla Shift cada vez que oprima una letra. La mayoría de las computadoras cuenta con una pequeña luz indicadora en la esquina superior derecha del teclado, que se enciende cuando presiona una vez la tecla de bloqueo de mayúsculas. Si presiona esta tecla una vez más, la luz se apagará. A diferencia de la tecla de bloqueo de mayúsculas en las máquinas de escribir, el presionar dicha tecla en las computadoras sólo produce letras mayúsculas. Si desea imprimir ¡ o @ o cualquier otro símbolo, tendrá que presionar la tecla Shift primero.

Enunciado: "En ocasiones mis dedos se resbalan y presiono la tecla de *bloqueo de mayúsculas* POR ERROR Y ES ENTONCES CUANDO TODO LO QUE ESCRIBO SE ESTROPEA JUSTO COMO ESTA LÍNEA".

capture (capturar)

Pronunciación: *káp-shur.*

Significado: Almacenar una imagen de la pantalla en un archivo, en un disquete o en un disco duro. Con frecuencia se utiliza en las comunicaciones y en la autoedición.

Enunciado: "Para ilustrar los libros de computación, muchos publicistas, deben *capturar* la imagen de la pantalla, para que la gente pueda ver lo que debe hacer a continuación. Cuando se llama a un BBS, las instrucciones se desplazan tan rápido en ciertas ocasiones, que no se pueden leer. En vez de tomar una clase de lectura rápida, muchas personas capturan las instrucciones en el disco, para leerlas más adelante con toda calma".

caret (acento circunflejo)

Pronunciación: suena como *ká-ret.*

Significado: Símbolo que aparece al presionar Shift-F6, ^. Utilizado en los lenguajes de programación y en ciertos programas como comando específico. En Pascal, el símbolo ^ representa el operador exclusivo OR (XOR). En BASIC, este símbolo se utiliza para las expresiones exponenciales. En las hojas de cálculo como es el caso de Lotus 1-2-3, centra las etiquetas o los números. En los procesadores de palabra el símbolo ^ por lo general representa un error de escritura.

Enunciado: "En un programa C, el comando 'impuesto ^ salario' de verdad tiene sentido. Esto explica por qué los programadores tienden a ser nerds".

carriage return (regreso del carro)

Pronunciación: *ká-riesh ri-túrn.*

Significado: Carácter invisible que se utiliza al final de una línea de texto para mover el cursor a la siguiente línea de la parte baja. Creado al presionar la tecla Enter o Return.

Enunciado: "Las personas que nunca han utilizado con anterioridad un procesador de palabras, tienden a utilizar el *regreso del carro* después de escribir cada línea, como si utilizaran una máquina de escribir. Cuando edite el texto que estas personas han escrito, los regresos del carro estropearán todo el formateo".

carrier (detect) (portador [detector])

Pronunciación: *ká-rier* (y en voz baja) *di-tékt*.

Significado: Señal utilizada por los modems para detectar la presencia de otro módem. Cuando los modems hablan por medio de las líneas telefónicas, emiten una señal que se denomina *portador*. Cuando un módem llama a otro, los dos modems se envían portadores uno al otro. En el momento en que cada módem detecta el portador de otro módem, envía un portador detector, lo que le permite a la computadora saber que está conectada en ese momento a otra computadora.

Enunciado: "No me di cuenta de que en realidad había llamado a la NASA hasta que mi módem obtuvo un portador detector".

carrot (zanahoria)

Pronunciación: *ká-rot*.

Significado: Vegetal que según las mamás mejora la visión. Es también el bocado favorito de Bugs Bunny.

Enunciado: "En una ocasión que volaba en American Airlines, la sobrecargo me dijo que debería comerme las *zanahorias* puesto que había gente en Air India que moría de hambre".

cartridge (cartucho)

Pronunciación: *kár-trish* (rima con partridge, como aquella famosa serie de televisión).

Significado: Parte removible, autocontenida de la computadora o impresora que por lo general está hecha de plástico, es cara y difícil de encontrar cuando se necesita. En las impresoras láser se utilizan cartuchos de tóner y cartuchos de fuente. Las unidades de Nintendo son inservibles a menos que inserte un cartucho de videojuego.

Enunciado: "Mi impresora láser no pudo imprimir las fuentes hasta que le conecté un *cartucho* de fuentes. Para mala fortuna, ese cartucho me costó tanto que tuve que vender mi computadora para poder pagarlo".

cascade (cascada)

Pronunciación: *kas-kéid.*

Significado: Arreglo de varias ventanas de forma pulcra en la pantalla de la computadora para que pueda ver la barra de títulos y la esquina superior izquierda de cada ventana.

Enunciado: "Hasta que hice que mi computadora pusiera todas las ventanas en *cascada,* algunas de mis ventanas habían estado ocultas a mi vista. Todavía no soy capaz de encontrar lo que necesito, pero al menos las ventanas en cascada hacen que mi trabajo luzca bonito y organizado".

CASE

Pronunciación: suena como *keis* y rima con *beis.*

Significado: 1) En términos de formateo de texto, tipo significa el estilo de letras, ya sean MAYÚSCULAS o minúsculas. 2) En términos de programación, CASE es un comando especial que le permite a la computadora elegir dos o más opciones posibles. 3) En habla tecno-dwib, CASE es un acrónimo que significa Computer-Aided Software Engineering (Ingeniería de software asistida por computadora).

Enunciado: "Como mi especialidad en ciencias computacionales, mis cursos *CASE* en la universidad me enseñaron que debo utilizar el comando CASE en Pascal, para remplazar los múltiples enunciados IF-THEN. Para hacer que los programas sean más fáciles de leer, mis maestros me han dicho que el case de escritura también importa. Es por eso que abandoné la universidad y me convertí en chofer de taxi".

case sensitive (sensible a mayúsculas/minúsculas)

Pronunciación: *keis sén-si-tiv.*

Significado: La distinción hecha entre las letras ALTAS y bajas. Algunos programas o sistemas requieren que ciertos comandos sean escritos en altas o bajas. UNIX es un buen ejemplo. Asimismo, los modems pueden ser algo quisquillosos en ese aspecto.

Enunciado: "Bob es tan *sensible a mayúsculas/minúsculas,* que piensa que "hola" y "HOLA" son dos palabras diferentes por completo".

cassette tape (cinta de grabación)

Pronunciación: *ka-sét teip.*

Significado: Es una banda magnética que puede almacenar información. Las computadoras de la antigüedad usaban la cinta de grabación para almacenar los programas. Hoy día, todos utilizan disquetes o discos duros. Véase también *tape* y *tape drive.*

Enunciado: "Compré una vieja computadora Timex/Sinclair que utiliza programas almacenados en cinta de grabación. En realidad eché a perder mi computadora cuando le inserté una cinta de Led Zeppelin por error".

catatonic (catatónico)

Pronunciación: *ka-ta-tó-nik.*

Significado: Estado de parálisis casi total, por lo general a causa de observar de manera fija la pantalla de la computadora por un largo tiempo.

Enunciado: "Al principio pensé que Bob estaba *catatónico* después de tratar de descifrar cómo realizar la configuración de Windows para que corriera en su computadora".

CD

Pronunciación: *si di.*

Significado: En ocasiones se refiere al comando Change Directory (cambio de directorio) porque eso es lo que significa. Comando de atajo para el cambio de directorios por medio de MS-DOS. Es más fácil de escribir que CHDIR. El escribir **CD** cambia al directorio raíz. El escribir **CD...** cambia al directorio padre del directorio actual. El escribir **CD** despliega el nombre del directorio actual.

También significa Compact disk (disco compacto), para los dispositivos favoritos de almacenado de impulsos digitales de audio. Véase también *CD-ROM.*

Enunciado: "Utilicé el comando *CD* para cambiar de directorio, y ahora mi cabeza siente como si fuera a explotar".

CD-ROM

Pronunciación: *si di rom (no pronuncie ROM como "roum").*

Significado: Acrónimo para Compact Disk Read-Only Memory (disco compacto de sólo lectura). Con frecuencia se utiliza para describir la unidad CD-ROM, que es una unidad de disco especial que sólo lee discos compactos. Como valor extra, muchas unidades CD-ROM también pueden reproducir discos compactos de audio. Esto le permitirá convertir su computadora con valor de $2000 en un estéreo portátil de $49. Los discos CD-ROM por lo general contienen cantidades masivas de información (600 MB o más de datos, texto, gráficas, video o sonido). Un disco compacto es redondo, plateado, plano y pudiera parecerse a un OVNI, si lo lanza al vuelo y utiliza una cámara fuera de enfoque para tomarle una fotografía.

Enunciado: "Mi nueva unidad *CD-ROM* me permite desplegar enciclopedias enteras, novelas clásicas y mapas de cualquier país en el mundo. Ahora todo lo que tengo que hacer es averiguar en primer lugar para qué podría necesitar toda esta información en mi computadora".

cell (celda)

Pronunciación: *sel.*

Significado: Intersección de renglones y columnas en una hoja de cálculo que se utiliza para almacenar texto, números y fórmulas.

Enunciado: "Mi hoja de cálculo de inventario utiliza 300 *celdas* para almacenar toda mi información vital de negocios como son los salarios, regiones de venta, e impuestos. Es una lástima que lo haya borrado por error".

central processing unit (unidad central de procesamiento)

Pronunciación: *cén-tral pro-cé-sing yú-nit* (en ocasiones denominada *CPU* o *procesador*).

Significado: Pequeño chip en las computdoras personales que lo controla todo. En ocasiones se denomina el "cerebro" de la computadora, debido a que es el lugar donde se realizan los cálculos básicos que se traducen en su archivo GIF o en su hoja de cálculo favorita. Una unidad central de procesamiento tiene la apariencia de una oblea muy delgada, o una cucaracha sin cabeza (véase también *microprocessor*).

Enunciado: "Voy a remplazar mi *unidad central de procesamiento* 80386 con una unidad de procesamiento 80486 para que mi computadora corra más rápido. Después de eso, voy a convertir mi unidad central de procesamiento 80386 en un arete para mi novia".

Centronics port (puerto centrónico)

Pronunciación: *cen-tró-niks port.*

Significado: El puerto en paralelo de una computadora. Utilizado de manera original para conectar las computadoras a las impresoras centrónicas.

Enunciado: "Traté de conectar mi impresora en mi puerto serial por error. Una vez que conecté mi impresora al *puerto centrónico,* todo funcionó muy bien".

CGA

Pronunciación: *si yi ei.*

Significado: Acrónimo para Color Graphics Adapter (Adaptador de gráficas en color), el estándar de las gráficas en color para las computadoras IBM y las computadoras personales compatibles. Las gráficas CGA producen imágenes deslumbrantes que son calculadas a la perfección para lastimarle los ojos y producirle tremendos dolores de cabeza. Las computadoras más recientes utilizan gráficas VGA o SVGA (véase también *EGA, VGA* y *SVGA*).

Enunciado: "Dado que mi computadora sólo cuenta con gráficas *CGA,* no puedo utilizar mis excelentes videojuegos que lucen super realistas. En vez de eso, lo único que puedo ver son imágenes granulosas que no parecen naturales".

character (carácter)

Pronunciación: *ká-rac-ter.*

Significado: Cualquier símbolo que pueda escribir por medio del teclado. Las letras son caracteres, los números son caracteres y aun $, @, _, ^ y ~ son considerados como caracteres.

Enunciado: "Cuando corrí un conteo de palabras en mi procesador, me indicó que tenía 4,128 *caracteres* en mi documento. ¿Quién es el tonto programador que en realidad le enseñó a la gente que necesitaría este tipo de información?"

character code (código de caracteres)

Pronunciación: *ká-rac-ter koud.*

Significado: Una colección en acuerdo de símbolos que representan algo más que eso. La tabla ASCII es una colección de códigos de caracteres; el poco utilizado estándar EBCDIC es otro más. Muchos programas, como es el caso de WordPerfect utilizan códigos de caracteres mezclados con letras normales para representar subrayado, exponentes o negritas.

Enunciado: "Pensaba que la carta estaba llena de símbolos raros, hasta que me dí cuenta que eran *códigos de caracteres* con objeto de formatear el documento para WordPerfect".

character graphics (gráficas de carácter)

Pronunciación: *ká-rac-ter grá-fiks.*

Significado: Pequeños símbolos graciosos que podrá crear al presionar ciertas teclas en el teclado. Para crear gráficas de carácter en una computadora IBM, presione al tecla Alt y escriba un número del teclado numérico. Para escribir τ, presione y mantenga la tecla Alt presionada y escriba 176.

Enunciado: "Mi computadora no despliega gráficas, pero con las *gráficas de carácter* puedo dibujar pequeños cuadros en la pantalla. Aun así, podría hacer lo mismo con mi juego "Dibuja un bosquejo".

character set (juego de caracteres)

Pronunciación: *ká-rac-ter set.*

Significado: Lista organizada de símbolos como es la tabla ASCII.

Enunciado: "El *juego de caracteres* normal ASCII despliega sólo letras y números, pero el juego de caracteres extendido ASCII incluye gráficas de carácter para desplegar caracteres que no se localicen en el teclado".

CHDIR

(Véase *CD*).

cheap (barato-tacaño)

Pronunciación: *chip.*

Significado: Adjetivo que denota una baja calidad sin importar el costo del producto.

Enunciado: "Si en nuestra compañía no fueran tan *tacaños*, nos comprarían nuevas computadoras en lugar de utilizar estos procesadores de palabras tan baratos".

check boxes (cuadros de selección)

Pronunciación: justo como se ve.

Significado: Cuadro en blanco que aparece junto a dos o más opciones para que el usuario pueda elegir. Cuando un cuadro de selección está vacío, la opción no ha sido seleccionada. Cuando el cuadro de selección tiene  una marca, la opción ya ha sido elegida. Dos o más cuadros de selección podrán ser seleccionados al mismo tiempo.

Enunciado: "En lugar de elegir múltiples opciones por medio de diferentes menús, puedo elegirlas a todas al utilizar los *cuadros de selección*".

Cuadros de selección de muestra: ¿Por qué odia a las computadoras?

[ ] no funcionan de la manera que usted desea.

[X] son demasiado caras para lo que ofrecen.

[ ] son demasiado complicadas.

[X] no son fáciles de usar.

checksum (suma de validez)

Pronunciación: *chék-sum.*

Significado: Número calculado para verificar la precisión de los datos transmitidos por medio de un módem. Durante la transmisión, la computadora que envía los datos, interrumpe éstos para formar varios trozos más pequeños o *paquetes* de información. Después, ésta calcula la suma de validez para cada paquete.

Cuando se transmite, la computadora envía cada paquete seguido de su corrrespondiente suma de validez. La computadora que recibe vuelve a calcular la suma de validez para los datos que admite y los compara con la suma de validez que ha recibido de la computadora que envía los datos. Si ambas sumas de validez son iguales, los datos han sido recibidos en forma correcta. Si son diferentes, se asume que los datos han sido mutilados en alguna parte del proceso y la computadora que envía deberá volver a enviar el paquete de información una vez más. La suma de validez es utilizada de manera más común con el protocolo de transmisión XMódem.

Enunciado: "Recibí su archivo, pero mi computadora calculó una *suma de validez* diferente a la suya. Eso significa que he recibido un archivo diferente al que usted me envió o bien, que mi computadora ha vuelto a estropearlo todo".

chicklet keyboard (teclado de chiclets)

Pronunciación: *chí-klet kí-bord.*

Significado: Teclado que consta de pequeñas teclas que se asemejan a los chicklets. Las teclas Chicklet son por lo general demasiado pequeñas para poder escribir de manera confortable. La IBM desarrolló el teclado Chicklet más popular para su IBM PC jr. La idea fue que esta computadora no fuera atractiva para su uso en los negocios. Tal idea fue tan exitosa que nadie compró la IBM PC jr.

Enunciado: "Mi escritura es regular en un teclado normal, pero este *teclado chicklet* es casi imposible de utilizar".

child process (proceso hijo)

Pronunciación: *chaild pró-ces.*

Significado: Un programa en su computadora ha iniciado otro programa. Eso es posible, por si no lo sabía. Cuando WordPerfect verifica la ortografía de un documento, corre otro programa, el Corrector ortográfico. WordPerfect es el programa "padre"; el Corrector ortográfico es el programa "hijo". Es triste, pero los procesos hijo son de manera eventual asesinados por sus padres debido a que los programas para la computadora son quisquillosos y deben mantener el control.

Enunciado: "Ahora entiendo por qué muchos *procesos hijo* se escapan de su hogar".

Chooser (selector)

Pronunciación: *chuser.*

Significado: Accesorio de escritorio para la Macintosh (AE) que le permite seleccionar la impresora que deberá utilizar, el activar o desactivar AppleTalk y emplear o no el puerto serial o en paralelo. El selector siempre aparecerá

en el menú Apple, que se localiza en el extremo izquierdo de la barra de menús.

Enunciado: "No pude lograr que mi Macintosh imprimiera nada hasta que primero seleccioné mi impresora por medio del *Selector.* Sólo lo hice una vez y no tendré que hacerlo de nuevo, a menos que compre una nueva impresora o eche a perder por completo mi Macintosh".

CI$

Pronunciación: *sis.*

Significado: Acrónimo de CompuServe Information Services (Servicios de información de CompuServe). El signo de dólar ($) remplaza la S para indicarle a las personas que esto les va a costar mucho dinero (véase también *CompuServe*).

Enunciado: "Al suscribirme a *CI$* puedo obtener los precios más recientes del mercado de acciones en Wall Street. Por supuesto, ahora ya no tengo dinero qué invertir".

circuit breaker (interruptor de circuito)

Pronunciación: *cír-kut bréi-ker.*

Significado: Dispositivo que monitorea el flujo de la electricidad y la suspende si excede un cierto nivel que puede causar una sobrecarga, un corto circuito y la muerte o la destrucción de cantidades masivas de propiedades personales.

Enunciado: "Casi quemé mi casa cuando conecté mi computadora, el monitor, la impresora, el horno de microondas, mi cochecito eléctrico y un láser de alto poder contra el ataque de satélites en el mismo enchufe de corriente. Qué bueno que mi *interruptor de circuito* funcionó, o a estas alturas viviría en la calle".

Class A/Class B (clase A/clase B)

Pronunciación: *klas ei / klas bi.*

Significado: Dos etiquetas similares y confusas que la Comisión Federal de Comunicaciones (FCC) usa para hacer la distinción entre las computadoras que emiten diferentes niveles de energía eléctrica de alta frecuencia. La etiqueta Class A, significa que la computadora ha sido aprobada para su utilización en la oficina. La etiqueta Class B, significa que dicha computadora ha sido aprobada para su uso en oficina y el hogar. De manera ideal, usted desearía contar con una computadora de etiqueta Class B. Si conecta una computadora con una etiqueta Class A en su hogar, ésta podría interferir la recepción de su radio y su televisión.

Enunciado: "El tonto vendedor trató de venderme una computadora casera con etiqueta *Class A,* pero le dije que yo necesitaba una con etiqueta *Class B.* Para probar mi aseveración, hice que él se colocara junto a una computadora con etiqueta Class A para que viera lo que le sucedería a su marca pasos".

Clear key (tecla Clear)

Pronunciación: *klir kii.*

Significado: La tecla que borra el texto resaltado o los dibujos.

Enunciado: "Deseaba borrar un enunciado en mi procesador de palabras, pero no podía localizar la *tecla de limpieza.* Así que pinté de blanco esa sección de mi pantalla".

click (clic)

Pronunciación: *clic.*

Significado: Presionar y liberar una vez el botón del ratón, por lo general para seleccionar o activar una opción o comando.

Enunciado: "Cuando moví el cursor del ratón sobre el menú e hice clic, borré el archivo más importante de mi carrera. Caramba, qué bueno que el ratón hace que una computadora sea más fácil de usar".

client (cliente)

Pronunciación: *kláient.*

Significado: 1) Término de red de área local que describe una computadora que puede solicitar información, tal como una aplicación a partir de un servidor de archivos y que también puede funcionar de manera independiente a partir del servidor de red, al utilizar una aplicación del cliente. 2) Un programa de Windows que recibe datos por medio de DDE (véase también *DDE*).

Enunciado: "Toda computadora en esta red es un *cliente,* de esa manera, si la red se descompone, todos podrán continuar su trabajo".

client application (aplicación del cliente)

Pronunciación: *kláient a-pli-kéi-shon.*

Significado: 1) Término utilizado por los geeks y administradores de una red de área local para describir un programa que sólo funciona en la computadora que tiene dicho programa en su disco duro. En la mayoría de las redes, una gran computadora por lo general contiene todos los programas que son utilizados por todos. Si esa computadora falla, entonces ninguna de las demás computadoras podrá hacer nada. Debido a que las aplicaciones de cliente sólo corren en una computadora y no pueden ser accesibles para otras computadoras de la red, una falla en una parte de dicha red, no afecta la aplicación del cliente (a menos, desde luego, que la parte de la red que falle sea la computadora que tiene la aplicación del cliente). Las aplicaciones del cliente no pueden ser utilizadas por nadie más dentro de la red. 2) Un programa de Windows con documentos que pueden aceptar objetos injertados o enlazados (véase también *OLE).*

Enunciado: "Cuando la red se colapsó, todos tuvieron que detener su trabajo, excepto yo, debido a que tenía el procesador de palabras almacenado en mi computadora como *aplicación del cliente.* Ahora, todos cobran por holgazanear, menos yo".

client/server network (red cliente/servidor)

Pronunciación: *kláient/sér-ver nét-work.*

Significado: Red en la que algunos programas y archivos se comparten en una gran computadora, pero cada computadora conectada a la red también puede correr por su cuenta.

Enunciado: "Tenemos una *red cliente/servidor* que permite que todos compartan el mismo programa de base de datos y los archivos con los de-más usuarios, pero que da a cada usuario la libertad de utilizar cualquier procesador de palabras que desee en su propia computadora".

clip art

Pronunciación: *klip art.*

Significado: Creación artística predibujada que podrá copiar y utilizar con libertad. Con frecuencia se usa en la autoedición.

Enunciado: "No soy capaz de dibujar una línea y también soy demasiado perezoso como para utilizar un programa de dibujo. Es por eso que compré un poco de *clip art* para añadir imágenes de buena apariencia en mis cartas para que nadie observe que no tengo nada importante qué decir".

clipboard (portapapeles)

Pronunciación: *klip bórd.*

Significado: Área de almacenamiento temporal utilizada por Macintosh, Windows y ciertos programas de DOS a fin de tener texto o gráficas. Los ítems son colocados de manera automática en el Portapapeles siempre que el usuario emplee el comando Cut (Cortar) o el comando Copy (Copiar). Los ítems permanecen en dicho Portapapeles hasta que el usuario elige un nuevo ítem con el comando Cut o el comando Copy. Los ítems que se almacenan en el Portapapeles, pueden ser transferidos a otros programas.

Enunciado: "Para esconder mi currículum del jefe, lo corté y lo puse en el *Portapapeles* donde él no podría verlo. Después lo copié de nuevo a mi procesador de palabras y lo imprimí en la impresora láser de la compañía".

clock (reloj)

Pronunciación: *klok.*

Significado: Circuito en la computadora que lleva la pista de la fecha y la hora, aun si se corta el suministro de corriente.

Enunciado: "Mi vieja computadora no tenía *reloj,* por lo que cada vez que la encendía, ésta creía que la fecha era enero 1 de 1980. Ahora todos piensan que el único día que trabajé en mi computadora, fue el primero de enero de 1980".

clock ticks (impulsos del reloj)

Pronunciación: *klok tiks.*

Significado: Pulsaciones espaciadas de manera regular que determinan la velocidad de una computadora. Durante cada impulso del reloj, la computadora hace algún movimiento. Entre impulsos del reloj, la computadora no hace nada, justo como el clásico empleado de oficina. Entre más impulsos de reloj tenga una computadora, más rápido correrá. La velocidad del reloj se mide en megahertz (MHz) donde un MHz = 1,000,000 de impulsos del reloj por segundo. La mayoría de las computadoras personales cuentan con relojes de CPU que corren entre 33 MHz y 66 MHz.

Enunciado: "El vendedor me dijo que la computadora correría a 6 millones de *impulsos de reloj* por segundo. Supuse que eso era grandioso hasta que me dí cuenta que en realidad eran sólo 6 MHz".

clone (clon)

Pronunciación: *klon.*

Significado: Término que se refiere a cualquier computadora que es una imitación de una computadora o programa mejor conocidos. En la jerarquía de las marcas de computadoras, las marcas como IBM, Apple y Compaq son consideradas como *lo máximo.* El siguiente

nivel consta de las computadoras llamadas *compatibles,* que cuentan con nombres menos conocidos como es el caso de Dell, AST Research y Epson. El nivel más bajo es el de las computadoras clon, por lo general computadoras genéricas, sin nombre, que alguien arma en su cochera durante la noche. Las clons son atractivas, debido a que son baratas.

Enunciado: "Deseaba comprar una *clon* de Macintosh, pero no existía ninguna. Así que tuve que comprar una verdadera Apple Macintosh y pagar mucho más de lo que hubiera pagado alguien por una computadora compatible con IBM o una clon de IBM".

close (cerrar)

Pronunciación: *klous.*

Significado: Remover una ventana de la pantalla. Las dos formas más comunes de cerrar una ventana son: hacer clic en el cuadro de Cierre de la ventana con el ratón, o elegir el comando Close Window del menú.

Enunciado: "Mi procesador de palabras me permite abrir hasta seis diferentes ventanas en la pantalla. Entre más ventanas abro, menos las puedo ver, por lo que tengo que *cerrar* algunas de ellas para poder ver lo que hago. En lugar de hacer algo productivo, paso más tiempo en el cierre de ventanas. ¿No son maravillosas las computadoras?"

close box (cuadro de cierre)

Pronunciación: *klous box.*

Significado: El pequeño cuadrado que aparece en la esquina superior izquierda de la ventana. El hacer clic con el cursor del ratón dentro de este cuadro, remueve la ventana de la vista. En la mayoría de los programas, el cuadro de Cierre sólo puede ser utilizado por un ratón.

Enunciado: "En lugar de estar a la caza del comando Close Window (cierre de ventanas) de los menús, sólo hago clic en el *cuadro de Cierre.* Eso es casi el límite del conocimiento alfabetizado de mi computadora".

closed architecture (arquitectura cerrada)

Pronunciación: *klous ar-ki-ték-shur.*

Significado: Equipo diseñado de manera específica para funcionar sólo con los accesorios hechos por la misma compañía, que por lo general es el equipo más caro y menos confiable que se encuentra disponible.

Enunciado: "La IBM PC original tenía una configuración abierta, por lo que los accesorios eran baratos y abundantes. Es entonces cuando la IBM introdujo la PS/2 con una *configuración cerrada,* en espera de que las personas sólo compraran los caros accesorios IBM. En lugar de eso, la gente casi dejó de adquirir las computadoras IBM".

CMOS

Pronunciación: *sí-mos.*

Significado: Acrónimo para Complementary Metal-Oxide Semiconductor (semiconductor complementario de óxido metálico), que es un circuito diseñado de manera especial y consume muy poca energía. Los circuitos CMOS son utilizados con frecuencia en dispositivos tales como los relojes de pulsera, las calculadoras de bolsillo y las computadoras laptop. CMOS RAM sigue la pista de la información de la instalación del sistema, la fecha, la hora, etc. No importa lo que haga, no cambie la contraseña de ajuste del CMOS y después olvídelo; de otra manera no podrá regresar a su computadora.

Enunciado: "Si no fuera por mi procesador *CMOS* y los chips de RAM, mi computadora laptop no podría funcionar a base de baterías ni cinco minutos".

coaxial cable (cable coaxial)

Pronunciación: *ko-ák-shal kéi-bol.*

Significado: Cable que consta de una protección aislante que envuelve al conductor. Los cables coaxiales se utilizan para las redes de área local, debido a que pueden conducir más datos que los cables ordinarios de teléfono. Los aparatos de televisión emplean un tipo de cable coaxial.

Enunciado: "Tenemos *cables coaxiales* que conectan nuestra red. Eso no significa que alguien de nosotros sepa lo que hace, pero al menos los cables adecuados para la red".

COBOL

Pronunciación: ko-bol.

Significado: Acrónimo de Common Business Oriented Language (lenguaje común orientado a los negocios), COBOL es un lenguaje utilizado de manera principal para todas las aplicaciones de negocios en grandes computadoras (ahora ya sabe cuál lenguaje es el responsable de los errores en su cuenta bancaria). Desarrollado en los años sesentas por varias compañías de computadoras en colaboración con el Departamento de la Defensa de Estados Unidos, el lenguaje muestra la influencia que la era del amor libre y la alucinación de la droga tenía sobre la tecnología. Los programas en COBOL tienden a semejarse a enunciados simples en inglés. Para mala fortuna, los enunciados simples en inglés, por lo general, son semejantes a los que utilizan los políticos y los abogados.

Enunciado: "Aprendí a programar en *COBOL* para poder actualizar nuestras cuentas bancarias y el sistema de cobros. Con este poder, he programado al banco para que transfiera de manera electrónica todo su dinero a mi cuenta en un banco suizo".

code (coding) (código, codificación)

Pronunciación: *koud (kóu-ding).*

Significado: Escritura de un programa por medio de un lenguaje específico de programación, como es el caso de C, BASIC o Pascal.

Enunciado: "Traté de *codificar* en COBOL hasta que cambié a C. Desde entonces me toma la mitad del tiempo el *codificar* con solamente el doble de errores".

cold boot (carga en frío)

Pronunciación: *kold buut.*

Significado: Volver a iniciar el equipo que ha sido apagado (véase también *warm boot*).

Enunciado: "En ocasiones, cuando la computadora se colapsa, el presionar su botón de reinicio tampoco funciona. Es en estos casos cuando tendrá que realizar una carga en *frío* de su computadora al apagarla, esperar durante 10 segundos y volver a encenderla".

color monitor (monitor a color)

Pronunciación: *kó-lor mó-ni-tor.*

Significado: Pantalla de la computadora que puede desplegar varios colores al mismo tiempo. Los monitores a color siguen estándares específicos de gráficas de video tales como CGA, EGA, VGA y SVGA.

Enunciado: "Mi primera computadora tenía un aburrido monitor en blanco y negro, pero mi computadora más reciente cuenta con un *monitor a color* que me permite ver a Madonna en la pantalla".

columns (columnas)

Pronunciación: *kó-lumns.*

Significado: Es una franja vertical de texto que aparece en una página. Los periódicos por lo general despliegan 2, 3 o 4 columnas de lado a lado. Las columnas también son comunes en las hojas de cálculo y en otros documentos.

Enunciado: "Mi informe lucía mejor cuando lo desplegué en dos *columnas.* De esa manera parecía más fácil de leer de lo que en realidad era".

COM

Pronunciación: *kom.*

Significado: 1) Abreviatura de COMmunications port (puerto de comunicaciones). Cuando llame por medio de su módem, su programa de comunicaciones necesitará saber a cuál puerto COM está unido el módem. 2) Descripción de un archivo ejecutable que es pequeño y simple. Un archivo COM tiene la extensión .COM.

Enunciado: "Traté de enviar mi archivo COMMAND. *COM* por medio de mi módem, pero mi módem estaba conectado al COM1 en lugar de al COM 2. Es por eso que no funcionó".

COMDEX

Pronunciación: *kom-dex.*

Significado: Acrónimo de COMputer Dealers EXposition. Por lo general se lleva a cabo dos veces al año, una de ellas en Las Vegas durante el invierno y la otra en una ciudad cerca de la costa Este durante la primavera. COMDEX es una de las conferencias con mayor número de asistentes en Estados Unidos y una de las conferencias que aburren con mayor facilidad. Muchas compañías presentan sus nuevos productos en las COMDEX.

Enunciado: "Fui a la *COMDEX* para observar el equipo de computación y el software más reciente. Fue entonces cuando decidí que no había marcado una gran diferencia en mi vida después de todo y decidí ir a "Binions" para jugar a los dados con Dan, Wally y Chris".

Command key (tecla Command)

Pronunciación: *ko-mánd kii.*

Significado: La tecla que se encuentra en el teclado de las Macintosh con una manzana y un trébol impresos. Esta tecla se utiliza junto con otras para ejecutar comandos. Para Cortar un ítem, deberá presionar Command-X. Para Copiar, deberá presionar Command-C. Para Pegar, deberá presionar Command-V.

Enunciado: "En lugar de elegir el comando Copy del menú Edit, sólo presione *Command-C*".

command line (línea de comandos)

Pronunciación: *ko-mánd lain.*

Significado: El lugar en la pantalla donde se escribe una serie de comandos (como en el indicador de DOS).

Enunciado: Para cargar WordPerfect, tan sólo escriba **WP** en la *línea de comandos*. Pero, si desea cargar WordPerfect y así como un documento llamado CARTA.WP, todo lo que tendrá que hacer es escribir **WP CARTA.WP** en la línea de comandos.

COMMAND.COM

Pronunciación: *ko-mánd kom.*

Significado: Archivo MS-DOS que contiene el procesador de comandos para que corra DOS. Nunca elimine este archivo.

Enunciado: "Mi computadora no quería correr mi disco duro hasta que lo formatee con el sistema y coloqué el archivo *COMMAND.COM* en él".

comment (comentario)

Pronunciación: *kó-ment.*

Significado: Nota breve de explicación que se inserta en los programas a fin de describir lo que el programa debe hacer. Los programadores utilizan comentarios en sus programas para que otros programadores (y ellos mismos) puedan entender lo que realiza el programa y la manera como funciona.

Enunciado: "Es una buena práctica de la programación el insertar suficientes *comentarios* en sus programas, para explicar la función del programa, cómo funciona y cualquier suposición que se pudiera hacer".

communications (comunicaciones)

Pronunciación: *com-miu-ni-kéi-shons.*

Significado: Versión reducida de telecomunicaciones o comunicaciones de datos. Con frecuencia se usa para describir la transferencia de datos de una computadora a otra por medio de un módem o una red.

Enunciado: "Mi módem sería inservible sin un programa de *comunicaciones.* Ahora puedo colarme en todas las computadoras que desee".

compatibility (compatibilidad)

Pronunciación: *kom-pa-ti-bí-li-ty.*

Significado: La habilidad de funcionar con un equipo o un software diseñado por otros constructores.

Enunciado: "En los viejos tiempos, no todas las computadoras caseras podían ser compatibles con el estándar IBM. Hoy en día, casi toda computadora ofrece *compatibilidad* con IBM".

compile (compilación)

Pronunciación: *kom-páil.*

Significado: Conversión de un programa escrito en lenguaje de programación (BASIC, C, Pascal, etc.) en un lenguaje que la computadora pueda entender (código de máquina). Un término que sólo les importa a los programadores.

Enunciado: "Después de haber escrito mi programa C, tuve que *compilarlo* para ver si funcionaba. Por supuesto que no funcionó, es por eso que se lo vendí al gobierno".

compiler (compilador)

Pronunciación: *kom-pái-ler.*

Significado: Programa especial que convierte los programas escritos en lenguaje de programación (BASIC, C, Pascal, etc.) en algo que la computadora pueda entender (código de máquina).

Enunciado: "Para poder escribir sus propios programas, deberá aprender un lenguaje de programación y comprar un *compilador de lenguaje*. Además, también podrá escribir programas que no funcionan y cobrar una buena cantidad a las personas que deseen utilizarlos".

composite video (video compuesto)

Pronunciación: *kóm-po-sit ví-dio.*

Significado: Una señal de video utilizada por los aparatos de televisión que se transmite por lo general a través de un cable. En contraste, una señal RGB utiliza cables separados para el rojo, verde y azul.

Enunciado: "Si en realidad desea tener una pantalla borrosa, utilice el *video compuesto* para desplegar su información en su televisión".

compression (compresión)

Pronunciación: *kom-pré-shon.*

Significado: Tomar un archivo y compactarlo (o exprimirlo) para que utilice menos espacio.

Enunciado: "Para duplicar mi espacio en el disco duro, utilicé el programa de *compresión* contenido en el MS-DOS, versión 6.0".

CompuServe

Pronunciación: *kóm-piu-serv.*

Significado: Servicio en línea basado en una suscripción que le cuesta un dineral por cada segundo que se conecte a éste. A cambio, CompuServe le proporciona archivos que puede copiar, juegos y servicios que puede utilizar como el realizar sus propias reservaciones de avión, o la búsqueda de información en artículos de los periódicos.

Enunciado: "Necesitaba gastar más dinero en mis hábitos computacionales, por lo que compré un módem y adquirí una suscripción a *CompuServe*. Ahora puedo comprar y vender mis propias acciones. Para mala fortuna, ya no tengo fondos que invertir puesto que todo mi dinero lo gasto en pagar las cuentas de CompuServe".

compute (computar)

Pronunciación: *kom-piút.*

Significado: Calcular y responder por medio de una variedad de técnicas de resolución de problemas lo que incluye matemáticas, heurística y el copiado sobre el hombro del compañero.

Enunciado: "Traté de *computar* mis impuestos por mi cuenta, con mi computadora personal. Ahora el gobierno quiere realizarme una auditoría y computar sus propios resultados".

computer (computadora)

Pronunciación: *kom-piú-ter.*

Significado: Cualquier dispositivo de cálculo que procesa datos de acuerdo con una serie de instrucciones, que cuesta mucho dinero, no funciona como usted hubiera deseado y se vuelve obsoleto tres días después de haberlo comprado.

Enunciado: "Compré una computadora para balancear mi presupuesto. Ahora necesito que una *computadora* me ayude a saber cómo utilizarla".

CON

Pronunciación: *kon.*

Significado: Nombre de un dispositivo que se refiere al teclado y al monitor, es la abreviatura de CONsole (consola).

Enunciado: "Para crear un archivo llamado AUTOEXEC.BAT sin utilizar un editor de texto, sólo deberá escribir **COPY CON AUTOEXEC.BAT**. Este comando le indica a la computadora que cree un archivo y almacene en él todo lo que usted escriba. Para cesar de almacenar todos sus teclazos en el archivo, presione Ctrl-Z y después oprima Enter. Esto es una gran característica de maña que sólo los usuarios de hueso colorado conocen. ¡Sorprenda a sus amigos! (¡Pero no juegue con el archivo AUTOEXEC.BAT a menos que sepa lo que hace o de verdad ocasionará problemas!)"

concatenate (concatenar)

Pronunciación: *kon-ká-te-neit.*

Significado: Unión de dos cadenas de caracteres en una sola, como es el caso de "ABC" + "DEF" = "ABCDEF". También podrá concatenar los archivos.

Enunciado: "En mi último programa, el usuario tenía que escribir su nombre y apellido, después, el programa *concatenaría* ambos para formar uno solo y lo utilizaría como contraseña del usuario. Por lo tanto, la contraseña de Juan Pérez sería JuanPérez".

concurrent processing (procesamiento concurrente)

Pronunciación: *kon -kú-rent pro-cé-sing.*

Significado: Apariencia de que se corren dos o más programas al mismo tiempo cuando en realidad sólo se corre uno. En comparación, multitareas corre dos o más programas al mismo tiempo.

Enunciado: "Las versiones más recientes de MS-DOS ofrecen *procesamiento concurrente*. Podrá cargar varios programas al mismo tiempo y cambiar entre ellos. Pero al momento en que desactive un programa, todos dejarán de correr".

confidence factor (factor de confidencia)

Pronunciación: *Kón-fi-dens fák-tor.*

Significado: Término utilizado por los expertos en sistemas con la finalidad de colocar un valor numérico abstracto en una respuesta. Con frecuencia se utiliza de una manera educada de decir "no tengo la menor idea, pero este es mi mejor intento".

Enunciado: "El vendedor de autos usados tenía un *factor de confianza* de 99 en que el auto que vendía en ese momento, funcionaría a la perfección. Debido a que los vendedores de autos usados tienden a mentir tanto como los políticos y los abogados, yo sólo tenía un factor de confianza de 10 en que el vendedor me decía la verdad".

CONFIG.SYS

Pronunciación: *kon-fig-sis.*

Significado: Archivo de configuración que se utiliza en las computadoras con MS-DOS, que especifica el teclado, los manejadores de dispositivo y la cantidad de memorias intermedias que se utilizarán. Es uno de los archivos más importantes y también el menos entendido por los principiantes.

Enunciado: "Para configurar mi computadora de forma que corriera Microsoft Windows, tuve que cambiar las especificaciones de mi archivo *CONFIG.SYS.* Ya que no sabía lo que hacía, arruiné mi computadora por completo. ¡Qué barbaridad! Qué bueno que las computadoras hacen mi vida más fácil".

configure (configuración)

Pronunciación: *kon-fíg-yur.*

Significado: Modificación o personalización de una computadora en cierta forma. Siempre que añada algo de equipo o un programa a su computadora, tendrá que configurarlo para que funcione de la manera adecuada.

Enunciado: "Cuando traté de añadir un ratón a mi computadora, éste no funcionó porque no *configuré* mi computadora de la manera apropiada. Ahora tampoco funciona, porque debido a mi frustración, rompí la pantalla de una patada".

console (consola)

Pronunciación: kon-sóul.

Significado: Un término más para designar al teclado y al monitor de la computadora.

Enunciado: "Mantenga esa taza de café alejada de la *consola*. Si se derrama en el monitor, pudiera ocasionar un corto circuito en su computadora".

constant (constante)

Pronunciación: *kóns-tant.*

Significado: Valor en un programa que nunca cambia.

Enunciado: "Si el programa necesita de la geometría, el valor pi es almacenado como una *constante*. Si el programa necesita del cálculo, el programador se encontrará con frecuencia en una situación desafortunada".

context-sensitive help (ayuda sensible al contexto)

Pronunciación: *kón-text- sén-si-tiv jelp.*

Significado: Ayuda proporcionada por el programa que cambia de acuerdo con lo que el usuario realiza en el momento en que se solicita tal ayuda. Si el usuario ha elegido el comando Print (de impresión), la ayuda sensible al contexto le proporcionará sólo la ayuda concerniente a la impresión. Si el usuario ha elegido el comando File Save (para guardar el archivo), la ayuda sensible al contexto sólo dará la ayuda relacionada con el guardado de archivos. Si el usuario no tiene la menor idea de lo que debe hacer a continuación, la ayuda sensible al texto sólo lo confundirá aún más.

Enunciado: "Antes de contar con *la ayuda sensible al contexto,* la mayoría de los programas sólo desplegaba un menú estándar de ayuda, que era casi tan útil como tener que consultar el manual cada vez que se tenía un problema. La ayuda sensible al contexto es comparable a obtener la página exacta del manual que le dará la respuesta que necesita".

contiguous (contiguo)

Pronunciación: *kon-tí-guus.*

Significado: Cuando dos objetos se encuentran de manera física uno junto a otro. Con frecuencia se utiliza al describir archivos almacenados en un disco o datos almacenados en un archivo.

Enunciado: "Mi disco duro está fragmentado debido a que los archivos ya no son *contiguos.* Después de utilizar un programa de defragmentación, mi disco duro corre más rápido".

control code (código de control)

Pronunciación: *kon-tról koud.*

Significado: Símbolo especial que controla la computadora o la impresora. Ejemplos de código de control son los saltos de línea, el regreso del carro y la alimentación de página. Los comandos de formateo disparan los códigos de control para ser enviados a la impresora con la finalidad de crear la apariencia deseada del texto.

Enunciado: "Si de verdad desea hacer un lío del documento de alguien, arroje un buen número de *códigos de control*. De esta manera, cuando esa persona trate de imprimir el documento, éstos tomarán el control de la situación y harán que la impresora actúe de manera errática".

Control key (tecla Control)

Pronunciación: *kon-tról-ki.*

Significado: Tecla especial, con frecuencia abreviada como *Ctrl,* que funciona con otras teclas para introducir comandos al programa.

Enunciado: "Para guardar un documento en muchos programas de Windows, podrá presionar *Ctrl-S* de manera simultánea, en lugar de elegir ese mismo comando de algún menú".

Control Panel (Panel de Control)

Pronunciación: *kon-tról pá-nel.*

Significado: Programa de utilería que lista las opciones utilizadas para modificar los dispositivos de hardware como son: el ratón, el teclado y el monitor. Se localiza en las Macintosh, en Windows y en el OS/2 Presentation Manager.

Enunciado: "Es fácil cambiar los colores que su monitor despliega al utilizar los *Paneles de Control*. Por supuesto, también es fácil arruinar su computadora si no sabe lo que hace".

controller (controlador)

Pronunciación: *kon-tró-ler.*

Significado: Circuito que controla la transferencia de datos a partir del disquete y el disco duro conectados a la computadora y al monitor. En ocasiones se denomina *controlador de unidad de disco.*

Enunciado: "Añadí un nuevo disco duro a mi computadora, pero tuve que comprar un *controlador* para que éste pudiera funcionar".

conventional memory (memoria convencional)

Pronunciación: *kon-vén-sho-nal mé-mo-ri.*

Significado: En la IBM PC y las computadoras compatibles, los primeros 640 kilobytes de memoria (de RAM). Este fue el límite durante un largo tiempo y muchos programas aun pueden tener acceso sólo a la memoria convencional (véase *upper memory, expanded memory* y *extended memory*).

Enunciado: "La mayoría de los programas de manejo de memoria funciona al manejar todos los programas posibles en la memoria superior. De esa manera, existirá más espacio en la *memoria convencional* para poder correr sus programas".

converter (convertidor)

Pronunciación: *kon-vér-ter.*

Significado: Hardware o software que convierte un ítem en otro, como es el caso del convertidor de AC en DC o un archivo convertidor de WordPerfect en Microsoft Word.

Enunciado: "Tim es demasiado mediocre para comprar un WordPerfect. Es por eso que tuve que echar mano de un archivo especial convertidor para que él pudiera utilizar mis archivos de WordPerfect en WordStar".

cookie (galleta)

Pronunciación: *kú-ki.*

Significado: Pieza horneada y delgada de pasta con sabor, que es deliciosa y contiene casi todas las sustancias conocidas por el hombre que ocasionan cáncer, enfermedades cardiovasculares y caries.

Enunciado: "He trabajado en mi computadora durante cinco horas continuas sin probar bocado. Necesito una *galleta* o moriré sobre el teclado".

coordinates (coordenadas)

Pronunciación: *kó-or-di-neits.*

Significado: Término utilizado para dividir un área en partes definidas. En las pantallas de las computadoras, las coordenadas miden los ejes horizontal (X) y vertical (Y) para la ubicación de puntos. También son utilizadas en *Viaje a las estrellas* para proporcionar la localización de personas sonrientes con respecto a la superficie de algún planeta.

Enunciado: "Programé mi computadora para dibujar una línea desde la *coordenada* (2, 10), hasta la *coordenada* (45, 20). Si sólo pudiera encontrar a alguien que me pagara por hacer esto en forma regular, ni siquiera tendría que terminar mis estudios universitarios".

coprocessor (coprocesador)

Pronunciación: *ko-pro-cé-sor.*

Significado: Procesador separado, diseñado para tomar parte de la carga del procesador principal y hacer que la computadora corra más rápido. Un coprocesador de gráficas se ocupa del desplegado de imágenes en la pantalla, lo que da como resultado el poder observar imágenes más rápidas, más coloridas y más detalladas. Un coprocesador matemático se ocupa de los cálculos numéricos y tiene por consecuencia que las hojas de cálculo y los programas de gráficas corran más rápido.

Enunciado: "Muchas personas adquieren *coprocesadores* matemáticos para que sus bases de datos puedan correr más rápido. Yo pienso de manera diferente. Sólo contrato a una persona que trabaje para mí con el salario mínimo. De esa manera, no me importa qué tan rápido corra mi computadora".

copy (copia)

Pronunciación: *kó-pi.*

Significado: Creación de un duplicado exacto de un ítem, como es el caso del texto, los datos o los archivos almacenados en un disco.

Enunciado: "En lugar de comprar video juegos, muchas personas tan sólo los *copian*. No obstante que eso es más barato, también es ilegal. Por tanto, a menos que sea un político o un abogado, no podrá salirse con la suya".

copy protection (protección contra copia)

Pronunciación: *kó-pi pro-ték-shon.*

Significado: Es la manera de prevenir que una computadora copie uno o más archivos.

Enunciado: "Debido a que el costo de un solo programa fuera de Estados Unidos es, en ocasiones, tanto como el salario anual de una persona, los desarrolladores de software colocan una *protección contra* copia en el software que venden fuera de Estados Unidos. No obstante, la protección contra copia no garantiza que alguien no copie el software, sólo evita que la mayoría de las personas lo hagan".

CP/M

Pronunciación: *si-pi-em.*

Significado: Acrónimo de Control Program Microcomputers (Programa de control para microcomputadoras). Un sistema operativo ancestral que fue popular en las computadoras personales de los años setentas y principios de los ochentas, antes de la introducción del MS-DOS.

Enunciado: "Cuando las primeras computadoras personales salieron a la venta, tuve que aprender a utilizar el sistema operativo *CP/M*. Ahora, todo el mundo utiliza MS-DOS. Bueno, qué le vamos a hacer".

cps

Pronunciación: *si-pi-es.*

Significado: Acrónimo que significa *characters per second* (caracteres por segundo). Utilizado para indicar la velocidad de impresión de las impresoras de matriz de punto y las de chorro de tinta.

Enunciado: "Este modelo es capaz de imprimir a más de 200 *cps*, pero el papel se atora cada vez que trato de utilizarlo".

CPU

Pronunciación: *si-pi-yu.*

Significado: Acrónimo de central processing unit (unidad central de procesamiento), véase también *central processing unit.*

Enunciado: "Esa computadora no tiene valor puesto que sólo cuenta con un *CPU* 8088. Si usted desea comprar una buena computadora, consiga una con un CPU 80486 en lugar de pagar cientos de dólares, ¿no es este un buen consejo?"

CR/LF

Pronunciación: *ká-ri-ash ri-túrn/lain- fid o sir/elf o cru lif.*

Significado: Final de la línea de caracteres. Término que se utiliza con las impresoras que usan un provisionamiento continuo de papel. Un CR/LF avanza el papel en la impresora una línea a la vez. Algunos sistemas emplean sólo uno o el otro; esto es, ya sea CR o LF.

Enunciado: "Añada *CR/LFs* al documento, para que la impresora imprima con el título al centro de la página".

crash (colapso)

Pronunciación: *krash* (Imagine el sonido de un Ford Pinto que se estrella en el costado de un autobús GM).

Significado: Sucede cuando la computadora o la red dejan de funcionar de manera súbita. Con frecuencia se utiliza para describir el aterrizamiento de las cabezas en la unidad de disco duro con la unidad misma.

Enunciado: "Mi computadora se *colapsó,* por lo que tuve que detener mi trabajo. Es sorprendente lo que un pequeño clip metálico insertado en la unidad de disco puede hacer por la moral de los empleados en este lugar".

CRC

Pronunciación: *sái-kli-kol ri-dún-dan-si chek o si-ar-si.*

Significado: Técnica de detección de errores que se utiliza para verificar la precisión en la transmisión de datos. Con frecuencia es usada con varios protocolos de transmisión como el XModem.

Enunciado: "XMODEM con *CRC* es más confiable para transferir datos que el simple XMODEM solo. Una vez más, ¿por qué no mejor le doy una copia del archivo en un disco y nos olvidamos de la conexión de todos estos cables y todo lo demás?"

crosshairs (cruz)

Pronunciación: *kros-jers.*

Significado: La forma del cursor cuando se utilizan ciertos programas como los de dibujo o pintura. El cursor aparece con frecuencia como un símbolo de cruz cuando usted dibuja círculos, cuadros o líneas.

Enunciado: "Se dará cuenta de que ha elegido dibujar una línea cuando el cursor se muestre como *cruz.* De otra manera, el cursor sólo aparecerá como una tonta flecha que apunta a la izquierda".

CRT

Pronunciación: *si-ar-ti.*

Significado: Acrónimo que significa *cathode ray tube* (tubo de rayos catódicos). Los CRTs hacen su aparición en los monitores de computadora y las pantallas de televisión.

Enunciado: "No se siente demasiado cerca del *CRT* o sus ojos se llenarán de radiación y explotarán en su cara".

Ctrl

(Véase *tecla control.*)

Ctrl-Alt-Del

Pronunciación: *kon-trol alt-de-lt (control alt del).*

Significado: Tres teclas que aparecen en los teclados compatibles IBM. Presiónelos en secuencia (y manténgalos presionados de manera simultánea) —Ctrl-Alt-Del— para reiniciar su computadora. Esto también ocasionará que pierda cualquier cosa que haya hecho y no haya guardado, además de poner todos sus archivos abiertos en riesgo de sufrir algún daño. Cuando su computadora se *inhiba,* no tendrá otra alternativa que presionar Ctrl-Alt-Del.

Enunciado: "Siempre que mi computadora deja de funcionar por razones nada aparentes, tengo que presionar *Ctrl-Alt-Del* para volver a empezar. En ocasiones esto funciona y en otras no tengo más remedio que ofrecer una hamburguesa con queso en sacrificio".

CUA

Pronunciación: *si -yu ei.*

Significado: Acrónimo de Common User Access (Acceso de usuarios en común). Es un juego de guías desarrollado por la IBM para proporcionar una interfaz estándar para el usuario para los programas de computadora.

Enunciado: "Casi todos los programas Macintosh y Windows siguen las guías *CUA*".

current directory (directorio actual)

Pronunciación: *kú-rent di-rek-tó-ri.*

Significado: El directorio en el que usted trabaja en cualquier momento, es el directorio actual y es el único a partir del que DOS almacena y recupera archivos (a menos que otra cosa se indique). Cualquier directorio del disco duro o del disquete puede ser el directorio actual, pero sólo un directorio puede ser el actual en un momento dado.

Enunciado: "La primera vez que encendí mi computadora, pude observar el indicador C:>, lo que significa que el *directorio actual* es C:\. Si escribo **CD\DOS** y presiono Enter, el directorio actual se vuelve el C:\DOS".

cursor

Pronunciación: *kúr-sor.*

Significado: La pequeña y molesta luz parpadeante que aparece en la pantalla para indicarle el lugar donde aparecerá el siguiente carácter escrito.

Enunciado: "Mueva el cursor al principio de la página al presionar Ctrl-Home. O sólo presione la tecla PgUp un millón de veces hasta que llegue a donde desea o se rinda".

cursor keys (teclas de cursor)

Pronunciación: *kúr-sor kiis.*

Significado: Las teclas que le permiten mover el cursor en la pantalla. En los teclados IBM, los teclazos del cursor tienen una doble función como el teclado numérico (qué tonto diseño de ingeniería). Las 8 teclas de cursor son: las flechas hacia arriba/abajo, las flechas a la izquierda/derecha, las teclas Home/End y las teclas PgUp/PgDn. Muchos nuevos teclados cuentan con teclas separadas también (véase *101-key keyboard*).

Enunciado: "Podrá utilizar las *teclas de cursor* o el ratón para mover el cursor sobre la pantalla".

cut (cortar)

Pronunciación: *kot.*

Significado: Remoción del texto o las gráficas de la pantalla. Podrá utilizar el comando Paste (pegar) para recuperar el texto o gráfica que ha cortado de manera más reciente.

Enunciado: "Para borrar un párrafo en WordPerfect, no presione la tecla Backspace hasta que su cara se ponga morada. Sólo resalte el fragmento entero y seleccione el comando *Cut* (cortar)".

cut and paste (cortar y pegar)

Pronunciación: *kot and peist.*

Significado: Remoción de texto o gráficas de la pantalla para hacerlas reaparecer en algún otro lugar.

Enunciado: "Para copiar la tarea de una manera más fácil, sólo *corte y pegue* el documento de alguien y colóquelo en su propio trabajo".

D

DA (AE)

Pronunciación: *di-ei.*

Significado: Acrónimo de *Desk Accessory* (Accesorio de escritorio) en la Macintosh. Un accesorio de escritorio es un simple programa de utilería, como es el caso de la Calculadora y el Bloc de notas, que corren mientras otro programa está en función.

Enunciado: "Siempre que utilizo Microsoft Word en mi Macintosh y me viene a la mente una nueva idea para hacer trampa al gobierno con los impuestos, corro mi *AE* de Bloc de notas y escribo mis ideas antes de que se me olviden".

daisy chain (cadena de margaritas)

Pronunciación: *déi-si chein.*

Significado: Enlace de ítems uno después de otro. En el procesamiento de palabras, la impresión de la cadena de margaritas significa el imprimir documentos uno después de otro.

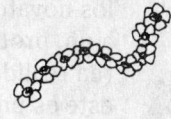

Enunciado: "Mi procesador de texto me permite realizar una *cadena de margaritas*, así que no tengo que desperdiciar mi tiempo en indicarle que imprima cada documento de manera individual. Es una verdadera lástima que tenga que desperdiciar mi tiempo sentado junto a la impresora para asegurarme de que el papel no se atore".

daisy wheel (margarita)

Pronunciación: *déi-si wil.*

Significado: Rueda de plástico que contiene un carácter de impresión en cada segmento. Las margaritas hacen su aparición en impresoras de modelo antiguo (bastante poco imaginativo es el nombre de *impresoras de margarita*, puesto que las ruedas semejan a las flores llamadas margaritas). Siempre que la impresora deba imprimir un carácter, ésta gira la margarita hasta que el carácter correcto aparece. Entonces golpea el segmento de la rueda para que éste se impacte contra la cinta de impresión, lo que da como resultado el carácter impreso sobre la página (suena como demasiados problemas sólo para imprimir un carácter, ¿o no?), véase también *laser printer* y *dot matrix*.

Enunciado: "Las páginas impresas con *margarita* lucen como si hubieran sido hechas con una máquina de escribir ordinaria. El problema es que ya nadie utiliza las máquinas de escribir".

darnthing (maldita porquería)

Pronunciación: *darn-thing.*

Significado: Frase utilizada de manera común tanto por los novatos como por los expertos, cuando se enfrentan a un problema que la computadora no desea resolver (en realidad existen muchas más frases comunes, pero este es un diccionario familiar). También se conoce como *&^%$!!.

Enunciado: "Este *maldito artefacto* no me permite eliminar esta palabra. Odio las computadoras. Alguien déme un martillo, por favor".

Data (datos)

Pronunciación: *déi-ta.*

Significado: Información que las personas piensan que es importante y útil para poder guardar. Es también el nombre del androide en la serie de televisión *Viaje a las estrellas: la siguiente generación.*

Enunciado: "Mi disco duro contiene megabytes de *datos* acerca de todos los aspectos de mi negocio. Me pregunto cuántos megabytes de información retiene el comandante Data acerca de todos los aspectos del Enterprise".

data compression (compresión de datos)

Pronunciación: *déi-ta kom-pré-shon.*

Significado: Tomar los archivos de un disco y hacerlos más pequeños. Con frecuencia se usa para poder transmitir archivos a través de un módem (con lo que también se reduce el tiempo que se pasa junto al teléfono), así como para almacenar datos en un disco duro con el objeto de que ocupen un menor espacio. Tendrá que volverlos a su estado normal antes de poder utilizarlos una vez más.

Enunciado: "El mejor programa para la *compresión de datos* es el PKZIP debido a que funciona más rápido y crea archivos más pequeños que los programas similares de compresión como ARC o LHA. Ahora que mis archivos son más pequeños, puedo atiborrar mi disco duro con el doble de información inútil".

Data Encryption Standard (estándar de encriptación de datos)

Pronunciación: *déi-ta en-kríp-shon stán-dar.*

Significado: Con frecuencia se abrevia DES. Una especificación gubernamental para la encriptación de los archivos por medio de una contraseña. De manera aparente, es una especificación segura que nadie puede romper, con excepción tal vez del gobierno, razón por la cual apoya de todo corazón esta medida.

Enunciado: "El *estándar de codificación de datos* puede revolver el texto de una manera tan grave que nadie pueda leer el contenido sin la contraseña correcta. Esto explica por qué las formas de impuestos gubernamentales son tan difíciles de entender".

data fork (tenedor de datos)

Pronunciación: *déi-ta fork.*

Significado: En las Macintosh, consiste en todos los archivos que cuentan con dos partes: un tenedor de recursos y un tenedor de datos. Este último, por
lo general contiene la información (esto es, los datos reales) que el programa necesita para correr. El tenedor de recursos por lo general contiene las instrucciones para correr un programa o cualquier otra información de recursos que sea necesaria, tal como las fuentes, los iconos, los menús, etcétera.

Enunciado: "Muchos programas de MS-DOS constan de un archivo .EXE por separado y uno o más archivos .DAT que almacenan los datos del programa. En la Macintosh, usted podrá atiborrar esta información dentro de un solo archivo al utilizar el *tenedor de datos*".

data structures (estructuras de datos)

Pronunciación: *déi-ta es-trúk-shurs.*

Significado: Término que utilizan los programadores para describir varias formas de organizar datos dentro de un programa. Algunas estructuras comunes de datos incluyen los arreglos, los registros, los árboles, las listas de enlace y cualquier otra cosa que el programador se tome la molestia de aumentar (véase *algorithm*).

Enunciado: "Los programas constan de algoritmos que le indican al programa lo que debe hacer y las *estructuras de datos* que conservan la información para ser utilizada por el programa".

database (base de datos)

Pronunciación: *déi-ta beis.*

Significado: Colección organizada de información (datos). Véase también *data.*

Enunciado: "Almacené los nombres, direcciones y números de teléfono de mis clientes en una *base de datos.* Ahora no puedo recordar dónde puse ese disquete".

DATE (fecha)

Pronunciación: *deit.*

Significado: Un comando de MS-DOS y OS/2 que despliega la fecha de la computadora. DATE le da la oportunidad de escribir la fecha correcta si esto fuera necesario.

Enunciado: "Escriba **DATE** en el indicador de DOS y presione Enter. En las computadoras que no cuentan con un reloj interno, la fecha con seguridad será 1/1/80. En las computadoras que sí cuentan con este reloj, la fecha por lo general será correcta".

datum (dato)

Pronunciación: *déi-tum.*

Significado: Singular de "data", rara vez utilizado excepto por los programadores con un complejo social en extremo, que desean impresionar a los demás con su inútil conocimiento técnico (véase también *data*).

Enunciado: "Quizá Data, el androide de *Viaje a las estrellas: la siguiente generación,* debería haber sido llamado *datum,* dado que sólo hay un ejemplar de ese tipo".

daughterboard (tablero hija)

Pronunciación: *dó-der bord.*

Significado: Tablero de circuitos opcional que puede conectarse en el circuito principal de la computadora. Debido a que el tablero de circuito principal en la computadora se llama *tablero madre,* este tablero de circuito opcional recibe entonces el nombre de *tablero hija.* (Véase también *motherboard.*)

Enunciado: "Toda computadora cuenta con un tablero madre, pero la mía tiene cualidades de superhéroe porque también le instalé un *tablero hija".*

DDE

Pronunciación: *di-di-i* (sólo imagine que un bebé lo pronuncia).

Significado: Acrónimo que significa *Dynamic Data Exchange* (intercambio dinámico de información). Utilizado con Microsoft Windows y OS/2. DDE permite que dos programas Windows o OS/2 puedan compartir datos, como son los números almacenados en una hoja de cálculo y los resúmenes de un procesador de palabras.

Enunciado: "Si no fuera por mi *DDE* tendría que escribir estos números dos veces, una en mi resumen de procesador de palabras y otra en mi hoja de cálculo. Con DDE, sólo escribo los números en mi hoja de cálculo y éstos aparecen en mi procesador de palabras como por arte de magia. Cada vez que cambio los números en mi hoja de cálculo, éstos cambian de manera automática en mi resumen de procesador de palabras".

DDT

Pronunciación: *di-di-ti.*

Significado: Pesticida utilizado en los años sesentas y setentas para eliminar los insectos, los cultivos, los animales pequeños y las personas que entraban en contacto con éste.

Enunciado: "El *DDT* mantiene las plagas fuera de mi jardín, por lo que apliqué un poco a mi computadora, con la esperanza de que me deshaga de los parásitos en mi Word-Perfect".

debug (depuración)

Pronunciación: *di-bóg.*

Significado: Eliminación de los problemas (bugs) de un programa. Los programadores tratan de depurar al tiempo que lo desarrollan, pero con frecuencia olvidan varios detalles (véase también *bug*).

Enunciado: "La versión 1.0 de cualquier programa por lo general contiene muchos problemas que los programadores no han localizado todavía. Una vez que el programa empieza a causar problemas a los compradores, los programadores *depuran* el programa y lanzan al mercado la versión 2.0".

debugger (depurador)

Pronunciación: *di-bó-guer.*

Significado: Programa especial cuyo único propósito en la vida consiste en ayudar a los programadores a rastrear y eliminar los parásitos de un programa.

Enunciado: "Con mi *depurador,* es mucho más fácil verificar los problemas de mis programas antes de que los ponga a la venta. Aun así, gano más dinero cuando vendo programas problemáticos y después cobro una buena cantidad a los clientes por el hecho de otorgarles una versión *depurada*".

decimal number (número decimal)

Pronunciación: *dé-si-mal num-ber.*

Significado: Número que utiliza los dígitos 0, 1, 2, 3, 4, 5, 6, 7, 8, 9 en una notación ordinaria de base 10 (véase también *binary, hexidecimal* y *octal*).

Enunciado: "Muchas personas utilizan *números decimales* para contar, pero las computadoras usan números binarios o hexadecimales también. En ocasiones esto es más conveniente para la computadora, pero siempre es un soberano dolor de cabeza para el programador".

decryption (decriptado)

Pronunciación: *di-kríp-shon.*

Significado: Conversión de balbuceos indescifrables en lenguaje normal que todos pueden entender (véase *encryption*).

Enunciado: "Todo lo que una computadora escribe suena como si hubiera sido codificado por la CIA. Sin embargo, la lectura del libro *DOS para inexpertos* parecía la lectura del decriptado de todos los términos normales en la computación".

dedicated (dedicado)

Pronunciación: *de-di-kéi-ted.*

Significado: Adjetivo que describe parte del equipo que realiza una sola función.

Enunciado: "Tengo una línea de teléfono separada *dedicada* a enviar y recibir comunicaciones vía FAX. También tengo un perro Collie dedicado a traerme mis pantuflas los domingos por la mañana".

default (por omisión)

Pronunciación: *di-fólt.*

Significado: Suposición que realiza la computadora para ejecutar cierta acción, a menos que el usuario especifique una diferente, como es el caso de utilizar un valor por omisión para una opción.

Enunciado: "Si trata de abandonar un programa sin guardar su archivo, la computadora le preguntará si en realidad desea hacer eso. Al presionar la tecla Enter, usted elegirá el comando por omisión para guardar su archivo (y en algunos casos, salvar su vida como resultado)".

default directory (directorio por omisión)

Pronunciación: *di-fólt di-rek-tó-ri.*

Significado: El directorio en la unidad de disco que la computadora utiliza para ejecutar comandos si no se le han dado instrucciones específicas para emplear un directorio diferente (véase también *default drive* y *directory).*

Enunciado: "El *directorio por omisión* de mi computadora es C:\DOS. Siempre que escribo un comando, mi computadora busca los archivos en este directorio".

default drive (unidad por omisión)

Pronunciación: *di-fólt draiv.*

Significado: La unidad de disco que la computadora utiliza si no se le han dado instrucciones específicas de buscar en otra parte.

Enunciado: "La *unidad por omisión* para la mayoría de las computadoras es la unidad C:, que es el disco duro. Por lo que si guarda un archivo en disquete, pero no puede localizarlo después, lo más seguro es que se localice en la unidad C: y no en el disquete".

Del key (tecla Delete)

Pronunciación: *del kii.*

Significado: La tecla Delete en ocasiones se abrevia sobre los teclados de las computadoras como DEL.

Enunciado: "En algunos programas, el presionar la *tecla Del* borra el carácter que se encuentra en la izquierda del cursor. En otros programas, el presionar la *tecla Del* borra el de la derecha. Esto es semejante a conducir un auto en el que el pedal del acelerador se encuentre a la derecha y luego manejar otro auto donde el pedal del freno se encuentre también a la derecha".

DES

(Veáse *Data Encryption Standard.*)

descender (descendente)

Pronunciación: *di-sén-der.*

Significado: La parte de la letra que cae por debajo de la línea imaginaria sobre la que dicha letra descansa. Por ejemplo, las letras *p, y* y *q* tienen descendentes, pero las letras *t, u* y *o* no los tienen (véase también *ascender*).

pqrst

Enunciado: "Si hace que el espacio entre líneas sea muy pequeño, los *descendentes* de la línea superior se montarán sobre las letras de la siguiente línea".

deselect (deseleccionar)

Pronunciación: *di-se-lékt.*

Significado: Se refiere a cambiar de idea después de seleccionar un ítem, como en el caso de eliminar el resaltado de un ítem o una X en el cuadro de selección (véase también *select*).

Enunciado: "George Bush seleccionó a Dan Quayle para vicepresidente. Después de la mala publicidad alrededor de Quayle, muchas personas se preguntaron si a Bush le gustaría *deseleccionar* a Quayle y elegir a alguien más".

desk accessory

Pronunciación: *desk ak-se-só-ri.*
(Véase *DA.*)

desktop (escritorio)

Pronunciación: *desk-top.*

Significado: La pantalla en blanco (de fondo) que aparece en los programas que utilizan una *interfaz gráfica para el usuario* como la Macintosh, Windows o el OS/2 (véase *graphical user interface*).

Enunciado: "Siempre que arranco mi Macintosh, veo una barra de menús en la parte superior de la pantalla y una gran pantalla gris por debajo, atiborrada de iconos y ventanas. Esta pantalla gris es mi *escritorio* porque luce tan desorganizada tal como la cubierta de mi escritorio verdadero".

desktop PC (computadora personal de escritorio)

Pronunciación: *desk-top pi-si.*

Significado: Tipo de computadora que es demasiado pesada para ser movida más de una vez en la vida y que utiliza más de la mitad del espacio en la cubierta de un escritorio ordinario (en contraste con las *computadoras portátiles, laptop* y *notebooks*).

Enunciado: "No necesito una computadora cuando viajo, así que preferí comprar una *computadora personal de escritorio* y dejarla en casa".

desktop publishing (autoedición)

Pronunciación: *desk-top pú-bli-shing.*

Significado: Combinación de texto e imágenes en una pantalla de computadora para crear circulares, libros y folletos de apariencia genial (véase también *DTP*).

Enunciado: "Con mi programa de *autoedición,* puedo crear y publicar mi propio libro. Ahora sólo necesito conseguir alguien que lo compre".

device (dispositivo)

Pronunciación: *di-váis.*

Significado: Cualquier tipo de equipo, como la impresora, el módem, el monitor, la unidad de disco o el ratón, el cual puede enviar o recibir datos.

Enunciado: "Las personas muy integradas en el ámbito de las computadoras gustan de llamar *dispositivo* a mi impresora. Yo sólo la llamo impresora".

device driver (manejador de dispositivo)

Pronunciación: *di-váis drái-ver.*

Significado: Programa especial que proporciona las especificaciones para la operación de un dispositivo conectado a la computadora, como es el caso de la impresora o la unidad CD-ROM. En algunos casos, sólo es denominado *manejador.*

Enunciado: "Antes de poder hacer que WordPerfect imprimiera mis documentos, tuve que instalar el *manejador de dispositivo* correcto para la impresora. Este programa especial le indica al WordPerfect de manera exacta de cómo imprimir mis asuntos en la impresora".

device name (nombre de dispositivo)

Pronunciación: *di-váis neim.*

Significado: Abreviatura que se refiere al dispositivo que se conecta a la impresora.

Enunciado: "MS-DOS utiliza el *nombre de dispositivo* de PRN para referirse a la impresora. No entiendo cómo algo así puede ser fácil de entender, pero al menos mi computadora parece feliz".

dialog box (cuadro de diálogo)

Pronunciación: *dá-ya-log boks.*

Significado: Ventana que surge para solicitar más información por parte del usuario (véase también *list box*).

Enunciado: "Siempre que elijo el comando Save As, mi procesador de palabras hace saltar un *cuadro de diálogo* en la pantalla, que me pide que escriba el nombre del archivo que deseo utilizar".

digital

Pronunciación: *dí-yi-tal.*

Significado: Una forma de representación para los objetos que utilizan dos estados diferentes como son: Encendido o Apagado, Bajo o Alto, Bueno o Malo, Republicano o Demócrata. Todas las computadoras son *digitales* debido a que constan de millones de interruptores encendido y apagado (véase también *analog* y *binary*).

Enunciado: "Las computadoras con frecuencia parecen frías y prohibitivas a los estudiosos de las ciencias sociales, puesto que las computadoras son *digitales* y ven el mundo en términos de blanco y negro. Los abocados a las ciencias sociales tienden a ver el mundo en sombras de color gris, lo que explica por qué la mayoría de ellos no tienen trabajo después de graduarse (calma, ¡sólo era una broma!)".

dimmed (desvanecido)

Pronunciación: *dimd.*

Significado: Sucede cuando un objeto o palabra aparece en la pantalla en un color tenue y borroso que es fácil de pasar por alto. En Windows, por ejemplo, las opciones que no se aplican en el contexto actual son desvanecidas para que usted pueda darse cuenta de que no están disponibles.

Enunciado: "Para evitar que usted elija ciertos comandos por error tales comandos pudieran aparecer *desvanecidos* en su pantalla".

dingbats

Pronunciación: *ding-batz.*

Significado: Fuente que consiste en caracteres extraños a base de balas, jeroglíficos egipcios y griegos, así como figuras geométricas. Es también un modismo que se hizo popular en los años setentas por la serie de televisión *All in the family* (Todos en familia) cuando se utilizaba para describir a las personas que no agradaban a Archie Bunker.

Enunciado: "Cuando elijo la fuente *dingbats* de mi procesador de palabras, aparecen todo tipo de símbolos extraños en lugar de mis letras".

DIP switch (interruptor DIP)

Pronunciación: *dip-suich* (como si fuera un estornudo).

Significado: Pequeñísimos interruptores que casi son imposibles de localizar y sólo permiten un uso apropiado. DIP es el acrónimo de *Dual-Inline Package* (paquete dual en línea), como si esto bastara para aclarar el significado. En su mayoría, utilizarán interruptores DIP con los modems para seleccionar puertos COM, o con las impresoras para seleccionar opciones para los datos de salida. Los tableros impresos de circuitos también pueden contenerlos.

Enunciado: "Cuando agregué más memoria a mi computadora tuve que cambiar el ajuste de los *interruptores DIP* con un lápiz de punta muy afilada".

DIR

Pronunciación: *dir.*

Significado: Comando del sistema operativo que despliega un listado del directorio cuando se utiliza en el indicador de DOS, como es el caso de C:\>DIR.

Enunciado: "Utilicé **DIR** en el indicador de DOS y todos los nombres de mis archivos se desplazaron tan rápido en la pantalla, que ni siquiera pude leerlos. Caracoles, qué bueno que gasté $3,000 en una computadora que hace mi vida más fácil".

directory (directorio)

Pronunciación: *di-rék-to-ri.*

Significado: Forma de dividir un disquete o un disco duro para organizar los archivos. Cada disco cuenta con al menos un directorio denominado *directorio raíz*. Podrá crear otros directorios y etiquetarlos para conservar separados sus archivos que se relacionen con diferentes programas, datos y proyectos.

Enunciado: "He creado un puñado de *directorios* para organizar mis archivos en el disco duro. Ahora ya no puedo recordar en qué directorio almacené todos mis archivos".

directory list box (cuadro de lista de directorios)

Pronunciación: *di-rék-to-ri list boks.*

Significado: Desplegado que lista los directorios y subdirectorios en una estructura de árbol jerárquica. Podrá usar estos cuadros en los programas de Windows y OS/2.

Enunciado: "Siempre que presiono el comando Save en mi procesador de palabras, el programa hace surgir un *cuadro de lista de directorios* para que pueda elegir el directorio en el que deseo guardar mi archivo".

disk (disco)

Pronunciación: *disk.*

Significado: Dispositivo magnético de almacenamiento en forma de pizza que viene enfundado en una caja de plástico. Los discos duros están enfundados en una caja. Los dos tamaños más populares para los disquetes son cinco y un cuarto pulgadas y tres y media pulgadas. Éstos pueden ser de doble o alta densidad. Los de alta densidad pueden almacenar hasta cuatro veces la cantidad de información que almacenan los de doble densidad (véase también *floppy disk* y *hard disk*).

Enunciado: "Después de almacenar todos mis archivos en *discos* floppy durante varios años, por fin he comprado un disco duro. Así que ahora utilizo mis viejos discos floppy para jugar frisbee".

disk cache (caché de disco)

Pronunciación: *disk kash.*

Significado: Porción de la memoria en que la computadora almacena información que se utiliza de manera frecuente. Al copiar la información del disquete o del disco duro y almacenarla en la caché del disco, la computadora podrá tener acceso a la información de una manera más rápida. Algunas computadoras cuentan con una memoria caché de disco integrada. Otros programas de utilería elaboran esta memoria de disco a partir de la memoria principal de la computadora. Por lo general, entre mayor sea la caché inmediata del disco, más rápido podrá correr la computadora.

Enunciado: "Mi computadora corre de verdad rápido porque cuenta con una gran *memoria caché de disco,* sin embargo yo todavía corro muy, muy lento".

disk operating system
(disco del sistema operativo)

Pronunciación: *disk o-pe-réi-ting sís-tem.*

Significado: Programa principal que le indica a la computadora cómo funcionar. Con frecuencia se abrevia DOS. En las computadoras IBM y las compatibles, el disco del sistema operativo se denomina *MS-DOS* o *PC-DOS,* a pesar de que muchas personas tienen sus propios adjetivos favoritos de cuatro letras para denominarlo. El sistema operativo MAC con frecuencia es denominado algo así como *Sistema 7* (véase también *disk operating system*).

Enunciado: "Mi computadora tenía una vieja versión del *disco del sistema operativo,* así que no podía correr los programas más nuevos. Una vez que mejoré con la nueva versión de MS-DOS, mi computadora funcionó a la perfección".

disk partition
(partición de disco)

Pronunciación: *disk par-tí-shon.*

Significado: La división del disco duro en dos o más secciones. Algunas personas dividen su disco para que una mitad de éste corra MS-DOS y Windows y para que la otra mitad corra OS/2.

Enunciado: "Alguien *particionó* mi *disco* duro en tres partes separadas. Una de esas partes corre MS-DOS y la otra corre OS/2; una más corre Windows NT. Ahora, estoy tres veces más confundido cuando trato de utilizar mi computadora".

display (desplegado)

Pronunciación: *dis-pléi.*

Significado: Monitor o pantalla de la computadora que en realidad le muestra algo interesante, como es el caso de los procesadores de palabras, las hojas de cálculo o imágenes digitalizadas de modelos en traje de baño (véase también *monitor*).

Enunciado: "El *desplegado* de mi computadora es en color, pero el desplegado de mi laptop es en blanco y negro. Me gustaría comprar una computadora laptop con desplegado en color, pero entonces tendría que obtener una segunda hipoteca para mi casa".

dithering

Pronunciación: *dí-te-ring.*

Significado: No obstante que suena como algo que una persona ebria podría balbucear durante su sueño, dithering es la sustitución de puntos en blanco y negro por sombras de gris en las gráficas computarizadas. Puede ser utilizado para crear patrones de curva que sean menos burdos (véase también *Aliasing* y *Jaggies*).

Enunciado: "Debido a que algunos desplegados e impresoras no pueden desplegar una alta calidad de resolución en una imagen gráfica, utilizan *dithering* para mostrarle que la gráfica aún existe, pero que de ninguna manera pueden proporcionarle la imagen exacta".

DLL

Pronunciación: *di-el-el.*

Significado: Acrónimo utilizado en Windows y OS/2 para significar *Dinamic Link Library* (Biblioteca de enlaces dinámicos). Los archivos DLL contienen por lo general rutinas que dos o más programas pueden compartir.

Enunciado: "Escribí un archivo *DLL* que se encarga de la impresión. De esa manera, los muchachos que trabajan conmigo pueden utilizar mi archivo *DLL* en lugar de escribir sus propias rutinas de impresión para sus programas. Ahora sólo nos resta esperar que mi archivo DLL funcione de verdad".

DOC

Pronunciación: *dok* (como en ¿qué hay de nuevo, DOC?).

Significado: Abreviatura de DOCument (documento). Con frecuencia se utiliza como extensión de archivo para los archivos de los procesadores de palabras (véase también *BAK*).

Enunciado: "Verifique el disco duro en busca de todos los archivos *DOC* que pueda encontrar, después elimínelos para que la policía no encuentre ninguna evidencia de que estos muchachos no son tan honestos, después de todo".

document (documento)

Pronunciación: *dó-kiu-ment.*

Significado: Archivo creado por un procesador de palabras o un programa de autoedición, que contiene palabras o imágenes (véase también *file*).

Enunciado: "Mi amigo me dio todos sus *documentos* en un disquete. Ahora sólo necesito averiguar qué procesador de palabras utilizó para crearlos".

documentation (documentación)

Pronunciación: *do-kiu-men-téi-shon.*

Significado: Gruesos manuales de instrucción que todo el mundo adquiere a un precio muy elevado, pero que nadie se molesta en leer. Por lo general están llenos de instrucciones que no funcionan, no tienen sentido o para ser precisos, están equivocadas.

Enunciado: "Muchas personas pagan por el software para obtener la *documentación*. Gastan $50 en libros de terceros, muchos de los cuales les dan casi la misma información que les proporciona la documentación".

DOS

Pronunciación: *dos.*

Significado: Acrónimo que significa *Disk Operating System* (Disco del sistema operativo). Por cierto, si usted tiene Windows, también tendrá DOS (véase también *disk operating system*).

Enunciado: "Utilizo *DOS* en mi computadora Laptop, pero uso Windows en mi computadora de escritorio. No sé cómo emplear ninguno de los dos, pero al menos sé que el utilizar las palabras correctas suena inteligente".

DOS prompt (indicador de DOS)

Pronunciación: *dos prompt.*

Significado: Cuando no se encuentre en un programa, verá esta pequeña señal en clave que la computadora despliega en la pantalla y que en esencia le indica: "Esta es la computadora. ¿Qué quieres que haga?" Por lo general, los indicadores de DOS lucen así C:\>, A:, o C:\WINDOWS\SYSTEM> (véase también *$*).

Enunciado: "Escriba **DEL *.*** y presione Enter en el *indicador de DOS* si desea eliminar todos los archivos de su directorio actual".

dot matrix (matriz de puntos)

Pronunciación: *dot má-triks.*

Significado: Tipo de impresora o impresión que crea letras y gráficas a partir de pequeños puntos. Entre más puntos se utilicen, mejor será la imagen. Entre menos puntos se usen, más parecerá que la imagen fue creada por una impresora barata (véase también *laser printer* y *daisy wheel*).

Enunciado: "La mayoría de las revistas no gusta de las impresiones de *matriz de puntos*. En lugar de eso, prefieren las impresiones láser".

dot pitch (densidad de punto)

Pronunciación: *dot pich.*

Significado: El tamaño más pequeño de punto que un monitor puede desplegar, por lo general se mide en milímetros (mm). La densidad común de punto para los monitores es .41mm, .31mm y .28mm. Entre menor sea la densidad de punto, más aguda será la resolución del monitor. También se utiliza para describir la distancia entre dos puntos que sean del mismo color en un monitor de ese tipo.

Enunciado: "Tenía un viejo monitor VGA con una *densidad de punto* de .41, pero era demasiado duro para mis ojos. Gracias a Dios que mi nuevo monitor tiene una *densidad de punto* de .28mm. No sé lo que eso significa, pero al menos es más fácil de leer".

dots per inch (puntos por pulgada)

Pronunciación: *dot per inch.*

Significado: Algunas ocasiones abreviado como DPI, puntos por pulgada describe qué tan nítida es la imagen que se imprime. Entre más puntos por pulgada se utilicen, mejor lucirá la imagen.

Enunciado: "Mi impresora láser tiene una resolución máxima de 300 *puntos por pulgada,* pero las fotocomponedoras cuentan con 2400 puntos por pulgada. Es por eso que incluso mis impresiones láser parecen baratas en comparación con los libros o revistas hechos por estas máquinas".

double click (doble clic)

Pronunciación: *dó-bol clic.*

Significado: Presión del botón del ratón dos veces en forma rápida y sucesiva sin mover el ratón entre los clics (véase también *click*).

Enunciado: "Para correr el programa, sólo mueva el cursor del ratón sobre el icono del programa y haga *doble clic.* Si eso no funciona, dé un puñetazo a su monitor".

double-density disk (disco de doble densidad)

Pronunciación: *dó-bol dén-si-ti disk.*

Significado: Disquete que almacena el doble de información en el mismo espacio que un disco de densidad sencilla (que de hecho, ya no se venden). Los discos de doble densidad se abrevian como DD. Un disco de cinco y un cuarto pulgadas y doble densidad, puede almacenar 360 K de datos. Un disco de tres y media pulgadas y doble densidad puede almacenar 720 K (800 K para las Macintosh) de datos. Véase también *high density*.

Enunciado: "Casi ya nadie utiliza los disquetes de *doble densidad* hoy en día. Todo mundo emplea disquetes de alta densidad en la actualidad. En lo que a mí respecta, uso los disquetes de doble densidad como portavasos".

down (baja)

Pronunciación: *daun.*

Significado: Se utiliza cuando alguna parte del equipo deja de funcionar de manera temporal.

Enunciado: "No podemos tomar su reservación, porque tenemos una *baja* en la computadora y somos demasiado torpes como para trabajar sin ella".

download (bajar)

Pronunciación: *daun loud.*

Significado: Copia de los archivos por medio de un módem desde una computadora lejana hasta la que usted utiliza (véase también *upload*).

Enunciado: "Me gusta marcar el número de CompuServe o GEnie y *bajar* programas de sus computadoras. Después de copiar todos los programas que quiero, puedo empezar a jugar con ellos en mi computadora, en lugar de hacer trabajo de verdad".

downward compatible (compatible con el anterior)

Pronunciación: *daun word kom-pá-ti-bol.*

Significado: Capacidad que tiene el software o el hardware para funcionar con versiones anteriores del mismo software o hardware (véase también *upward compatible*).

Enunciado: "WordPerfect 7.0 es *compatible con el anterior*, esto es, WordPerfect 5.1. Significa que cualquier archivo que sea creado con WordPerfect 5.1, también puede ser utilizado con WordPerfect 7.0. Es una lástima que yo ya no quiera utilizar WordPerfect".

dpi

Pronunciación: *di-pi-ai.*

Significado: Acrónimo de dots per inch (puntos por pulgada), véase también *dots per inch*.

Enunciado: "Mi impresora tiene 300 *dpi*. Supongo que eso es bueno, ¿pero, qué rayos sé yo? Sólo soy el presidente de una corporación Fortune 500".

162

drag (arrastrar)

drag (arrastrar)

Pronunciación: *drag.*

Significado: Utilización del ratón para mover un objeto sobre la pantalla. Primero, tendrá que resaltar (seleccionar) el objeto que desea al apuntar con el ratón. Ahora, mantenga el botón presionado y mueva el ratón. Esto arrastrará el objeto.

Enunciado: "Para eliminar un archivo en la Macintosh, sólo *arrástrelo* a la papelera".

drag and drop (arrastrar y soltar)

Pronunciación: *drag and drop.*

Significado: Uso del ratón para mover un objeto en la pantalla, que es un atajo al uso del copiado y movimiento de un grupo de objetos.

Enunciado: "Las hojas de cálculo más recientes le permiten *arrastrar* y *soltar* renglones y columnas enteros de un lugar a otro. Las hojas de cálculo que no utilizan esta función, lo forzarán a seleccionar el renglón y columna que desea mover, elegir el comando Move del menú, y hacer clic en la locación sobre la cual desea mover los objetos (o utilizar el corte y pegado). *Arrastrar y soltar* es mucho más fácil de emplear".

DRAM

Pronunciación: *di-ram.*

Significado: Acrónimo que significa *Dynamic Random-Access Memory* (Memoria dinámica de acceso aleatorio). Las computadoras pueden utilizar dos tipos de chips RAM: DRAM y SRAM. Los chips DRAM son menos caros debido a que la computadora tiene que, de manera periódica, colocar la información de vuelta en los chips de RAM o éstos la olvidarán (véase también *RAM*).

Enunciado: "Cada cinco minutos tengo que detener mi trabajo y decirle a mis hijos que no corran por toda la casa. Ahora sé cómo se siente la computadora con respecto a los chips *DRAM*".

draw program (programa de dibujo)

Pronunciación: *drou pró-gram.*

Significado: Tipo de programa que le permite dibujar objetos en la pantalla, tales como líneas, cuadros o círculos.

Enunciado: "Un *programa de dibujo* vuelve su computadora de $2500 en un equivalente a una caja de crayones y una hoja de papel con un valor total de $2".

drive list box (cuadro de lista de unidades)

Pronunciación: *draiv list boks.*

Significado: Lista que despliega el número de unidades de disco en la computadora. Con frecuencia se utiliza con el comando File Save (para guardar archivos). Este cuadro le permite decidir en qué unidad guardará su archivo.

Enunciado: "Para indicarle a mi procesador de palabras que guarde un archivo en el disquete de la unidad A:, tengo que utilizar el *cuadro de lista de unidades* y seleccionar la unidad A:".

drop-down list box (cuadro de lista descendente)

Pronunciación: *drop daun list boks.*

Significado: Es la combinación de dos cuadros. Uno de ellos permite al usuario escribir la información. El segundo cuadro, que se encuentra por debajo, lista los nombres que el usuario puede elegir.

Enunciado: "Me gusta utilizar *los cuadros de lista descendentes* porque me dan la opción de escribir un nombre o elegir uno de una lista predefinida. Ahora sólo necesito encontrar una forma de que la computadora haga lo que deseo sin que yo mueva un dedo".

DS/DD

Pronunciación: *di-es/di-di*.

Significado: Abreviatura de double-sided/double-density (doble lado/doble densidad). Véase también *double-density disk* y *high density*.

Enunciado: "Siempre que compro una caja de disquetes, los miro para ver si tienen la etiqueta *DS/DD* o *HD*. Debido a que mi vieja computadora sólo utiliza disquetes de doble densidad, tengo que comprar los que dicen DS/DD".

DTP

Pronunciación: *di-ti-pi*.

Significado: Acrónimo de *Desk Top Publishing* (Autoedición). Véase también *desktop publishing*.

Enunciado: "Si no fuera por mi programa *DTP*, el producir dinero falsificado me sería mucho más difícil".

DTR

Pronunciación: *di-ti-ar*.

Significado: Acrónimo de *Data Terminal Ready*, (Terminal de datos activa). Una señal que utiliza la computadora para indicarle a su módem que está lista para recibir información.

Enunciado: "Mi módem cuenta con una luz indicadora *DTR* que me permite saber si todo funcionará bien en caso de llamar a otra computadora".

dumb terminal (terminal tonta)

Pronunciación: *dum tér-mi-nal.*

Significado: Unidad que consiste en un teclado y un desplegado de video conectados a una computadora principal (como es el caso de una estructura principal). Las terminales tontas no cuentan con una unidad de disco duro ni con sus propios procesadores, por lo que no pueden guardar archivos o hacer cualquier otra tarea por su cuenta. Las computadoras personales, por otra parte, pueden actuar como unidades autónomas que pueden ser colocadas juntas en una red.

Enunciado: "Debido a que piensan que de esa manera ahorran dinero, muchos compradores en las compañías adquieren una estructura principal e instalan *terminales tontas* en lugar de utilizar computadoras personales. También, de esta manera las personas que utilizan tales terminales no tienen opción en la vida".

dump (vaciado)

Pronunciación: *dump.*

Significado: Consiste en copiar la información de una locación a otra sin tomar en cuenta la apariencia o el formato. Con frecuencia se utiliza para imprimir información que es útil sólo de manera temporal.

Enunciado: "Tuve que *vaciar* el archivo en la impresora para poder ver el tipo de información que había almacenado en él. Ahora tendré que vaciar la impresión en el bote de la basura para que algún aprovechado la encuentre y utilice las contraseñas de todos nosotros".

duplex

Pronunciación: *dú-plex.*

Significado: Término utilizado en las telecomunicaciones para describir la forma en que las señales son enviadas.

Full duplex significa que las señales pueden ser enviadas de ida y vuelta de manera simultánea. *Half duplex* significa que las señales sólo pueden avanzar en una dirección en un momento dado.

Enunciado: "Con mi programa de comunicaciones, el utilizar ECHO ON significa que uso *full duplex*. Si empleo ECHO OFF, significa que sólo es *half duplex*. En ocasiones, si escribo, la computadora repite mi escritura y las palabras lucen así: eessttoo. Es entonces cuando tengo que utilizar ECHO OFF para que *half duplex* solucione el problema. ¿No es divertido aprender computación?"

Dvorak keyboard (teclado Dvorak)

Pronunciación: *dí-vo-rak Kíi-bord.*

Significado: Un teclado diseñado de manera especial, que organiza las teclas para obtener una máxima eficiencia. No obstante el ser conocido por su ventaja sobre los teclados actuales, casi nadie lo utiliza. Tal vez es demasiado eficiente (véase también *QWERTY* y *keyboard*).

Enunciado: "La única razón por la que no utilizo el *teclado Dvorak,* es debido a que todo el mundo emplea el teclado QWERTY, que ha rondado por casi un siglo".

dweeb

Pronunciación: *duib.*

Significado: Persona que puede ser muy competente en cuanto a la tecnología, pero que todos consideran un cretino con quien nadie desea relacionarse a la salida del trabajo.

Enunciado: "Bob sería un excelente gerente si no fuera un *dweeb*".

DWIM

Pronunciación: *duim.*

Significado: Acrónimo que significa Do What I Mean, Not What I Say (haz lo que quiero decir, no lo que digo). Con frecuencia utilizado por las personas que desean que la computadora lea sus mentes e ignore los comandos que escriben.

Enunciado: "En una ocasión observé cómo un padre utilizaba *DWIM* con su hija para indicarle que no fumara, mientras él se introducía un cigarro en la boca y resoplaba humo en la cara de la chica".

dynamic allocation (locación dinámica)

Pronunciación: *dai-ná-mic a-lo-kéi-shon.*

Significado: Consiste en almacenar información en la memoria de la computadora (denominado *heap*) mientras el programa corre. A menos que planee escribir sus propios programas, podrá omitir sin peligro esta definición (véase también *static*).

Enunciado: "Mis programas corren más lento porque usan la *locación dinámica,* pero al menos son más flexibles que los programas que utilizan la *locación estática.* Por cierto, ¿acaso tengo idea de qué rayos acabo de decir?"

dynamic RAM (RAM dinámica)

(Véase *DRAM.*)

E

e-mail (correo electrónico)

Pronunciación: *i meil.*

Significado: Significa *electronic mail* (correo electrónico). Los mensajes creados, enviados y leídos por completo en las computadoras sin necesidad de imprimirlos sobre papel. El correo electrónico, por lo general, involucra el enviado de mensajes a otros usuarios en algún tipo de red.

Enunciado: "Cuando las tarifas del correo suben, es más barato utilizar la computadora para enviar *correo electrónico* en lugar de usar un sobre y una estampilla. Por supuesto, primero tendrá que comprar una computadora".

e-mail address (dirección de correo electrónico)

Pronunciación: *i meil a-dres.*

Significado: Número o palabra de identificación asignado a una persona para enviar o recibir correo electrónico; un servidor actúa como oficina postal, que guarda los mensajes hasta que los usuarios llaman para recuperarlos.

Enunciado: "Siempre que envío correo electrónico a mis amigos tengo que indicarle a la computadora la *dirección de* *correo electrónico* a la que debe enviarlo. Una vez, escribí la dirección equivocada y envié una carta de amor a mi exesposa".

E-notation (notación exponencial)

Pronunciación: *i no-téi-shon.*

Significado: Abreviatura de *exponential notation* (notación exponencial), una forma que utilizan los científicos para expresar números muy grandes o muy pequeños.

Enunciado: "Mi hoja de cálculo me permite almacenar números en *notación exponencial*. De esa manera no parece como si mi compañía perdiera millones de dólares".

EBCDIC

Pronunciación: *i-bi-si-di-ai-si.*

Significado: Acrónimo del *Extended Binary Coded Decimal Interchange Code* (Código extendido de intercambio binario codificado en decimal). Forma común de representar los caracteres en una computadora. Algunas estructuras principales utilizan EBCDIC (véase también *ASCII*).

Enunciado: "La IBM intentó que todos siguieran el estándar EBCDIC, pero en lugar de eso, todos se adaptaron al estándar ASCII. En realidad no importa el estándar que utilice su computadora, siempre y cuando le funcione".

echo (eco)

Pronunciación: *e-ko.*

Significado: Cuando se establece una comunicación por medio de un módem, un eco despliega todos los caracteres que usted escribe sobre la pantalla de su computadora. Si no puede ver lo que escribe, eso significa que el eco está desactivado. Si sus palabras se duplican de eessttaa manera, tendrá que desactivar el eco. El eco también es un comando del sistema operativo MS-DOS y OS/2. El introducir el comando ECHO OFF en un archivo por lote, evita que la computadora despliegue los comandos en la pantalla (al momento que la computadora los ejecuta).Véase también *duplex*.

Enunciado: "Cada vez que llame a otra computadora por medio de su módem, pudiera tener que activar o desactivar el *eco* para poder ver lo que trata de hacer".

edit (edición)

Pronunciación: *e-dit.*

Significado: Modificación de los datos (texto, gráficas, etcétera) en un archivo.

Enunciado: "Escribí una carta de veinte páginas, pero tuve que editar la parte que mencionaba algo acerca de patear a mi hermana porque me dí cuenta de que a mi mamá no le gustaría".

editor

Pronunciación: *é-di-tor.*

Significado: Programa diseñado de modo especial para modificar archivos. Los dos tipos de editores son: los editores *de línea* y los editores de *pantalla completa.* Un editor de línea le permite modificar una línea a la vez. Un editor de pantalla completa le permitirá modificar varias líneas que aparezcan en la pantalla. Los procesadores de palabras como WordPerfect o Word para Windows, son mucho más sofisticados que los simples editores. En ocasiones, un editor es todo lo que usted necesita, en especial si lo utiliza para editar un código de programación. (Véase también *line editor* y *full screen*.)

Enunciado: "Tuve que utilizar un editor para modificar los programas que escribí con anterioridad. Los programas aún no funcionan, pero al menos me divierto al cambiarlos con mi editor".

EDLIN

Pronunciación: *éd-lin.*

Significado: Editor de línea que se incluye con MS-DOS en sus versiones 5.0 y anteriores. EDLIN se consideraba como un programa inútil que sólo los nerds utilizaban. La versión 6.0 de MS-DOS y las posteriores ya no incluyen al EDLIN.

Enunciado: "Intenté utilizar *EDLIN* para modificar un archivo, pero era demasiado problema editar una sola línea a la vez. Para empezar, ¿quién fue el payaso que inventó a EDLIN?"

EEPROM

Pronunciación: *ii-prom.*

Significado: Acrónimo que significa *Electronically Erasable Programmable Read-Only Memory* (Memoria de sólo lectura programable y borrable de manera electrónica). Un chip EEPROM puede ser programado por medio de señales eléctricas que eliminan su contenido y lo remplazan con algo más. Los chips EEPROM pueden mantener su contenido incluso sin corriente eléctrica (véase también *PROM*).

Enunciado: "Muchos componentes de la computadora utilizan chips *EEPROM.* En lugar de eliminar los chips y remplazarlos con otros diferentes, podrá cambiarlos con elec-

EGA

Pronunciación: *i-yi-ei.*

Significado: Acrónimo de *Enhanced Graphics Adapter* (Adaptador mejorado de gráficas), un estándar gráfico utilizado en alguna ocasión por las computadoras IBM y ahora recordado sólo por sus aspectos triviales. En lugar de usar el estándar EGA, la mayoría de las computadoras emplea los nuevos estándares VGA o SVGA, que despliegan más colores con una mejor resolución (véase también *CGA, VGA* y *SVGA*).

Enunciado: "No compre un monitor EGA a menos que quiera desperdiciar su dinero. La mayoría de los programas ne cesita un monitor VGA o de otra forma nunca funcionarán".

EIEIO

Pronunciación: *i -ai-i-ai-ou.*

Significado: Frase rítmica pero sin sentido que utilizan los granjeros cuando se olvidan de la letra de una canción. Tal vez es el acrónimo de algo.

Enunciado: "¡El viejo Juan tenía un zaguán, *I AI I AI OU!*"

EISA

Pronunciación: *ii-sa.*

Significado: Acrónimo de *Extended Industry Standard Architecture* (Estándar extendido de la industria de arquitecturas). ISA es el diseño estándar del bus para las computadoras IBM más antiguas. EISA es el nuevo estándar propuesto para las computadoras compatibles con IBM. En lugar de seguir el estándar EISA, las computadoras PS/2 de la IBM utilizan su propio estándar MCA (véase también *architecture, bus, ISA* y *MCA*).

Enunciado: "Por un tiempo, la gente se preguntaba si deberían comprar una computadora con un bus *EISA* o uno MCA. Es entonces cuando las personas se volvieron más inteligentes y descubrieron que el asunto no tenía importancia después de todo".

eject (expulsar)

Pronunciación: *i-yéct.*

Significado: Remoción de un disquete de la unidad correspondiente (véase también *disk*).

Enunciado: "Si desea guardar sus archivos en este disquete, primero tendrá que *expulsar* el disco que ya se encuentra en la unidad de su computadora".

elite

Pronunciación: *é-lit.*

Significado: Remanente de los días de las máquinas de escribir, elite se refiere a los tipos de escritura que imprimen 12 caracteres por pulgada. Con frecuencia aparece en las impresoras como una de las muchas opciones para imprimir documentos (véase también *pica*).

Enunciado: "Si desea compactar más palabras en una página utilice el tipo *elite*. De otra manera, podrá emplear el tipo pica, que aparece como diez caracteres por pulgada".

ELIZA

Pronunciación: *e-li-sa.*

Significado: Famoso programa de inteligencia artificial que hacía las veces de un psicoterapeuta. Los usuarios escribían sus problemas en la computadora y ELIZA le parloteaba frases vacías que daban la apariencia de pensamientos muy profundos (y después les cobraba  $200 por hora). Véase también *artificial intelligence.*

Enunciado: "Siempre que me siento decaído, sólo cargo *ELIZA* en mi computadora y le hablo. Justo ahora, mi más grande problema consiste en hablar con una computadora, en lugar de una persona".

ellipsis (...) (puntos suspensivos)

Pronunciación: *i-líp-sis.*

Significado: Tres pequeños puntos que aparecen junto a los comandos en los menús descendentes. Los puntos suspensivos le indican que cuando elija un comando que finalice en (...), el programa le solicitará mayor información (por medio de un cuadro de diálogo).

Enunciado: "Cuando elija un comando como Open del menú File, tal programa realizará alguna acción en ese mismo momento. Sin embargo, cuando utilice un comando como Save As..., que contiene *puntos suspensivos,* tal programa lo molestará con un cuadro de diálogo antes de proseguir".

em dash (guión largo)

Pronunciación: *em-dash.*

Significado: Carácter especial utilizado en la tipografía, que es similar a escribir dos guiones (como - -), que tiene la anchura de la letra M. Con frecuencia se utiliza para añadir énfasis al texto (véase también en *dash*).

Enunciado: "He aquí un ejemplo del *guión largo:* 'No toques eso; bueno, de todos modos tienes otra mano'".

EMM

Pronunciación: *i-em-em.*

Significado: Acrónimo que significa *Expanded Memory Manager* (Manejador de memoria expandida). Es un programa de utilería que ayuda a las computadoras a usar su memoria de una manera más eficiente. Se usa con mayor frecuencia en las computadoras que utilizan procesadores 80386 y 80486.

Enunciado: "Mi computadora tiene 16MB de RAM, pero no la utiliza de una manera muy eficiente. Es por eso que compré un programa *EMM* para obtener el máximo de los recursos con que cuenta mi computadora. Si sólo supiera cómo utilizarlo, todo marcharía bien".

EMS

Pronunciación: *i-em-es.*

Significado: Acrónimo de *Expanded Memory Specification* (Especificación de memoria expandida). En ocasiones denominado LIM-EMS, que significa *Lotus-Intel-Microsoft Expanded Memory Specification* (Especificación de memoria expandida Lotus-Intel-Microsoft). EMS define una forma específica para que los procesadores 8088 utilicen más de 640K de memoria. De modo original fue desarrollado para que los usuarios pudieran cargar enormes hojas de cálculo Lotus 1-2-3 en la memoria.

Enunciado: "En los viejos tiempos, las computadoras IBM sólo usaban 640 K de memoria. Si usted añadía memoria por encima de este rango, tenía que correr un programa especial *EMS* para que la computadora reconociera la memoria extra. Cielos, las computadoras son tontas en ocasiones, ¿o no?"

emulation (emulación)

Pronunciación: *e-miu-léi-shon.*

Significado: Imitar la apariencia y funcionalidad de otro programa o accesorio de la computadora como pudieran ser la impresora o el módem. Muchas impresoras ofrecen emulación Epson o Hewlett Packard Laser Jet. La mayoría de los modems ofrecen emulación Hayes.

Enunciado: "Mi computadora Amiga cuenta con *emulación* IBM, por lo que puedo correr cualquier programa IBM que desee".

en dash (guión corto)

Pronunciación: *en dash.*

Significado: Guión corto que tiene la anchura de la letra N. Los guiones cortos son utilizados para unión, como en el caso de "México-americano". Véase también *em dash.*

Enunciado: "He aquí un ejemplo de cómo utilizar un *guión corto:* 'Pegué mi colección de estampillas México-americanas en las páginas 56 a la 112 porque ése es el único uso que pude encontrar para mi manual del usuario de MS-DOS'".

encryption (encriptar)

Pronunciación: *en-kríp-shon.*

Significado: Revolver la información por medio de un código o una contraseña con la finalidad de que otras personas no puedan utilizarla. Con frecuencia se usa para proteger archivos importantes, correo electrónico o documentos legales, para que el público en general no pueda entender su verdadero significado (véase también *data encryption standard*).

Enunciado: "Utilicé la *encriptación* en todos los documentos importantes de mi procesador de palabras. Ahora me doy cuenta de que he olvidado la contraseña para poder leerlos".

End key (tecla end)

Pronunciación: *end kii.*

Significado: Tecla que tiene las letras *End* impresas. (¡Qué extraordinaria coincidencia!) con frecuencia es vecina de la tecla Delete o vive con el número 1.

Enunciado: "Presione la *tecla End* para mover el cursor al final de la línea. Oprima Ctrl-End para poder mover el cursor al final del documento".

end user (usuario final)

Pronunciación: *end yú-ser.*

Significado: La persona que se desboca al utilizar un programa o una computadora que alguien más ha diseñado (véase también *programmer*).

Enunciado: "La mayoría de los programas es difícil de utilizar debido a que los programadores siempre olvidan que el *usuario final* no tiene tanta experiencia con las computadoras como ellos. Esa es la misma razón por la que tantas personas compran libros adicionales sobre computación".

End-Of-File (fin del archivo)

Pronunciación: *end-of-fail.*

Significado: En ocasiones se abrevia *EOF,* y es un símbolo especial que marca el final de un archivo. En MS-DOS, Ctrl-Z crea el símbolo EOF. Por lo general, esta marca es colocada de manera automática por la aplicación (véase también *EOF*).

Enunciado: "Siempre que su procesador de palabras carga un documento a partir del disco, éste lee la información hasta que alcanza la marca EOF. Sin esta marca de *fin del archivo,* el programa no sabría dónde termina éste y seguiría su lectura por todo el resto del disco".

endless loop (ciclo infinito)

Pronunciación: *énd-les lup.*

Significado: Sucede cuando un programa repite las mismas instrucciones una y otra vez sin detenerse. Sólo recuerde lo que su viejo tocadiscos solía hacer cuando la aguja se atoraba en una rayadura (eso es, si se acuerda de los tocadiscos). Un programa que se atora en un ciclo infinito parece que no hace nada en lo absoluto, y sin embargo no le permite escribir ningún comando (es algo así como el amor sin fin). Véase también *infinite loop* y *loop.*

Enunciado: "Creo que este programa ya se atoró en un *ciclo infinito.* No ha hecho nada durante tres días. No obstante, yo tampoco he hecho nada, pero al menos hago de cuenta que trabajo".

enhanced keyboard (teclado mejorado)

Pronunciación: *en-ján-ced kíi-bord.*

Significado: Teclado que incluye un teclado numérico y teclas de cursor que están separados de las teclas de escritura. Los teclados mejorados por lo general contienen 101 teclas y son denominados teclados de 101 teclas. Las teclas de función se localizan en la parte superior del teclado (véase *101-key keyboard*).

Enunciado: "Casi todas las computadoras compatibles con IBM cuentan con un *teclado mejorado,* lo que convierte a este término en algo muy poco significativo hoy en día".

ENIAC

Pronunciación: *i-ni-ak.*

Significado: Acrónimo de *Electronic Numerical Integrator and Calculator* (Integrador numérico y calculadora electrónica), el nombre de una computadora pionera construida a base de bulbos, en la década de los cuarentas (véase también *ABC* y *vacuum tube*).

Enunciado: "En el museo de las computadoras, pudimos ver un modelo *ENIAC* que ocupaba una habitación entera y hacía tanto trabajo útil como una calculadora de bolsillo de la actualidad".

Enter key (tecla Enter)

Pronunciación: *én-ter kii.*

Significado: En ocasiones denominada *tecla Return,* la tecla Enter indica a la computadora que usted ha finalizado de introducir comandos. En un procesador de palabras, el presionar la tecla Enter crea una nueva línea. En algunos programas, la tecla Enter no tiene una función (véase *CR/LF, Return key* y *newline character*).

Enunciado: "Para darse cuenta de qué versión de MS-DOS utiliza su computadora, escriba **VER** en el indicador de DOS y después presione la *tecla Enter*".

EOF

(Véase también *End-Of-File.*)

EOL

Pronunciación: *i-ou-el.*

Significado: Abreviatura de *End-Of-Line* (fin de línea), como en el final de una línea de texto en la pantalla. Los procesadores de palabras por lo general proporcionan una combinación de teclas que podrá utilizar para saltar de manera rápida al final del archivo (véase *End Of File*).

Enunciado: "Está bien, amigo. Este es el *EOL* para tí". Esto es algo que escuché de dos nerds de la computadora, cuando luchaban por obtener el control de la única computadora disponible en la oficina.

EPROM

Pronunciación: *i-prom.*

Significado: Acrónimo que significa *Erasable Programmable Read-Only Memory* (Memoria programable borrable de sólo lectura). Un tipo de chip que puede ser borrado por los rayos ultravioleta y la constante reducción de la capa de ozono (véase también *EEPROM* y *PROM*).

Enunciado: "Si pudiera observar dentro de su computadora, algunos de los chips cubren su parte superior con papel aluminio. Si usted retira esa capa de papel aluminio y los baña con luz ultravioleta, los chips perderan su contenido. Eso significa que tienen *EPROM*".

EPS

Pronunciación: *i-pi-es.*

Significado: Acrónimo de *Encapsulated PostScript* (PostScript encapsulado). Es una imagen gráfica almacenada por medio de instrucciones escritas en el lenguaje de descripción de página PostScript. Los archivos gráficos EPS tienen efectos especiales a la par de imágenes de alta resolución. Los programas más caros de ilustración y autoedición pueden utilizar archivos EPS. Para mala fortuna, la mayoría de las personas no pueden costear estos caros programas y en vez de esto, almacenan archivos en otros formatos (véase también *PostScript*).

Enunciado: "Almacené todas mis gráficas en archivos *EPS*. Si quisiera imprimirlos, tendría que utilizar una impresora láser PostScript o una fotocomponedora".

erase (borrar)

Pronunciación: *i-reis.*

Significado: Eliminación de un archivo en el disco. Para borrar un archivo en MS-DOS, podrá utilizar los comandos DEL o ERASE.

Enunciado: "Asegúrese de no *borrar* sus archivos, a menos que sepa que no los utilizará nunca más o que necesite destruir evidencia vital que pueda ser usada contra usted en la corte".

ergonomics (ergonomía)

Pronunciación: *er-go-nó-miks.*

Significado: Ciencia del diseño de equipo para obtener la máxima comodidad para el humano y un mínimo de probabilidad de futuras demandas en la corte. Algunas personas adquieren el *síndrome del túnel carpal* o *RSI* (síndrome de fatiga repetitiva) en sus muñecas debido a que las colocan de manera incorrecta cuando escriben o cuando trabajan con su computadora durante largos períodos sin descanso. La ergonomía involucra el estudio de cómo prevenir estos (y otros) problemas al utilizar equipo con un diseño pobre en el lugar de trabajo. ¡Dígale a su jefe que necesita una silla más cómoda y más descansos!

Enunciado: "Mi escritorio para la computadora utiliza la *ergonomía* para sostener el monitor a una distancia y altura óptimas de mi vista. Esto me gustó tanto, que remplacé el monitor con un televisor y ahora, todo lo que hago en mi escritorio es vegetar".

error message (mensaje de error)

Pronunciación: *é-ror mé-sash.*

Significado: Nota críptica que despliega la computadora para indicarle que el programa no funciona de manera adecuada (o que usted ha cometido un grandísimo error). Si está en su día de suerte, el manual le dirá qué rayos significa tal mensaje; y si usted es de verdad afortunado, la computadora no hará el sonido bip de manera interminable.

Enunciado: "Traté de guardar mi archivo, pero obtuve un *mensaje de error* que me advertía que debería insertar un disquete en la unidad en primera instancia. Supongo que para estas fechas ya he visto todos los mensajes de error que esta computadora puede desplegar".

Esc

Pronunciación: *es-kéip.*

Significado: Abreviatura de la tecla ESCape. Casi todos los teclados tienen una tecla a un lado que tiene las letras *Esc* impresas. El presionar esta tecla, por lo general, cancela cualquier comando que le haya dado en última instancia a la computadora.

Enunciado: "Si cambia de idea acerca de eliminar un archivo, sólo presione Esc para cancelar el comando. Me pregunto si la fuerza aérea tiene una tecla Esc para cancelar los misiles nucleares que lanza".

ESDI

Pronunciación: *i-es-di-ai.*

Significado: Acrónimo que significa *Enhanced Small Device Interface* (Interfaz mejorada para dispositivos pequeños), que es una medida estándar de interfaz para los discos duros (véase también *IDE*).

Enunciado: "Si compra un disco duro *ESDI,* podrá contar con una tarjeta de control ESDI para hacerlo funcionar. Si esto suena confuso, haga que alguien más lo instale por usted para que no tenga que echarse la culpa después".

Ethernet

Pronunciación: *i-ter-net.*

Significado: Estándar de red de área local que utiliza señales de frecuencia de radio llevadas por medio de cables coaxiales. Fue desarrollada de manera original por Xerox (véase también *LAN*).

Enunciado: "Nuestras computadoras están conectadas por medio de una *Ethernet* Eso no significa que sepamos lo que hacemos, pero al menos usamos la terminología adecuada".

event-driven programming (programación manejada por eventos)

Pronunciación: *i-vént drí-ven pro-grá-ming.*

Significado: Tipo de escritura de programas que esperan a que el usuario presione una tecla o un botón del ratón a fin de proceder. Cuando el usuario oprime una tecla o utiliza el ratón, se produce un *evento.*

Enunciado: "Con anterioridad a la *programación manejada por eventos,* los programas obligaban al usuario a aceptar cualquier cosa que el programa indicara a continuación. Con esta programación, el programa espera a que el usuario le indique lo que debe hacer primero. Al menos este tipo de programación hace que las personas tengan la ilusión de que tienen el control de la situación".

exclusive OR (OR exclusivo)

Pronunciación: *eks-klú-siv or.*

Significado: Con frecuencia se abrevia *XOR,* que es un término utilizado de manera común por los programadores para desplegar gráficas. XOR es una espantosa operación *lógica,* que toma dos números binarios y cálcula un nuevo resultado. El resultado siempre será cero si los valores son iguales, uno si los valores son diferentes. ¿Acaso no es esta información super relevante de saber cuando usted intenta guardar un archivo en WordPerfect?

Enunciado: "No, lo siento señor, usted sólo es un or normal y este club es sólo para *OR exclusivos*".

.EXE

Pronunciación: *i-eks-i.*

Significado: Abreviatura de EXEcutable file (archivo ejecutable). Esta extensión de archivo de tres letras se localiza en los programas para MS-DOS y OS/2. Un archivo .EXE identifica un programa real que tiene una función útil como WordPerfect o Lotus 1-2-3. Si escribe el nombre del archivo

.EXE y presiona Enter, éste correrá. No necesitará escribir la extensión (.EXE) para que el programa corra (véase también *BIN, COM, DOC* y *extensión*).

Enunciado: "Si va a eliminar archivos en su disco duro, no borre ningún archivo .EXE a menos que esté seguro de no necesitarlos. Pero una vez más, haga lo que quiera, después de todo, no se trata de mi computadora".

Exit (salir)

Pronunciación: *éks-it.*

Significado: Opción que le permite al usuario detener el programa. Esta es la manera civilizada de finalizar un programa; lo hace retirarse en forma silenciosa hasta la próxima vez que usted lo necesite. Esto contrasta con *Ctrl-Alt-Del* (véase también *Quit*).

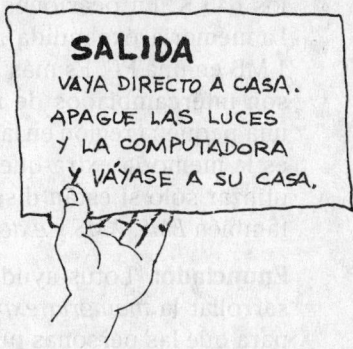

Enunciado: "Para abandonar algunos programas, tendrá que utilizar el comando *Exit.* Para salir de algunos programas, tendrá que elegir el comando Quit. ¿No son maravillosas las computadoras?"

expand (expandir)

Pronunciación: *ekx-pánd.*

Significado: Descomprimir archivos que habían sido comprimidos para que la computadora pueda volver a utilizarlos. En las computadoras IBM, la mayoría de los archivos se comprime por medio del programa PKZIP. En las computadoras Macintosh, la mayoría de los archivos se comprimen con el programa StuffIt (véase *explode, data compression, compression* y *ZIP*).

Enunciado: "Después de copiar un archivo por medio de un módem, con seguridad tendrá que *expandirlo* para que pueda correr".

expanded memory (memoria expandida)

Pronunciación: *eks-pán-ded mé-mo-ri.*

Significado: Memoria utilizada por las computadoras DOS, que es una especie de memoria de bonificación más allá de los 640 K. En ocasiones es denominada EMS o LIM-EMS. La memoria expandida no es memoria "sobre" la marca 1 MB en una PC. Es más bien "a un lado" porque los datos son intercambiados de manera rápida dentro y fuera de una pequeña región en la memoria de la computadora. Esta es la memoria extra que algunos programas DOS pueden utilizar sólo si están diseñados para aprovecharla (véase también *EMS, XMS* y *extended memory*).

Enunciado: "Lotus ayudó a desarrollar la *memoria expandida* para que las personas pudieran cargar esas grandes hojas de cálculo 1-2-3 en la memoria. Después, cuando los procesadores 80286 salieron a la venta, todo mundo ignoró este estándar y se adaptaron a la memoria extendida".

expansion bus (bus de expansión)

Pronunciación: *eks-pán-shon bus.*

Significado: Componente del bus de la computadora que lo habilita para conectar tarjetas con la finalidad de proporcionarle más funciones a su computadora. Casi todas las computadoras que se venden hoy día cuentan con un bus de expansión. En los viejos tiempos, que no contaban con un bus de este tipo, no podían ser mejoradas con posterioridad (véase también *bus, expansion slot* y *expansion card*).

Enunciado: "Conecte estas tarjetas en el *bus de expansión* de la computadora y después dígame cómo utilizar esta cosa".

expansion card (tarjeta de expansión)

Pronunciación: *eks-pán-shon kard.*

Significado: Tarjeta de circuito que ha sido diseñada de manera especial para conectarse en el bus de expansión de la computadora. Las tarjetas de expansión por lo general proporcionan más memoria a las computadoras, un módem interno o la capacidad de utilizar una unidad CD-ROM (véase también *expansion bus* y *expansion slot*).

Enunciado: "Para cuando había comprado todas estas *tarjetas de expansión* para conectar en mi vieja computadora, ya había gastado más dinero que si hubiera comprado una computadora nueva".

expansion slot (ranura de expansión)

Pronunciación: *eks-pán-shon slot.*

Significado: Apertura física en el bus de expansión de la computadora donde se conectan las tarjetas de expansión.

Enunciado: "Asegúrese de que su computadora cuente con suficientes *ranuras de expansión* para que pueda mejorar su computadora en un futuro. Por supuesto, para cuando decida mejorarla, con seguridad será más barato comprar una computadora nueva, en lugar de mejorar su vieja computadora".

expert system (sistema experto)

Pronunciación: *éks-pert sís-tem.*

Significado: Programa que imita la inteligencia de un humano experto en un campo específico del conocimiento, como es el caso de la minería o la medicina. El sistema incluye un conocimiento que es base de la información y que ha sido obtenido de un experto, junto con un juego de reglas que se utilizan para procesar la información. Los sistemas expertos hacen preguntas a los usuarios y llegan a conclusiones que se espera sean similares a las que un humano experto llegaría (véase también *artificial intelligence*).

Enunciado: "¿Oye, mi amor, por qué no dejamos que el *sistema experto* elija el vino que tomaremos en la cena?"

explode (explotar)

Pronunciación: *eks-plóud.*

Significado: Un término más que se utiliza para descomprimir archivos que han sido comprimidos con anterioridad. En vez de indicarle que expandirán un archivo, algunos programas le dirán que van a hacerlos explotar (véase también *expand, data compression, compression* y *ZIP*).

Enunciado: "En los viejos tiempos, se tenían que expandir los archivos comprimidos antes de volver a utilizarlos. Hoy en día se tiene que hacerlos *explotar.* Quizá mañana tendré que hacerlos volar en pedazos".

exponential notation (notación exponencial)

(Véase también *E-notation.*)

extended ASCII (ASCII extendido)

Pronunciación: *eks-tén-ded as-kii.*

Significado: Juego de 255 caracteres que incluye los 128 códigos de caracteres normales del ASCII, además de los caracteres de idioma extranjero, matemáticas y gráficas de bloque. Otra mejora del "estándar" que hace que el hecho de contar con estándares no tenga significado.

Enunciado: "Para poder imprimir un carácter ASCII *extendido,* presione y mantenga la tecla Alt y escriba el número de código ASCII extendido. Por ejemplo, si escribe Alt-243, se producirá un carácter especial".

extended memory (memoria extendida)

Pronunciación: *eks-tén-ded mé-mo-ri.*

Significado: La memoria utilizada por los procesadores 80286, '386, '486 y Pentium (y los posteriores) que vayan más allá de 1 MB. Es la memoria utilizada por todos los programas de alto poder en DOS o los sistemas operativos como Windows, OS/2 o UNIX (véase también *EMS, expanded memory* y *XMS*).

Enunciado: "Mi PC cuenta con 16 MB de *memoria extendida,* justo lo suficiente para poder correr Windows".

extended memory specification (especificación de memoria extendida)

Pronunciación: *eks-tén-ded mé-mo-ri spe-si-fi-kéi-shon.*

Significado: En ocasiones se abrevia como *XMS* y es un juego de reglas para que los programas tengan acceso a la memoria extendida. Antes de utilizar esta memoria, tendrá que contar con el dispositivo manejador HIMEM.SYS o algo similar en el archivo CONFIG.SYS de su computadora. Esta especificación fue desarrollada por las compañías Lotus Development, Intel Corporation, Microsoft Corporation y AST.

Enunciado: "Compré un programa especial de manejo de memoria que se adapta a la *especificación de memoria extendida*. Ahora, no sólo puedo utilizar la memoria que va más allá de 1 MB en mi computadora sino que también entiendo todos estos geniales acrónimos como el XMS".

extension (extensión)

Pronunciación: *eks-tén-shon.*

Significado: Adición opcional de tres letras al nombre de un archivo. En MS-DOS y otros sistemas operativos, la extensión indica con frecuencia el tipo de archivo y aparece luego del nombre del archivo, separada por un punto. Un archivo en Pascal cuenta por lo general con la extensión .PAS, un archivo en BASIC tiene la extensión .BAS y los archivos de respaldo por lo general tienen la extensión .BAK (véase también *EXE, COM, BIN* y *DOC*).

Enunciado: "Si observa las extensiones de los archivos, observará que este muchacho escribe muchos archivos por lote, debido a que cada uno finaliza con la *extensión* .BAT".

facing pages *(páginas encontradas)*

Pronunciación: *féi-sin péi-shes.*

Significado: Dos páginas de un documento ligado que se encuentran frente a frente cuando tal documento se abre. Por lo general la página que ostenta el número par, aparecerá a la izquierda y las páginas con número non, aparecerán a la derecha. La mayoría de los programas de autoedición y de procesamiento de palabras tiene la opción de las páginas encontradas que le permite observar cómo lucen dos páginas cuando se colocan lado a lado.

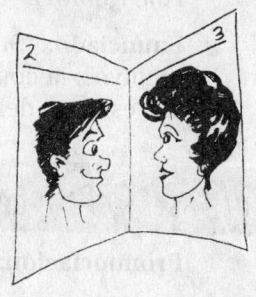

Enunciado: "Muchos libros de cocina muestran la receta en un lado y la imagen de lo que se supone que usted cocina, en el otro. Estas *páginas encontradas* son una muestra de que algunos de los mejores escritores de ciencia ficción en la actualidad se dedican a escribir libros de cocina".

factorial

Pronunciación: *fak-tó-rial.*

Significado: Tome todos los números a partir del uno hasta llegar a uno específico y multiplíquelos juntos. Esto le dará el factorial de ese número determinado. Por lo tanto, el factorial de 4 es 4 x 3 x 2 x 1 = 24. El factorial   de un número se abrevia con el signo de admiración, como 4!

Enunciado: "El *factorial* de 4 es 24. El factorial de 3 es 6. ¿No es acaso el pedacito de información más útil de este libro hasta el momento?"

fail (falla)

Pronunciación: *feil.*

Significado: Sucede cuando algo ya no funciona como se supone que debería hacerlo (véase también *Abort, Retry, Fail, Ignore?*).

Enunciado: "Si olvida hacer una segunda copia de sus archivos, la computadora *fallará* y usted lo perderá todo. Esa es la ley del oeste".

fail safe (a prueba de fallas)

Pronunciación: *feil seif.*

Significado: Se da cuando algo está tan bien diseñado que es imposible que falle, falle, falle…

Enunciado: "Nuestra computadora es en lo absoluto *a prueba de fallas*. Pero eso se debe a que nunca nos molestamos en utilizarla para nada que sea importante".

failure (falla)

Pronunciación: *féi-lur.*

Significado: Sucede cuando algo marcha mal, por lo general algo que ostentaba el título de "a prueba de fallas" (véase también *fail* y *fail safe*).

Enunciado: "Tuvimos una *falla* del disco duro que borró todos los datos de la compañía. ¿Será demasiado tarde para encontrar otro empleo?"

fanfold paper (papel para impresora)

Pronunciación: *fan-fold péi-per.*

Significado: Papel conectado entre sí con pequeñísimas perforaciones y   doblado de una bella manera en una pila, por lo general utilizado con las   impresoras de alimentación de tractor. También se le conoce como *papel continuo.*

Enunciado: "*El papel para impresora* es muy semejante al papel higiénico, pero, a diferencia de este último, el primero también tiene perforaciones en los costados".

FAT

Pronunciación: *fat.*

Significado: Acrónimo DOSiano que significa File Allocation Table (Tabla de locación de archivos). Es una parte especial en todos los discos, que almacena las dimensiones y la locación de todos los archivos guardados en tal disco.

Enunciado: "Cada vez que usted borra un archivo, la computadora modifica el FAT. Si el *FAT* es cambiado por accidente, la computadora no será capaz de localizar sus archivos incluso si todavía existen".

fatal error (error fatal)

Pronunciación: *féi-tal é-ror.*

Significado: Problema que ocasiona que el programa o la computadora se detenga o inhiba por completo (véase también *crash*).

Enunciado: "Tuvimos un *error fatal* el otro día y el sistema completo se desconectó. En realidad no me importó, porque gracias a eso pude tomar el resto del día libre".

FatBits

Pronunciación: *fat-bits.*

Significado: Pixeles individuales magnificados en gran escala en la pantalla. La mayoría de los programas de pintura (entre ellos MacPaint) lo habilitará a realizar acercamientos en las imágenes para que pueda editar pixeles individuales, llamados FatBits debido a su enorme tamaño (véase también *pixel*).

Enunciado: "Puede ser tedioso el editar los *FatBits* de una imagen, pero si se tiene paciencia, se puede lograr que una hermana luzca como si tuviera tres ojos y colmillos de vampiro".

fax

Pronunciación: *fax,* rima con max.

Significado: Acrónimo de FAcsimile (aunque en realidad, nadie sabe de dónde viene la X). Una máquina de FAX puede enviar y recibir texto e imágenes por medio de las líneas telefónicas. Podrá incluso obtener una tarjeta combinada de FAX/módem para insertar en su computadora (véase también *modem*).

Enunciado: "Tengo una máquina de FAX, un dispositivo para llamar, uno para esperar llamadas, un biper, un teléfono celular y una máquina contestadora. Aun así, tengo que gastar $100 extras al año para tener un número telefónico privado".

FCC

Pronunciación: *ef-si-si.*

Significado: Acrónimo que significa Federal Communications Commission (Comisión Federal de Comunicaciones). Esta es una agencia gubernamental que regula todo tipo de equipo (lo que incluye a las computadoras) que produce señales de frecuencia de radio (véase *Class A/Class B*).

Enunciado: "Mi computadora tiene una *FCC* de clase B, lo que significa que no interfiere con las señales de radio. Sin embargo, las estaciones de radio que escucho son tan malas que valdría la pena bloquearlas".

featuritis (caracteristitis)

Pronunciación: *fi-tu-rí-tis.*

Significado: El incremento fijo en las características de los programas que el 90% de los habitantes del mundo nunca utilizarán. Las compañías de software con frecuencia se jactan acerca de las características de sus programas que ningún otro programa ofrece. Como es natural, estas compañías nunca se detienen a pensar si en realidad alguien necesita contar con las características que ofrecen.

Enunciado: "Dejé de comprar WordPerfect, Microsoft Word y Lotus 1-2-3 porque tenían *caracteristitis* aguda. Ahora voy a volver al uso de lápiz, papel y una sumadora de bolsillo".

feed (alimentación)

Pronunciación: *fiid.*

Significado: Consiste en guiar algo al interior de otra cosa, por lo general, la introducción del papel en la impresora. Las impresoras con frecuencia cuentan

POR FAVOR
NO ALIMENTE A
LAS IMPRESORAS

con características como la alimentación de tractor, que consiste en pequeños picos que se introducen en los orificios localizados en los costados del papel, lo que mantiene el papel bien alineado.

Enunciado: "*Alimente* el papel en la impresora. Pero asegúrese de no alimentar la impresora con su corbata al mismo tiempo".

female connector (conector hembra)

Pronunciación: *fí-meil ko-nék-tor.*

Significado: Tipo de conector que consta de uno o más orificios en donde se conecta el correspondiente conector macho (véase *male connector*).

Enunciado: "Cuando compre un cable, observe el conector de su computadora. Si es un conector macho con pequeñas agujas salientes, necesitará un *conector hembra* para realizar la conexión. ¿Quién hubiera pensado que nos arriesgaríamos a ser censurados al hablar de simples conectores eléctricos?"

ferric oxide (óxido ferroso)

Pronunciación: *fé-ric oksaid.*

Significado: Capa magnética que proporciona a los discos duros, disquetes, así como a las cintas, sus capacidades de registro (véase también *floppy disk*).

Enunciado: "Si toca la superficie de un disquete, podría eliminar el *óxido férrico*. Ahora el disco estará arruinado y las yemas de sus dedos cubiertas de un polvo café".

fiber optics (fibras ópticas)

Pronunciación: *fái-ber óp-tiks.*

Significado: Pequeñísimas hebras de vidrio utilizadas para llevar señales de luz para propósitos de comunicación.

Una pequeña hebra de cable de fibras ópticas puede remplazar a enormes cables de cobre. Las fibras ópticas no sólo utilizan menos espacio, sino que también pueden transmitir mucha más información. Las fibras ópticas son muy populares para las LANs modernas debido a que son menos susceptibles a la radioactividad y a otros tipos de interferencia. También cuentan con el potencial para proporcionar varios tipos de información interactiva (véase también *cable* y *LAN*).

Enunciado: "La compañía telefónica desea remplazar sus cables de cobre por *fibras ópticas*. Lo que en realidad desean, es enviar los datos de una manera más rápida y justificar las grandes cantidades de dinero que nos cobran por el servicio".

Fibonacci numbers (números de Fibonacci)

Pronunciación: *fi-bo-ná-chi nóm-bers.*

Significado: Es algún tipo de patrón matemático en el cual el tercer número es la suma de los dos números anteriores: 4, 8, 12, 20, 32, etc. Éstos son utilizados en algunos programas de computación para acelerar el ordenamiento y localizar la información de una manera más rápida. También sirven para jugar a la lotería.

Enunciado: "Le tomó una eternidad a Luis encontrar las llaves de su auto, fue entonces cuando Ralph sugirió utilizar los *números de Fibonacci*, ahora es a Ralph a quien no podemos encontrar".

field (campo)

Pronunciación: *fild.*

Significado: Espacio reservado para el almacenamiento de información específica en una base de datos. Los campos pueden contener el nombre de una persona, número telefónico, número de seguro social, edad, sexo, código postal y cualquier cosa que usted desee, siempre y cuando todos los ítems en un campo dado tengan una estructura similar. Un grupo de campos relacionados conforman un registro de base de datos (véase también *database* y *record*).

Enunciado: "Escriba su nombre en el *campo* del archivo y su edad en el campo de la edad. Si confunde la información, la base de datos no será precisa. Una vez más, esta es una buena manera de estropear la computadora de otra persona".

FIFO (PEPS)

Pronunciación: *fi-fo.*

Significado: Acrónimo que significa First In, First Out (primero en entrar, primero en salir). Un término utilizado por los programadores para describir la estructura de datos llamada *cola* en donde el primer ítem almacenado es el primero en ser recuperado. A menos que planee escribir sus propios programas, podrá ignorar este término sin ningún peligro (véase *LIFO, queue* y *stack*).

Enunciado: "Las líneas en los estadios y los teatros utilizan *FIFO.* La primera persona de la línea, es la primera que entra. A menos, por supuesto, que todos empujen al mismo tiempo".

fifth-generation computers (computadoras de la quinta generación)

Pronunciación: *fift ge-ne-réi-shon kom-piú-ters.*

Significado: Una nueva generación de computadoras con base en IA que manipula los datos de una manera más eficiente (con un procesamiento paralelo masivo) y entiende diferentes idiomas humanos tanto escritos como hablados. En 1981, los japoneses anunciaron que tenían intenciones de ser los líderes mundiales en la construcción de computadoras de la quinta generación. Diez años más tarde, la única contribución japonesa a gran escala para el mundo de las computadoras ha sido el Nintendo (véase *AI* y *artificial intelligence*).

Enunciado: "Las *computadoras de la quinta generación* serán tan avanzadas, que las máquinas de hoy en día lucirán como el viejo modelo T de la Ford. Aun así, un Ford modelo T vale mucho más que un Ford Mustang nuevo, hoy en día".

file (archivo)

Pronunciación: *fail.*

Significado: Información almacenada en medios magnéticos tales como los disquetes o los discos duros. Los archivos pueden ser programas, datos o gráficas. Los archivos de texto consisten sólo en caracteres ASCII. Los archivos binarios constan de datos almacenados en una forma propietaria, como son los archivos Lotus 1-2-3, los .WK3 y los dBASE IV .DBF (véase también *data*).

Enunciado: "Si borra todos sus *archivos,* no será capaz de volver a utilizar su computadora".

file attribute (atributo de archivo)

Pronunciación: *fail á-tri-biut.*

Significado: Información que define las características de un archivo. Algunas características pudieran ser: archivo oculto, de sólo lectura, bloqueado, etc. El cambiar los atributos del archivo no afecta los contenidos de éste, pero sí afecta la capacidad de la computadora para modificarlo o visualizarlo (véase también *file*).

Enunciado: "Cambié los *atributos de archivo* en todos los archivos de WordPerfect de Bill y ahora son de sólo lectura o están ocultos. No sólo no ha podido localizarlos en su directorio, sino que tampoco ha podido editarlos. Nunca pensé que las computadoras serían un campo tan fértil para jugar bromas pesadas".

file compression (compresión de archivos)

Pronunciación: *fail kom-pré-shon.*

Significado: Consiste en aplastar (o comprimir) un archivo en algo más pequeño para que utilice un menor espacio en el disco duro (o menos tiempo para ser transmitido).

Enunciado: *"La compresión de archivos* se vuelve muy útil cuando se está a punto de quedarse sin espacio en el disco duro o si se es demasiado holgazán como para borrar archivos que no se han utilizado desde 1981".

file control block (bloque de control de archivos)

Pronunciación: *fail kon-tról bloks.*

Significado: Con frecuencia se abrevia FCB. Es un puñado de información críptica de computación sobre un archivo, un asunto que sólo el programador o DOS necesitan saber.

Enunciado: "Los sorprendí en aquella fiesta de coctel cuando pronuncié la retórica frase, 'denme una buena razón por la cual el *FCB* no debería estar localizado en 1A-hex dentro del encabezado PSP'".

file conversion (conversión de archivos)

Pronunciación: *fail kon-vér-shon.*

Significado: Consiste en traducir un formato de archivo (la estructura del archivo) en otro diferente. Véase también *import.*

Enunciado: "Utilizo WordStar, pero Frank utiliza WordPerfect. Por lo tanto, mis documentos le serán inservibles a Frank, a menos que utilice un   programa de *conversión de archivos* para traducir todos mis archivos WordStar en archivos WordPerfect".

file handle (manejador de archivo)

Pronunciación: *fail hán-dol.*

Significado: Número de código que sirve de atajo para llegar a un archivo, en esencia, es un asunto secreto e interno que es conocido sólo por DOS y varios tipos de programadores. Cuando nosotros —los humanos— abrimos un archivo, le proporcionamos un nombre. En la computadora, ese nombre se convierte en un número, mismo que DOS utiliza para tener acceso al archivo. Tal número se denomina *manejador de archivo* (véase también *handles*).

Enunciado: "¡No hay duda de por qué pierde sus archivos! ¡El *manejador de archivo* está roto!"

file list box (cuadro de lista de archivos)

Pronunciación: *fail list boks.*

Significado: Cuadro que enlista todos los archivos de un directorio dado. Los cuadros de lista de archivos son encontrados por lo general en los cuadros de diálogo como los que se utilizan en Windows (véase también *dialog box*).

Enunciado: "Siempre que elijo el comando Save As, un cuadro de diálogo salta y despliega un *cuadro de lista de archivos*. Al observar esta lista, puedo ver los nombres de los archivos que ya están en uso estándar".

file server (servidor de archivos)

Pronunciación: *fail sér-ver.*

Significado: Computadora en red que almacena todos los programas de los usuarios y los archivos de datos en su propio disco duro. La mayoría de las redes más grandes cuenta con al menos un servidor de archivos. Éstos son útiles de manera particular para hacer las veces de oficina postal, para recibir los mensajes de correo electrónico y otras aplicaciones, cuando los usuarios necesitan compartir archivos o enviarlos de ida y vuelta. Debido a que el servidor de archivos ocupa su tiempo para correr la red, nadie puede usar la computadora de dicho servidor para realizar alguna tarea (véase también *electronic mail* y *network*).

Enunciado: "Conectamos todas nuestras computadoras a una red, pero tuvimos que comprar una computadora de verdad rápida para utilizarla como *servidor de archivos*. Nuestra red corre de modo espectacular, pero todas las computadoras conectadas a ella corren como tortugas con artritis".

file sharing (compartición de archivos)

Pronunciación: *fail shé-ring.*

Significado: Cuando dos o más computadoras tienen acceso al mismo disco duro, como cuando se utiliza una red. Esto funciona como en un kinder: había tantos juguetes disponibles, que todos tenían que compartirlos. Sólo una persona a la vez podrá realizar cambios al archivo en un momento dado. Sin los archivos compartidos, muchas personas podrían modificar el mismo archivo, con resultados catastróficos.

Enunciado: "Mi nombre es Billy Cartwright y este es mi archivo OOBADOOB.DBF. Por favor, todo el mundo puede darle un vistazo, pero sólo uno de ustedes podrá modificarlo a la vez, en concordancia con las reglas de la buena *compartición de archivos*".

file size (dimensión del archivo)

Pronunciación: *fail saiz.*

Significado: Cantidad de espacio en el disco duro que un archivo requiere para poder existir, por lo general se mide en bytes.

Enunciado: "No podrás copiar ese archivo en el disco porque la *dimensión del archivo* es 451,092 bytes y tu disco sólo cuenta con 46,782 bytes libres".

fill (llenado)

Pronunciación: *fil.*

Significado: Comando utilizado por los programas de pintura y dibujo que simulan el derrame de una cubeta de pintura dentro de una forma cerrada como es el caso de un círculo o de un rectángulo. Si desea crear un círculo negro, primero tendrá que dibujar un círculo vacío y luego llenarlo de color negro por medio del comando Fill. Asimismo, en una hoja de cálculo, podrá usar el comando Fill para repetir valores en un área predefinida.

Enunciado: "Los simples blanco y negro son muy aburridos. Es por eso que siempre dibujo bloques y los lleno con colores y patrones agradables".

filter (filtro)

Pronunciación: *fíl-ter.*

Significado: Comando del sistema operativo que procesa los datos antes de que puedan llegar a otro lugar. Los filtros de MS-DOS incluyen a MORE, FIND y SORT. MORE desplaza grandes salidas de datos pantalla por pantalla, FIND busca el texto y SORT ordena los archivos ASCII. A menos que sea un hueso duro de roer del sistema operativo, con seguridad nunca tendrá que saber nada acerca de este tipo de filtro. En las bases de datos, se utiliza otro tipo de filtro para seleccionar datos (eso es, permitir que sólo los datos que se acoplen a ciertas condiciones, puedan avanzar al siguiente paso).

Enunciado: "Algunos procesadores de palabras cuentan con programas de conversión de archivos interconstruidos, que son denominados *filtros*. Estos filtros traducen el archivo en otro formato antes de proporcionar tal archivo al procesador de palabras".

Finder

Pronunciación: *fáin-der.*

Significado: Componente del sistema operativo de la Apple Macintosh que proporciona unos pequeños y bellos iconos, menús y ventanas para poder copiar, mover y eliminar archivos. La mayoría de los programas Macintosh re-  quiere una cierta versión del Finder, como es el caso de la versión 6.02 o la versión 7.01, antes de poder funcionar.

Enunciado: "Si no fuera por el *Finder*, la Macintosh sería igual de difícil de utilizar que el MS-DOS. De hecho, Microsoft Windows imita al Finder, razón por la cual las computadoras compatibles con IBM se han vuelto por fin más fáciles de utilizar".

firmware

Pronunciación: *firm-wer.*

Significado: Software empotrado en un chip como si se opusiera a ser almacenado en un disco y cargado en la memoria.

Enunciado: "Toda computadora cuenta con un *firmware* que le indica cómo iniciar por sí misma. Es una lástima que las personas no tengan firmware para indicarles cómo utilizar una computadora".

fixed disk (disco fijo)

Pronunciación: *fiksd disk.*

Significado: Es otro nombre con el que se denomina al disco duro. Este disco no puede ser removido de la computadora, es por eso que recibe el nombre de *fijo*.

Enunciado: "Esta computadora tiene 4 MB de RAM y un *disco fijo* de 60 MB. Eso no significa que el disco funcione, pero en caso de que así sea, podrá tener hasta 60 MB de datos".

fixed pitch (interespaciado fijo)

Pronunciación: *fiksd pich.*

Significado: Escritura con todas las letras a la misma anchura —también llamada *monoespaciada*—. Las pantallas de las computadoras, las máquinas de escribir y las impresoras baratas de matriz de puntos, despliegan el tipo por medio del interespaciado fijo. En comparación, las impresoras más sofisticadas utilizan un interespaciado proporcional, en la que las letras como la *i, l* y *t* tienen diferentes anchuras a las letras *c, q* y *m*.

Enunciado: "Si en realidad es quisquilloso acerca de cómo luce su impresión, insista en contar con un interespaciado proporcional (o *espaciado*). Pero si eso no es tan importante, bastará con el *interespaciado fijo*".

fixed-point number (número de punto fijo)

Pronunciación: *fiksd point nóm-ber.*

Significado: Número en que el punto decimal despliega un número específico o fijo de dígitos a la derecha. En comparación, los números de punto flotante despliegan cualquier cantidad de dígitos hacia la derecha del punto decimal, como sea necesario.

Enunciado: "Los valores de la moneda son representados por lo general con un *número de punto fijo* en donde sólo dos dígitos aparecen a la derecha del punto decimal. No obstante, si usted trata de pesar oro, donde las fracciones más pequeñas son muy importantes, sería mejor utilizar un número de punto flotante. A menos, por supuesto que deseara redondear los valores y estafar a alguien".

flag (bandera)

Pronunciación: *flag.*

Significado: Término utilizado por los programadores para representar un indicador de estado dentro del programa (o hardware). La mayoría de las banderas utilizan valores boleanos de cierto o falso. Por ejemplo, una bandera puede ser empleada para seguir la pista y saber si alguna entrada de datos ha sido o no recibida por el usuario y, en caso de haber sido recibida, dar salida a un mensaje de error.

Enunciado: "En su programa, coloque una *bandera* de verdadero que suponga que su programa no funciona. Una vez que se ha asegurado de que su programa en realidad funciona, cambie la bandera a falso".

flame (llamarada)

Pronunciación: *fleim.*

Significado: Es una carta de enojo, con frecuencia desagradable, brutal y antideportiva, localizada sólo en los mensajes del correo electrónico.

Enunciado: "No importa lo que haga, alguien siempre lo criticará. El día de hoy revisé mi correo electrónico y recibí una buena cantidad de *llamaradas* por no cumplir las promesas de mi campaña electoral. ¿Hey, qué otra cosa esperaban ahora que he sido elegido?"

flame wars (guerra de llamaradas)

Pronunciación: *fleim wars.*

Significado: Serie de mensajes de enojo en el correo electrónico, por lo general entre dos personas que de manera sincera esperan que la otra persona sea arrollada por un tren tan pronto como sea posible (véase también *flame*).

Enunciado: "La primera vez que recibí una llamarada, la ignoré. Pero la persona que me la envió, me molestó tanto de manera continua que nos trenzamos en una *guerra de llamaradas*. Créanme, esto es peor que pintar sin brocha".

flat-file database (base de datos de archivo simple)

Pronunciación: *flat fild déi-ta beis.*

Significado: Programa que se utiliza para almacenar y recuperar información que alguien piensa que es importante. Las bases de datos de archivo simple sólo pueden emplear un archivo a la vez y por lo general no pueden ser programadas. En comparación, una base de datos relacional puede utilizar dos o más archivos al mismo tiempo y también puede ser programada por personas que creen saber lo que hacen (véase también *relational database*).

Enunciado: "Sólo necesito almacenar nombres y direcciones, por lo que utilizaré una *base de datos de archivo simple* en lugar de usar una relacional. Ahora, no sólo es más fácil emplear una base de datos de archivo simple, sino que también es más barata".

flatbed scanner (digitalizador de cama plana)

Pronunciación: *flat bed ská-ner.*

Significado: Dispositivo que le permite colocar hojas completas de papel (8.5 × 11 pulgadas) boca abajo en su superficie, con lo que podrán ser "leídas" de manera electrónica. Los digitalizadores de cama plana tienen el aspecto de máquinas fotocopiadoras y por lo general no funcionan tan bien como el fabricante asegura.

Enunciado: "No me gusta escribir cuestiones que ya hayan sido imprimidas, es por eso que compré un *digitalizador de cama plana.* De esta manera, puedo colocar la página en el aparato y hacer que la computadora escudriñe las palabras en forma automática".

floppy disk (disquete)

Pronunciación: *fló-pi disk.*

Significado: Disco cubierto de una capa magnética que se utiliza para almacenar información de una computadora. Los disquetes vienen en dos diferentes tamaños: cinco un cuarto pulgadas y tres y media pulgadas. Los disquetes también vienen en dos formatos: doble densidad (DD) y alta densidad (HD). La siguiente tabla nos muestra cuánta información puede almacenar cada tipo de disquete.

	5 $\frac{1}{4}$"	3 $\frac{1}{2}$"
Doble densidad	360 K	720 K
Alta densidad	1.2 MB	1.44 MB
Densidad extendida	—	2.88 MB

Enunciado: "Mi vieja computadora IBM puede usar tanto los *disquetes* de cinco y un cuarto pulgadas como los de tres y media pulgadas. Eso significa que puedo almacenar la misma información en dos diferentes tipos de discos y así, duplicar las posibilidades de perder toda la información en conjunto".

flowchart (diagrama de flujo)

Pronunciación: *flou chart.*

Significado: Diagrama que consta de líneas y cuadros que utilizan los programadores para representar la manera en la que los programas se supone deben funcionar. Los programadores que emplean su tiempo en la creación de diagramas de flujo, son muy propensos, de manera inusual, a escribir ciencia ficción, contar cuentos de hadas y trabajar en sus ratos libres como agentes secretos para la CIA.

Enunciado: "Antes de que empiece a escribir su programa, decida cómo va a funcionar por medio del trazo de un *diagrama de flujo*. Ahora, mientras escribe su programa, podrá modificar el diagrama de flujo para que se adapte a la manera en que su programa funciona en la realidad".

flush (vaciar, alinear)

Pronunciación: *flush.*

Significado: 1) Vaciado de los contenidos de la estructura de datos o la memoria intermedia. 2) Alineación del texto ya sea justificado a la derecha o a la izquierda.

Esto es un ejemplo de justificado a la izquierda.	Esto es un ejemplo de justificado a la derecha.

(Véase también *justify*)

Enunciado: "Carga un programa para después empezar a golpear todas las teclas. Si esto no molesta al programa, entonces *vaciará* la memoria intermedia del teclado antes de que esté listo para comenzar".

folder (carpeta)

Pronunciación: *fól-der.*

Significado: Un nombre diferente para el subdirectorio; utilizado en todas las computadoras Macintosh.

Enunciado: "En mi Macintosh, las *carpetas* aparecen como pequeños iconos en forma de carpeta, sobre la pantalla. Para copiar un archivo de una carpeta a otra, sólo tengo que arrastrarlo de la carpeta original hacia la otra".

font (fuente)

Pronunciación: *font.*

Significado: Colección de caracteres con tamaños y estilos predefinidos. La mayoría de los procesadores de palabras y los programas de autoedición, le permitirán elegir diferentes fuentes para hacer que su escritura sea más bonita. Si a usted no le agradan las fuentes con que cuenta, tendrá que comprar más.

Enunciado: "Cuando no tengo nada importante que decir, lo pongo por escrito y utilizo muchas y elegantes *fuentes*. Las personas pensarán que se trata de un documento importante si le doy un bonito aspecto".

font cartridge (cartucho de fuente)

Pronunciación: *font kár-trish.*

Significado: Dispositivo que se conecta en la impresora, lo que le brinda la posibilidad de imprimir una gran variedad de fuentes (véase también *font*).

Enunciado: "Mi impresora láser no puede imprimir todas las fuentes que utilizo con mi procesador de palabras.

Es por eso que tuve que conectarle un *cartucho de fuentes*. Ahora es capaz de imprimir todas las fuentes que uso, hasta que me aburra y decida intentar con nuevas fuentes".

font family (familia de fuentes)

Pronunciación: *font fá-mi-li.*

Significado: Es muy semejante a la familia Partridge o a la familia Robinson, pues una familia de fuentes consiste en un grupo de fuentes relacionadas.

Enunciado: "Utilice fuentes de la misma *familia de fuentes* para que su impresión no se colapse y luzca como algo del espacio exterior".

font size (tamaño de fuente)

Pronunciación: *font saiz.*

Significado: La altura y anchura de fuentes específicas. La mayoría de las fuentes lucen suaves y atractivas en tamaños fijos como son 10 o 24 puntos. Si despliega fuentes en un tamaño poco usual como 11 o 23 puntos, lucirán amontonadas y como si estuvieran en una riña.

Enunciado: "Asegúrese de utilizar el *tamaño de fuente* adecuado para sus fuentes. De otra manera, los encabezados de sus resúmenes lucirán como si hubieran sido impresos en una impresora barata de matriz de puntos y no en una cara impresora láser".

Font/DA Mover (mueve tipos A/E)

Pronunciación: *font-di-ei mú-ver.*

Significado: El programa de utilería en el Sistema 6 o anterior que se incluye con las computadoras Macintosh para

facilitar a los usuarios
el que puedan añadir
fuentes y accesorios
de escritorio a sus
computadoras.

Enunciado: "Compré
todas estas fuentes,
pero mi computado-
ra aún no sabe cómo utilizarlas. Después empleé *Mueve
Tipos A/E* a fin de instalarlas y ahora todo funciona per-
fectamente. ¿No son maravillosas las computadoras?"

footer (pie de página)

Pronunciación: *fú-ter.*

Significado: Título, palabra o frase corta que aparece en la
parte inferior de la página en los programas de procesamiento de palabras o en los de autoedición.

Enunciado: "Muchas personas utilizan *pies de página* para
imprimir el número de página sobre cada hoja. Yo uso los
pies para escribir el mismo mensaje hostil para las personas
que no me caen bien".

footprint (huella)

Pronunciación: *fut-print.*

Significado: Tamaño físico de un objeto
como es el caso de la huella de una computadora o de una impresora. Entre menor sea
la huella del objeto, menos espacio ocupará
en el escritorio.

Enunciado: "Mi última computadora tenía una *huella* semejante a la de Pie Grande, debido a que ocupaba mi escritorio
entero. Mi nueva computadora tiene una huella mucho más
pequeña. De hecho, no he podido encontrarla".

foreground (primer plano)

Pronunciación: *for-graund.*

Significado: Sucede cuando dos o más ventanas aparecen en la pantalla, la pantalla activa es considerada como el primer plano. Sólo una ventana a la vez puede estar en el primer plano, incluso si un número X de ventanas pueden localizarse en el fondo al mismo tiempo (véase también *background*).

Enunciado: "Cuando realizo tareas múltiples, puedo correr mi procesador de palabras, la hoja de cálculo y la base de datos al mismo tiempo y mover cada una de ellas al *primer plano* conforme sea necesario. Después de que aprenda a usar mi computadora, tal vez lo que acabo de mencionar me sea de utilidad un día".

form feed (alimentación de página)

Pronunciación: *form fid.*

Significado: En ocasiones se abrevia FF, *alimentación de página* significa avanzar el papel en la impresora una hoja a la vez. La mayoría de las impresoras cuentan con un botón para este propósito. Para poder utilizar este botón, tendrá que poner la impresora fuera de la línea (al presionar el botón en línea, esto tiene sentido) y después presionar el botón de alimentación de página.

Enunciado: "En ocasiones es más fácil presionar el botón de *alimentación de página* para poder desprender la página de la impresora y, otras veces, es aún más fácil el simple hecho de jalar el papel hasta que éste sale".

format (formato)

Pronunciación: *fór-mat.*

Significado: Consiste en preparar un disquete o un disco duro para almacenar información que será utilizada con un tipo específico de computadora. Un disquete puede ser usado por cualquier tipo de computadora. El formatear un disco en la Macintosh prepara ese disco para almacenar datos Macintosh. El formatear un disco en una máquina DOS, prepara ese disco para almacenar datos compatibles con IBM.

Enunciado: "Si desea borrar un disquete de manera rápida, sólo tendrá que *formatearlo* una vez más".

FORMAT

Pronunciación: ¿Qué? ¿Acaso no observó la guía de pronunciación de la entrada anterior?

Significado: Comando MS-DOS que se utiliza para formatear un disquete o un disco duro. Los comandos FORMAT más comunes son:

Comando	Lo que hace
FORMAT A:	Formatea un disquete en la unidad A.
FORMAT A:/S	Formatea un disquete en la unidad A y lo vuelve cargable.
FORMAT B:/F:360	Formatea un disquete de cinco y un cuarto pulgadas de doble densidad/doble lado en una unidad B: de alta densidad.
FORMAT B:/F:720	Formatea un disquete de tres y media pulgadas de doble densidad/doble lado en una unidad B: en alta densidad.

Enunciado: "El comando *FORMAT* A:/F:720 sólo funciona con la versión 4.0 de MS-DOS y las posteriores. Pero al menos el comando FORMAT C: aún formatea su unidad de disco duro si no es usted cuidadoso".

FORTH

Pronunciación: *fort.*

Significado: Lenguaje único de programación que habilita a los programadores a definir sus propios enunciados en términos de enunciados más simples definidos con anterioridad. FORTH no es utilizado con mucha frecuencia, no obstante que cuenta con casi un culto de seguidores. En muchas ocasiones podrá observar a los programadores de FORTH que bailan en los aeropuertos, cantan invocaciones FORTH y visten batas de chiffón en su búsqueda de las verdades en la computación.

Enunciado: "Los programas *FORTH* pueden rivalizar con los mejores programas C++ en términos de velocidad y eficiencia. Es una lástima que casi ninguna escuela enseñe FORTH en sus cursos de programación".

FORTRAN

Pronunciación: *fór-tran.*

Significado: Acrónimo que significa FORmula TRANslator, éste fue uno de los primeros lenguajes de programación que permitía a los programadores escribir fórmulas matemáticas de una forma normal, como es el caso de X=(A*B)*2. FORTRAN fue uno de los primeros lenguajes de alto nivel que podía correr en diferentes tipos de computadoras con pocas o ninguna modificaciones. Hasta que FORTRAN apareció, los programadores tuvieron que utilizar un lenguaje ensamblador.

Enunciado: "En mi época de estudiante, me hicieron aprender *FORTRAN.* Ahora que soy un graduado, todos solicitan programadores que conozcan el lenguaje C. ¿Acaso no es maravillosa la educación universitaria?"

fractals (fractales)

Pronunciación: *frák-tals.*

Significado: Forma geométrica generada de manera matemática y que contiene una cantidad infinita de detalle. Si usted toma una porción de esta forma y la agranda, la misma imagen compleja empieza a resurgir. Los fractales son usados por lo general para crear arte generado por medio de la computadora o para dibujar objetos como montañas o nubes en los video juegos de simuladores aéreos. Asociado de manera muy cercana con la teoría del caos, que ha empezado a demostrar el hecho de que existe más orden en el universo del que nosotros esperábamos.

Enunciado: "El hacer que su computadora origine *fractales* en la pantalla, es como poner una lámpara Lava de los años sesentas con valor de tres mil dólares sobre su televisión. Será interesante al principio, pero después de 10 minutos casi todas las personas comenzarán a mirar hacia otra parte".

fragmentation (fragmentación)

Pronunciación: *frag-men-téi-shon.*

Significado: Condición encontrada en los discos duros que han sido utilizados por largos períodos. Cada vez que usted guarda un archivo en el disco duro, la computadora almacena ese archivo como una franja continua para un acceso rápido y fácil. De manera eventual, al borrar, modificar y añadir nuevos archivos, no habrá suficiente espacio como para almacenar todos los archivos en una franja continua. En lugar de eso, la computadora se ve obligada a romper los archivos individuales y almacenarlos en partes separadas por todo el disco duro. Esto se denomina fragmentación (véase también *hard disk*).

Enunciado: "Mi disco duro corre de manera tan lenta que sospecho que sufre de *fragmentación*. Para buena fortuna, la versión 6.0 de MS-DOS cuenta con un programa especial DEFRAG que corrige cualquier fragmentación en el disco duro. Es una pena que MS-DOS no cuente con un comando similar para realizar el resto de mi trabajo sin que yo tenga que mover un dedo".

frame (marco)

Pronunciación: *freim.*

Significado: Área rectangular utilizada por los programas de procesamiento de palabras y de autoedición para arreglar el texto o las gráficas en una página.

Enunciado: "Mi circular consta de dos *marcos*. Un marco contiene el encabezado y el segundo el texto. He considerado añadir un tercer marco para colocar una fotografía de mi perro".

freeware

Pronunciación: *frí-wer.*

Significado: Software que está registrado pero que permite que se realicen copias sin tener que pagar ningún tipo de regalías. En comparación, el software de dominio público no está registrado y puede ser copiado de manera libre; el shareware está registrado y puede ser copiado de manera libre, pero se debe pagar cierta cantidad en forma regular para poder utilizarlo. El programa más popular del freeware es LHarc, un programa de compresión de archivos escrito por un programador japonés de nombre Haruyasu Yoshizaki (véase también *public domain* y *shareware*).

Enunciado: "¿Acabo de pagar doscientos dólares por mi WordPerfect y ahora me dice que pude haber pagado sólo cincuenta dólares por una copia shareware de un procesador de palabras similar?"

friction feed (alimentación por fricción)

Pronunciación: *frík-shon fid.*

Significado: Método para movilizar el papel al presionar los rodillos contra la página y girarlos. La alimentación por fricción es la forma en la que las máquinas de escribir (¿se acuerda de ellas?) avanzaban el papel una línea a la vez. La mayoría de las impresoras de chorro de tinta y láser utilizan este sistema.

Enunciado: "Cualquier impresora que no necesite utilizar papel que cuente con esos tontos orificios en los costados, emplea con seguridad la *alimentación por fricción*".

front end (extremo frontal)

Pronunciación: *front end.*

Significado: Programa de computadora que oculta los detalles del acceso a los datos a otra computadora. En un sentido, todo programa es un front end que evita que los usuarios conozcan los detalles reales del intrincado funcionamiento de la computadora. La mayor parte del tiempo, un front end significa el uso de la computadora en mayor medida que muchos de los programas. Un ejemplo de procesador de este tipo, es el que se utiliza como enlace de comunicaciones para un mainframe.

Enunciado: "Para tener acceso a mis archivos dBASE evito utilizar un programa de base de datos. En lugar de eso, empleo un front end que me hace obtener los datos que requiero sin necesidad de conocer ningún comando específico para dBASE".

FUBAR

Pronunciación: *fu-bar.*

Significado: Acrónimo para What Delicately could be called Fouled Up Beyond All Recognition (Lo que de manera delicada puede ser llamado falta, más allá de todo reconocimiento) y en ocasiones, Fouled Up Beyond All Repair (Falta, más allá de cualquier reparación). Es en realidad un viejo término militar que de manera eventual se arrastra mal herido hacia los días pioneros de la computación cuando fue utilizado como relleno sutil. Un término derivativo, FOO, aun es popular con las personas que gustan del UNIX.

Enunciado: "Es triste decirlo, pero su unidad de disco duro es un completo *FUBAR*".

FUD

Pronunciación: *fud.*

Significado: Acrónimo que significa Fear, Uncertainty y Dread (miedo, incertidumbre y espanto). La propaganda creada por una compañía con la esperanza de evitar que las personas compraran un producto de la competencia.

Enunciado: "He considerado la compra de una computadora IBM o Macintosh, pero existe tanto *FUD* en el mercado, que he preferido esperar".

full duplex

Pronunciación: *ful dú-pleks.*

Significado: Transmisión de datos en ambas direcciones de manera simultánea, que se utiliza cuando se establece una comunicación entre dos computadoras Full duplex es en ocasiones denominado Echo On por algunos programas de comunicaciones. Si alguna vez ha leído *Una arruga en el tiempo,* sabrá que es parecido a la forma de hablar de uno de los personajes (véase también *duplex* y *half duplex*).

Enunciado: "Cada vez que utilizo mi módem y mi computadora, empiezo a ver ddoobbllee, de esta manera. Fue entonces cuando alguien me sugirió que desactivara el *full duplex* y ahora todo funciona muy bien".

full pathname (nombre de trayectoria completo)

Pronunciación: *ful pát-neim.*

Significado: El nombre de un archivo además de la unidad y el directorio donde éste se localiza. Ejemplos claros de un nombre completo de trayectoria son: C:\WINDOWS\SYSTEM\WIN.INI,D:\UTIL\ZIP\PKZIP.EXE, y A:\HELP\LOST\BYE.BAT. (Véase también *pathname*.)

Enunciado: "Cuando desee guardar un archivo ya existente bajo un nombre diferente, escriba el *nombre de trayectoria* *completo.* De otra manera, la computadora almacenará ese archivo en el directorio actual, que pudiera ser o no, el lugar a donde usted desea dirigirse".

full screen (pantalla completa)

Pronunciación: *ful-skrin.*

Significado: Habilidad para escribir caracteres en cualquier parte de la pantalla, en caso de que usted utilice una computadora, por supuesto. Una terminal de pantalla completa despliega información por medio de la pantalla completa (vaya). Un editor de pantalla completa le permitirá escribir en cualquier parte de ella.

Enunciado: "El uso de un editor por línea es algo así como asomarse a través de las persianas venecianas. La utilización de un editor de *pantalla completa* es como observar por la ventana entera".

full-height drive (unidad de altura total)

Pronunciación: *ful-jáit draiv.*

Significado: Unidad de disco que tiene una altura aproximada de tres y un cuarto pulgadas, esto es, el doble de la altura de una unidad de media altura (¡qué concepto tan extraordinario!).

Enunciado: "Arrojé al bote de la basura una *unidad de altura total* de mi computadora y añadí dos unidades de media altura: una para los disquetes de tres y media pulgadas y otra para el disco duro".

function (función)

Pronunciación: *fúnk-shon.*

Significado: Subprograma de lenguaje de computadora que realiza cálculos y devuelve un valor sencillo al programa principal. Existen dos tipos de subprogramas: funciones y procedimientos. En comparación, un procedimiento realiza cálculos, pero puede devolver tanto cero como valores múltiples al programa principal.

Enunciado: "Escribí una función en lenguaje C++ llamada CUBE(x), que devuelve el cubo de un entero como es el caso de x = CUBE(5)".

function keys (teclas de función)

Pronunciación: *fúnk-shon kis.*

Significado: Teclas especiales colocadas en la parte superior o a un costado del teclado y que han sido diseñadas de manera especial para proporcionar comandos a la computadora. La mayoría de los teclados en las computadoras tienen 10 o 12 teclas de función, etiquetadas F1 hasta F12. Las teclas de función son atajos equivalentes a presionar una variedad de otro tipo de teclas como podría ser Ctrl-S-D. Otros programas utilizan las teclas de función a fin de realizar diferentes operaciones. Es por eso que las plantillas de las teclas de función son tan populares.

Enunciado: "Me agrada utilizar las *teclas de función* porque es más sencillo que recordar qué teclazos o menús necesito elegir para emplear un comando específico. Ahora lo único que tengo que recordar es la acción que realiza cada tecla de función".

fuzzy logic (lógica difusa)

Pronunciación: *fú-si lo-gik.*

Significado: Es el tipo de lógica que evita el tomar una posición, con frecuencia usada por los sistemas expertos, las redes neurales y los políticos que se lanzan a la candidatura de un puesto más elevado. En lugar de utilizar valores como Cierto o Falso, la lógica difusa usa un rango de valores que incluyen Cierto, Fal-

EN LO ABSOLUTO
ES DEFINITIVO
TAL VEZ
ES POSIBLE

SMITH
* PARA *
ALCALDE

so, Tal vez, En ocasiones y Lo olvidé. La lógica difusa se utiliza con frecuencia cuando las respuestas no tienen un valor distintivo de cierto o falso o cuando los programadores no saben lo que hacen.

Enunciado: "Las redes neurales y de inteligencia artificial parecen hacer que las computadoras imiten los procesos del pensamiento a la manera de los seres humanos. Debido a que las personas no observan el mundo en términos de blanco y negro con mucha frecuencia, las computadoras utilizan la *lógica difusa* para sus procesos".

Fuzzy Wuzzy

Pronunciación: *fú-si- wú-si.*

Significado: La sensación de ligereza mental que se obtiene al observar la pantalla de la computadora durante largos períodos.

Enunciado: "*Fuzzy Wuzzy* es un oso. Fuzzy Wuzzy es gracioso. Fuzzy Wuzzy no estaba tan fuzzy, ¿o sí?"

G

gallium arsenide (arsénido de galio)

Pronunciación: *gá-lium ár-se-naid.*

Significado: Una aleación utilizada para la fabricación de chips, que son más rápidos que el silicio, algo que a nadie le importa, con excepción de los fabricantes de chips (véase también *germanium, semiconductor* y *silicon*).

Enunciado: "Por supuesto que estoy muy contento de que mi computadora utilice chips de *arsénido de galio*. El mes pasado ahorré 3.8 segundos en mis procesos".

game (video juego)

Pronunciación: *gueim.*

Significado: El único tipo de programa por el que las personas compran sus computadoras. Los programas de video juegos abarcan tres categorías: galería, estrategia y tablero. Los juegos de galería, como el PacMan, Mario Brothers o los Simuladores de vuelo, enfatizan la coordinación vistamano. Los juegos de estrategia son por lo general juegos de guerra donde los jugadores controlan ejércitos enteros e intentan conquistar Europa o cualquier otro tipo de propiedad con alto valor de renta. Los juegos de tablero son versiones computarizadas de juegos como el ajedrez, las damas, el monopolio, el backgammon, etcétera.

Enunciado: "Le dije a todos mis conocidos que había gastado una fortuna en una computadora, para poder balancear mi presupuesto y aprender programación. La realidad es que compré mi computadora para poder utilizar un *video juego* de cincuenta dólares en la comodidad de mi hogar".

game control adapter (adaptador de control de video juegos)

Pronunciación: *gueim 'kon-tról a-dáp-ter.*

Significado: Tarjeta especial de adaptador (o *tablero*), con un puerto en el que se puede conectar un control de joystick a la computadora (véase también *joystick*).

Enunciado: "Ya que utilizo mi computadora de tres mil dólares para poder jugar con mis video juegos de simulador aéreo, tuve que comprar un *adaptador de control de video juegos* de veinte dólares para poder utilizar mi control de joystick".

Gantt chart (gráfica de Gantt)

Pronunciación: *gant chart.*

Significado: Gráfica que se utiliza con frecuencia en el software de administración de proyectos cuya idea principal es mostrar las tareas y fechas de entrega necesarias para completar un proyecto específico, como podría ser la eliminación del déficit nacional, el rescate del Titanic o enviar naves espaciales tripuladas con miras a la colonización del planeta Marte. Algunos de los mejores escritores en la actualidad realizaron sus primeros trabajos al diseñar gráficas de Gantt para el gobierno.

Enunciado: "El departamento de la defensa me solicitó la creación de una *gráfica de Gantt* para construir un sistema orbitante de armas láser. Mi gráfica de Gantt muestra justo dos tareas: cambiar el cheque que me dieron por dinero en efectivo y después huir rumbo a Argentina para que no puedan atraparme".

garbage (basura)

Pronunciación: *gár-besh.*

Significado: Información inútil o indescifrable. Algunas computadoras crean basura; otras sólo la aceptan de las personas que no saben lo que hacen (véase también *GIGO*).

Enunciado: "Cada vez que intentaba utilizar mi módem, sólo obtenía *basura* sobre la pantalla. Fue entonces cuando me dí cuenta de que tenía que ajustar mi monitor".

gas plasma display (pantallas de plasma de gas)

Pronunciación: *gas plás-ma dis-pléi.*

Significado: Tipo especial de pantalla, diseñada para las computadoras laptop, que resplandece en color naranja y tiene un aspecto radioactivo. Las pantallas de plasma de gas utilizan alto voltaje para ionizar un gas, un procedimiento que da como resultado la apariencia brillosa de color naranja en la pantalla. Pocas computadoras laptop utilizan este tipo de pantalla debido a que son más caras, consumen una gran cantidad de energía y no despliegan colores (véase también *monitor*).

Enunciado: "Mi vieja computadora laptop 386 contaba con una *pantalla de plasma de gas* que tenía un aspecto muy agradable, esto en caso de que a usted le gusten los diferentes tonos de color naranja".

gateway (puente)

Pronunciación: *gueit-wei.*

Significado: El enlace de conexión en la computadora que traduce la información entre dos tipos diferentes de redes para computadora (véase también *network*).

Enunciado: "Para separar dos redes, sólo desconecte la computadora que actúa como *puente*".

GB

Pronunciación: *yí-ga bait.*

Significado: Abreviatura de la palabra gigabyte, que es un valor aproximado a mil millones de bytes (véase también *gigabyte, hard disk, megabyte* y *memory*).

Enunciado: "Mi disco duro de 120 MB es demasiado pequeño. Creo que necesito un disco duro de 5*GB* en su lugar. De esa manera, podré guardar muchos más archivos inútiles en mi computadora que de cualquier forma no sabré utilizar".

geek

Pronunciación: *yiik.*

Significado: Una persona con un elevado índice de conocimientos que es tan detestable que sabe más acerca de las computadoras que de su propia madre.

Enunciado: "Le pediría ayuda a Joe, pero es un verdadero *geek*. En realidad prefiero sufrir y leer el manual de MS-DOS".

geekus maximus

Pronunciación: *yiik mák-si-mus.*

Significado: Persona con un elevado índice de conocimientos, pero que es de verdad insoportable puesto que sabe muchísimo acerca de las computadoras. Rechaza el trato con personas que tengan una personalidad o una falta notoria de ésta.

Enunciado: "Tom es un verdadero *geekus maximus*. La compañía no funciona bien sin su presencia, pero como nadie quiere tener contacto con él, tiene que trabajar solo".

gender bender (mezclador de género)

Pronunciación: *yen-der ben-der.*

Significado: Conexión especial, también denominada *cambiador de género,* que convierte un cable conector hembra en un cable conector macho y viceversa.

Enunciado: "El empleado me vendió el cable equivocado. En lugar de comprar el cable correcto, sólo compré un *mezclador de género* y ahora todo funciona muy bien".

GEnie

Pronunciación: *yí-ni.*

Significado: GEnie significa General Electric Network for Information Exchange (Red de General Electric para el intercambio de información), un servicio en línea que proporciona programas que pueden ser copiados, juegos de video y conferencias de mensajes (llamadas mesas redondas) para charlar con otras personas sobre temas específicos. GEnie es menos caro, pero también es más limitado en su contenido que el servicio en línea más importante, denominado CompuServe (véase también *CompuServe, Internet* y *Network*).

Enunciado: "Es demasiado carosuscribirse a CompuServe, por eso uso *GEnie* como una opción".

geranium (geranio)

Pronunciación: *ye-rá-nium.*

Significado: Es una pequeña y hermosa flor con un nombre que se asemeja al germanio, un material utilizado para fabricar semiconductores.

Enunciado: "Arruiné mi tesis de posgrado acerca de los semiconductores cuando traté de utilizar *geranios* para conducir electricidad. Cielos, me siento de verdad estúpido, pero al menos mi taller huele y luce muy bien".

germanium (germanio)

Pronunciación: *yer-má-nium.*

Significado: Es el segundo material más popular para fabricar semiconductores después del silicio.

Enunciado: "Algunos de los semiconductores de mi computadora utilizan *germanio* en lugar de silicio, ¿a quién le importa, mientras el tonto artefacto funcione?"

GIF

Pronunciación: *yif.*

Significado: Acrónimo que significa Graphics Interchange Format (Formato de intercambio de gráficas). Un formato especial de archivo desarrollado por CompuServe para almacenar las gráficas que pueden ser utilizadas por todas las computadoras.

Enunciado: "Se ha almacenado una buena cantidad de imágenes en un formato *GIF* para que cualquier persona que tenga una IBM, una Macintosh o una Amiga, pueda observar todas esas imágenes".

gigabyte

Pronunciación: *yí-ga-bait.*

Significado: Esto es alrededor de mil millones de bytes, que es abreviado por lo general como GB.

Enunciado: "Un disco duro con un *gigabyte* no me impre siona. Un disco duro con 100 gigabytes sí me impresiona".

GIGO

Pronunciación: *yi-gou.*

Significado: Acrónimo que significa Garbage In, Garbage Out (si entra basura, sale basura). Utilizado para explicar a los novatos que si se introduce información sin valor en la computadora, ésta sólo escupirá información sin sentido. En otras palabras, la computadora no podrá crear información maravillosa por sí misma, de una manera mágica (véase también *garbage*).

Enunciado: "No puedo lograr que esta computadora haga algo útil. Pero, tal vez debería encenderla primero. Supongo que esto es un ejemplo más del *GIGO* en acción".

glitch (problemilla)

Pronunciación: *glitch.*

Significado: Problema (en ocasiones temporal) que causa que un programa funcione de manera errática o que no funcione de ninguna manera. Estos problemas también son denominados bugs (errores) o, en ocasiones, se les llama insectos. Estos últimos también son conocidos como diminutos seres  aplastables que emanan pequeños chorros de entrañas amarillentas cuando usted coloca su pie sobre ellos.

Enunciado: "Cuidado. Pudiera observar algunos *problemillas* cuando utilice cualquier tipo de programa de compresión de disco".

googleplex

Pronunciación: *gó-gol-plex.*

Significado: Número taaaan grande que puede hacer que se sienta mareado de sólo pensarlo (véase también *Avogadro's number*).

Enunciado: "Esa nueva Macintosh laptop cuesta un *googleplex*. Espero que no utilice geranios como semiconductores".

GOTO

Pronunciación: *go-tu.*

Significado: Comando utilizado en muchos lenguajes de programación y archivos por lote, que le indica a la computadora que debe "dirigirse" a otra parte del programa para correr las instrucciones que ahí se localicen. La mayoría de los programadores discrimina al comando GOTO debido a que tiende a crear un código de espagueti, que es un programa en donde la estructura no está perdida, pero se encuentra en todas partes.

Enunciado: "Los primeros programas en BASIC solían utilizar el comando *GOTO* de tal manera que no se pudiera entender la forma en la que el programa funcionaba, aun si usted tuviera un doctorado de la mejor universidad. Eso le enseñará lo siguiente: no utilizar el comando GOTO, o no tratar de obtener un doctorado en ciencias computacionales".

graceful exit (graciosa huida)

Pronunciación: *gréis-ful ék-sit.*

Significado: Sucede cuando un programa deja de correr, pero no congela su computadora, no colapsa su disco duro, ni ocasiona que usted no pueda utilizar su computadora de una manera inmediata. Todos los programas deberían de ofrecer la graciosa huida (véase también *crash* y *lock*).

Enunciado: "Cuando elija el comando Exit (de salida) a partir de un programa y éste de verdad funcione, esa será la *graciosa huida.* Cuando elija tal comando y la computadora se ría en su cara, eso será un error o un glitch".

grammar checker (corrector gramatical)

Pronunciación: *grá-mar ché-ker.*

Significado: Programa especial o función integrada que examina un documento de texto en busca de errores gramaticales para ofrecer posibles correcciones. La mayoría de los correctores gramaticales corrige el deletreo erróneo, el uso incorrecto de la gramática y la estructura oscura o confusa en potencia del enunciado. Sin embargo, la mayor parte de los correctores gramaticales que ofrecen una corrección perfecta de los enunciados, no funcionan de manera precisa en un cien por ciento, además lo conducirán a tener la duda de si en realidad ha escrito en su idioma natal. Muchos de los procesadores de palabras cuentan con correctores gramaticales interconstruidos, pero también pueden ser adquiridos por separado.

¿Qué quieres decir con que está en voz pasiva?

Enunciado: "Después de escribir mis informes con el procesador de palabras, utilizo un corrector ortográfico para poder verificar mi escritura. Luego empleo un *corrector gramatical* para saber si mi escritura es tan correcta como debe de ser. Por último, vuelvo a escribir y a editar mi documento original, basado en el informe del corrector gramatical. Por lo general, para cuando finalizo este procedimiento ya he rebasado la fecha límite de entrega y he sido despedido de mi empleo por haber trabajado demasiado lento".

graphic layout (distribución gráfica)

Pronunciación: *grá-fik léi-aut.*

Significado: Diseño del texto y las gráficas de una página para lograr la mejor apariencia estética posible, si no se tiene algo más importante que hacer (véase también *desktop publishing*).

Enunciado: "Necesito aprender más acerca de la *ditribución gráfica* para poder llegar a ser el director de publicidad en una gran agencia y ganar muchísimo dinero al vender productos que en realidad nadie desea".

graphical user interface (interfaz gráfica para el usuario)

Pronunciación: *grá-fi-kal yú-ser in-ter-féis.*

Significado: Abreviado como GUI, una interfaz gráfica para el usuario proporciona una manera de comunicarse con la computadora por medio de iconos y menús descendentes, en otras palabras, imágenes (véase también *icon* y *pull-down menu*).

Enunciado: "Windows y Macintosh ofrecen *interfases gráficas para el usuario* que proporcionan iconos en lugar de palabras. Esto me recuerda los viejos tiempos cuando los dueños de las tiendas utilizaban imágenes de sus productos como publicidad, debido a que la mayoría de las personas no sabían leer. Es decir, no pensará que existe una correlación estrecha entre el creciente uso de las interfases gráficas y el índice del analfabetismo en este país, ¿o sí?"

graphics (gráficas)

Pronunciación: *grá-fiks.*

Significado: Es la capacidad de una computadora para desplegar esas bellas y pequeñas imágenes sobre la pantalla. La mayoría de las computadoras recientes, cuenta con monitores que pueden desplegar gráficas; no obstante, algunas de las computadoras anteriores tenían monitores que no podían realizar esta función. Si usted intentara correr un programa que necesitara el uso de las gráficas, como en el caso de los video juegos, dicho programa no funcionaría (o usted sólo obtendría basura en la pantalla).

Enunciado: "El primer monitor que compré era monocromático y sólo podía desplegar texto. Después decidí gastar algo más de dinero para conseguir un monitor de *gráficas*. Ahora ya puedo utilizar mis video juegos y dibujar todo tipo de confusas gráficas de barra y de pastel".

graphics adapter card (tarjeta adaptadora para gráficas)

Pronunciación: *gra-fiks a-dap-ter kard.*

Significado: Tablero de circuito que se conecta en la computadora para que el monitor tenga un lugar dónde conectarse. Las tarjetas adaptadoras para gráficas más comunes de las computadoras compatibles con IBM incluyen: CGA, EGA, VGA y superVGA; sin embargo, la mayoría de las computadoras más recientes utilizan tarjetas VGA o superVGA (véase también *CGA, EGA, VGA* y *SVGA*).

Enunciado: "He construido mi propia computadora, pero no pude conectar mi monitor hasta que compré una *tarjeta adaptadora para gráficas*. Después de eso, tuve que asegurarme de que mi tarjeta pudiera funcionar con mi monitor. Me duele la cabeza ¿puedo irme a casa ya?"

graphs (diagramas)

Pronunciación: *grafs* (casi rima con "jirafas que utilizan gafas").

Significado: Representación visual de cantidades númericas como son los costos, distancias o velocidades. Los tipos comunes de diagramas incluyen las de barras, lineales, circulares y las gráficas dispersas. La mayoría de las hojas de cálculo le da la posibilidad de crear diagramas a partir de sus datos o bien, comprar un programa de representación de gráficas por separado que podrá realizar un trabajo mucho mejor.

Enunciado: "Mi jefe se impresiona cuando observa un gran número de *diagramas,* a pesar de que no sabe lo que en realidad significan. Eso está bien, debido a que las nuevas gráficas muestran todos los cortes de personal que la compañía tiene que realizar y su empleo está en una de ellas".

gray scale (escala de gris)

Pronunciación: *grei es-kéil.*

Significado: Diferentes sombras de color gris que van desde el negro hasta el blanco. La escala de gris se refiere con frecuencia a la funcionalidad que tienen los digitalizadores, las impresoras láser o las pantallas de las computadoras laptop que no saben cómo utilizar los colores.

Enunciado: "Esta computadora laptop cuenta con una pantalla de 64 *escalas de gris.* Eso significa que la pantalla es mucho mejor que una de 32 escalas de gris, pero también significa que no es tan buena como una pantalla a color".

greeking (escritura en griego)

Pronunciación: *grí-king.*

Significado: El uso de caracteres y símbolos sin sentido para representar la apariencia total de una página sin mostrar el texto real. Se utiliza de manera frecuente con la característica Print Preview (de presentación preliminar). Es manejada por los procesadores de palabras o los programas de autoedición para mostrar una página entera en la pequeñísima pantalla de su computadora.

Enunciado: "Para observar la manera en que lucirán los márgenes, voy a encoger la página entera y así podré verla en su totalidad. No obstante que puedo observar la apariencia que tendrá mi página cuando la imprima, no puedo leer o editar el texto, debido a que mi programa utiliza la *escritura en griego*".

grid (rejilla)

Pronunciación: *grid.*

Significado: Serie de puntos que auxilia a los usuarios para alinear los dibujos de manera precisa en la pantalla. Las rejillas se utilizan por lo general en programas de autoedición, de dibujo y de pintura para crear líneas rectas y ángulos alineados a la perfección que la gente piensa son de gran importancia para lograr un avance en sus carreras.

Enunciado: "No se enfrasque en una lucha con el dibujo de las líneas. Sólo utilice la *rejilla* y una los puntos con el objeto de poder hacer que sus líneas luzcan bien".

GUI

Pronunciación: *gu-i.*

(Véase también *graphical user interface.*)

guru

Pronunciación: *gu-rú*

Significado: Alguien que cuenta con un gran conocimiento acerca de las computadoras y que es, por lo tanto, capaz de

ayudarle a solucionar sus problemas, responder a sus preguntas
y proporcionarle un consejo mun-
dano cuando su universo parezca
derrumbarse.

Enunciado: "Trabajaba con UNIX
cuando de repente la computadora
produjo un bip y me indicó algo acerca de tener correspondencia de una persona llamada Zoe. No sabía qué hacer, así
que llamé a nuestro *gurú* local, Simón, del departamento de
contabilidad, para pedirle ayuda. Me dijo que no me preocu-
para y que con seguridad se trataba de un glitch o algo por
el estilo".

H

hack (mellado)

Pronunciación: *jak.*

Significado: Modificación de un programa, por lo general de manera ilegal y con pobre calidad.

Enunciado: "Este video juego solía estar protegido contra el copiado, pero alguien lo *melló* y ahora ya puede ser copiado de manera fácil e ilegal".

hacker (mellador)

Pronunciación: *ja-ker.*

Significado: Persona de gran habilidad con las computadoras que puede realizar trabajos casi mágicos; con frecuencia se usa de un modo destructivo para describir a un sujeto que usa una computadora para llevar a cabo actividades ilegales como el irrumpir en las computadoras de otras personas o robar fondos en forma electrónica (véase también *guru*).

Enunciado: "Muchos *melladores* tratan de introducirse en nuestra computadora todas las noches. Lo único que nos salva es que ésta no contiene nada que valga la pena".

HAL

Pronunciación: *jal.*

Significado: Computadora superinteligente que llevaba el papel del villano en el clásico de la ciencia ficción, *2001: Odisea del espacio,* de Stanley Kubrick (basado en un cuento corto de Arthur C. Clarke).

Enunciado: "Debido a que *HAL* era una computadora diabólica, las personas se preocuparon cuando se dieron cuenta de que al tomar la siguiente letra de cada una de las tres que conforman la palabra HAL, se obtiene IBM".

half card (media tarjeta)

Pronunciación: *jaf kard.*

Significado: Tarjeta de expansión que utiliza la mitad del espacio que se requiere por lo general para una tarjeta de expansión. Las medias tarjetas realizan como norma una sola función, como es el caso de añadir un puerto de juego o un módem a una computadora. Algunas de las computadoras más antiguas tenían ranuras de expansión en las que sólo se podían insertar medias tarjetas.

Enunciado: "Las *medias tarjetas* lucen como si alguien las hubiera partido a la mitad".

half duplex (medio duplex)

Pronunciación: *jaf dú-pleks.*

Significado: Transmisión de datos en una sola dirección a la vez por medio de un módem. En ocasiones es denominado *Echo Off* por los programas de comunicaciones que se resisten a utilizar los términos estándar para un mismo objeto (véase también *duplex, echo* y *full duplex*).

Enunciado: "Si se conecta a un BBS por medio de su módem y no puede ver lo que escribe, con seguridad habrá utilizado *half duplex*. Para solucionar este problema, active el Echo. Si esto tampoco funciona, asegúrese de que su monitor esté encendido".

half-height drive (unidad de media altura)

Pronunciación: *jaf-jait draiv.*

Significado: Unidad de disco que utiliza la mitad de la dimensión normal (ay, ay, ay). Las unidades de media altura tienen por lo general una altura total de una y cinco octavos de pulgada. La mayoría de las computadoras cuentan con espacio suficiente sólo para dos unidades de altura total o cuatro unidades de media altura. La utilización de unidades de media altura incrementa las capacidades de una computadora. Algunas computadoras cuentan con unidades de un tercio de altura.

Enunciado: "Mi vieja computadora venía equipada con dos unidades de altura total. Arrojé una de ellas al depósito de chatarra y coloqué dos *unidades de media altura* en su lugar".

halftone (medio tono)

Pronunciación: *jaf-toun.*

Significado: Copia en blanco y negro de una fotografía en la que las sombras oscuras son representadas por puntos gruesos y las sombras más claras son representadas por puntos pequeños. Los medios tonos logran una mejor reproducción que las fotografías ordinarias, ya que el copiado subsecuente de fotografías tiende a desvanecer las imágenes hasta convertirlas en una mancha gris.

Enunciado: "Siempre que tomo fotografías de mi hermana, utilizo *medios tonos*. No se trata de que en realidad alguien desee ver su imagen de manera clara, pero al menos la imagen que resulta es de mejor calidad que el copiado de una fotografía ordinaria".

handles (manijas)

Pronunciación: *jan-dols.*

Significado: En los programas de gráficas y de autoedición, las manijas son pequeños cuadros negros que aparecen al rededor de cualquier objeto que haya seleccionado. El arrastrar la manija con el ratón le permitirá cambiar el tamaño o la posición del objeto. Por otra parte, cuando se utilizan los modems, la manija será su nombre.

Enunciado: "Luego de atraer un objeto, haga clic sobre éste y aparecerá un rectángulo punteado con las *manijas*. Cuatro de éstas serán visibles en las esquinas y cuatro más en la mitad de cada línea. ¿Acaso no es esto interesantísimo?"

hands-on (sobre la marcha)

Pronunciación: *jands-on.*

Significado: Enseñar al usuario cuando éste utiliza de manera física el teclado o el ratón de la computadora (véase también *end user*).

Enunciado: "No será capaz de aprender nada si sólo escucha a una persona que habla durante todo el día. Tendrá que obtener experiencia *sobre la marcha* y borrar por error algunos discos duros, antes de darse cuenta qué tan destructivo puede ser el comando ERASE".

handshake (apretón de manos)

Pronunciación: *jand-sheik.*

Significado: Intercambio de señales entre dos computadoras conectadas, que indica que la transmisión de los datos puede ser llevada a cabo con seguridad.

Enunciado: "Cuando todo funciona bien, mi módem recibe un *apretón de manos* por parte de la otra computadora y es entonces cuando puedo empezar a copiar los archivos. Si algo marcha mal, mi módem por lo general recibe un gesto de desaprobación por parte mía".

hard copy (copia permanente)

Pronunciación: *jard kó-pi.*

Significado: Información impresa por la computadora.

Enunciado: "Seguro, nuestra computadora puede almacenar miles de millones de nombres y direcciones, pero hasta que cuente con una *copia permanente* en mis manos no podré utilizar la información la siguiente vez que me pierda en el desierto de Arabia Saudita".

hard disk (disco duro)

Pronunciación: *jard disk.*

Significado: Disco cubierto con una capa magnética de metal, sellado de manera hermética en una caja y utilizado para almacenar cantidades masivas de información. En ocasiones es llamado disco fijo, disco Winchester o cualquier otra palabra de cuatro letras que lo denomine si las cosas marchan mal (véase también *disk* y *floppy disk*).

Enunciado: "Durante un período muy, muuuy largo, sólo utilicé disquetes. Entonces, por fin me aburrí de ellos y compré un *disco duro*. Ahora tendré que comprar un disco duro, porque el primero ya casi no tiene espacio disponible".

hardware

Pronunciación: *járd-wer.*

Significado: Componentes físicos de una computadora, esto es, la impresora, el módem, el monitor y el teclado que usted podrá palpar. En comparación, el software consiste en los programas que le indican al hardware lo que deberá hacer a continuación (véase también *software*).

Enunciado: "Algunas personas dicen que el *hardware* es más importante, ya que una computadora rápida puede realizar su trabajo de una manera expedita. Otros dicen que el software es más importante, puesto que un programa bien diseñado puede hacer su trabajo más sencillo. Yo digo que es más fácil contratar a un estudiante de preparatoria con el salario mínimo, puesto que de esa manera usted no tendrá que hacer nada en lo absoluto".

hashing

Pronunciación: *já-shing.*

Significado: Método de programación que se utiliza para almacenar información basada en cálculos matemáticos. Si piensa escribir sus propios programas, deberá saber que el *hashing* puede hacer que un programa almacene los datos de una manera más rápida. Si sólo desea utilizar la computadora, no tendrá que molestarse en saber un solo punto respecto al molido.

Enunciado: "Por el momento escribo mi propia base de datos con el lenguaje C. Para almacenar los datos de una manera eficiente con el objeto de obtener una rápida recuperación de los mismos, he utilizado un algoritmo *hashing*. Eso no significa que yo sepa lo que hago, pero al menos puedo impresionar a los demás".

hat (sombrero)

Pronunciación: *jat.*

Significado: El carácter ^ es denominado sombrero. Con frecuencia se utiliza en los programas de base de datos como símbolo exponencial y en los manuales de computación como sustituto de la tecla Ctrl. En lugar de escribir "Presione la tecla Ctrl y después oprima X", los manuales lo abrevian como "Presione Ctrl-D" o "Presione ^D" (véase también *caret*).

Enunciado: "En Lotus 1-2-3, el escribir **5^3** significa elevar el número cinco a la tercera potencia. Recuerde esto, porque se encuentra en el examen al final de este libro".

Hayes compatibility (compatibilidad con Hayes)

Pronunciación: *heis kom-pa-ti-bí-li-ti.*

Significado: Capacidad de los modems para imitar la operación de un módem marca Hayes (véase también *modem*).

Enunciado: "Debido a que los modems Hayes son los más populares en el mundo, casi todos los modems de otra marca se ven obligados a imitarlos y, por tanto, ofrecer *compatibilidad con Hayes.* De otra manera, los modems tendrían tantos problemas para comunicarse entre sí como los tienen los líderes internacionales".

HD

Pronunciación: *eich di.*

Significado: Acrónimo de *High Density.* Los disquetes de cinco y un cuarto pulgadas de alta densidad, pueden almacenar hasta 1.2 MB de datos. Los de tres y media pulgadas y alta densidad, pueden contener hasta 1.44 MB de datos. Cuando compre una caja de disquetes, los que sean de alta densidad tendrán las letras HD impresas en alguna parte de la caja (véase también *high capacity*).

Enunciado: "Toma diez monedas. Cómprame una caja de disquetes *HD* para mi Macintosh o borraré tu disco duro".

head (cabeza)

Pronunciación: *jed.*

Significado: Es la parte de la unidad de disco que lee los datos a partir del disco que gira. Para aquellos de ustedes que sean lo bastante viejos como para recordar lo que son las tornamesas, las cabezas son el equivalente a la aguja de un tocadiscos (véase también *floppy disk* y *hard disk*).

Enunciado: "No exhale el humo de su cigarro en mi unidad de disco porque podría contaminar las *cabezas*. Después la computadora no podría leer los datos del disquete en forma correcta".

head crash (aterrizar de la cabeza)

Pronunciación: *jed krash.*

Significado: Sucede cuando las cabezas de la unidad de disco no funcionan de la manera adecuada. El aterrizar de las cabezas ocurre cuando la unidad de disco está vieja o sucia o cuando algo se atora en la máquina (véase también *hung*).

Enunciado: "Le dije a mi jefe que no podía hacer mi trabajo porque mi computadora había sufrido un *aterrizamiento de la cabeza*. Entonces, él me dijo que sufriera y que escribiera mi informe con una máquina de escribir".

headache (dolor de cabeza)

Pronunciación: *jed eik.*

Significado: Intenso dolor en el cráneo que se origina al tratar de utilizar y entender las computadoras personales. Véase también **!& *dolor* (sólo bromeaba).

Enunciado: "Después de leer veinte páginas de mi manual de MS-DOS, me dio un *dolor de cabeza* ¿puedo patear algún objeto ahora mismo, o tengo que esperar a que me sienta mejor?"

header (encabezado)

Pronunciación: *jé-der.*

Significado: Texto repetitivo (como el número de página, título del capítulo o mensaje rudo) que aparece en la parte superior de cada página en un documento. En comparación, los pies son texto repetitivo que aparece en la parte inferior de las páginas de un documento (véase también *footer*).

Enunciado: "He creado un *encabezado* para que imprima los números de página en la esquina derecha de cada una de ellas".

heavy iron (plancha pesada)

Pronunciación: *je-vi ái-ron.*

Significado: Modismo utilizado para designar a la computadora mainframe o cualquier otra computadora que tenga el tamaño de un auto compacto (véase también *boat anchor* y *mainframe*).

Enunciado: "Nuestro departamento rechaza la idea de utilizar computadoras personales para todo. Nos hemos apegado a nuestra *plancha pesada,* porque no tenemos ni la menor idea de cómo utilizar MS-DOS".

Hello, Larry

Pronunciación: *jé-lou lá-ry.*

Significado: Comedia de los años setentas. Estelarizada por McLean Stevenson, el también protagonista de la exitosa serie televisiva *M*A*S*H.*

Enunciado: "Siempre que alguien mencione las comedias que no tuvieron éxito, alguien recordará *Hello, Larry*".

help (ayuda)

Pronunciación: *jelp.*

Significado: Información que se supone le mostrará lo que debe hacer a continuación, pero que por lo general sólo logra confundirnos más. La ayuda puede surgir en forma de manuales impresos, información en pantalla desplegada en ventanas que saltan a la vista o palabras de personas bien intencionadas.

Enunciado: "Cuando intenté utilizar WordPerfect, no sabía cómo imprimir mi documento. Traté de obtener *ayuda* por medio del manual, pero en última instancia tuve que llamar a la compañía y solicitar ayuda. Todavía no sé lo que hago, pero al menos puedo llamar para pedir ayuda siempre que lo necesite".

help system (sistema de ayuda)

Pronunciación: *jelp sís-tem.*

Significado: Forma predefinida de desplegar ayuda sobre la pantalla. Microsoft Windows ofrece un sistema de ayuda, que explica por qué los comandos para el uso de la ayuda en cualquier programa Windows, son tan similares.

Enunciado: "En los viejos tiempos del MS-DOS, los programadores tenían que escribir el texto de ayuda además de su propio *sistema de ayuda* para desplegar la información sobre la pantalla. Hoy día, los programadores de Windows pueden escribir el texto de ayuda y utilizar el sistema de ayuda que viene integrado con el programa".

Helvetica

Pronunciación: *jel-vé-ti-ka.*

Significado: Tipo común de fuente sin patines que luce limpia y profesional (al menos para la mayoría de nosotros). Windows y Macintosh cuentan con la Helvetica como fuente interconstruida (véase también *dingbats* y *font*).

Enunciado: "He formateado mi documento con *Helvetica* debido a que tiene una mejor apariencia que el tipo Courier o Times Roman. De cualquier forma, me gusta jugar con diferentes tipos de fuentes".

Hercules Graphics card (tarjeta de gráficas Hércules)

Pronunciación: *jér-kiu-lis grá-fiks kard.*

Significado: En los tiempos ancestrales de las computadoras IBM, una tarjeta de gráficas Hércules (o "adaptador") daba a un monitor monocromático la capacidad de desplegar una forma limitada de gráficas, pero sólo con un color, por lo general verde o naranja. En la actualidad, casi todo el mundo utiliza tarjetas de gráficas VGA o Super VGA, por lo que las tarjetas de gráficas Hércules son una interesante antigüedad (véase también *graphics, Super VGA* y *VGA*).

Enunciado: "Mi primera computadora no podía desplegar gráficas ya que sólo tenía un monitor monocromático y una tarjeta de gráficas también monocromática. Fue entonces cuando me deshice de mi tarjeta de gráficas monocromática y coloqué en su lugar una *tarjeta de gráficas Hércules*. Con esto, pude observar algunas gráficas, pero ninguna en color. Caramba, me siento ultrajado".

hertz

Pronunciación: *jertz.*

Significado: Unidad de medida para las vibraciones eléctricas que se utiliza por lo general en grandes cantidades para medir la velocidad de una computadora. Se abrevia como megahertz (MHz). Un hertz es equivalente al número de ciclos por segundo. Así que, si usted se encuentra en la esquina de una calle y ve pasar a tres ciclistas en un segundo, tendrá tres hertz. En china, existen billones de hertz (véase también *megahertz*).

Enunciado: "Cuando llegué al aeropuerto, me dirigí a la agencia arrendadora de autos *Hertz* y pedí prestada una computadora laptop que corre a 16 MHz".

heuristics (heurística)

Pronunciación: *jeu-rís-tiks.*

Significado: Método de resolución de problemas que no tienen una clara solución, como es el caso del ajedrez, el reconocimiento de imágenes visuales o evitar el pago del impuesto sobre el trabajo. La heurística proporciona instrucciones que en esencia le indican a la computadora que haga su mejor intento y ruegue porque todo salga bien.

Enunciado: "Los científicos de la computación planeaban utilizar la *heurística* para derribar los misiles nucleares que fueran lanzados en su contra".

hexadecimal

Pronunciación: *ek-sa-dé-ci-mal.*

Significado: Número que utiliza la base 16 a diferencia de la base 10 (decimal) o base dos (binario). Los programadores utilizan con frecuencia los números hexadecimales como un atajo para representar números binarios (véase también *binary*).

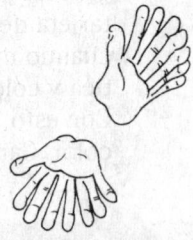

Enunciado: "El cheque de mi salario indica que gané 100 dólares la semana pasada. Pero si utilizo la notación *hexadecimal*, mi cheque indicaría sólo 64 dólares. ¿Todavía no se ha confundido?"

hi, hi, hi

Pronunciación: *jai, jai, jai.*

Significado: Un saludo repetitivo otorgado por los programadores después de pasar toda la noche en el intento de obtener el funcionamiento de su programa. También es el nombre de una canción escrita por Paul McCartney y que fue prohibida en Inglaterra por su alusión a las drogas.

Enunciado: *"Hi, hi, hi.* No te preocupes, sólo trabajo en un programa que nunca lograré terminar".

hidden files (archivos ocultos)

Pronunciación: *jí-den fails.*

Significado: Archivos MS-DOS que no se muestran cuando usted utiliza el comando DIR. Algunos programas crean archivos ocultos para evitar que los usuarios (o los virus) los copien de manera ilegal o los borren o alteren por error (véase también *file attribute*).

Enunciado: "Cada vez que intentaba borrar mi directorio, la computadora me indicaba que no podía hacerlo puesto que el directorio no estaba vacío. Utilicé el programa Norton Utilities para localizar y eliminar los *archivos ocultos* y fue entonces cuando pude borrar mi directorio sin ningún problema".

hierarchical file system (sistema de archivo jerárquico)

Pronunciación: *ji-e-rár-ki-kal fail sis-tem.*

Significado: En ocasiones abreviado como HFS, esta es la característica de las computadoras Macintosh que le permite almacenar archivos en subdirectorios separados denominados *carpetas.* La estructura directorio/subdirectorio de DOS es análoga a este sistema.

Enunciado: "Después de utilizar MS-DOS durante tanto tiempo, encuentro que el *sistema de archivo jerárquico* de Macintosh es mucho más fácil de utilizar debido a esos pequeños iconos de carpeta que hacen que la computación vuelva a ser divertida".

hierarchical menus (menús jerárquicos)

Pronunciación: *ji-e-rár-ki-kal mé-nius.*

Significado: Menú que despliega otros menús cuando se utilizan ciertas opciones.

Enunciado: "Los *menús jerárquicos* en ocasiones lo harán sentir como si tuviera que elegir menús por siempre, y para cuando usted localice lo que deseaba, ya habrá olvidado la razón por la que lo necesitaba".

high-capacity (alta capacidad)

Pronunciación: *jai ka-pá-si-ti.*

Significado: Un término más para definir los disquetes de alta densidad (véase también *HD*).

Enunciado: "No compre disquetes de doble densidad. Compre mejor unos que sean de *alta capacidad* porque éstos pueden contener mucha más información".

high-density (alta densidad)

(Véase también *HD.*)

high memory (memoria alta)

Pronunciación: *jai mé-mo-ri.*

Significado: En las computadoras compatibles con IBM, es la memoria entre los 640 K de la memoria principal y el 1 MB, con más frecuencia conocida como *memoria superior.* No confunda la *memoria alta* con la *HMA* (*el área de la memoria alta*), que en realidad está por arriba de la marca de 1 MB. Este espacio está reservado para correr programas de sistema especial. Para maximizar la cantidad de memoria principal para los programas, esto es, los 640 K, los programas de administración de memoria mueven programas como son los manejadores de ratón o video hacia la memoria alta (véase también *conventional memory, HMA, Upper Memory* y *UMB*).

Enunciado: "Mi vieja computadora sólo tenía 483 K de memoria para correr los programas. Después de utilizar un programa de administración de memoria para sacar partido de mi *memoria alta,* pude contar con un total de 520 K de memoria".

high resolution (alta resolución)

Pronunciación: *jai re-so-lú-shon.*

Significado: Adjetivo utilizado con demasía, que describe la capacidad de un monitor para desplegar un texto e imágenes gráficas nítidas que no harán que usted termine su día con un dolor de cabeza (véase también *low resolution*).

Enunciado: "Compré un monitor de *alta resolución* para poder observar mejor mi pantalla".

high tech (alta tecnología)

Pronunciación: *jai tek.*

Significado: Adjetivo sobreutilizado que trata de evocar imágenes de las creaciones más recientes de laboratorio, las cuales están disponibles para su consumo y placer.

Enunciado: "Todo este asunto de la *alta tecnología* no sirve de nada, si falla el suministro de la corriente eléctrica".

high-level language (lenguaje de alto nivel)

Pronunciación: *jai-le-vel lán-guash.*

Significado: Lenguaje de programación que le da la posibilidad de escribir comandos sin conocer la estructura interna de la computadora. Algunos lenguajes populares de alto nivel son C, BASIC y Pascal. El lenguaje ensamblador es con frecuencia denominado *lenguaje de bajo nivel,* debido a que se tiene que conocer la forma en que la computadora funciona para poder escribir un programa en este lenguaje.

Enunciado: "No podrá escribir un programa de lenguaje ensamblador para Windows. Tome la vida con calma y utilice un *lenguaje de alto nivel* como el BASIC, antes de que su cerebro explote".

HMA

Pronunciación: *eich-em-ei.*

Significado: Acrónimo que significa *High Memory Area* (Área de la memoria alta), los primeros 64 K de memoria extendida más allá de la marca de 1 MB en las computadoras MS-DOS.

Enunciado: "Los programas que siguen las especificaciones de la memoria extendida (XMS) pueden utilizar *HMA* como extensión de los 640 K de la memoria principal. Esto significa que sus programas contarán con más memoria de la que tienen en forma ordinaria".

Home key (tecla Home)

Pronunciación: *jom kii.*

Significado: Tecla que por lo general mueve el cursor al principio de una línea o de un documento, lo que dependerá de los caprichos del programa en ese momento. La tecla Home, como regla, contiene la palabra *Home* impresa, lo que es con seguridad la última guía directa que podrá obtener de las computadoras (véase *End key*).

Enunciado: "Presione la *tecla Home* y después la tecla con la flecha hacia la izquierda para mover el cursor al principio de una línea, en caso de que utilice WordPerfect".

horizontal scroll bar (barra de desplazamiento horizontal)

Pronunciación: *jo-ri-zón-tal es-król bar.*

Significado: Franja delgada que aparece en el costado derecho de una ventana, utilizada para desplazar los contenidos de una ventana hacia arriba o hacia abajo. Justo en la parte superior o inferior de la barra de desplazamiento se encuentran las flechas. Al hacer clic sobre éstas, podrá desplazar los contenidos de la ventana arriba y abajo. Entre estas flechas se localiza un cuadro de desplazamiento que también podrá mover hacia arriba o hacia abajo para desplazar los contenidos de esa ventana (véase también *vertical scroll bar*).

Enunciado: "En lugar de presionar la tecla Page Down (para hacer descender la línea) en múltiples ocasiones hasta que sus dedos se pongan morados, sólo utilice el ratón para mover la *barra de desplazamiento horizontal*. De esa manera, podrá hojear el documento sin tener que tocar el teclado".

host (anfitrión)

Pronunciación: *jost.*

Significado: 1) En las redes, la computadora anfitrión es la que controla la red y almacena los programas y datos que utilizan las demás computadoras de la red. 2) En las telecomunicaciones, la computadora anfitrión es la computadora a la cual usted ha llamado y con la que se ha conectado. 3) En las fiestas y reuniones sociales, el anfitrión es la persona que ofrece los pastelillos con relleno cremoso (véase también *server* y *network*).

Enunciado: "Esta red no sería tan mala si la computadora *anfitrión* fuera algo más veloz. Justo ahora, tengo que esperar diez segundos más de lo que en realidad deseo".

hot key (tecla caliente)

Pronunciación: *jot kii.*

Significado: Cualquier tecla o combinación de las mismas que realiza una acción especial en un programa. Este término se aplica por lo general a los programas residentes en memoria (véase también *memory-resident programs* y *hot spot*).

Enunciado: "No se preocupe por guardar su archivo antes de abandonar el programa. Tan sólo presione esta *tecla caliente* y la computadora guardará entonces el archivo cada vez que usted tome un descanso para recobrar su cordura".

hot link (enlace caliente)

Pronunciación: *jot link.*

Significado: Sucede cuando dos programas comparten datos y cuando el cambio de datos en un programa cambia de manera automática los datos similares en otro programa. Un ejemplo del enlace caliente podría ser un documento de un procesador de palabras con datos de una hoja de cálculo. Cuando cambia los datos de la hoja de cálculo por medio de otra, éstos también cambiarán de manera automática en el documento del procesador de palabras. Éste es, sin duda, uno más de los sorprendentes avances tecnológicos de la humanidad con relación a la holgazanería (véase también *DDE* y *link*).

Enunciado: "Los *enlaces calientes* en realidad ahorran tiempo y aseguran la precisión. En los viejos tiempos, nosotros teníamos que escribir los datos de manera separada y después revisar todo para ver si habíamos cometido algún error".

hot spot (sitio caliente)

Pronunciación: *jot spot.*

Significado: Área de la pantalla en donde podrá hacer clic con el ratón para lograr que algo suceda, en lugar de utilizar un comando convencional. Los sitios calientes aparecen por lo general en los programas de multimedia, como los que se localizan en el HyperCard y en el sistema de ayuda de Windows (véase también *hot key*).

Enunciado: "Si hace clic en este *sitio caliente*, podrá observar una lista de todas las personas que contribuyeron en el programa. Si hace clic en este otro *sitio caliente*, el programa mostrará un agradable efecto visual. Si hace clic en aquel *sitio caliente*, habrá declarado la guerra a sus enemigos y lanzado un misil nuclear en dirección a ellos".

hourglass icon (icono del reloj de arena)

Pronunciación: *aur-glas ái-kon.*

Significado: Símbolo en forma de reloj de arena que aparece sobre la pantalla siempre que la computadora se encuentre ocupada con alguna tarea. El icono del reloj de arena le indica que deberá esperar con mucha paciencia y el nombre por sí solo (¡no es un minutero de arena!) significa que la espera pudiera prolongarse más de lo que usted supone (véase también *beachball pointer*).

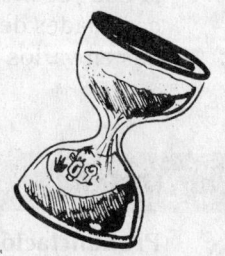

Enunciado: "Cada vez que guardo mis archivos, observo un *icono de reloj de arena* en la pantalla. Después de algunos minutos, éste se retira para hacerme saber que puedo volver a utilizar mi computadora. Me pregunto cuánto tiempo tendré que desperdiciar en observar este tonto icono todos los días".

housekeeping (manejo de hogar)

Pronunciación: *jaus kí-ping.*

Significado: Organización (respaldo y eliminación) de los archivos para que pueda localizarlos una vez más (véase también *backup*).

Enunciado: "De vez en cuando tendrá que realizar un poco de *manejo de hogar* en su computadora. De otra manera, tendrá el material diseminado por todas partes y nunca podrá localizarlo otra vez. Por cierto, ¿alguien sabe para qué es este disco?"

hue (matiz)

Pronunciación: *jiu.*

Significado: Tinte o sombra de un color específico.

Enunciado: "Siempre podrá identificar a la gente que trabaja con ese monitor que falla tanto, porque emana grandes cantidades de radiación y colorea los rostros de las personas en varios *matices* conforme transcurre el día".

hung (colgado)

Pronunciación: *jong.*

Significado: Sucede cuando su computadora deja de funcionar por alguna razón desconocida y sus golpes al teclado y las patadas al monitor no tienen ningún efecto (véase también *crash* y *head crash*).

Enunciado: "Escribí un programa para calcular la mejor manera de robar un millón de dólares. Para mala fortuna, el programa *colgó* la computadora y tuve que empezar otra vez desde el principio".

HyperCard

Pronunciación: *jai-per kard.*

Significado: Un "grupo de levantadores de software" para la Macintosh, diseñado para permitir a los usuarios que no son programadores, el crear sus propios programas, lo que tiene tanto sentido como el hecho de que la General Motors ponga a la venta estuches de herramientas con la promesa de que las personas que no sean mecánicos puedan construir las transmisiones para sus autos. Aunque fue revolucionario cuando lo introdujeron al mercado, el HyperCard ha heredado las peores características de ambos mundos. Probó ser demasiado difícil para que los usuarios que no son programadores pudieran utilizarlo, y los programas que fueron creados al final no pudieron correr de manera tan rápida como los programas creados con los lenguajes tradicionales como el C y el Pascal. HyperCard también ayudó a introducir la idea del hipertexto y, con la misma rapidez, su cada vez menor popularidad, ayudó a arrastrar al hipertexto de regreso a la oscuridad (véase también *hypertext*).

Enunciado: "Ya que la programación de mi Macintosh es tan difícil, intenté escribir mi propio programa por medio de *HyperCard.* Como mi programa corría tan lento, decidí dar marcha atrás y escribirlo en lenguaje C. Ahora, ninguna opción funciona y he desperdiciado tres años de mi vida".

hypermedia

Pronunciación: *jai-per mí-dia.*

Significado: En ocasiones denominado *hypertext* o *multimedia,* es la combinación de texto, gráficas, sonido y video para presentar información (véase también *multimedia* y *hypertex*).

Enunciado: "He creado una presentación de *hipermedia* para recaudar fondos adicionales. No obstante, mi jefe me dijo que vendiera mi computadora y que esa sería la fuente de mis fondos adicionales".

hypertext (hipertexto)

Pronunciación: *jái-per-tekst.*

Significado: Desplegado y recuperación de información no lineal. El hipertexto puede consistir en texto, gráficas, video, sonido y animación. Un ejemplo del uso del hipertexto es el siguiente: imagine que tiene que leer acerca de un tema x y se cruza con un término que desea indagar para obtener más información puesto que no le es familiar. Sólo tendrá que seleccionar el término mencionado y una información más detallada surgirá para que usted pueda tener acceso a ella. Si no desea tanta información, sólo tendrá que retroceder un nivel (véase también *HyperCard*).

Enunciado: "Las ventanas de ayuda que utilizan los programas Windows utilizan el *hipertexto*. Al hacer clic en una palabra resaltada de manera especial, la computadora despliega en forma instantánea esa porción de información sobre la pantalla".

hyphenation (silabear)

Pronunciación: *jái-fe-néi-shon.*

Significado: Capacidad para dividir las palabras largas a la mitad (entre dos líneas) cuando la palabra entera no cabe en el margen otorgado. La mayoría de los procesadores de palabras y programas de autoedición le permitirán activar o desactivar el silabeado.

Enunciado: "El problema con el *silabeado* consiste en que divide las palabras. La ventaja es que evita que los márgenes tengan enormes espacios en blanco donde debería ir una palabra".

Hz

(Véase también *hertz*.)

I-beam pointer (apuntador de rayo I)

Pronunciación: *ai-bim póin-ter*.

Significado: Forma que toma el cursor cuando la computadora está en espera de que usted escriba letras y números. Depende del programa que utilice y la situación en la que se encuentre, el cursor podrá cambiar su forma a una mano, una flecha, un reloj de arena  o una cruz. Varias religiones han surgido a últimas fechas y dan alabanza a cada uno de estos símbolos como una señal especial del cielo (véanse también *crosshairs, cursor, hourglass icon* así como *pointer*).

Enunciado: "Siempre que vea el *apuntador de rayo I*, continúe y empiece a escribir. Si el cursor se convierte en una flecha, eso significa que la computadora espera que usted apunte hacia el menú o algún otro punto en la pantalla".

I/O (E/S)

Pronunciación: *ai-ou*.

Significado: Acrónimo que significa Input/Output (Entrada/Salida), que es la interfaz en toda computadora que permite que los datos sean movidos de un lugar a otro (véase también *input* y *output*).

Enunciado: "Hay tanta basura que pasa por la *E/S* que me sorprende que los ecologistas no hayan declarado a las computadoras como fuentes contaminantes".

i486

Pronunciación: *ai for-ei-di-siks.*

Significado: Acrónimo para el microprocesador Intel 80486DX (véanse también *386, 486, microprocessor* y *pentium*).

Enunciado: "Esta computadora cuenta con un *i486*, pero aquella que está por allá, sólo tiene un procesador 386. Supongo que si tuviera el dinero necesario para comprar una de ellas, entonces me importaría conocer la diferencia entre una y otra".

IBM

Pronunciación: *ai-bi-em.*

Significado: Acrónimo que significa International Business Machines, y que en ocasiones es denominado Big Blue (El gigante azul). Una de las compañías de computadoras más grandes en la actualidad, la IBM ha hecho una fortuna con la venta de caras computadoras mainframe a clientes cautivos y confiados. Luego de establecer el estándar para las computadoras personales, IBM pronto perdió su liderazgo debido a sus altos precios y a la cada vez más eficiente competencia.

Enunciado: "No compre una computadora *IBM* a menos que esté dispuesto a pagar mucho más dinero de lo que debería. Pero, si no se trata de su dinero, ¿qué importancia puede tener?"

IBM AT

Pronunciación: *ai-bi-em ei-ti.*

Significado: Presentada en el año 1984, fue la primera computadora personal IBM que utilizó el microprocesador 80286. La AT significa Advanced Technology.

Enunciado: "Seguro, en la oficina tenemos una vieja *IBM AT* que todavía funciona con dificultad. Pagamos tres mil dólares cuando la compramos recién desempacada de la agencia y ahora sólo vale alrededor de doscientos dólares".

IBM PC

Pronunciación: *ai-bi-em pi-si.*

Significado: La primera computadora personal de IBM que fue presentada en 1981. Las letras PC significan Personal Computer. Hoy en día, PC se refiere a cualquier computadora personal que sea compatible con IBM (véase también *clone* y *PC*).

Enunciado: "Encontré una *IBM PC* en una venta de garaje la semana pasada. Pagué cincuenta dólares por ella y en sólo noventa años más, será una antigüedad".

IBM XT

Pronunciación: *ai-bi-em eks-ti.*

Significado: Fue la primera computadora personal IBM en contar con un disco duro integrado. Las letras XT significan Extended Technology (tecnología extendida). Véase también *AT, hard disk* y *XT.*

Enunciado: "Mi primera computadora fue una *IBM XT* con un disco duro de 10 megabytes. Mi computadora más reciente es una IBM compatible con un disco duro de 452 megabytes".

icon (icono)

Pronunciación: *ai-kon.*

Significado: Símbolo que luce como un jeroglífico egipcio, utilizado con frecuencia para sustituir las palabras reales. Muchos programas despliegan iconos como atajos para la elección de comandos a través de los menús. En lugar de elegir un comando de algún menú, podrá hacer clic en el icono, siempre y cuando recuerde cuál icono representa cuál comando (véase también *crosshairs, cursor, hourglass icon, I-beam pointer* y *pointer*).

Enunciado: "Los *iconos* son más fáciles de utilizar que el escribir comandos específicos. Tal vez en el futuro, todo será representado por medio de iconos y la capacidad de lectura será obsoleta".

IDE

Pronunciación: *ai-di-i.*

Significado: Acrónimo para Integrated Drive Electronics (Electrónica de unidad integrada), o Intelligent Device Electronics (Electrónica de dispositivo inteligente), que es un tipo de interfaz utilizada para controlar los discos duros. Otros tipos de interfases controladoras de disco duro incluyen: SCSI, ESDI y ST-506. IDE también es el acrónimo de Integrated Development Environment (Ambiente integrado de desarrollo), que se relaciona con los programas que comparten una interfaz común de usuario.

Enunciado: "Compré un nuevo disco duro, sólo que no funciona debido a que mi tarjeta controladora de disco duro utiliza *IDE*, pero este disco duro necesita SCSI. Odio las computadoras".

idle (ocioso)

Pronunciación: *ai-dol.*

Significado: Sucede cuando la computadora o el usuario se sientan por ahí sin hacer nada (véase también *screen saver*).

Enunciado: "Tenemos cuatro computadoras *ociosas* y tres personas en este lugar, ¿cómo es posible que nadie utilice las computadoras al menos para jugar video juegos?"

IEEE

Pronunciación: *ai tri-pol i.*

Significado: Acrónimo que significa Institute of Electrical and Electronic Engineers (Instituto de ingenieros eléctricos y electrónicos), una organización más que dedica su existencia a la lucha por la paz, la libertad y también a establecer los estándares en la industria de la electrónica.

Enunciado: "Asistí a una conferencia de la *IEEE* el otoño pasado, en la que se definieron los estándares para las redes. Desde luego, una cosa es definir un estándar, y otra mucho muy diferente hacer que la gente lo siga".

IF (si)

Pronunciación: *if* (no puede ser más fácil que eso).

Significado: Palabra reservada utilizada en los lenguajes de programación para que las computadoras puedan tomar decisiones cuando ciertas condiciones son verdaderas. En BASIC, un enunciado IF, luciría de esta manera.

```
IF X = 5 THEN PRINT "El valor de X es cinco."
```

(Véase también *keyword.*)

Enunciado: "Si al menos supiera cómo utilizar los enunciados *IF* de manera correcta, podría escribir mejores programas que pudieran funcionar".

import (importar)

Pronunciación: *im-pórt.*

Significado: Consiste en cargar un archivo creado por otro programa.

Enunciado: "Muchos procesadores de palabras le permitirán *importar* archivos WordPerfect. Casi todas las hojas de cálculo pueden importar archivos

Lotus 1-2-3 y casi todas las bases de datos permiten importar archivos dBASE. Sería una lástima si usted quisiera importar un archivo creado por visiWord, Office Writer o cualquier otro programa que ya no se encuentre disponible".

inclusive OR (OR inclusive)

Pronunciación: *in-klú-siv or.*

Significado: Operador de programación utilizado para manipular bits individuales de datos, con frecuencia auxiliar en la creación de gráficas. El resultado del OR inclusive siempre será uno (lo que representa el valor verdadero) a menos que ambos operandos sean cero (falso). Si usted no tiene la menor idea de lo que esto significa, con seguridad no tendrá necesidad de utilizar el OR inclusive en su vida diaria (véase también *exclusive OR*).

Enunciado: "Para aquellos de ustedes que deseaban ver una tabla de verdad para el *OR inclusive,* hela aquí, donde el símbolo ' | ' representa un OR inclusive:

Valor de A	Valor de B	A | B
0	0	0
1	0	1
0	1	1
1	1	1"

incremental backup (respaldo incremental)

Pronunciación: *in-kre-mén-tal bak-op.*

Significado: Proceso de copiado de archivos que han sido creados a últimas fechas o modificados desde la última vez que se realizó el respaldo total más reciente (véase también *backup*).

Enunciado: "Una vez que se ha hecho un respaldo total del disco duro, sólo realice un *respaldo incremental* una vez a la semana. No tiene sentido el copiar archivos una y otra vez si éstos no han sido cambiados, a menos que le guste desperdiciar su tiempo".

incremental compiler (compilador incremental)

Pronunciación: *in-kre-mén-tal kom-pái-ler.*

Significado: Programa especial que convierte los enunciados de lenguaje de programación en código de máquina cada vez que el programador escriba una línea completa. Los compiladores incrementales funcionan sin interferir en su trabajo. De esa manera, cuando termine de escribir su programa final, parecerá que se compila casi de manera instantánea. En comparación, la mayoría de los compiladores espera a que usted escriba un programa entero antes de iniciar la compilación. Esto ocasiona que tenga que esperar una buena cantidad de tiempo hasta que el programa entero termine de compilarse. A menos que sea un programador, podrá ignorar esta definición sin ningún peligro (véase también *compile, compiler* e *interpreter*).

Enunciado: "Me gusta programar con un *compilador incremental,* debido a que no me gusta esperar a que mi programa termine de compilarse. Por supuesto, la desventaja consiste en que cuando se cuenta con una computadora muy lenta, el compilador incremental pudiera cruzarse en su camino al escribir el programa".

indentation (sangría)

Pronunciación: *in-den-téi-shon.*

Significado: Alineación de los párrafos dentro de los márgenes de la página. Por lo general, la primera línea de cada párrafo contiene varios espacios de sangría para que el texto sea más fácil de leer, ya sea que valga o no la pena leer el texto (véase también *word processor*).

266

Enunciado: "Utilice la tecla Tab para asignar *sangrías*, si utiliza la barra espaciadora será más difícil ajustar la sangría más adelante y también será un proceso consumidor de tiempo".

index (índice)

Pronunciación: *ín-deks.*

Significado: En muchos procesadores de palabras o programas de autoedición, es una función que crea una lista de las palabras, frases o ideas importantes en orden alfabético, junto con los números de página donde esos ítems aparecen. Esta característica crea el índice una vez que todos los términos y frases claves han sido marcados en forma manual.

Enunciado: "Cualquier buena aplicación para autoedición deberá contar con la característica del *índice*. Esto tiene una especial importancia si debe realizar el esquema de un libro sobre computación, ya que este tipo de libros es tan seco como el polvo que cuando menos el índice los vuelve útiles".

indexed file (archivo indexado)

Pronunciación: *ín-deksd fail.*

Significado: En los programas de base de datos, el índice es por lo general un archivo separado que contiene información acerca de la locación física de los registros almacenados en el archivo de base de datos. En lugar de realizar la búsqueda hasta localizar el archivo real de base de datos, los programas de este tipo utilizan los índices para correr más rápido. Esta característica funciona siempre y cuando el índice sea preciso, pero todos nosotros ya sabemos qué tan posible es que esto suceda (véase también *database*).

Enunciado: "Mantenga actualizados sus *archivos indexados* para que su programa de base de datos pueda correr más rápido. Un archivo indexado poco preciso puede confundir la base de datos y evitar que ésta funcione (y, ¿qué otra cosa debería saber?)".

inference engine (mecanismo de inferencia)

Pronunciación: *ín-fe-rens én-yin.*

Significado: Componente de un sistema experto que calcula resultados basado en hechos almacenados y en información suministrada por el usuario. Un sistema experto consta de tres partes: la interfaz del usuario, la base de conocimiento y el mecanismo de inferencia (véanse también *expert system, interface* y *knowledge base*).

Enunciado: "La así denominada 'inteligencia' de un sistema experto, reside casi de manera única en el razonamiento preciso de su *mecanismo de inferencia*".

infinite loop (ciclo infinito)

Pronunciación: *ín-fi-nit lup.*

Significado: Se realiza cuando una computadora corre las mismas instrucciones una y otra vez sin detenerse. Para tener un mejor entendimiento del sentido de esterilidad que un ciclo infinito puede crear, piense en manejar en círculos para tratar de localizar un sitio dónde acomodar su auto en el estacionamiento de un gran centro comercial, en la víspera de Navidad (véanse también *endless loop* y *loop*).

Enunciado: "Este es un ejemplo de un *ciclo infinito*. Si no le gusta, podrá leerlo una y otra vez hasta que le agrade".

inheritance (herencia)

Pronunciación: *in-é-ri-tans.*

Significado: Utilizada en los lenguajes de programación orientados a objetos. La herencia resulta cuando un objeto copia las características de otro objeto (cuando un "objeto" se refiere a un bloque de código con una tarea especializada). Los programadores gustan de la idea de la herencia, porque evita que tengan que escribir las mismas líneas de código una y otra vez (véanse también *base, child process, object code file, object-oriented* y *parent/child*).

Enunciado: "Por medio del C++, he creado un objeto para desplegar una ventana. El objeto de Bob *heredó* las características de mi objeto y añadió la habilidad para desplegar un mensaje dentro de la ventana. Ahora he demandado a Bob por infringir la ley de derechos de autor".

initialize (inicialización)

Pronunciación: *i-ni-sha-lais.*

Significado: Consiste en preparar algún componente del equipo (computadora, impresora, módem, etc.) para que realice una acción importante. La inicialización limpia el equipo de cualquier tipo de datos viejos que estuvieran almacenados en éste (véanse también *boot, cold boot* así como *warm boot*).

Enunciado: "Siempre que usted enciende su computadora, ésta *inicializa* por sí misma al cargar los archivos que necesita para poder estar preparada para correr. Si todo funciona bien, podrá empezar a emplear la computadora tan pronto como ésta realice la inicialización. Si algo marcha mal, con seguridad no será su día de suerte".

inkjet printer (impresora de chorro de tinta)

Pronunciación: *ink-yet prín-ter.*

Significado: Tipo de impresora que rocía tinta sobre el papel, en lugar de impactar una cinta entintada contra la página, a la manera de las impresoras de matriz de puntos. Las impresoras de chorro de tinta son más silenciosas que las impresoras de matriz de puntos, producen una impresión de mejor calidad que las otras mencionadas (no tan buena como las impresoras láser) y cuestan menos que las impresoras láser (pero más que las impresoras de matriz de puntos). Véase también *dot-matrix, laser printer* y *printer*.

Enunciado: "Para pasar un rato divertido en la oficina, podrá ajustar su *impresora de chorro de tinta* para que en lugar de rociar tinta encima de la página, lo pueda hacer en la cara de la persona que se coloque frente a ella".

input (entrada)

Pronunciación: *ín-put.*

Significado: Información alimentada en la computadora para realizar el procesamiento. Las computadoras pueden recibir entradas de una gran variedad de fuentes, lo que incluye el teclado, el ratón, el módem, la pantalla de toque o los científicos locos que dirigen sus esfuerzos hacia la destrucción de la raza humana tal como la conocemos (véase también *I/O* y *output*).

Enunciado: "Dele a esa pobre computadora algo de *entradas* para que tenga en qué ocuparse, como imprimir etiquetas, por ejemplo. Odio ver una computadora inactiva".

input/output (entrada/salida)

(Véase también *I/O.*)

Insert key (tecla Insert)

Pronunciación: *in-sért kii.*

Significado: La tecla que tiene la palabra *Insert* o *Ins* impresa (¡cielos, que hecho tan sorprendente!). La tecla Insert se utiliza con frecuencia para cambiar el modo de inserción de un programa (véase también *insert mode*).

Enunciado: "Si todo lo que escribe borra la información ya existente, con seguridad se encontrará en el modo de inserción. Para poder desactivar esta función y activar el modo de sobreescritura, presione la *tecla Insert*".

insert mode (modo de inserción)

Pronunciación: *in-sért moud.*

Significado: Los programas cuentan con dos modos para introducir los datos: el modo de inserción y el modo de sobreescritura. El primero significa que si usted escribe algo, las letras no dañarán las letras ya existentes en la pantalla. La mayoría de los procesadores de palabras tiene el modo de inserción como la omisión (véase también *Insert key*).

Enunciado: "La mayoría de las veces, no deseará eliminar las palabras que se encuentran en su pantalla. Por esta razón, asegúrese de que su procesador de palabras se encuentre en el *modo de inserción* o, de otra manera, podría en forma accidental sobreescribir su texto anterior. Si eso sucede, será el momento de dejar que su llanto fluya".

insertion pointer (apuntador de inserción)

Pronunciación: *in-sér-shon póin-ter.*

Significado: Forma que toma el cursor para indicarle el sitio exacto donde las letras empezarán a aparecer en su pantalla si utiliza el teclado. La mayoría de los programas despliega el apuntador de inserción como una delgada línea vertical o como un icono de rayo I (véase también *crosshairs, cursor, I-beam* y *pointer*).

Enunciado: "Si desea escribir su nombre en la esquina derecha de la pantalla, primero tendrá que colocar el *apuntador de inserción* en ese lugar. ¿Se da cuenta? Las computadoras en realidad son más tontas de lo que usted cree".

install (instalación)

Pronunciación: *ins-tál.*

Significado: Consiste en preparar el equipo o el software para ser utilizado por primera vez (véase también *initialize*).

Enunciado: "Compré WordPerfect y el programa contenía siete disquetes. Antes de poder correr este programa, tendré que *instalarlo* en mi disco duro. Ay, ay, ay, supongo que eso significa que primero tendré que instalar mi disco duro".

instruction (instrucción)

Pronunciación: *ins-trúk-shon.*

Significado: Enunciado escrito en un lenguaje de programación, que puede ser convertido en lenguaje de máquina para que la computadora pueda entenderlo y correrlo (véase también *code*).

Enunciado: "Si alguna vez decide volverse loco, trate de escribir un programa entero por medio del lenguaje ensamblador. Para el simple hecho de multiplicar dos números, tendrá que escribir una página completa de *instrucciones*".

integer (entero)

Pronunciación: *ín-te-guer.*

Significado: Número entero, que podrá ser cualquier número positivo o negativo que no tenga fracciones o decimales.

Enunciado: "Su edad puede ser un número fraccionario, pero el número de personas en esta habitación es un *entero.* A menos, claro, que haya cortado en dos a alguien".

integrated software (software integrado)

Pronunciación: *in-te-gréi-ted sóft-wer.*

Significado: Programa sencillo que realiza múltiples funciones, por lo general no muy bien. La mayor parte de los programas de software integrado incluyen procesadores de palabras, hojas de cálculo, bases de datos y programas de comunicaciones enrollados en uno solo (véase también *communications, database, spreadsheet* y *word processor*).

Enunciado: "No quería molestarme en aprender Word-Perfect, Excel y FoxPro, así que compré algo de *software integrado*. Ahora sólo tengo que aprender un programa, pero aún es tan confuso que no puedo avanzar mucho".

interactive (interactivo)

Pronunciación: *in-ter-ák-tiv.*

Significado: Programa o computadora que responde de manera inmediata siempre que el usuario presione una tecla o realice alguna acción que pueda tener una respuesta. El uso de software interactivo es similar a mantener una conversación; las respuestas del usuario cambian la forma en la que el sistema funciona. En comparación, las computadoras no interactivas suelen sentarse por ahí y hacer algo sólo cuando tienen ganas.

Enunciado: "Me gustó aprender el lenguaje BASIC, porque siempre que escribía un comando, la computadora me indicaba de manera inmediata que había cometido un error. Con un sistema tan *interactivo* como ese, sólo era cuestión de tiempo antes de perder todo mi deseo para utilizar la computadora".

interface (interfaz)

Pronunciación: *ín-ter-feis.*

Significado: Conexión entre la computadora y la persona que intenta utilizarla. Un teclado es una interfaz y el monitor también lo es. El colocar su puño a través de la pantalla de su computadora también pudiera ser considerado una interfaz (véase también *graphical user interface, user-friendly* y *user-hostile*).

Enunciado: "Este programa es difícil de utilizar porque la *interfaz* tiene un diseño muy pobre. Preferiría utilizar una Macintosh, porque puedo entender la interfaz con mayor facilidad".

interlacing (entrelazado)

Pronunciación: *in-ter-léi-sing.*

Significado: Se realiza cuando el tubo de rayos catódicos (CRT) de un monitor, rastrea cada tercer línea para desplegar la información sobre la pantalla. Los aparatos de televisión usan el entrelazado, pero los monitores de computadora que lo utilizan, tienden a fallar. Los mejores monitores de computadora no utilizan el entrelazado (véase también *monitor*).

Enunciado: "Siento que mis ojos van a explotar si continúo mi trabajo con este horrible monitor de *entrelazado.* Mañana mismo voy a comprar un monitor que no utilice el entrelazado o de otra forma no volveré a trabajar nunca más".

interleaving (interpolación)

Pronunciación: *in-ter-lí-ving.*

Significado: El índice de los sectores de disco en un disco duro que son omitidos por cada sector que es utilizado. Por ejemplo, una interpolación de 3:1 significa que el disco escribe en un sector, omite tres y escribe en el siguiente sector. La interpolación es en general ajustada por el fabricante del disco duro y usted podrá modificarla si sabe lo que hace (véase también *fragmentation*).

Enunciado: "Mi disco duro utiliza una *interpolación* de 4:1, pero el disco duro de mi amigo utiliza una interpolación de 5:1. El índice óptimo para la interpolación dependerá del disco duro, por lo que un factor 5:1 no tiene que ser más veloz que uno de 3:1".

Internet

Pronunciación: *in-ter-nét.*

Significado: Red de computadoras a nivel mundial que es disponible vía módem y conecta universidades, laboratorios gubernamentales e individuos en todo el mundo. Los usuarios de Internet pueden enviarse entre sí correo electrónico, copiar archivos, irrumpir en las computadoras de otras personas y transferir fondos en forma electrónica de las poco protegidas computadoras de los bancos (véase también *CompuServe, network* y *user group*).

Enunciado: "Utilizo *Internet* para contactar amigos en lugares tan lejanos como Australia y Tailandia. Para mi buena fortuna, no tengo que realizar una llamada de larga distancia a cada momento, debido a que puedo conectarme a Internet por medio de un número local".

interpreted language (lenguaje interpretado)

Pronunciación: *in-tér-pre-ted lán-wash.*

Significado: Lenguaje de programación en el que la computadora lee los enunciados del programa uno a la vez, para después seguir las instrucciones. Los lenguajes interpretados más comunes son BASIC, LISP, Prolog y LOGO; no obstante que el lenguaje C y Pascal también pueden ser interpretados (véase también *compile, compiler, interpreter* y *language*).

Enunciado: "Los *lenguajes interpretados* corren más lento que los lenguajes compilados, debido a que la computadora se ve obligada a leer cada enunciado, seguir las instrucciones de éste y luego leer el siguiente enunciado. Esto es semejante a tratar de leer una novela en francés con un traductor al que se debe leer una sola palabra, esperar a obtener la traducción de ésta y continuar con la siguiente palabra hasta que por fin se termine el texto".

interpreter (intérprete)

Pronunciación: *in-tér-pre-ter.*

Significado: Programa que lee enunciados escritos en un lenguaje de programación como BASIC y que sigue las instrucciones de manera inmediata. Un intérprete es por lo general más útil para aprender un lenguaje ya que le proporciona retroalimentación inmediata. La desventaja consiste en que nadie podrá utilizar sus programas a menos que cuenten con una copia del intérprete para su programa (véase también *compile, compiler, interpreted language* y *language*).

Enunciado: "MS-DOS cuenta con un *intérprete* de BASIC llamado QBASIC. Usted podrá escribir y correr programas BASIC, pero nadie más podrá tener acceso a sus programas, a menos que cuente con una copia de QBASIC".

interrupt (interrupción)

Pronunciación: *in-te-rúpt.*

Significado: Instrucción que detiene de manera abrupta a la computadora cuando está en funcionamiento y hace que realice algo por completo diferente. Siempre que se presiona la combinación de teclas Ctrl-Alt-Del, se habrá dado origen a una interrupción que reinicia a la computadora. También se habla acerca de interrupciones de hardware en las máquinas DOS, de forma particular en términos de solicitudes de interrupción (IRQs). Confíe en nosotros, no deseará obtener esto por su cuenta; consulte a su gurú local en busca de ayuda (véase también *warm boot*).

Enunciado: "No me *interrumpas* cuando escribo mi programa. Este espera una interrupción por parte del teclado para funcionar y después muestra un calendario de citas sobre la pantalla".

invalid (no válido)

Pronunciación: *in-vá-lid.*

Significado: No válido, no verdadero. De ninguna manera. Bajo ninguna circunstancia. Bueno, no sólo quiero decir que se ha equivocado, sino que su intención es incorrecta y tal vez diabólica. No se ponga ridículo ahora.

Enunciado: "La noción de que la oficina recaudadora de impuestos del gobierno federal le debe dinero, es *no válida*".

inverse text (texto invertido)

Pronunciación: *in-vérs tekst.*

Significado: Letras que aparecen en color blanco contra un fondo negro. En comparación, el texto normal aparece en letras negras contra un fondo claro (véase también *text*).

Enunciado: "Me gusta utilizar el *texto invertido* para dar énfasis especial, como cuando escribo notas amenazantes a mis enemigos".

ISA

Pronunciación: *ai-es-ei* o *ai-sa.*

Significado: Acrónimo que significa Industry Standard Architecture (Arquitectura estándar industrial) que es el tipo de bus utilizado en forma original en la IBM AT. La mayoría de las computadoras compatibles con IBM utiliza un bus ISA, EISA o uno MCA (véanse también *bus, EISA, IBM AT* y *MCA*).

Enunciado: "Si compra una tarjeta de expansión para computadoras IBM, asegúrese de que ésta sigue el estándar *ISA*. De otra forma, no funcionará con mi computadora y lo obligaré a comprarme otra".

ISAM

Pronunciación: *ai-es-ei-em* o *ai-sam.*

Significado: Acrónimo de Indexed Sequential Access Method (Método de acceso de índice secuencial), que es una técnica para almacenar y recuperar los datos de manera eficiente por medio de las "tablas" y los "índices". ISAM se utiliza con frecuencia por los programas de base de datos (véase también *database*).

Enunciado: "Si escribe su propio progama de base de datos con lenguaje C o Pascal, utilice *ISAM* o, de otra manera, su programa desperdiciará una gran cantidad de tiempo en el ordenamiento y búsqueda de la información. Y más aún, ¿quién en su sano juicio desearía escribir su propio programa de base de datos?"

ISDN

Pronunciación: *ai-es-di-en.*

Significado: Acrónimo que significa Integrated Services Digital Network (Red digital de servicios integrados), un estándar internacional de telecomunicaciones muy futurista. Una línea telefónica ISDN lo habilitará para enviar datos, video y voces por medio de la misma línea.

Enunciado: "Con tantos estándares y velocidades en el mercado de los modems de la actualidad, estoy deseoso de llegar al día en que todos los teléfonos seguirán el estándar *ISDN*. De esa forma ya no tendré que utilizar mi módem para conectarme a otra computadora".

ISO

Pronunciación: *ai-es-ou.*

Significado: Acrónimo que significa International Standards Organization (Organización internacional de estándares). Es un grupo que intenta establecer los estándares para varias industrias diferentes. En el mundo de la computación, el ISO ha definido el estándar para el lenguaje Pascal, que con frecuencia es denominado ISO Pascal. Para mala fortuna, la versión más popular de este lenguaje, el Turbo Pascal, ignora por completo el estándar ISO. Vaya importancia de los estándares (véase también *Pascal*).

Enunciado: "Turbo Pascal no puede correr programas que siguen el estándar *ISO* Pascal. Pero, después de todo, ¿a quién le importa?"

italic (cursivas)

Pronunciación: *i-tá-lik.*

Significado: Un estilo de escritura que inclina el texto hacia la derecha para otorgar un énfasis especial (véanse también *font, text* y *typeface*).

Enunciado: "Me agrada utilizar las *cursivas* porque enfatizan las palabras de cuatro letras que deseo que el usuario observe. Por supuesto, sólo uso las cursivas de manera esporádica con el objeto de que al emplearlas resalten aún más".

iteration (repetición)

Pronunciación: *i-te-réi-shon.*

Significado: Repetición de un enunciado en un programa, denominado también ciclo o, si algo terrible sucede, ciclo infinito (véanse también *endless loop, infinite loop* y *loop*).

Enunciado: "Los enunciados más inútiles de un programa son aquéllos que nunca se usan. Los enunciados más valiosos son los que se utilizan en varias *repeticiones,* porque si algo malo sucede con dichos enunciados, su programa tendrá más de una oportunidad para colapsarse".

jack (enchufe)

Pronunciación: *yak.*

Significado: Lugar en donde se conectan los cables de electricidad.

Enunciado: "Oye Jack, por favor conecta el cable rojo en el *jack* que está por ahí. Y no te vayas a electrocutar".

jacket (funda)

Pronunciación: *yá-ket.*

Significado: Caja cuadrada de plástico que protege al disquete del polvo, las huellas y otras formas de daño físico con excepción del fuego, las armas de grueso calibre y el ácido sulfúrico (véase también *floppy disk*).

Enunciado: "Cuando sostenga un disquete, sujételo por su *funda*. Si toca la superficie del disco, podría arruinarlo (y existe la posibilidad de que fuera a dar a la cárcel)".

jaggies (dentados)

Pronunciación: *yá-guis.*

Significado: Sucede cuando los dibujos o las letras curvas lucen como si estuvieran hechas de pequeños escalones que se combinan para dar la ilusión de una curva (véase también *alias, aliasing* y *dithering*).

Enunciado: "Si hace muy grande una letra *O*, notará esos pequeños *dentados* en todo el borde de la letra".

job (trabajo)

Pronunciación: *yob.*

Significado: Tarea que se supone la computadora debe realizar cuando sienta la motivación (véase también *queue*).

Enunciado: "La computadora corre demasiado lento porque tiene muchos *trabajos* que esperan en la cola. Vamos a desconectarla y a empezar desde el principio".

join (unión)

Pronunciación: *yoin.*

Significado: Término utilizado cuando una base de datos relacional hace una referencia cruzada con dos archivos (véase también *database* y *relational database*).

Enunciado: "En lugar de escribir la misma información una y otra vez, sólo almacénela en archivos por separado y *únalos* cuando los necesite. Si eso no funciona, escriba la misma información una y otra y otra vez".

joystick

Pronunciación: *yóis-tik.*

Significado: Pequeña palanca que se mueve apoyada en una base. El mover tal palanca hace que el cursor se desplace sobre la pantalla.

Enunciado: "Cuando compre un programa de simulador de vuelo, tendrá que comprar un *joystick* para sentir que de verdad pilotea la nave. Después de todo, ¿cuántos pilotos vuelan un F-16 por medio de un teclado?"

Julian (Juliano)

Pronunciación: *yú-li-an.*

Significado: Método que se utiliza para simplificar las fechas de cómputo. En el sistema Juliano, cada día cuenta con un número único. El día uno representa el primero de enero del año 4713 antes de nuestra era. El día 244829 representa el 11 de febrero de 1991. Los programadores utilizan con frecuencia el sistema Juliano para representar las fechas debido a que es fácil para las computadoras el manejarlo. Si trata de adivinar la fecha cien días después del 23 de enero de 1964, se dará cuenta de qué tan burdo es nuestro calendario.

Enunciado: "Mi hermano nació el 11 de febrero de 1991, o el día 2448299 si usted utiliza el sistema *Juliano*".

jump (salto)

Pronunciación: *yomp.*

Significado: Sucede cuando un programa realiza una serie de instrucciones paso por paso y de manera súbita empieza a seguir instrucciones de otra parte del programa. Si alguien deja caer un cubo de hielo dentro de sus pantaloncillos cortos, usted también saltará (véase también *GOTO*).

Enunciado: "Si debe programar en el lenguaje ensamblador, tendrá que utilizar con mucha frecuencia el comando *Jump,* que se abrevia como JMP; en otros lenguajes, el salto se denomina comando GOTO".

jumper (interruptor)

Pronunciación: *yóm-per.*

Significado: Pequeña conexión plástica de forma rectangular que se localiza en los tableros de circuitos. Por lo general dos o tres puntas en forma de alfiler sobresalen del tablero de circuitos para que el interruptor se deslice sobre ellas (véase también *DIP switch*).

Enunciado: "Podrá modificar la computadora si añade uno o dos *interruptores*. Sólo asegúrese de lo que hace y de saber cómo retroceder y revertir lo que haga".

junk (chatarra)

Pronunciación: *yonk.*

Significado: Objetos que parecen surgir como por arte de magia alrededor de todas las computadoras.

Enunciado: "¿Cómo es posible que tenga tanta *chatarra* a mi alrededor? La semana pasada me enojé tanto que incluso hasta arrojé al piso mi computadora".

justify (alinear)

Pronunciación: *yós-ti-fai.*

Significado: Alineación del texto dentro de los márgenes de una página, ya sea a la derecha, a la izquierda, al centro o justificado. Muchas personas llaman *justificación* a esta alineación.

Este es texto con la alineación a la izquierda	Este es texto con la alineación al centro	Este es texto con la alineación a la derecha

Enunciado: "Es difícil *justificar* el uso de la justificación a la derecha en cualquier documento, debido a que luce muy extraño. En la mayoría de los casos, el texto se alinea a la izquierda y los encabezados al centro".

Este texto ha sido justificado. Sin embargo la ri-
dícula ilustración no lo
ha sido.

K

Pronunciación: *kei.*

Significado: Acrónimo de kilobyte (esto es, 1024 bytes), en ocasiones se abrevia como *KB*. Se utiliza para medir la capacidad de almacenamieno en los discos y la memoria. Ya que un byte equivale a un carácter, 1 K de memoria almacena 1024 caracteres. Véase también *MB*.

Enunciado: "Mi disquete puede almacenar 360 *K* de datos y la memoria de mi computadora es de 640 K. Es obvio que mi computadora es demasiado vieja o está dañada".

K&R

Pronunciación: *kei and ar.*

Significado: Abreviatura para Brian Kernighan y Dennis Ritchie, autores del libro *The C Programming Language;* por mucho tiempo, este libro fue la única especificación para el lenguaje C. Muchos compiladores C alegaban seguir la especificación K&R. Más adelante, ANSI surgió con un nuevo estándar (véase también *C* y *ANSI*).

Enunciado: "Compré un compilador C *K&R* en 1981. Desde entonces, los compiladores C han alegado tener compatibilidad ANSI C, pero ninguno de ellos mencionaba la conformidad K&R. Esto sirve para demostrar que incluso las especificaciones no permanecen estándar por mucho tiempo".

Kermit

Pronunciación: *kér-mit.*

Significado: Método (o *protocolo*) para transferir archivos que parece como si hubiera recibido su nombre en honor al novio de la cerdita Piggy, la rana Kermit (nombre original de la rana en la versión en inglés del Show de los Muppets). Kermit es más lento que el XMODEM, pero se utiliza con frecuencia cuando se transfieren archivos de la estructura principal ya que pudiera no haber otro protocolo disponible (véase también *XMODEM* y *protocol*).

Enunciado: "Después de irrumpir en las computadoras del Pentágono, tuve que utilizar el *Kermit* para copiar todos sus secretos y pasarlos a mi computadora".

kernel (núcleo/grano)

Pronunciación: *kér-nel.*

Significado: Término utilizado por los programadores para describir la parte principal o el corazón de un programa.

Enunciado: "El sistema operativo *Kernel* utiliza sólo un megabyte del espacio en el disco duro. El resto del sistema operativo emplea los cuatro megabytes restantes".

kerning (interletrado)

Pronunciación: *kér-ning.*

Significado: Ajuste del espacio entre las letras para que tengan una apariencia agradable cuando sean alineadas juntas. Ciertas letras lucen mejor que otras cuando están cerca, como cuando se colocan la *T* y la *y* juntas para que la parte superior de la *T* caiga de manera ligera sobre la *y*. El acomodo se utiliza con mayor frecuencia en los procesadores de palabras y en los programas de autoedición cuando el espaciado exacto de las letras es un aspecto muy importante o cuando el jefe sólo desea que nos mantengamos ocupados con un trabajo tan tedioso.

Enunciado: "La mayoría de las personas pudiera no darse cuenta del *interletrado* en un párrafo, pero cuando éste no se realiza, podrán decir que las letras tienen una apariencia chistosa, aunque no sepan a qué se debe".

key (tecla/clave/llave)

Pronunciación: *kii.*

Significado: 1) Los botones del teclado. 2) Palabra necesaria para codificar o descifrar un archivo. 3) Ítem utilizado para realizar la búsqueda y ordenamiento de una base de datos. Si usted desea realizar la búsqueda de los nombres y direcciones de todas las personas que habitan en el estado de California, California (CA) será la clave.

Enunciado: "Presione esta *tecla* y escriba la palabra *clave* para eliminar el bloqueo de este archivo. Una vez que ha retirado tal bloqueo, busque la base de datos por medio de los códigos postales como *llaves*. Ahora cante 'The Star Spangled Banner' (La estrella iluminó la bandera) en honor a Francis Scott Key".

Key Caps (teclado)

Pronunciación: *kii kaps.*

Significado: Programa Macintosh que muestra los caracteres que usted podrá producir con diferentes combinaciones de teclazos. El programa Key Caps (Teclado) aparece en el menú Apple y despliega el teclado a la par de los caracteres que usted escriba.

Enunciado: "En ciertas ocasiones, cuando no tengo ganas de trabajar, experimento con el programa *Key Caps (Teclado)* para averiguar qué combinaciones raras de teclazos puedo golpear para crear los caracteres más inusuales. Y pensar que me pagan por hacerlo".

keyboard (teclado)

Pronunciación: *kii bord.*

Significado: Dispositivo semejante a una máquina de escribir que se conecta a la computadora. Cuando el usuario presiona una tecla, el teclado envía una señal a la computadora, la cual despliega el carácter correspondiente sobre la pantalla.

Enunciado: "Muchos *teclados* de computadoras se sienten como máquinas de escribir de juguete. Otros se sienten tan suaves, que parece como si se escribiera sobre una banana muy madura".

keyboard buffer (buffer del teclado)

Pronunciación: *ki-bord bó-fer.*

Significado: Área de la memoria que se utiliza para contener un número específico de teclazos en caso de que usted escriba más rápido de lo que la computadora responde. Una vez que termine de escribir, el buffer del teclado alimenta a la computadora con los teclazos que aún están almacenados en ella (véase también *buffer* y *print buffer*).

Enunciado: "Me gusta tener un gran *buffer del teclado* porque en ocasiones escribo tan rápido, que la computadora hace bip y me obliga a detenerme y esperar. Con un gran buffer del teclado, puedo continuar la escritura hasta que los dedos se me caigan a pedazos".

keyboard cover (cubierta para el teclado)

Pronunciación: *ki-bord kóu-ver.*

Significado: Cubierta plástica, flexible y transparente que se adapta a la forma del teclado y le permite escribir al tiempo que protege el teclado contra el derrame de líquidos, moronas de galletas, partículas de polvo e insectos rastreros.

Enunciado: "Qué bueno que tu computadora tiene una *cubierta para el teclado,* porque acabo de derramar todo mi café sobre él. Para tu mala fortuna también derramé mi jugo de naranja en tu unidad de disco. Tal vez ya no debería usar tu computadora como base para mis vasos, después de todo".

keypad (almohadilla)

Pronunciación: *kii-pad.*

Significado: Grupo relacionado de teclas que se encuentran juntas para una mayor conveniencia. Las almohadillas de teclas más comunes son la *almohadilla* y la *del cursor.*

Enunciado: "Si usted utiliza los números con mucha frecuencia, podrá utilizar la *almohadilla* numérica (o teclado numérico) porque las teclas de números han sido arregladas de tal manera que estén más a la mano. De otra forma, tendrá que usar las teclas de los números que se encuentran en la parte superior del teclado y como consecuencia tendrá que realizar una especie de gimnasia olímpica con sus dedos".

keyword (palabra clave)

Pronunciación: *kí-word.*

Significado: Palabra que tiene un significado especial en un lenguaje de programación. Por ejemplo, CALL es una palabra clave (o reservada) para el BASIC. CASE es una palabra clave en Pascal e Int es una palabra clave en el lenguaje C. Asimismo, en el procesamiento de palabras, la palabra clave puede ser la que usted utilice para la búsqueda del texto.

Enunciado: "Las *palabras clave* tienen un significado especial en los lenguajes de programación de la misma manera que ciertas palabras de cuatro letras tienen un significado especial en nuestro idioma".

KHz

Pronunciación: *key-eich-zi o ki-lo-jerz.*

Significado: Abreviatura de kilohertz. La palabra *kilo* significa mil de cualquier cosa. Por tanto, kilohertz debe significar mil hertz. Y hertz es un término que se utiliza para indicar el número de ciclos por segundo, por tanto, kilohertz es el número de miles de ciclos por segundo. Supongo que esto debe tener alguna relación con las computadoras.

Enunciado: "Kila el gorila fue un primate tan fino que comía cacahuates y postres de banana. Pero un día Kila el gorila se comió el cable de la corriente eléctrica y lo único que pudo decir fue: *kilohertz*".

kill (matar)

Pronunciación: *kil.*

Significado: Consiste en realizar una acción destructiva, tal como borrar un archivo o hacer que la computadora se colapse. En UNIX, matar un proceso significa darle fin (como es el caso de detener el corrido de un programa). Véase también *Ctrl-Alt-Del, Quit y Exit.*

Enunciado: "Después de leer mi correo electrónico, por lo general *mato* todos los archivos para liberar el espacio en mi computadora".

kilo-

Pronunciación: *kí-lo.*

Significado: Prefijo utilizado en el sistema métrico que significa mil. Por tanto, kilobyte significa mil bytes, kilogramo significa mil gramos y kilolitro significa mil litros. Pero sólo para provocar una mayor confusión: debido a la naturaleza binaria (y onerosa) de las computadoras, cuando hablamos de la memoria, 1 K en realidad se refiere a 1024 bytes.

Enunciado: "Me gusta calcular mi peso en *kilogramos* porque me hace aparecer más ligero de lo que en realidad soy".

kilobyte

(Véase también *KB.*)

kludge

Pronunciación: *klush.*

Significado: Solución temporal con un diseño muy pobre, que en realidad funciona y resuelve un problema. Otro nombre para denominar el software.

Enunciado: "Mi computadora no funcionaba, así que empecé a soldar cables por todos lados y ahora ya funciona. Es sólo un *kludge,* pero, qué rayos, al menos funciona".

knowledge base (base de conocimiento)

Pronunciación: *nóu-lesh beis.*

Significado: Componente de un sistema experto que almacena hechos acerca de la posible solución de un problema en particular. La mayoría de las bases de conocimiento consiste en reglas IF-THEN para llegar a una respuesta. Un sistema experto bien diseñado podrá permitirle intercambiar las bases de conocimiento conforme sea necesario para resolver diferentes problemas (véase también *expert system* y *artificial intelligence*).

Enunciado: "Para que un sistema experto sea confiable, su *base de conocimiento* debe ser actual y precisa. Pero si ni siquiera los humanos expertos pueden mantenerse al tanto de todos los sucesos, ¿cómo se puede esperar que alguien actualice una base de conocimiento de manera regular?"

label (etiqueta)

Pronunciación: *léi-bol.*

Significado: Nombre de identificación que se utiliza como encabezado en las hojas de cálculo y para marcar el destino de un comando GOTO en los archivos por lote de DOS y OS/2. Es también el nombre del volumen de un disco en MS-DOS (véase también *volume label*).

Enunciado: "En mis hojas de cálculo Lotus 1-2-3, coloco *etiquetas* como IMPUESTOS QUE DEBO, DINERO ROBADO y COSTO DE UN BOLETO AÉREO HACIA OTRO PAÍS para identificar el significado de los números que se encuentran en las listas".

LAN (RAL)

Pronunciación: *lan.*

Significado: Acrónimo de Local Area Network (Red de Area Local), que es un grupo de computadoras conectadas para compartir información. Algunas de las LANs más populares son Novell, LANtastic y Banyan (véanse también *network* y *wide area network*).

Enunciado: "La mayor ventaja de tener mi computadora conectada en una *LAN*, es que puedo enviar mensajes a la computadora de mis compañeros y preguntar si desean salir a almorzar, sin tener que levantarme de mi escritorio. Las LANs de verdad han hecho mi vida más fácil, no hay duda de ello".

landscape orientation (orientación apaisada)

Pronunciación: *lánds-keip o-rien-téi-shon.*

Significado: Impresión que luce como si la página hubiera sido estirada hacia los lados, de tal forma que su anchura es mayor que su altura. En comparación, la mayoría de las impresiones se realizan de una forma en  que la altura sea mayor que la anchura. Esto se conoce como orientación de retrato (véase también *portrait orientation*).

Enunciado: "Los mapas se imprimen por lo general con la *orientación apaisada*, pero los folletos y las cartas tienen como norma la orientación de retrato. Cuando su impresora se altere por completo y mastique la página hasta crear una obra indescifrable, eso será lo que se conoce como orientación a Picasso".

language (lenguaje)

Pronunciación: *lán-wash.*

Significado: Manera específica de utilizar las palabras y los símbolos para proporcionar instrucciones a la computadora e indicarle lo que debe hacer. Todas las piezas de software son creadas por medio de algún lenguaje de programación (véase también *program*, *programer* y *programming language*).

Enunciado: "Intenté aprender la programación en *lenguaje* C, pero es mucho más fácil utilizar el *lenguaje* BASIC. Aun así, es más fácil hacer que alguien más realice todo mi trabajo".

laptop

Pronunciación: *lap-top.*

Significado: Computadora que es lo bastante pequeña como para colocarla sobre sus muslos sin que le rompa las rodillas con el peso (véase también *notebook computer* y *PC*).

Enunciado: "Me gustan las computadoras *laptop* porque las puedo utilizar en cualquier lugar. No obstante, ¿por qué tendría que trabajar mientras tomo mis vacaciones en Hawaii?"

laser printer (impresora láser)

Pronunciación: *léi-ser prín-ter.*

Significado: Tipo de impresora que utiliza un rayo láser para generar una imagen que es transferida al papel de manera electrónica. La velocidad de las impresoras láser es calculada de acuerdo con cuántas páginas por minuto (ppm) puede producir. 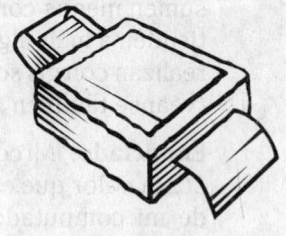 La calidad de impresión en una impresora láser se mide en puntos por pulgada (dpi). Véase también *dot-matrix, dots per inch, inkjet printer* y *letter quality.*

Enunciado: "Utilizo mi *impresora láser* para imprimir folletos, volantes y falsificar diplomas de universidades que puedo vender en todo el país. ¿No es increíble la tecnología?"

launch (lanzamiento)

Pronunciación: *lonsh.*

Significado: Arranque de un programa, por lo general de manera directa desde el sistema operativo. También se utiliza en lugar de los términos *carga* y *corrido* (véase también *load* y *run*).

Enunciado: "Desde Windows, puedo *lanzar* varios programas al mismo tiempo y cambiarme entre ellos. Si al menos supiera cómo utilizarlos, podría realizar de verdad mi trabajo".

LCD

Pronunciación: *el-si-di.*

Significado: Acrónimo de Liquid Crystal Display (Desplegado de cristal líquido), que es una pantalla utilizada por lo general en las calculadoras de bolsillo, los relojes de pulsera y las computadoras laptop. Los desplegados LCD consumen menos corriente que los monitores normales, pero tienden a lucir algo difusos como los dibujos que los niños realizan con gis sobre las aceras y que se lavan con la lluvia (véanse también *gas-plasma display* y *monitor*).

Enunciado: "Mi computadora laptop más reciente utiliza un *LCD* a color que es casi tan bueno como el monitor a color de mi computadora de escritorio. De todas formas, los imitadores de Elvis se parecen muchísimo al verdadero Elvis, pero nunca será lo mismo".

leading (interlineado)

Pronunciación: *li-ding.*

Significado: Inserción de espacio extra entre las líneas de texto, con propósitos estéticos. El nombre surge de aquellos días en que los encargados de las imprentas insertaban de manera física tiras de plomo entre las líneas (véase también *kerning*).

Enunciado: "Los programas de autoedición le permitirán el uso del *interlineado* para ajustar su texto. Es un efecto sutil del que casi nadie se da cuenta hasta que no está presente, o hasta que no se tenga nada mejor que hacer que medir las líneas de texto en una página".

LED

Pronunciación: *el-i-di.*

Significado: Acrónimo de Light-Emitting Diode (Diodo emisor de luz). Es un dispositivo que se ilumina cuando una corriente eléctrica lo recorre. Muchos relojes digitales utilizan LEDs para desplegar los números.

Enunciado: "Mi reloj despertador tiene un gran y gordo *LED* de color rojo. Puedo ver los números con mucha claridad desde un extremo de la habitación, aun sin utilizar mis lentes. Incluso pienso que las personas que duermen pueden sentir cómo los números se marcan con fuego en sus párpados".

left-justify (justificado a la izquierda)

Pronunciación: *left yós-ti-fai.*

Significado: Alineación del texto contra el margen izquierdo.

Este es
un ejemplo
de justificación hacia la izquierda.

(Véase también *flush* y *justify*)

Enunciado: "La mayoría de los procesadores de palabras *alinea a la izquierda* el texto como la omisión. Sólo si usted está medio loco desearía alinear el texto a la derecha".

letter quality (calidad de letra)

Pronunciación: *le-ter kuá-li-ti.*

Significado: Texto impreso que es lo bastante claro como para pensar que fue hecho con una máquina de escribir. Por lo general se refiere al resultado que produce una impresora de matriz de puntos (véanse también *dot-matrix, laser printer* y *line printer*).

Enunciado: "Mi impresora de matriz de puntos puede producir trabajos con *calidad de letra*, para que luzcan como si hubiera sido imprimido con una máquina de escribir. Pero, ¿cuántas personas desean siquiera recordar cómo luce una máquina de escribir?"

LF

Pronunciación: *el-ef.*

Significado: Acrónimo de Line Feed (Salto de línea), que es una señal que le indica a la impresora el inicio de una nueva línea (véase también *carriage return, Enter key, linefeed, newline character* y *Return key*).

Enunciado: "La mayor parte de las impresoras de matriz de puntos cuentan con un botón *LF* y uno FF. Si presiona el botón FF, la impresora expulsará una página completa. Si presiona el botón LF, la impresora avanzará la página una sola línea".

LIFO (UEPS)

Pronunciación: *li-fou o el-ai-ef-ou.*

Significado: Acrónimo de Last In First Out (Último en entrar, primero en salir), que describe una estructura de datos utilizada por los programadores que se conoce como pila (véase también *FIFO* y *stack*).

Enunciado: "*UEPS* sucede cuando usted se encuentra en una cafetería donde los platos están apilados. El último plato que el cocinero pone en la pila es el primero que usted tiene que tomar. Si es la última persona en tomar un plato, con seguridad obtendrá uno que no ha sido lavado desde 1965".

light pen (pluma de luz)

Pronunciación: *lait pen.*

Significado: Detector sensible a la luz que tiene la forma de un bolígrafo y que le permite dibujar imágenes y proporcionar datos de entrada a la computadora desde la pantalla (véase también *I/O*, *input*, *interface*, *keyboard* y *mouse*).

Enunciado: "Utilizo una *pluma de luz* para dibujar imágenes en mi computadora ya que esto luce más natural que si utilizo el ratón. Sin embargo, ¿qué tan natural puede ser el mantener su brazo en el aire durante largos períodos?"

line editor (editor de línea)

Pronunciación: *lain é-di-tor.*

Significado: Programa que lo habilita a modificar una línea a la vez en un archivo de texto, que es como tratar de pintar una pared a través de las persianas (véase también *editor*).

Enunciado: "El más infame *editor de línea* de todos los tiempos fue uno que venía con MS-DOS, denominado EDLIN. De acuerdo con el manual, se podía utilizar el EDLIN para escribir cartas dedicadas a otras personas. Buena suerte a todos aquellos que lo intenten".

line number (número de línea)

Pronunciación: *lain nóm-ber.*

Significado: Número utilizado para identificar las líneas en un documento. La primera línea es el número uno, la segunda es el número dos, etc. Para llegar a una línea específica en un documento, tendría que indicarle a la computadora: "Por favor, muéstrame la línea número 35".

Enunciado: "Todos los procesadores de palabras mantienen la pista de los *números de línea*. Pero, ¿cuándo fue la última vez que usted recordó que la información que necesitaba se encuentra en la línea número 35,819?"

line printer (impresora de línea)

Pronunciación: *lain prín-ter.*

Significado: Impresora de alta velocidad que puede imprimir una línea entera a la vez. Las impresora de línea son geniales para imprimir rápidos bosquejos, pero son terribles para realizar una buena impresión (véase también *dotmatrix, laser printer, letter quality* y *printer*).

Enunciado: "Compré barata una *impresora de línea* de matriz de puntos para mis impresiones rápidas. Después, un amigo me mostró su veloz impresora láser que imprime con muy buena calidad además de todo. Caramba, me siento engañado por el distribuidor local".

linefeed (salto de línea)

Pronunciación: *lain-fid.*

Significado: En ocasiones se abrevia como LF y es la señal que indica a la impresora que avance la página sólo una línea (véase también *carriage return, Enter key, LF, newline character* y *Return kek*).

Enunciado: "Si su programa es muy pobre, no será una medida inteligente el enviar una señal de *salto de línea* a la impresora, pues su documento entero podría imprimirse en una sola línea".

link (enlace)

Pronunciación: *link.*

Significado: 1) Conexión de dos computadoras por medio de un módem, cable o red. 2) Utilización de Windows u OS/2, para  conectar dos archivos con la finalidad de que intercambien información idéntica. Si cambia los datos en un archivo, un enlace caliente cambiará los mismos datos en el segundo archivo, de manera automática. Con un enlace frío, el cambio de los datos en un archivo *no* cambia los mismos datos en el otro archivo de forma automática. 3) Combinación de múltiples archivos en lenguaje de máquina para crear un solo programa (véase también *network* y *serial communications*).

Enunciado: "Después de *enlazar* mis computadoras con un cable serial, enlacé un puñado de archivos en lenguaje de máquina para crear mi propio procesador de palabras. Por último, utilicé OS/2 para crear un enlace caliente entre mi procesador de palabras y mi hoja de cálculo. Ahora estoy tan cansado, que necesito una siesta".

linked list (lista de enlace)

Pronunciación: *linkd list.*

Significado: Estructura de datos utilizada por los programadores para almacenar información. El tamaño de una lista de enlace puede variar conforme el programa corre. Una lista de enlace consta de dos partes: los datos y el apuntador que se dirige hacia el siguiente fragmento de datos. Imagine la lista de enlace como un tren con los vagones conectados uno a otro. Cada vagón tiene su carga (datos) y cada vagón está conectado (enlazado) al siguiente vagón. Véase también *data* y *stack.*

Enunciado: "Una parte de cualquier lenguaje de programación consiste en aprender la forma de realizar las *listas de* *enlace.* De esa manera su programa podrá ser más flexible y adaptarse a cualquier cantidad de datos que necesite almacenar".

linker (enlazador)

Pronunciación: *lín-ker.*

Significado: Programa especial que combina uno o más archivos en lenguaje de máquina y los convierte en un solo archivo ejecutable (véase también *link*).

Enunciado: "En lugar de intentar la creación de un enorme programa en un solo intento, escriba un puñado de pequeños programas. Después utilice un *enlazador* para combinarlos en un solo, enorme e incontrolable programa lleno de parásitos que podrá vender por la cantidad de 495 dólares, como todo el mundo lo hace. Este es el secreto para vender software".

Linotronic

Pronunciación: *lai-no-tró-nik.*

Significado: Nombre de marca de las máquinas fotocompositoras que es utilizada por muchas compañías publicadoras de libros y de revistas. Una impresora Linotronic produce una impresión con una calidad excelente en extremo y hace que las impresoras láser ordinarias parezcan chatarra junto a ella (véase también *laser printer*).

Enunciado: "Me encanta imprimir bocetos burdos en mi impresora láser casera. Después, para los dibujos ya finales, utilizo una máquina *Linotronic*".

LISP

Pronunciación: *lisp.*

Significado: Acrónimo de LISt Processing (Procesamiento de lista), un lenguaje desarrollado al principio de los años sesentas en MIT para la investigación de la inteligencia artificial. El código LISP incluye un número excesivo de paréntesis. Los dialectos relacionados incluyen Common LISP y Scheme. Las aplicaciones típicas de LISP incluyen el aprendizaje de computación, el procesamiento de lenguajes naturales y el entendimiento de por qué algunas personas se molestan en conseguir un doctorado en ciencias computacionales, cuando las estrellas de rock con una educación de 3er grado ganan millones de dólares al cantar un tema de éxito (véase también *artificial intelligence* y *language*).

Enunciado: "A diferencia de otros lenguajes, los programas *LISP* pueden modificarse a sí mismos mientras corren, lo que significa que tales programas pueden en realidad correr fuera de control. Y esto es lo que se llama inteligencia artificial".

list (lista)

Pronunciación: *list.*

Significado: Colección de datos arreglados en un cierto orden. Los programas por lo general almacenan las listas como arreglos o como una lista de enlace. Un directorio telefónico es una lista de nombres y números. Una lista de víveres también es una lista (véase también *array, database* y *linked list*).

Enunciado: "Mi programa lee los nombres y direcciones a partir del disco y los almacena en una *lista*. Qué bueno que mi computadora no es como yo, pues de otra forma olvidaría todo".

list box (cuadro de lista)

Pronunciación: *list boks.*

Significado: Cuadro de diálogo que despliega una lista de ítems. Los ítems que se encuentran en un cuadro de lista incluyen los nombres de archivo, nombres de impresora, directorios, víveres o cualquier otra cosa que la computadora piense que usted puede desear (véase también *dialog box*).

Enunciado: "Siempre que elija el comando File Open (para abrir archivos) del menú en Microsoft Word, el programa desplegará un *cuadro de lista* con todos los nombres de archivo que usted pueda elegir".

load (carga)

Pronunciación: *loud.*

Significado: Transferencia de datos desde su lugar de almacenamiento hasta la memoria en la computadora (véase también *launch* y *run*).

Enunciado: "Siempre que escribo **WP** en el indicador de DOS, puedo *cargar* el WordPerfect en mi computadora. En realidad el programa se carga a la memoria de la computadora desde el disco duro, pero, ¿por qué molestarse con los detalles si todo funciona bien?"

local bus (bus local)

Pronunciación: *lo-kal bus.*

Significado: Tipo de ranura de expansión de alta velocidad para la PC, que se conecta de manera directa con el microprocesador. La ventaja consiste en que los dispositivos conectados al bus local corren mucho más rápido debido a que cuentan con un conducto más grande por medio del cual pueden gritar las instrucciones al CPU. Los dispositivos comunes conectados al bus local incluyen las tarjetas de video de alta velocidad y las unidades de disco duro (véase también *bus* y *expansion slot*).

Enunciado: "Aborde el *bus local* y disfrute de un rápido video, pero sólo si puede pagarlo".

LocalTalk

Pronunciación: *ló-kal tok.*

Significado: Conectores y cables que la compañía Apple Computer fabrica para las redes AppleTalk (véanse también *Apple Computer, AppleTalk* y *network*).

Enunciado: "Si tiene una red Macintosh, sólo tendrá que comprar un cable *LocalTalk* y todo funcionará muy bien. Si es parte de una red Novell, le costará 125 dólares la hora el utilizar un consultor, doscientos dólares por una tarjeta de red para cada computadora, 1500 dólares por la instalación..."

local variable (variable local)

Pronunciación: *ló-kal vá-ri-ei-bol.*

Significado: Término que utilizan los programadores para escribir datos que se encuentran aislados en ciertas partes del programa. Una variable es una etiqueta lujosa, como letras o números, para que los programas las asignen a los valores (véase también *variable*).

Enunciado: "Mi programa consiste en un programa principal y tres subprogramas. Cada subprograma tiene sus propias *variables locales*. Por eso, si algo marcha mal, podré de manera rápida localizar la variable que ha obtenido un valor erróneo y el subprograma que necesito corregir. Después, podré desperdiciar la mejor parte de la noche en busca de la causa del problema, antes de volverme loco".

lock (bloqueo)

Pronunciación: *lok.*

Significado: Consiste en prevenir el acceso a algo. Algunas computadoras cuentan con un bloqueo de clave que puede ser utilizado para evitar que otras personas usen su computadora. Todos los disquetes de tres  y media pulgadas cuentan con una ceja deslizante que evita que el disco sea modificado (véase también *password*).

Enunciado: "Mientras navegábamos en nuestro buque, coloqué un *bloqueo* en mi disquete de tres y media pulgadas y coloqué el bloqueo en mi computadora para que nadie arruinara mi trabajo hasta mi regreso. Entonces, nuestro buque se hundió y lo perdí todo de todas maneras".

log (logaritmo)

Pronunciación: *log.*

Significado: Abreviatura de LOGarithm (Logaritmo), que es una función matemática con un papel preponderante en la vida de algunas personas.

Enunciado: "Aprendimos acerca de los *logaritmos* en la clase de matemáticas y después del examen me olvidé del tema en forma súbita".

logic (lógica)

Pronunciación: *ló-yik.*

Significado: Ingrediente principal que no se encuentra en ningún manual de computadoras en existencia.

Enunciado: "Traté de resolver mi problema por medio de la *lógica*, pero aun así, la computadora falló. Es entonces cuando decidí utilizar un martillo de cabeza redonda".

logic bomb (bomba lógica)

Pronunciación: *ló-yik bomb.*

Significado: Parte secreta de un programa que elimina los archivos o causa algún otro efecto destructivo al ser activada. Los empleados desenfadados que desean tomar revancha de sus jefes anteriores, son por lo general las personas responsables de la colocación de las bombas lógicas (véase también *virus*).

Enunciado: "¿Puede creer que he sido despedido? Me enojé tanto, que coloqué *bombas lógicas* en todos mis programas. Dentro de un año, éstas borrarán la información en el disco duro de todos mis excompañeros".

logical drive (unidad lógica)

Pronunciación: *ló-yi-kol draiv.*

Significado: Una manera de dividir una gran unidad de disco en segmentos "aparentes" y más pequeños para la conveniencia del usuario o la computadora. Las unidades de disco lógicas rara vez son unidades físicas como es el caso de las unidades de disco y disco duro. Con frecuencia, una sola unidad de disco duro puede ser dividida en dos o más unidades lógicas, como es el caso de la unidad C:, unidad H: y unidad Z: (véase también *hard disk* y *partition*).

Enunciado: "Para simplificar mi disco duro, lo he dividido en dos y he creado una *unidad lógica* llamada unidad S:. Es aquí donde almaceno todos los archivos que no deseo mostrar a nadie".

logical operator (operador lógico)

Pronunciación: *ló-yi-kol o-pe-réi-tor.*

Significado: Símbolo utilizado en los lenguajes de programación, hojas de cálculo y bases de datos para definir la relación entre dos ítems. Ejemplos de los operadores lógicos incluyen AND, OR y NOT. Si usted utilizara una base de datos, pudiera querer localizar los nombres de todas las personas que ganan más de cincuenta mil dólares al año AND las personas que se interesan en los yates. O tal vez quisiera localizar el número telefónico de algún residente de Wisconsin OR Nueva York. También podría investigar la edad de todas las personas propietarias de un auto que NOT sean de importación (véase también *inclusive OR* y *operator*).

Enunciado: "La parte más difícil acerca del uso de una base de datos es la búsqueda de la información necesaria; si entiende la manera en que los *operadores lógicos* pueden ayudarle a ordenar de manera selectiva una base de datos, habrá caminado la mitad del camino hacia el perfeccionamiento de su manejo de bases de datos o podrá aumentar todavía más su confusión acerca del proceso total".

log in (entrar)

Pronunciación: *log in.*

Significado: Conexión a otra computadora o red de computadoras para tener acceso a su información (véase también *access time* y *log on*).

Enunciado: "Siempre que irrumpo en una computadora secreta de un banco, primero tengo que *entrar* escribiendo un nombre de cuenta y la contraseña correcta. Después de eso, puedo hacer todo lo que me venga en gana".

LOGO

Pronunciación: *lou-go.*

Significado: Lenguaje de programación diseñado de manera especial para enseñar a los niños el uso de una computadora. Los usuarios por lo general escriben programas en logo para controlar una tortuga imaginaria que se mueve en la pantalla y dibuja una línea detrás de ella. Al escribir los comandos Logo que controlan la tortuga, los usuarios pueden crear bellos diseños que podrán impresionar a los adultos de igual forma (véase también *language*).

Enunciado: "Cuando era un niño, aprendí acerca de las computadoras por medio del *Logo*. Después, en la escuela primaria, aprendí BASIC. En la preparatoria, aprendí Pascal. En la universidad, aprendí lenguaje C. Ahora ya no sé hacer nada. Estoy tan confundido…".

log on (conexión)

Pronunciación: *log-on.*

Significado: Conexión inicial con una computadora (véase también *access time* y *log in*).

Enunciado: "Puedo *conectarme* a todas las computadoras del mundo con mi módem. Por supuesto, a menos que tenga las contraseñas adecuadas, sólo podré llegar a unas cuantas de esas computadoras".

loop (ciclo)

Pronunciación: *lup* (como el cereal Fruit Loops).

Significado: Juego de enunciados dentro de un programa que corre de manera repetida (véase también *endless loop* e *infinite loop*).

Enunciado: "Si el usuario no escribe la contraseña correcta para poder llegar, el programa permanecerá en el mismo *ciclo* y pedirá la contraseña correcta hasta que el usuario la proporcione o hasta que se le caigan los dedos de tanto teclear".

lost cluster (cluster perdido)

Pronunciación: *lost klós-ter.*

Significado: Parte del archivo que permanece en el disco, aun si la tabla de locación de los archivos DOS (FAT) no registra su existencia. Los clusters perdidos se presentan por lo general cuando la computadora se encuentra en proceso de escribir un archivo en el disco y se interrumpe el suministro de la corriente eléctrica. En ocasiones los clusters perdidos surgen sin una razón aparente, que es la forma en la que aparecen la mayoría de los problemas en las computadoras. Podrá utilizar el comando CHKDSK/F en MS-DOS para convertir estos clusters en archivos que podrá eliminar para conservar el espacio en el disco (véase también *FAT*).

Enunciado: "Después de correr el comando CHKDSK en mi computadora, localicé un puñado de *clusters perdidos*. Lo convertí en archivo y lo eliminé".

low-level format (formato de bajo nivel)

Pronunciación: *lou-lé-vel-fór-mat.*

Significado: Arreglar de manera física los patrones de las pistas magnéticas y los sectores de un disco duro. Los formatos de bajo nivel sólo son necesarios cuando se usa un nuevo disco duro por primera vez. Después de realizar un formato de bajo nivel en un nuevo disco duro, deberá utilizar el comando MS-DOS FORMAT para llevar a cabo un formato de alto nivel (véase también *format*).

Enunciado: "No necesitará utilizar un *formato de bajo nivel* en un disquete. Sin embargo, este tipo de formato es necesario en los discos duros nuevos, pues de otra manera no funcionarían. Una vez que ponga en funcionamiento su disco duro, diviértase al tratar de hacer que el resto de su computadora funcione".

low resolution (baja resolución)

Pronunciación: *lou re-so-lú-shon.*

Significado: En las impresoras o los monitores de computadora, la baja resolución es un modo que produce resultados rápidos, pero imágenes de baja calidad que con seguridad lastimarán su vista y le ocasionarán un dolor de cabeza cuando intente cargarlas. (Véase también *high resolution, monitor, printer* y *resolution*).

Enunciado: "Tengo un viejo monitor de *baja resolución;* las letras en la pantalla lucen dentadas y confusas, pero el dinero que me ahorré al comprar un monitor barato me servirá para ir al doctor y comprarme unos nuevos lentes para mi cansada vista".

lowercase (minúsculas)

Pronunciación: *ló-wer keis.*

Significado: Es lo opuesto de las mayúsculas. La mayoría de los textos aparece con la letra inicial de algunas palabras en mayúsculas y el resto del texto en minúsculas (véase también *uppercase*).

Enunciado: "No escriba TODO CON LETRAS MAYÚSCULAS, PORQUE PARECERÁ QUE USTED ES UN PRESUMIDO. No obstante, tampoco escriba todo con *minúsculas,* porque parecerá que no le importa nada".

LPT

Pronunciación: *el-pi-ti.*

Significado: En MS-DOS, es el nombre otorgado a los puertos paralelos de la computadora. El primer puerto paralelo es denominado LPT1:, el segundo es llamado LPT2:, etc. Véase también *parallel port.*

Enunciado: "Si escribe **COPY AUTOEXEC.BAT LPT1:** y presiona la tecla Enter, su impresora podrá imprimir los contenidos de su archivo AUTOEXEC.BAT. Sin embargo, si no tiene una impresora conectada a su primer puerto paralelo, su computadora se colgará de manera temporal y usted pensará que este libro fue escrito de manera ex profesa para que cometiera este tipo de errores".

M

M&Ms

Pronunciación: *em an ems*.

Significado: Chocolates cubiertos de caramelo que tienen unas pequeñas *emes* impresas y que no se derriten en su mano. Fuente primaria de nutrición para los programadores. Pertenece al grupo de alimentos "de los dulces". Otros grupos de alimentos para los programadores incluyen pizza, cafeína y frituras procesadas (por ejemplo, Doritos).

Enunciado: "Hey, ¿qué no es hora de cenar?, ¿podrías pasarme los *M&Ms*?"

Mac

(Véase también *Macintosh.*)

machine independent
(independiente de máquina)

Pronunciación: *ma-shín in-de-pén-dent*.

Significado: Utilizado de manera común para referirse a un programa que puede correr en cualquier computadora sin ninguna modificación. Un programa independiente de máquina puede ser desarrollado en un Clon IBM y utilizado —sin ningún tipo de modificación— en una computadora Macintosh, por ejemplo.

Enunciado: "Los programas *independientes de máquina* no existen".

machine language (lenguaje de máquina)

Pronunciación: *ma-shín lán-wash.*

Significado: Lenguaje de computadora de "bajo nivel" que se comunica en forma directa con el hardware de la computadora. Los programas se escriben en un código secreto (binario); cada instrucción corresponde a una sola operación de la computadora. Es frecuente que se utilice un lenguaje ensamblador para hacer que los códigos en lenguaje de máquina sean más entendibles para los programadores, pero eso no da mucho qué decir, porque el proceso es duro, duro, muy duro de todas formas. La programación en lenguaje de máquina no es para los principiantes, ¡no señor! (véase también *assembly language*).

Enunciado: "Los verdaderos programadores utilizan *lenguaje de máquina,* pero también suelen ser gruñones y poco amables a la hora de cenar. Por lo tanto, cuando aprenda a programar, lo haré en el lenguaje de programación BASIC, que está más a mi nivel".

Macintosh

Pronunciación: *má-kin-tosh.*

Significado: Familia de computadoras personales creada por la compañía Apple Computer en el año 1984. Utiliza una interfaz gráfica para el usuario. La Mac fue la primera computadora en ofrecer un microprocesador de 32 bits. Aún más importante, la interfase de los programas de aplicación (API) proporciona a los usuarios mayor facilidad en su uso y un tiempo de aprendizaje más reducido. La familia Macintosh es la serie de computadoras personales no compatibles con IBM más grande en la actualidad (véase también *Quadra, System 7, DA, API* y *graphical user interface*).

Enunciado: "Siempre hago clic en la opción del menú de la pequeña manzana cuando utilizo mi *Macintosh*. No siempre lo necesito, pero pienso que es bastante simpático".

macro

Pronunciación: *má-kro.*

Significado: Herramienta de programación de "alto nivel" utilizada para automatizar las tareas o los procedimientos dentro de un programa. Por ejemplo, un macro de Excel sólo funciona con Microsoft Excel para automatizar las tareas complejas, repetitivas o aburridas. Los usuarios podrán con frecuencia crear macros sin necesidad de conocer la programación, con el simple hecho de "grabar" sus acciones (movimientos del ratón, teclazos y otros por el estilo) dentro del programa. El comando Macro "reproduce" los movimientos registrados y, ¡listo, un macro! Los macros avanzados pueden ser utilizados para crear aplicaciones personalizadas que corran dentro de un programa; por ejemplo, un macro de Excel pudiera proporcionar comandos personalizados y automatizar los procedimientos más largos en el balance de su chequera. La persona que emplee el macro para la chequera, no tendrá que saber mucho acerca del uso del Excel (véase también *macro instruction*).

Enunciado: "¡Oye Phil, por fin terminé el *macro* que en forma automática pasa nuestros cargos de teléfono a la cuenta de otras personas!"

macro assembler (ensamblador de macros)

Pronunciación: *má-kro a-sém-bler.*

Significado: Programa que le permite construir macros en lenguaje ensamblador. Un macro en este lenguaje es una instrucción que representa varias otras instrucciones en lenguaje de máquina, al mismo tiempo, como taquigrafía para los geeks de la programación. Al utilizar una instrucción macro, el programador no tendrá que escribir tanto y podrá tener una mano libre para comer Doritos al mismo tiempo (véase también *machine language* y *assembly language*).

Enunciado: "Conseguí un *ensamblador de macros* para acelerar mi programación en lenguaje de máquina. Ahora ya puedo escribir mi programa en sólo tres años, en lugar de cinco".

macro instruction (instrucción de macro)

Pronunciación: *má-kro ins-trúk-shon.*

Significado: Comando individual utilizado en los macros. Una colección de instrucciones macro se utiliza por lo general en un macro completo (véase también *macro*).

Enunciado: "¿Conoce la *instrucción macro* que le dice al programa cómo hacer pan tostado?"

magnetic disk (disco magnético)

Pronunciación: *mag-né-tik disk.*

Significado: El medio (esto es, una "cosa plana y redonda") que utilizan las computadoras para almacenar los datos. Con frecuencia se denominan disquetes o discos duros y cuentan con una superficie cubierta de óxido de hierro que es cargada en forma magnética; los  bits (carga electrónica) de los datos de la computadora, pueden ser almacenados en estos discos para un uso posterior. Los disquetes también son geniales cuando se usan como bases para las copas de coctel y para jugar al frisbee. Nunca utilice un disco magnético para jugar con su perro.

Mantenga todos sus discos magnéticos alejados de los campos magnéticos como son los altavoces de su estéreo, y el planeta Júpiter (véase también *disk, hard disk, floppy disk, double-density disk* y *high density*).

Enunciado: "Las instrucciones de la caja decían que tenía que almacenar mis *discos magnéticos* en un lugar alejado del tráfico continuo, así que los puse en el tostador".

magneto-optical disk (disco magnético-óptico)

Pronunciación: *mag-né-to óp-ti-kal disk.*

Significado: Tipo de dispositivo de almacenamiento que combina la tecnología del disco óptico con la tecnología del disco magnético para crear un disco capaz de almacenar muchísima información a velocidades superlentas. Estos discos de alta capacidad requieren unidades de disco especiales y un trabajo laborioso (véase también *disk* y *high density*).

Enunciado: "Estoy en la cumbre tecnológica con este nuevo *disco magnético-óptico.* Mis datos con seguridad sobrevivirían a un ataque nuclear, pero me llevaría una eternidad el poder cargar mi programa".

mail merge (fusión de correspondencia)

Pronunciación: *meil mersh.*

Significado: Proceso por el cual los nombres y direcciones son combinados con una carta "maestra" para crear esas cartas personalizadas despreciadas por todos. Cuando la carta maestra es impresa, los nombres y direcciones de la fusión de correspondencia son insertados en locaciones claves. Cada nombre y dirección podrá crear una nueva carta a partir de la maestra.

Enunciado: "Acabo de recibir una carta personal del presidente. No supondrá que él también utiliza un programa de *fusión de correspondencia,* ¿o sí?"

mailbox (buzón)

Pronunciación: *meil boks.*

Significado: Cuenta o "dirección" para el correo electrónico donde podrá enviar mensajes a los usuarios de una red o de computadoras lejanas. Un buzón electrónico podrá almacenar su correo electrónico, casi de la misma manera en que un buzón ordinario almacena toda su correspondencia chatarra (véase también *e-mail, handle, network* y *e-mail address*).

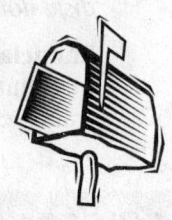

Enunciado: "Acabo de adquirir un *buzón* electrónico; ¡ahora también podrán enviarme las cuentas a mi computadora!"

mainframe

Pronunciación: *mein freim.*

Significado: Computadora poderosa a la que por lo general se conectan las terminales "tontas". Una mainframe se identifica por su capacidad de cómputo y almacenamiento así como para crear múltiples computadoras virtuales y su variedad de opciones de entrada/salida. Las máquinas mainframe también son denominadas los dinosaurios de la industria de las computadoras. Necesitan un clima fresco (es decir, aire acondicionado), espacios abiertos y suficiente electricidad (véase también *VAX, PC, Cray, SQL* y *dumb terminal*).

Enunciado: "Mantenemos los datos de la compañía en una computadora *mainframe*, pero todos nuestros empleados deseaban tener una computadora personal. Entonces, decidimos comprar una *mainframe* para cada uno".

male connector (conector macho)

Pronunciación: *meil ko-nék-tor.*

Significado: Cualquier tipo de conector que se inserte en un conector hembra. Los conectores macho se localizan por lo general al final del cable y cuentan con una extensión o pequeños cables que se adaptan en los orificios del conector hembra (esto me ha hecho sonrojar). Luego de combinar un conector hembra y un conector macho, tendrá un flujo normal de elec-

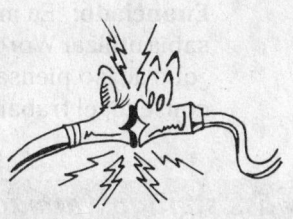

tricidad (en ocasiones acompañado por chispas que vuelan), una oleada de corriente eléctrica y, por último, un cigarro (esto último es opcional). Por favor, practique la conexión segura. Véase también *female connector, serial, serial port, parallel* y *parallel port*.

Enunciado: "Si trata de conectar ese *conector macho* serial en un conector hembra en paralelo, nunca funcionará; no están hechos el uno para el otro".

mapping software (software de mapeo)

Pronunciación: *má-ping sóft-wer.*

Significado: Software que le da la posibilidad de crear y almacenar mapas. Los mapas pueden ser visualizados en diferentes factores de ampliación y por lo general requieren una cantidad significativa de espacio en el disco para ser almacenados.

Enunciado: "Qué bueno que traje mi computadora portátil y mi *software de mapeo* en este viaje por carretera. Ahora sólo me tomará la mitad del tiempo para perderme".

masochist (masoquista)

Pronunciación: *má-so-kist.*

Significado: 1) Persona que se inflinge dolor a sí mismo. 2) Cualquier persona que trate de utilizar Windows con menos de 4 MB de RAM. 3) Cualquier persona que use Worf-Perfect para DOS.

Enunciado: "En mi entrevista de trabajo me preguntaron si sabía utilizar WordPerfect para DOS. Entonces les respondí: ¿qué acaso piensan que soy *masoquista*? Por supuesto, no conseguí el trabajo".

mass storage *(almacenamiento masivo)*

Pronunciación: *mas stó-rash.*

Significado: Dispositivo de alta capacidad de almacenamiento. Debido a que la capacidad normal de los discos se ha incrementado con el paso de los años, la definición de almacenamiento masivo es algo vaga. El clásico disco duro almacena por lo menos 80 megabytes de datos; el almacenamiento masivo se considera cuando se pueden almacenar al menos 250 megabytes de datos. Sin embargo, los dispositivos de almacenamiento masivo pueden contener más de un *terabyte* (un billón de bytes) de datos. Este tipo de almacenamiento no tiene nada que ver con el catolicismo (véase también *high density, byte* y *high capacity*).

Enunciado: "El padre Juan es un entusiasta de las computadoras. Necesita un dispositivo de *almacenamiento masivo* para salvaguardar todos sus video juegos".

master/slave arrangement *(arreglo amo/esclavo)*

Pronunciación: *más-ter sleiv a-rénsh-ment.*

Significado: Tiene origen cuando un dispositivo (el esclavo) es controlado por otro al cual está conectado (el amo). Los arreglos amo/esclavo se localizan en los arreglos de las unidades de disco y en otras configuraciones de hardware además de las unidades centrales y las terminales tontas (véase también *client, client/server network, network* y *server*).

Enunciado: "Cuando utilizo el control remoto, la televisión cambia de canal. Este es un *arreglo amo/esclavo* perfecto".

math coprocessor (coprocesador matemático)

Pronunciación: *mat ko-pro-cé-sor.*

Significado: Circuito por separado (o chip de computadora) que realiza operaciones aritméticas de punto flotante para mejorar las capacidades del CPU (Unidad central de procesamiento). Los coprocesadores matemáticos se encuentran disponibles para que las computadoras PC realicen procedimientos de software con matemáticas intensivas. Los productos de software son con frecuencia escritos de manera especial para obtener ventaja de los coprocesadores matemáticos, por lo que éstos pudieran no correr de la manera adecuada sin los coprocesadores (véase también *central processing unit, microprocessor* y *number crunching*).

Enunciado: "Acabo de obtener un *coprocesador matemático* para realizar cálculos aritméticos de punto flotante con mi computadora. ¿Podría alguien prestarme una calculadora de bolsillo para hacer el balance de mi chequera?"

matrix (matriz)

Pronunciación: *má-triks.*

Significado: Método de almacenamiento de datos en una especie de rejilla con la finalidad de que cada elemento pueda ser recuperado con facilidad. El almacenamiento de su cuenta telefónica para cada mes del año requeriría el uso de una matriz de una sola dimensión con doce ítems; uno para cada mes del año. Para poder almacenar todas sus cuentas (teléfono, alimentos, gas, etc.), requeriría una matriz bidimensional, con las cuentas en un lado y los meses en la parte superior. El almacenamiento de estos valores durante varios años necesita una matriz tridimensional, una rejilla por separado para cada año (véase también *array*).

Enunciado: "El cubo de Rubik es el tipo último de *matriz*, lo que vuelve sumisas a las computadoras, si hacemos una comparación".

maximize (maximizar)

Pronunciación: *mák-si-maiz.*

Significado: Consiste en un incremento a la máxima capacidad. Cuando se utiliza software de Windows, el término maximización se refiere al incremento en el tamaño de una ventana hasta llenar la pantalla entera. Podrá lograr esto al dar clic en el botón de maximización o al seleccionar esta opción del menú de control de las ventanas (véase también *minimize*).

Enunciado: "¿Si *maximizo* la ventana en mi programa de chequera, también maximizaré mis ganancias?"

MB

Pronunciación: *em-bi.*

Significado: Abreviatura de megabyte. Un millón de bytes de datos (véase también *megabyte, byte* y *bit*).

Enunciado: "Mi disquete puede almacenar 1.2 *MB* de datos, pero mi archivo tiene 3 MB. No se necesita contar con una maestría o un doctorado para saber que necesito más MBs".

Mb (M-bit)

Pronunciación: *em-bi.*

Significado: Acrónimo de megabit. Un millón de bits de datos. Observe la pequeña *b.* La gran *B* significa bytes; la pequeña **b** significa bits. Existe una diferencia (véase también *megabit, bit* y *nibble*).

Enunciado: "Si un millón de bits hace un *Mb* y un millón de bytes hace un MB, ¿qué necesito para conseguir un BMW?"

MCA

Pronunciación: *em-si-ei.*

Significado: Acrónimo de *Micro Channel Architecture* (Arquitectura de micro canal). Diseño de ranura de expansión (bus) desarrollado por IBM para sus computadoras PS/2. La idea principal detrás de este diseño consistía en mejorar la velocidad de transferencia de datos y hacer que la conexión de tarjetas de expansión fuera más fácil debido a que éstos podrían configurarse de manera automática a las ranuras MCA. En realidad, el propósito del MCA consistía en crear un nuevo estándar de bus por el que otras compañías fabricantes de computadoras tendrían que pagar can-tidades inconmensurables para poder utilizarlo si deseaban desarrollar computadoras compatibles con MCA (véase también *expansion slot, expansion bus, expansion card* y *bus*).

Enunciado: "El vendedor me dijo que si compraba una IBM PS/2 con un bus *MCA* tendría resueltos mis problemas para siempre. Supongo que esta persona en realidad no sabía que cinco años después casi nadie fabricaría tarjetas para el estándar MCA".

MCGA

Pronunciación: *em-si-yi-ei.*

Significado: Acrónimo que significa *Monochrome/Color Graphics Adapter* (Adaptador de gráficas monocromáticas/color). Es el adaptador de gráficas de IBM utilizado en las computadoras PS/2. Es similar a combinar un adaptador MGA con un CGA, pero también tiene algunas características especiales por su cuenta. Los adaptadores MCGA como norma han sido remplazados por los adaptadores EGA, VGA y SVGA, que son más poderosos (véase también *MDA, EGA, CGA, VGA, SVGA* y *monochrome*).

Enunciado: "*MCGA* es un estándar inútil hoy en día. Será mejor que trate de obtener un Super VGA (SVGA) en su lugar".

MDA

Pronunciación: *em-di-ei.*

Significado: Acrónimo de *Monochrome Display Adapter* (Adaptador de desplegado monocromático). Es el adaptador de IBM para los monitores monocromáticos. Este adaptador no proporciona capacidades para el desplegado de gráficas (véase también *monochrome, MCGA, EGA, CGA* y *VGA*).

Enunciado: "*MDA* es un aburrido texto en blanco y negro, damas y caballeros. Ajum, eso merece un bostezo mayor".

media (medio)

Pronunciación: *mi-dia.*

Significado: Cualquier tipo de material utilizado para el almacenamiento y la comunicación de los datos, lo que incluye medios magnéticos, medios ópticos, medios de impresión, etc. Es el plural de *médium*, que también puede ser una pequeña dama que podrá limpiar su casa de espíritus malignos y demoniacos. Un *médium* es quien lleva la información, semejante al muchacho que reparte los periódicos o a esa pequeña vocecilla que escucha en su interior y que le dice que coma otra rebanada de pastel (véase también *disk* y *communications*).

Enunciado: "Las tablillas de piedra estuvieron entre los primeros *medios* de almacenamiento de datos... ¡Mejor hablemos acerca del disco duro!"

meg

Pronunciación: *meg.*

Significado: Versión corta de megabyte o Margaret (véase también *megabyte, MB, byte* y *mega-*).

Enunciado: "Mi disco duro puede contener 120 *megs* de datos".

mega-

Pronunciación: *méi-ga.*

Significado: Prefijo que significa un millón. Unidad de medida en el sistema métrico. Es también un modismo que se utiliza para designar la abundancia de algo, como en el caso de *mega-fun* (mucha diversión). Véase también *megabyte, megahertz* y *MB*.

Enunciado: "Mi disco duro de 240 *mega*bytes me proporciona mega-espacio para almacenar mis archivos y programas".

megabyte

Pronunciación: *méi-ga-bait.*

Significado: Cantidad aproximada a un millón de bytes. En realidad, un megabyte es igual a 1,024 kilobytes, o 1,048,576 bytes. Usted sólo necesitará ser así de específico en su declaración de impuestos. Fuera de la oficina recaudadora de impuestos, el gobierno ha pasado innumerables decretos para indicar que un megabyte es con exactitud un millón de bytes (los 48, 576 extra, se consideran "fuera del presupuesto nacional"). Véase también *MB, byte, Mb* y *bit.*

Enunciado: "Allá en los días pioneros de la computación, un *megabyte* se consideraba como mucho, mucho espacio de almacenamiento. Hoy en día, necesito seis megabytes de espacio sólo para almacenar mis zapatos".

megahertz

Pronunciación: *méi-ga-jertz.*

Significado: Un millón de hertz (MHz), o un millón de ciclos por segundo. Los chips de los microprocesadores oscilan (se mueven con mucha rapidez) a cierta velocidad que se mide en ciclos por segundo o hertz. Aparte de la velocidad del reloj, el diseño interno del procesador determina su velocidad total. (Véase también *hertz, MHz* y *mega-*).

Enunciado: "La República Popular de China cuenta con más de mil millones de bicicletas, esto es, mil *megahertz*".

membrane keyboard (teclado de membrana)

Pronunciación: *mem-brein kí-bord.*

Significado: Teclado que tiene una superficie plástica plana (llamada membrana) con las teclas impresas sobre ella —como una calculadora de bolsillo plana y barata—. Este es el tipo de teclado que con seguridad usted no desea utilizar; una pesadilla para los capturistas de datos (véase también *boat anchor* y *heavy iron*).

Enunciado: "Sí, Pepito, el *teclado de membrana* de tu computadora Atari 400, hace que ésta sea tal vez la computadora más tonta conocida por la raza humana".

memory (memoria)

Pronunciación: *mé-mo-ri.*

Significado: Por lo general se refiere a los chips en el interior de una computadora donde se almacena la información. Existen dos tipos de memoria interna: *memoria de sólo lectura* (ROM) que almacena de manera permanente la información vital para el funcionamiento de la computadora, como el BIOS. La *memoria de acceso aleatorio* (RAM) contiene la información que se usa de manera actual, como es el caso de sus cartas al editor o su árbol genealógico. Mientras que la información en ROM es permanente, la información en RAM se desvanece cuando usted apaga la computadora. Los programas cargan información en la RAM conforme se necesita, para tener un funcionamiento armonioso. Por lo general, entre más RAM tenga usted, será mejor. Si utiliza software de Windows, no podrá tener demasiada RAM (véase también *RAM, random access, nonvolatile memory* y *ROM*).

Enunciado: "Mi computadora contiene 16 megabytes de *memoria* en su interior. Ay, si solamente pudiera recordar dónde puse las llaves de mi auto..."

memory map
(mapa de memoria)

Pronunciación: *mé-mo-ri map.*

Significado: Imagen gráfica de cómo se utiliza la RAM en una computadora. En realidad, el mapa de memoria tiene propósitos triviales, aun si algunos programadores quieren saber "en qué parte de la memoria" se encuentra algún pequeño bit o algún interruptor secreto. Para nosotros, los humanos, la información es tonta más allá de todo límite.

Enunciado: "Después de buscar en el *mapa de memoria* de mi computadora, no me explico por qué no puedo encontrar la ciudad de Detroit".

memory resident programs
(programas residentes en la memoria)

Pronunciación: *mé-mo-ri ré-si-dent pró-grams.*

Significado: Programas que permanecen en la memoria, que no producen ruido y que no se pueden ver cuando no se utilizan. Los programas residentes en la memoria también son denominados *TSRs*, que significa Terminate and Stay Resident (Terminar y permanecer residentes). Estos programas ofrecen utilerías que extienden las funciones básicas de la computadora, como es el caso de los manejadores de ratón, software para fax y filas de impresión. Asimismo, son de manera frecuente los causantes de los problemas y conflictos en su software (véase también *terminate-and-stay resident programs*).

Enunciado: "Mi calendario desplegable es un *programa residente en la memoria* que me auxilia a calendarizar mis tareas; puedo tener acceso a este calendario siempre que lo necesito, al presionar Ctrl-Alt-C y... ¡Oh, no!, mi sistema se ha colapsado".

menu (menú)

Pronunciación: *mé-niu.*

Significado: Lista de comandos y opciones disponibles dentro de un programa. Cuando varias opciones están disponibles en un momento dado, los programas presentan tales opciones por medio de los menús. El menú muestra cada opción disponible y, si utiliza el ratón o el teclado, podrá elegir un comando de ese menú. Tales programas son denominados *programas manejados por menús*. Casi todos los programas para Macintosh y Windows son manejados por los menús (véase también *menu bar, menu item, pop-up menu* y *pull-down menu*).

Enunciado: "Cuando deseo cambiar las fuentes en mi procesador de palabras, sólo hago clic al *menú* Format y elijo el comando Font. Cuando deseo ordenar mi almuerzo, utilizo el menú chino y elijo la opción Chow Mein. En realidad no se puede avanzar mucho en la vida sin saber algo acerca de los menús".

menu bar (barra de menús)

Pronunciación: *mé-niu bar.*

Significado: Área localizada por lo general en la parte superior de la pantalla, que contiene varios menús listados a lo largo de una línea. Es a partir de esta barra de menús, que usted puede elegir los comandos por medio del teclado o el ratón o por medio del mesero si le pide que le traduzca lo que esas rarezas quieren decir (véase también *menú* y *menú ítem*).

Enunciado: "Las *barras de menús* por lo general incluyen aperitivos para hacer que usted se sienta más sediento y ordene más bebidas".

menu item (ítem de menú)

Pronunciación: *mé-niu ái-tem.*

Significado: Comando u opción individual que aparece en el menú.

Enunciado: "El menú File contiene 14 *ítems de menú,* lo que incluye un comando Exit. Cuando no estoy seguro del ítem que debo elegir, escojo Exit".

menu tree (árbol de menús)

Pronunciación: *mé-niu trii.*

Significado: Diagrama que muestra la estructura del menú dentro de un programa. Algunos ítems de menú no producen resultados inmediatos, sino que se "ramifican" a otros menús o cuadros de diálogo. Esto crea una jerarquía ("¡Primero yo! ¡No, primero yo!") de los comandos y opciones del menú. Un árbol de menús despliega esta jerarquía de comandos para que usted pueda localizar cualquiera de ellos entre el grupo de menús (véase también *menu, menu bar* y *menu item*).

Enunciado: "Tengo tantos menús en este programa, que necesito un *árbol de menús* para poder localizar el comando que deseo".

message box (cuadro de mensajes)

Pronunciación: *mé-sash boks.*

Significado: Cuadro o pequeña ventana que aparece sobre la pantalla y presenta un mensaje del programa que está en uso. Los cuadros de mensajes pueden aparecer como resultado de haber elegido un comando o una opción. Con frecuencia le brindarán información acerca de sus errores o una advertencia acerca de sus acciones (véase también *dialog box* y *list box*).

Enunciado: "¡La noche anterior trabajaba en mi computadora a altas horas de la noche, cuando pude observar un *cuadro de mensaje* que decía 'es hora de que te vayas a dormir!'"

meta

Pronunciación: *méi-ta.*

Significado: Arriba y adelante, del significado original de meta, que quería decir *cambio*. En las computadoras, meta se refiere a una combinación especial de caracteres que se asocia con una clave específica. Por ejemplo, algunos teclados raros pueden tener una tecla shift llamada META. Si el programa le pide que presione META-S, deberá presionar y mantener la tecla META y después presionar S.

Enunciado: "La tecla S crea una S sobre la pantalla; Ctrl-S guarda mi archivo; Alt-S hace surgir un tonto menú; y *META*-S me lleva al espacio exterior".

MHz

Pronunciación: *méi-ga jertz.*

Significado: Abreviatura de megahertz (véase también *megahertz*).

Enunciado: "Regalé mi vieja computadora de 8 *MHz* a mis hijos y compré una más poderosa para mí. ¿Cómo es posible que tengan mejores resultados que yo?"

Mickey Mouse

Pronunciación: *mí-ki maus.*

Significado: 1) Personaje ficticio, creado por Walt Disney, que habla con una voz muy aguda y tiene una vida fácil junto con sus simpáticos amigos y su perro Pluto. Mejor conocido por su actuación como el "aprendiz de hechicero" en la película *Fantasía* y sus apariciones regulares en Disneylandia y DisneyWorld.  Es también un popular producto de exportación a Japón. 2) Algo difícil de engañar o aislado de la tarea que se realiza en ese momento (véase también *mouse*).

Enunciado: "*Mickey Mouse* puede ser el personaje de caricaturas más famoso del mundo, pero a mí me gusta porque no toma la vida con demasiada seriedad".

micro-

Pronunciación: *mái-cro.*

Significado: Prefijo que significa una millonésima. Un microsegundo es una millonésima de segundo. Micro también se utiliza para implicar una dimensión microscópica, como en microorganismo o microprocesador. Micro es también una de las palabras de uso más codiciado en las compañías de computadoras y software (por ejemplo, Microsoft).

Enunciado: "Utilizo Microsoft Word en mi *micro*computadora y puedo escribir una carta en un microsegundo".

Micro Channel Architecture (arquitectura de microcanal)

Pronunciación: *mái-kro chá-nel ar-ki-ték-shur.*

Significado: Un tipo de diseño de ranura de expansión utilizado en las computadoras IBM PS/2 modelo 50 (y posteriores), abreviado como MCA. Las compañías de hardware diseñan tableros (o tarjetas) de mejoras para las computadoras que se conectan en el bus MCA. Los tableros diseñados para el bus MCA, no funcionan con un bus estándar. Entre otras mejoras, el bus MCA permite la utilización de múltiples CPUs dentro de la computadora, aunque en lo personal, no lo intentaría en mi casa (véase también *bus expansion slot, expansion bus, expansion card* y *MCA*).

Enunciado: "Compré una computadora que utiliza la *arquitectura de micro canal.* Ahora todo el mundo habla acerca del bus EISA. El programa consiste en que la mayoría de las tarjetas de mejoras disponibles en el mercado son para el bus ISA. Por cierto, ¿qué tipo de autoBUS manejaba mi tío?"

microcomputer (microcomputadora)

Pronunciación: *mái-kro kom-piú-ter.*

Significado: En realidad es un término desacreditado cuyo propósito consistía en designar las nuevas computadoras personales que iniciaron su aparición a mediados de la década de los setentas. El término *micro* surgió de la palabra microprocesador, el chip que suministraba el cerebro para estas nuevas computadoras. Dicho término cayó en desuso cuando las PCs se volvieron populares a mediados de la década de los ochentas (véase también *PC* y *mainframe*).

Enunciado: "La mayoría de las *microcomputadoras* de hoy día son mucho más poderosas que las 'verdaderas' computadoras de hace veinte años. Así que demos una ovación de barrio bajo a nuestros amigos de la tierra de los mainframes y las minicomputadoras: ¡Buuuuuuuu!"

microfloppy disk (microdisquete)

Pronunciación: *mái-kro-fló-pi disk.*

Significado: Por lo general se refiere a los disquetes de tres y media pulgadas, que son más pequeños que los discos de cinco y un cuarto pulgadas, utilizados por la mayoría de los usuarios, que a su vez son más pequeños que los disquetes originales de ocho pulgadas. En realidad los discos originales de ocho pulgadas fueron denominados floppy (fracaso) porque de verdad tuvieron cierto índice de fracaso. Los discos de cinco y un cuarto pulgadas fueron deno-

¿Dónde quedaría ese microfloppy?

minados minidisquetes cuando aparecieron por primera vez; esto dio la pauta para que los discos de tres y media pulgadas fueran denominados microdisquetes. Éstos pueden contener ya sea 720 KB o 1.22 MB de datos, lo que dependerá de las características del disco, esto es, si se trata de un disco de doble densidad o uno de alta densidad (respectivamente). Véase también *magnetic disk, floppy disk* y *disk*.

Enunciado: "Remplacé mi vieja unidad de disco de 5.25 pulgadas con una unidad de *microdisquetes*. Muy pronto, los discos serán del tamaño de una uña y tal vez sean tan masticables como éstas".

microprocessor (microprocesador)

Pronunciación: *mái-kro-pro-sé-sor.*

Significado: Es el chip central de procesamiento (el "cerebro") de una microcomputadora. Los microprocesadores más comunes incluyen a los Motorola 68000, 68030 y 68040 utilizados en las computadoras Macintosh, así como los Intel 286, 386 y 486, además de los chips Pentium utilizados en las máquinas DOS. El microprocesador controla la mayor parte de las funciones del corazón de la computadora, pero puede ser mejorado con chips de coprocesadores (véase también *central processing unit* y *math coprocessor*).

Enunciado: "Cuando mejore de un *microprocesador* '286 a uno '386 o mejor, obtendrá características de mejoras de su software de Windows. Por ejemplo, podrá añadir memoria virtual a la computadora, lo que podrá manejar el desbordamiento cuando su RAM llegue a su capacidad total. Y más aún, los microprocesadores '386 son mucho más veloces que los '286".

microsecond (microsegundo)

Pronunciación: *mai-kro-sé-kond.*

Significado: Una millonésima de segundo. También se utiliza de manera exagerada para implicar que algo sucedió demasiado rápido.

Enunciado: "Si vuelves a hacer eso, estaré fuera de aquí en un *microsegundo*".

Microsoft

Pronunciación: *mái-kro-soft.*

Significado: 1) Gran compañía de software localizada en Redmond, Washington, que produce a MS-DOS, Windows y un grupo de los programas de aplicación mejor vendidos para PCs y Macintosh. 2) Material que nunca debí haber vendido. 3) Véase OZ. 4) Véase Federal Trade Comission (Comisión federal de intercambios). 5) Gobernadores del universo conocido. 6) Microsoft no tiene ningún significado (véase también *IBM*).

Enunciado: "Casi todos los programas que están a la venta en la actualidad, han sido creados por *Microsoft*".

microspacing (microespaciado)

Pronunciación: *mai-kro-es-péi-sing.*

Significado: Inserción de pequeños espacios (más pequeños que un carácter) entre las palabras como ayuda para la justificación. Utilizado en todas las impresoras láser y en algunas impresoras de matriz de puntos (véase también *kerning* y *justify*).

Enunciado: "Mi primera impresora de matriz de puntos estaba compuesta con una característica con el fin de que el *microespaciado* que hacía que los documentos justificados lucieran mucho más profesionales. Ahora, mi impresora láser utiliza esa misma técnica de una manera mucho más profesional".

MIDI

Pronunciación: *mi-di.*

Significado: Acrónimo que significa *Musical Instrument Digital Interface* (Interfaz digital para instrumentos musicales). El protocolo o estándar para el codificado de los sonidos musicales en forma digital. Las diferencias en los sonidos y las voces musicales pueden ser medidas y almacenadas por medio del estándar MIDI para después ser transferidas en forma digital entre computadoras e instrumentos equipados con MIDI. Los teclados electrónicos por lo general utilizan MIDI.

Enunciado: "Al utilizar el puerto *MIDI* en mi sintetizador electrónico, puedo tocar mi música con el teclado y mi computadora transcribirá la música sobre la pantalla. ¿Se imaginan lo que Mozart podría crear en la actualidad?"

milli- (mili)

Pronunciación: *mí-li.*

Significado: Prefijo que significa mil. Un miligramo equivale a una milésima de gramo. Además, mili es un buen nombre para un perro (¿o es malo?).

Enunciado: "Un *mili*segundo es el tiempo que le toma a Bill Gates ganar un millón de dólares en intereses".

MiniFinder

Pronunciación: *mai-ni-fáin-der.*

Significado: Pieza de software para las computadoras Macintosh, que hace más fácil la localización de los programas. Podrá configurar el MiniFinder para tener acceso a los programas que utiliza con mayor frecuencia para que no tenga que realizar la búsqueda en sus carpetas hasta localizar los programas.

Enunciado: "Si utilizo el *MiniFinder*, podré correr Microsoft Word de manera instantánea".

minimize (minimizar)

Pronunciación: *mí-ni-maiz.*

Significado: 1) Consiste en encoger o reducir algo a su tamaño o capacidad mínima. En Windows la minimización se refiere a la reducción del tamaño de la ventana hasta hacerla aparecer como un icono sobre el escritorio. Podrá minimizar una ventana al hacer clic en el botón de minimización o al utilizar el comando correspondiente en el menú de control. 2) Hacer algo terrible a la novia de Mickey Mouse (véase también *maximize*).

Enunciado: "Pensé que al *minimizar* mis programas, también podría minimizar los problemas de mi computadora".

MIPS

Pronunciación: *mips.*

Significado: Acrónimo que significa *Million Instructions Per Second* (Millones de instrucciones por segundo). Medida de la velocidad en la que los programas corren con un microprocesador en particular. Debido a que los programas tienen un código distinto para los diferentes microprocesadores, es muy importante medir los MIPS al utilizar un código equivalente en cada máquina (véase también *central processing unit* y *microprocessor*).

Enunciado: "Si menciona la palabra *MIPS* en una conversación, como por ejemplo 'mi 386 está establecida en 200 *MIPS*', las personas pensarán que de verdad sabe lo que dice".

MIS department (departamento MIS)

Pronunciación: *em-ai-es di-párt-ment.*

Significado: Acrónimo de *Management Information System* (Administración de los sistemas de información). Esto es, los empleados de una gran organización que son responsables de la compra, ejecución y reparación de las computadoras y el software de la compañía. También denominado *departamento IS*.

Enunciado: "LLamé a Carmen del *departamento MIS* para que me ayudara a reparar mi Macintosh. Me dijo que funcionaría mejor si yo dejara de intentar la instalación de DOS en mi máquina".

mnemonic (mnemónico)

Pronunciación: *niu-mó-nik.*

Significado: Forma que se utiliza para el nombrado de algo que lo ayudará a recordar su propósito. Por ejemlo, los mnemónicos de los comandos pueden empezar con la primera letra del mismo, como es el caso de Alt-F-S para representar el comando File Save (para guardar el archivo).

Enunciado: "Mi programa utiliza *mnemónicos* de comandos para hacer más fácil el recordatorio de procedimientos importantes. Si tan sólo recordara cómo arrancar el programa…"

mode (modo)

Pronunciación: *moud.*

Significado: Es una de las diferentes formas de correr un programa. Por ejemplo, podrá utilizar muchos programas DOS ya sea en su modo de texto o en el modo de gráficas. Cuando se encuentre en este último, podrá observar las fuentes y las gráficas en la pantalla de una manera WYSIWYG. En el modo de texto, solamente aparecerán los caracteres interconstruidos de textos de la computadora (véase también *protected mode* y *WYSIWYG*).

Enunciado: "Si cuenta con una computadora 286, podrá correr Windows en el *modo* estándar, lo que elimina el uso de las opciones especiales de las computadoras 386".

modem (módem)

Pronunciación: *mó-dem.*

Significado: Dispositivo utilizado por su computadora para comunicarse con computadoras lejanas por medio de las líneas telefónicas. Los modems vienen en varias velocidades o promedio de bauds, como es el caso de 1200, 2400, 9600 y 14400. Para poder conectarse a un servicio de tablero de boletines en línea (BBS), necesitará un módem y software de comunicaciones. Un módem interno podrá ser insertado en la caja de su computadora. Asimismo, un módem externo podrá ser conectado a un puerto serial estándar RS-232 (véase también *BBS, baud, fax, modem* y *Hayes compatibility*).

Enunciado: "Deseaba llamar al GEnie (genio) y pedir algunos deseos, pero primero tuve que comprar un módem".

modifier keys (teclas modificadoras)

Pronunciación: *mo-di-fáyer kis.*

Significado: Teclas que funcionan con otras teclas para proporcionar comandos a la computadora. Algunos ejemplos son Shift, Ctrl y Alt (véase también *function keys* y *key*).

Enunciado: "Si presiona F7, podrá guardar sus archivos. Si oprime Shift-F7, podrá imprimirlos. Si presiona Alt-F7, además de todas las *teclas modificadoras* al mismo tiempo, aparecerá un genio mágico que le concederá todos sus deseos (o tal vez su sistema se colapsará, olvidé decirle esto antes)".

Modula-2

Pronunciación: *mó-diu-la tu.*

Significado: Lenguaje de programación estructurada, similar al Pascal, que alienta a los programadores a crear programas en módulos. Éstos se encuentran enlazados cuando el programa es cargado. Tanto Pascal como Modula-2 fueron creados por Niklaus Wirth (véase también *language, modular* y *programming language*).

Enunciado: "Si usted sabe cómo programar en Pascal, encontrará que *Modula-2* es una fácil transición".

modular

Pronunciación: *mó-du-lar.*

Significado: Consistente o relacionado a unidades individuales o *módulos.* Los programas están por lo general escritos en módulos o piezas separadas, para hacer que el programa sea más fácil de manejar. La programación modular también permite que los programadores trabajen en diferentes aspectos del programa en forma simultánea. La programación modular también puede ser una gran mejora para el manejo de la memoria (véase *modula 2*).

Enunciado: "Creo que este programa es *modular.* Cada vez que elaboro alguna acción nueva, regresa al disco para leer cualquier otro módulo del programa".

molecular beam epitaxy (epitaxia de rayo molecular)

Pronunciación: *mo- lé- kiu-lar bim e-pi- ták-si.*

Significado: Proceso por el cual los circuitos son grabados en una pieza de silicio para crear un semiconductor, esto es, un chip de computadora. Es una palabra grande y pesada que usted puede utilizar para impresionar a sus amigos. No, no bromeamos (véase también *semiconductor* y *central processing unit*).

Enunciado: "La *epitaxia de rayo molecular* en realidad vaporiza las capas de sustrato para formar un agradable y dócil material semiconductor. ¡Si señor!"

monitor

Pronunciación: *mó-ni-tor.*

Significado: Un nombre más para el CRT, pantalla o terminal, la cosa que usted observa durante horas y horas cuando utiliza su computadora. Existen diferentes tipos de monitores, lo que incluye el monocromático TTL, el monitor de color RGB, el analógico de color y el de multisincronización. (2) Se utiliza como verbo, significa el acto de vigilar el proceso de una actividad, como es el caso de husmear en las entrañas de su PC para observar cómo funcionan las cosas (véase también *CRT, RGB* y *terminal*).

Enunciado: "Jugaba al solitario con mi nuevo *monitor* de multisincronización en color, cuando mi jefe llegó a monitorear mi proceso. Para mi buena fortuna, Windows me permite cambiar a mi procesador de palabras de manera instantánea".

monochrome (monocromático)

Pronunciación: *mó-no-krom.*

Significado: Adjetivo que significa un solo color. Los monitores monocromáticos despliegan la información en un solo color —con frecuencia en verde o ámbar— sobre un fondo negro. Los monitores monocromáticos no son capaces de desplegar gráficas de alta resolución y su mejor uso se encuentra al utilizarlos con aplicaciones que tengan el texto como base o también usarlos como anclas de bote (véase también *MDA, EGA, CGA, VGA, MCGA, boat anchor* y *heavy iron*).

Enunciado: "Cuando salgo de Windows para utilizar un comando DOS, mi pantalla luce como un tonto *monitor monocromático* por algunos instantes".

monospacing (monoespaciado)

Pronunciación: *mo-nos-péi-sing.*

Significado: Espaciado uniforme e idéntico entre las letras de las palabras. Con el monoespaciado, cada letra del alfabeto utiliza la misma cantidad de espacio que las demás; una *i* emplea tanto espacio como una *m*. Pero, con el espaciado proporcional, cada letra utiliza tanto espacio como necesita. El monoespaciado aún se usa en ciertas aplicaciones, como es el caso de las formas de negocios. La mayor parte de las fuentes también emplea el monoespaciado para utilizar números que sean una ayuda en la alineación de los datos financieros (véase también *proportional pitch*).

Enunciado: "Luis, cariño, esa carta *monoespaciada* que hiciste, está demasiado cargada hacia la izquierda. ¿Qué te pasa, querida, acaso no vez que ahora todo mundo va con un espacio proporcional?"

MOS

Pronunciación: *mos.*

Significado: Acrónimo de *Metal Oxide Semiconductor* (Semiconductor de óxido metálico). Un tipo de semiconductor que es utilizado con las computadoras (véase también *semiconductor* y *CMOS*).

Enunciado: "Véase *MOS. CMOS* correr. Corre, MOS, corre".

motherboard (tablero madre)

Pronunciación: *mó-ter-bord.*

Significado: Tablero de circuito principal en una computadora al cual se conectan la mayoría de los dispositivos.

El tablero madre es el terreno sobre el que el CPU, los chips ROM y los chips RAM de la computadora se sientan a trabajar. También contiene las ranuras de expansión y otros implementos electrónicos que lo hacen lucir como un desplegado electrónico de sushi (véase también *daughterboard, expansion slots* y *central processing unit*).

Enunciado: "Siempre halague a su *tablero madre* el día de las madres".

mount (montar)

Pronunciación: *maunt.*

Significado: Término utilizado para describir algo, por lo general una unidad de disco, que se utiliza en un momento dado. En el contexto de las redes, el montar un volumen significa conectarse a una unidad de disco remota para hacerla accesible desde su computadora. Esto surge en los viejos días de la computación, cuando se tenía que montar de manera física un carrete de cinta en la máquina, antes de que se pudiera tener acceso a ella. Hoy en día, el montaje se realiza por medio de comandos de software que realizan las conexiones de varios cables y conectores (véase también *hard disk*).

Enunciado: "Salte el fiero puente de la red para después *montar* la remota unidad H: y así tener acceso a sus archivos".

mouse (ratón)

Pronunciación: *maus.*

Significado: Dispositivo apuntador utilizado para poder proporcionar datos de entrada a la computadora. La mayoría de las interfases gráficas para el usuario (Windows y la Macintosh) utiliza estos dispo-

sitivos de entrada denominados ratones. Cuando mueva el ratón sobre su escritorio, el apuntador del ratón imitará este movimiento. Tal procedimiento le permitirá controlar, apuntar, sostener y manipular varios objetos gráficos (y texto) en un programa (véase también *track ball, joystick, mouse button, mouse pad* y *Mickey Mouse*).

Enunciado: "Las unidades de movimiento del *ratón* se miden en Mic-Keys".

mouse button (botón del ratón)

Pronunciación: *maus bó-ton.*

Significado: Área del ratón que usted presiona para realizar alguna operación. Cuando se presiona, tal botón produce un sonido clic. Los ratones pueden tener desde uno hasta tres botones, cada uno de ellos realiza diferentes funciones. Las computadoras Macintosh utilizan un ratón de un solo botón. Al mantener presionadas  ciertas teclas al momento de hacer clic en el botón, usted podrá realizar diferentes opciones, como si tuviera un ratón de dos botones (véase también *mouse* y *mouse pad*).

Enunciado: "El programa dice que debo hacer clic en el *botón del ratón* en dos ocasiones. Es por eso que supuse que si daba clic diez veces en lugar de sólo dos, el programa funcionaría de manera genial (esto es algo así como el control remoto de la TV)".

mouse pad (almohadilla del ratón)

Pronunciación: *maus pad.*

Significado: Superficie plana, por lo general acojinada, que se utiliza para hacer rodar el ratón. La bola sobre la que se apoya el ratón, opera mejor sobre una superficie limpia y plana; una almohadilla para el ratón es una mejor opción que utilizar el escritorio para hacer rodar el ratón (véase también *mouse* y *mouse button*).

Enunciado: "Cuando termina sus filmaciones diarias, Mickey Mouse regresa a su *almohadilla de ratón* para festejar con Minnie, su novia".

move (mover)

Pronunciación: *muv.*

Significado: 1) Comando en muchos productos de software que le permite transferir objetos o texto de una locación a otra, como es el caso del comando Move en el editor del Excel. 2) Lo que usted tiene que hacer cuando su contador descubre un problema en su programa de impuestos, que resulta ser una deuda de veinte mil dólares extra al gobierno (véase también *drag*).

Enunciado: "Mi hoja de cálculo indicaba un flujo negativo de efectivo en mi presupuesto, por lo que *moví* la columna de gastos a la hoja de cálculo del año siguiente. Ahora ya puedo mudarme a una casa más grande".

MPC

Pronunciación: *em-pi-si.*

Significado: Acrónimo de *Multimedia Personal Computer* (Computadora personal de multimedia). Es el juego de requerimientos mínimos que un sistema computarizado necesita para crear o utilizar software de multimedia. Todos los productos MPC están diseñados para funcionar en unión, de tal manera que usted pueda crear presentaciones de multimedia (véase también *multimedia* y *PC*).

Enunciado: "Deseaba crear un manual de hipertexto, por lo que compré una computadora *MPC*, una tarjeta de sonido MPC y un procesador de palabras para hipertexto MPC".

Mr. Data (Sr. Data)

Pronunciación: *mís-ter déi-ta.*

Significado: Personaje ficticio de la serie de televisión *Viaje a las estrellas: la siguiente generación.* Con frecuencia llamado comandante Data, este señor es un oficial androide a bordo de la nave Enterprise. Tiene una encantadora e inocente personalidad y es un buen ejemplo de la inteligencia artificial en proceso (véase también *data, Star Trek,* y *Star Trek: The Next Generation*).

Enunciado: "Escuché al *Sr. Data* decir que acababa de instalarse un nuevo dispositivo de almacenamiento y que ahora podrá recordar el doble de su capacidad anterior".

MS-DOS

Pronunciación: *em- es-dos.*

Significado: Acrónimo para *Microsoft Disk Operating System* (Disco del sistema operativo de Microsoft). El sistema operativo utilizado de manera más amplia en las computadoras personales, también bajo el nombre de PC DOS por IBM. También se denomina DOS. MS-DOS es la razón por la que los usuarios Macintosh evitan las computadoras IBM y compatibles. Para organizar discos y datos, utilizan una estructura de directorios semejante a un árbol donde los archivos pueden ser almacenados dentro de subdirectorios y directorios. Los comandos DOS incluyen DIR, CD, COPY, DEL, RD, etcétera.

Para mayor información acerca de MS-DOS, diríjase a su amigable libro "para inexpertos": *DOS para inexpertos,* por Dan Gookin, disponible en la mayoría de las tiendas especializadas (véase también *disk operating system, DOS* y *Microsoft*).

Enunciado: "Cuando arranco mi computadora, la pantalla me indica Starting MS-DOS... Después llego al indicador de DOS y escribo **WIN** con el objeto de ir directo a Windows y evitar del todo el uso de DOS".

MTBF

Pronunciación: *em-ti-bi-ef.*

Significado: Acrónimo de *Mean Time Between Failure* (Tiempo medio entre fallas), utilizado para indicar la vida promedio de un producto como el disco duro o la impresora láser.

Enunciado: "Esta impresora láser tiene un *MTBF* de 35 mil páginas, lo que significa que si imprimo 35,001 páginas, ésta podría explotar en mi cara de acuerdo con las estadísticas".

MultiFinder

Pronunciación: *mul-ti-fáin-der.*

Significado: Componente del sistema operativo Macintosh que organiza y proporciona acceso a sus archivos y carpetas. El MultiFinder es un sistema de manejo jerárquico (HFS). Véase también *Chooser, Finder, hierarchical file system* y *Macintosh*.

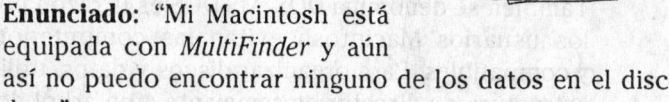

Enunciado: "Mi Macintosh está equipada con *MultiFinder* y aún así no puedo encontrar ninguno de los datos en el disco duro".

multimedia

Pronunciación: *mul-ti-mi-dia* (pronunciación de los geeks, mul-tai-mi-dia).

Significado: Relacionada con el video, el audio y las gráficas. El software de multimedia combina dos o más medios para una presentación o con propósitos de análisis. Por ejemplo, muchos paquetes le permiten combinar gráficas con sonidos. Las grandes aplicaciones de multimedia son almacenadas con frecuencia en dispositivos CD-ROM debido a su increíble tamaño y requerimientos de memoria. Multimedia será con seguridad un factor común en el futuro para todo tipo de recuperación de la información (véase también *communications* y *MPC*).

Enunciado: "Tengo una versión *multimedia* de la enciclopedia. Para explicar los temas, el software ejecuta pequeñas películas, música, además de mostrar gráficas y creaciones artísticas. Algún día, yo también escribiré mis propios documentos de esta manera".

multiplexing (multiplexar)

Pronunciación: *mul-ti-plék-sing.*

Significado: Transmisión simultánea de múltiples mensajes en un solo canal por medio de la red. Es el equivalente a observar dos cadenas de televisión al mismo tiempo en la estación local. En una computadora multiplexada permite que más de una computadora tenga acceso a una red al mismo tiempo (véase también *network*).

Enunciado: "Antes de tener *multiplexados,* parecía estúpido que sólo una persona pudiera utilizar la red en un momento dado. ¡Ahora, con multiplexados, todos pueden utilizar la red, todos realizan su trabajo y todos tienen dientes más limpios y blancos en menos de tres semanas!"

multiprocessing (multiprocesamiento)

Pronunciación: *mul-ti-pro-sé-sing.*

Significado: Utilización de múltiples microprocesadores en la misma computadora. Una computadora que usa cualquier tipo de coprocesador, es una computadora de multiprocesamiento (véase también *coprocessor* y *central processing unit*).

Enunciado: "Cuando corro mi programa CAD, el poder de *multiprocesamiento* de mi computadora se utiliza a plena capacidad. El poder de multiprocesamiento de mi cerebro sólo se usa cuando corro mi programa CAD al mismo tiempo que hablo por teléfono".

multisync monitor (monitor multisincronizado)

Pronunciación: *mul-ti-sink- mó-ni-tor.*

Significado: Monitor de computadora que puede escudriñar la pantalla (desplegar datos) en diferentes cantidades, debido a los diferentes modos de video y configuraciones del hardware. También denominados monitores multiscan (véase también *monitor* y *graphics*).

Enunciado: "Adquirí un *monitor multisincronizado* para poder ver esas gráficas increíbles con una excelente resolución. Después me dí cuenta de que necesitaba comprar una tarjeta de video muy cara para acompañarlo, ¿cómo es posible que me sienta engañado cada vez que trato de actualizar mi computadora?"

multitasking (multitareas)

Pronunciación: *mul-ti-tás-king.*

Significado: Capacidad que tiene una máquina para correr dos o más programas al mismo tiempo sin saber cómo utilizar alguno de ellos. Multitareas se emplea por lo general para realizar operaciones de segundo plano, como es el caso de las impresiones, comunicaciones de datos y fax, así como cálculos complejos. Al tiempo que corre la operación de segundo plano (o tarea), usted podrá realizar otras tareas con otros programas. Multitareas reduce la velocidad con que opera su computadora (véase también *protect mode*).

Enunciado: "Cuando imprimo por medio del Print Manager de Windows, puedo cambiar a otra aplicación o continuar mi trabajo mientras el documento se imprime. La característica de *multitareas* acorta el tiempo de inactividad que se desperdicia en tareas poco significativas, como el pensar mientras se espera a que el documento se imprima".

multiuser (multiusuario)

Pronunciación: *mul-ti-yú-ser.*

Significado: Relacionado con múltiples usuarios. Un programa o un sistema operativo que soporta a más de un usuario a la vez. Una base de datos multiusuario, por ejemplo, permite que numerosas computadoras tengan acceso a los datos al mismo tiempo. El software multiusuario utiliza una red para conectar a los usuarios con los datos (véase también *network*).

Enunciado: "Si cuenta con una base de datos *multiusuario*, podrá contar con varios empleados que escriban información errónea de manera simultánea".

Murphy's Law (Ley de Murphy)

Pronunciación: *mór-fis-lou.*

Significado: Ley universal o verdad, que indica: si algo puede fallar, fallará. Un subgrupo de la ley de Murphy se encuentra integrado en la ley de Parkinson, que indica que su desorden se expandirá hasta llenar el espacio permitido. Otro subgrupo de la ley de Murphy se localiza en la ley de Smucker, la cual cita que si usted deja caer su pan, siempre llegará al suelo con el lado de la mermelada hacia abajo.

Enunciado: "Nunca olvide respaldar los datos de su computadora, porque cuando lo olvide, la *Ley de Murphy* entrará en acción y bombardeará con rayos y centellas su computadora".

n

Pronunciación: *en.*

Significado: Valor desconocido, que es como norma el más grande valor posible. Las personas allegadas a las computadoras dicen "desde una hasta *n* cosas, pueden salir mal". O podrán utilizar el valor *n* a fin de dar a entender el valor más alto o el último, o un valor muuuy grande (véase también *variable*).

Enunciado: "Esta es la *enésima* ocasión que he puesto la pausa en mi programa durante *n* minutos, mientras consigo auxilio técnico".

nano

Pronunciación: *na-no.*

Significado: Prefijo que significa una mil millonésima. Por ejemplo, un nanogramo equivale a un mil millonésimo de gramo. Un nanosegundo equivale a una mil millonésima de segundo, esto es, el tiempo que necesita el gobierno para derrochar cuarenta dólares (véase también *nanosecond*).

Enunciado: "Los autores de libros sobre computación ganan una cantidad equivalente a una *nano* porción de las ganancias de Bill Gate".

nanosecond (nanosegundo)

Pronunciación: *na-no-sé-kond.*

Significado: Una mil millonésima de segundo. Se utiliza para medir la velocidad de los chips. Es también la cantidad de tiempo que tardan los usuarios para localizar un error en la documentación de software (véase también *nano*).

Enunciado: "Siempre me he preguntado cómo se puede medir un *nanosegundo*. No creo que pueda haber un gran margen de error".

natural language processing (procesamiento en lenguaje natural)

Pronunciación: *ná-tu-ral lán-wash pro-sí-diur.*

Significado: Utilización de los lenguajes naturales en las computadoras para el procesamiento de la información. En la actualidad, las computadoras emplean lenguajes artificiales, como son BASIC y C++, que son limitados en sintaxis y vocabulario. El procesamiento en lenguajes naturales habilita a las computadoras a entender lenguajes como el inglés y el zulú. No obstante  que se ha logrado un gran avance, el procesamiento en lenguajes naturales está muy alejado de la realidad. Los problemas con la sintaxis, pronunciación y vocabulario no han sido resueltos del todo. Se necesita un juego muy complejo de reglas para descifrar los enunciados más sencillos; conforme el lenguaje se complica más, la construcción de las reglas se vuelve difícil en una forma colosal (véase también *artificial intelligence, language, BASIC, C, C++ y syntax*).

Enunciado: "Mi perro debe utilizar el *procesamiento en lenguaje natural* para entender lo que quiero cuando le digo: '¿dónde está tu pelota?' supongo que los perros son más inteligentes que las computadoras".

navigation (navegación)

Pronunciación: *na-vi-guéi-shon.*

Significado: Consiste en el acto de localizar su camino a través de los datos, un programa, un disco, o una red. En una aplicación de software, la navegación se refiere al movimiento del punto de inserción (o cursor) en el documento. La navegación apropiada le permitirá editar y manipular un documento de una manera más eficiente. La mayoría de los programas, por ejemplo, cuenta con sofisticadas claves y procedimientos de navegación. Por ejemplo, en Microsoft Word para Windows, podrá presionar Ctrl-Home para moverse de manera instantánea al principio de un documento (véase también *cursor*).

Enunciado: "Microsoft Word proporciona numerosas opciones de *navegación*, lo que permite que incluso un usuario aficionado pueda perderse por completo en cuestión de nanosegundos".

near-letter quality (casi calidad de letra)

Pronunciación: *nir-lé-ter kuá-li-ti.*

Significado: La impresión de calidad de letra es producida con las máquinas de escribir y las impresoras de margarita. Un martillo que contiene la impresión de un carácter, golpea sobre la cinta entintada que a su vez se impacta contra el papel. La escritura de calidad de letra no presenta imperfecciones y se utiliza en los documentos profesionales como son las cartas de negocios y los contratos. La impresión de casi calidad de letra es producida por las impresoras de matriz de puntos. Al condensar los puntos para obtener una alta resolución, las imperfecciones en los caracteres se reducen, con lo que se logra un buen resultado que es casi calidad de letra. El hecho es que siempre se puede notar la diferencia. Las impresoras láser, con sus capacidades de resolución y de gráficas, hacen a un lado a las impresoras de casi calidad de letra. El término se abrevia con frecuencia, *NLQ* (véase también *laser printer, letter quality, dot matrix* y *daisy wheel*).

Enunciado: "Cuando compré mi impresora láser, mi impresora de *casi calidad de letra* ya no me resultó tan útil. Sin embargo, ha resultado ser de gran utilidad como taburete".

nerd

Pronunciación: *nerd.*

Significado: Alguien que está muy involucrado con las computadoras, y también consigo mismo. En realidad existen varios niveles de nerds. En la parte superior de la categoría se encuentran los elitistas, que por lo general son miembros del *sacerdocio de la programación*.  Son agradables y comprensivos, pero muy dedicados a la computadora. Los nerds incluyen a todos aquellos que aman a la computadora porque nadie los ama en compensación; los geeks se han introducido al medio debido a que no hay un lugar cercano donde puedan jugar "calabozos y dragones"; y los dweebs, cuya idea de ser aceptados por la sociedad consiste en cepillar sus dientes y utilizar desodorante. Nerd también puede ser un término encantador que es aplicado a todos aquellos que se han involucrado sin esperanza en el mundo computacional, pero que aún son una parte vibrante de la sociedad (véase también *hacker, geek* y *dweeb*).

Enunciado: "Ya sabía que Milton era un *nerd* y una de las personas más torpes en la sociedad. No podía entender a qué se debía su popularidad, hasta que alguien me dijo que sus ganancias incluyen cifras de seis números —además de sus acciones— cuando escribe software en Microsoft".

nested (anidado)

Pronunciación: *nés-ted.*

Significado: Término de la programación que significa incluir un procedimiento dentro de otro similar. Por ejemplo, los ciclos anidados FOR/NEXT pueden lucir así:

```
FOR E=1 TO 10
    FOR F=1 TO 3
    NEXT F
NEXT E
```

En este ejemplo, el ciclo F se encuentra anidado dentro del ciclo E. El anidado puede ser construido en varios niveles de profundidad para crear un procedimiento complejo (véase también *loop, infinite loop* y *endless loop*).

Enunciado: "Mis programas utilizan una buena cantidad de ciclos *ani-dados*. Debe ser mi instinto paternal".

NetBIOS

Pronunciación: *net-bái-os.*

Significado: Abreviatura de *Network Basic Input/Output System* (Sistema básico de entrada/salida en red). El BIOS le indica a la computadora el tipo de dispositivos y memoria que están conectados a ésta y cómo localizarlos. Un BIOS de red incluye información básica acerca de la red en la que está conectada la computadora. Cuando cargue su sistema operativo de red, el NetBIOS se cargará en la computadora como un suplemento del BIOS estándar (véase también *BIOS* y *network*).

Enunciado: "Cuando llego a la red, mi *NetBIOS* le indica a la computadora dónde localizar las demás computadoras".

network (red)

Pronunciación: *nét-work.*

Significado: 1) Sistema autónomo de computadoras conectadas entre sí para realizar la transferencia y la comunicación de datos. Una red requiere de dos o más computadoras, software de red (también denominado sistema operativo de red), adaptadores de red y cables. Algunos ejemplos populares de redes incluyen Ethernet, Token Ring y AppleTalk. Algunos ejemplos de los sistemas operativos de red incluyen Novell NetWare y Windows for Workgroups. Las redes son de utilidad cuando varios usuarios deben compartir recursos, como es el caso de los datos o las impresoras. 2) Es también la fuente de la mayoría de los problemas en los sistemas computarizados de negocios (véase también *LAN, wide area network* y *node*).

Enunciado: "Cuando llego a la *red*, puedo enviar archivos y correo electrónico a mis compañeros de trabajo, sin tener que salir de la oficina. Si al menos pudiera enviar mi ropa a la lavandería por medio de la red..."

network adapter (adaptador de red)

Pronunciación: *nét-work a-dáp-ter.*

Significado: Dispositivo de hardware (o *tarjeta*) que establece una red y habilita a una computadora para conectarse con otra computadora que cuente con un dispositivo similar. Todas las computadoras en una red deben utilizar adaptadores compatibles (véanse también *network, LAN* y *wide area network*).

Enunciado: "Nuestra oficina compró *adaptadores de red* Ethernet para cuatro computadoras. Después de instalar y configurar los adaptadores, podremos instalar y configurar el software de la red. Creo que prefiero el método tradicional de comunicación en la oficina; las personas lo llaman teléfono".

network hose (conector de red)

Pronunciación: *nét-work jous.*

Significado: Cable que conecta su computadora con las demás computadoras en la red. Como es demasiado delgado para ser un cable, lo hemos denominado conector.

Enunciado: "Los datos surgen de mi computadora, después, son arrojados en un chorro por medio del *conector de la red* a lo largo del pasillo hasta llegar a la computadora de Phil, para que al recibir la información, pueda arruinar la integridad de mi informe".

network operating system (NOS) (sistema operativo de red)

Pronunciación: *nét-work o-per-réi-ting sís-tem.*

Significado: Software que se utiliza en una *red de área local* (LAN) que incluye los componentes de hardware de la red. Un NOS está constituido por el software del servidor de archivos y el software de la estación de trabajo, además de ser responsable del mantenimiento de la "conversación" entre los dos (véanse también *local area network, network server* y *workstation*).

Enunciado: "Utilizamos Windows for Workgroups como *sistema operativo de red* y nos conectamos al servidor de archivos por medio del Novell NOS. Supongo que nuestras computadoras funcionan con NOS para NOSotros".

neural network (red neural)

Pronunciación: *nér-ol nét-work.*

Significado: Sistema computarizado que imita las actividades de las neuronas en el cerebro humano. En el cerebro del hombre, un número muy grande de neuronas (de hecho, son miles de millones) procesan información en paralelo, pues todas trabajan sobre un problema al mismo tiempo para producir una sola respuesta. Basado en patrones establecidos (procesos aprendidos), ciertas conexiones se realizan a lo largo de una red para producir resultados repetidos. De esta forma, las redes neurales pueden aprender a procesar información compleja conforme pasa el tiempo para reconocer los patrones de los datos. Debido a esta conducta adquirida por medio del aprendizaje, las redes neurales, a semejanza de los humanos, producen sólo resultados aproximados basados en grandes cantidades de información recibida. Las redes neurales son de utilidad para tipos específicos de problemas, como es el caso del procesamiento de los datos en el mercado de valores o para localizar tendencias en los patrones gráficos (véase también *artificial intelligence*).

Enunciado: "¡David! ¿Ya viste tu cuenta del gas? ¡Apuesto que la compañía de gas ha instalado esa maldita computadora de *red neural*!"

New command (comando New)

Pronunciación: *niu ko-mánd.*

Significado: Comando de software que produce un nuevo documento o archivo, como en el caso del comando File New en Microsoft Word. La mayoría de los programas de aplicación cuenta con un comando New que se utiliza para producir un nuevo documento.

Enunciado: "Utilicé el *comando New* en el menú File para crear un nuevo documento. Desearía que existiera un comando New para poder obtener un nuevo empleo".

newline character (carácter de nueva línea)

Pronunciación: *niu-lain ká-rak-ter.*

Significado: Carácter que al ser escrito crea una nueva línea de texto sobre la pantalla. Este es el carácter que se produce cuando usted presiona la tecla Enter. Muchos procesadores de palabras utilizan el término Carácter de Nueva Línea debido a que el presionar la tecla Enter produce como resultado el hecho de que usted escriba sobre una nueva línea (véase también *Return key, carriage return, linefeed* y *Enter key*).

Enunciado: "¡Pobrecita Alicia!, realizó una búsqueda y remplazo, en busca del *carácter de nueva línea* para poder remplazarlo con nada. Ahora sólo cuenta con un párrafo de cuatro líneas en lo que alguna vez fue su documento. Platiquen esto a sus amigos".

nibble

Pronunciación: *ní-bol.*

Significado: La mitad de un byte, esto es, cuatro bits (véanse también *byte* y *bit*). La palabra *bit* que en inglés significa mordida, se pronuncia igual que la palabra *byte*.

Enunciado: "No he obtenido ni un *nibble,* ninguno ha mordido el anzuelo con este cebo para dos mordidas".

NiCad

Pronunciación: *naig-kad.*

Significado: Abreviatura de *Nickel Cadmiun* (Níquel y Cadmio), un tipo de batería que se utiliza en las computadoras notebooks y laptops. Podrá recargar las baterías NiCad en forma frecuente, pero primero tendrá que utilizar su carga hasta la última gota; de otra manera, olvidarían cuánta energía deben almacenar y empezarían a almacenar sólo la energía que usted les ha proporcionado. Las baterías NiCad son bastante estúpidas.

Enunciado: "Mi computadora laptop utiliza dos baterías recargables *NiCad* para proporcionar hasta seis horas de uso continuo. ¡El inconveniente es que necesitan 12 horas para recargarse!"

nil (vacío)

Pronunciación: *nil.*

Significado: Nada, cero, kaput (véase también *null*).

Enunciado: "He trabajado todo el día con esta hoja de cálculo para manejar mis ingresos; desde cualquier ángulo que la observe, mis utilidades son *vacías*".

NLQ

(Véase *near-letter quality.*)

no-op

Pronunciación: *no-op.*

Significado: Tipo de instrucción para computadora que no realiza ninguna función. Aun si usted pensara que existen muchos no-ops en sus programas, no os preocupéis, pudieran haber sólo algunos. Parecería tonto, pero muchas personas manejan sus autos con la palanca de velocidades en posición "neutral" y otras tantas observan indiferentes la televisión por horas. No-op es algo similar, pero para la computadora.

Enunciado: "No sé cuántos *no-ops* realice la computadora, pero los hace bastante rápido".

node (nodo)

Pronunciación: *noud.*

Significado: Computadora sencilla o terminal en una red. Las redes pueden constar de numerosos nodos que operan de manera independiente. Es también la manera en que usted pronuncia la palabra *note* (nota) cuando tiene un resfriado (véanse también *network* y *server*).

Enunciado: "Nuestra red Ethernet tiene veinte *nodos,* lo que significa que veinte personas no tenemos nada qué hacer cuando la red deja de funcionar".

nondocument (no-documento)

Pronunciación: *non-dó-kiu-ment.*

Significado: Un no-documento es un archivo de texto para el procesamiento de palabras o un archivo ASCII que no contiene ningún tipo de formateo, como es el caso del subrayado. Este término se originó del modo Nondocument (de no-documento) en el WordStar, que fue utilizado en gran medida para escribir programas.

Enunciado: "Escribí este programa por medio del modo *no-documento* de mi procesador de palabras. Voy a correrlo por medio del modo no computadora en mi computadora. Espero que le guste a todos los no-usuarios".

noninterlacing (no-entrelazado)

Pronunciación: *non-in-ter-léi-sing.*

Significado: El no entrelazado, como en la no-sobreposición de objetos enredados. Los monitores de no-entrelazado son el estándar para las gráficas de computadoras debido a su consistencia y su falta de parpadeos continuos (véanse también *interlacing* y *NTSC*).

Enunciado: "Mi nuevo monitor es del tipo *no-entrelazado.* Escudriña la pantalla más de cincuenta veces por segundo, pero no ha sido capaz de localizar las llaves de mi auto".

nonvolatile memory (memoria no-volátil)

Pronunciación: *non-vó-la-tail mé-mo-ri.*

Significado: La memoria en su computadora que conserva la información aun si desactiva la computadora (¡vaya logro!). La memoria de sólo lectura es no-volátil, como son las unidades de disco (véanse también *RAM* y *memory*).

Enunciado: "Escribí una historia a la cual le puse el nombre de 'vibraciones violentas de un vocalista volátil' y la guardé en mi unidad de disco duro, por lo que ahora está en la *memoria no-volátil* y por fin puedo apagar mi computadora".

NOP

Pronunciación: *en-ou-pi.*

Significado: Abreviatura de *Not Operating Properly* (No opera de forma apropiada). Un programa que no funciona. Una computadora que no funciona. Un empleado que no funciona. También se utiliza para describir "características" accidentales en el software (*no con un propósito*).

Enunciado: "Este programa es un *NOP*. No importa, de todas formas envíelo".

notepad (bloc de notas)

Pronunciación: *nout-pad.*

Significado: Pequeña aplicación o accesorio que por lo general se encuentra en las interfases gráficas para el usuario (como en Windows y el sistema Macintosh) y que usted puede utilizar para escribir notas sencillas. El bloc de Windows es un simple procesador de palabras sólo para texto que le permite escribir, 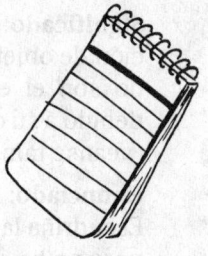 editar, imprimir notas, sin tener que usar procesadores de palabras más complejos. El bloc también es útil para editar los archivos por lote de DOS, como es el caso del AUTOEXEC.BAT (véase también *graphical user interface*).

Enunciado: "Mantengo mi accesorio del *bloc de notas* con el objeto de poder garabatear algunas notas rápidas mientras trabajo con la computadora. Es más fácil que cambiar de mi aplicación al procesador de palabras una y otra vez".

notebook computer (computadora de cuaderno)

Pronunciación: *not-buk kom-piú-ter.*

Significado: 1) Computadora compacta, casi del tamaño de una carpeta de tres arillos. Las computadoras notebook son por lo general utilizadas en los viajes. Operan tanto con corriente alterna como con corriente directa. También podrá utilizar esta computadora sobre su escritorio si la "une" a una computadora mayor o si la conecta a un monitor y a un teclado de escritorio. Una computadora notebook práctica debe pesar entre 1.5 y 2 kilos. 2) Una buena excusa para salir de la oficina. 3) Algo que cualquier escritor de libros sobre computación lleva en su equipaje durante su luna de miel.

Enunciado: "Qué bueno que traje conmigo la *computadora notebook* en este viaje. Todavía no la he utilizado, pero el simple hecho de cargarla hace que no necesite ir al gimnasio".

notwork (no-labor)

Pronunciación: *not-work.*

Significado: Tarea que se realiza sobre el escritorio o en la computadora, pero que no es un trabajo. La no-labor incluye los videojuegos computarizados, el arreglo de su escritorio de Windows o Macintosh, la organización de los archivos en la computadora, la instalación de nuevos programas que en realidad nunca utilizará, el enviar su pedido de almuerzo por medio del fax y el envío de correo electrónico a Bill Clinton (aun si usted es un político).

Enunciado: "Cuando mi jefa entró a la oficina, yo estaba saturado de *no-labor*. Entonces me dijo que mi labor era excelente y se marchó. Supongo que tendré que continuar con mi no-labor".

NTSC

Pronunciación: *en-ti-es-si.*

Significado: Acrónimo que significa *National Television Standards Committee* (Comité nacional de estándares para la televisión). Un comité que determina los estándares para el envío y recepción de las señales de televisión en la mayor parte del universo conocido, con excepción de Europa y Asia. El estándar NTSC para el envío de la señal es de marcos de 125 líneas con un refrescado de treinta veces por segundo por medio del video no entrelazado. El estándar Europeo PAL produce una reso-

lución y calidad de color mucho mayor que el estándar NTSC utilizado en Estados Unidos.

Enunciado: "Los estadunidenses han tratado por años de mejorar el estándar *NTSC*. Somos las personas que más observamos la televisión y quienes contamos con la peor calidad. ¡Queremos HDTV! (televisión de alta definición).

NuBus

Pronunciación: *nu-bos*.

Significado: Bus de la Macintosh que proporciona una transferencia más rápida de los datos que el viejo S-bus, además de apoyo para múltiples CPUs (véase también *bus, expansion slot* y *expansion card*).

Enunciado: "Esas personas Mac siempre han creado atractivos y nuevos programas con nombres más interesantes que las personas PC. Tienen nombres como *NuBus, Local Talk* y *System Error*".

NUL

Pronunciación: *nul*.

Significado: El nombre de un "dispositivo" DOS que no existe y que no es bueno, lo que significa que con seguridad esta es la primera vez que los programadores de Microsoft lo crearon debido a que es excelente para no hacer nada.

Enunciado: "Diríjase al *NUL,* vaya directo al NUL, no pase por Redmond, no compre acciones de la bolsa".

null (nulo)

Pronunciación: *nul.*

Significado: Un grupo vacío. Nada. A diferencia del número cero, null no tiene valor en lo absoluto, es como nuestra moneda (véase también *nil*).

Enunciado: "Los programadores utilizan con frecuencia un carácter *nulo* para cancelar una variable numérica, debido a que el número cero sí tiene un valor".

null modem (módem nulo)

Pronunciación: *nul-mó-dem.*

Significado: Conexión entre dos computadoras que no incluye un módem. Un módem nulo se logra por lo general con una conexión por cable, como en el caso de una computadora notebook y una de escritorio para realizar la transferencia directa de datos (véanse también *módem* y *cable*).

Enunciado: "He utilizado un *módem nulo* para copiar mi información calendarizada a mi computadora portátil antes de realizar este viaje de negocios. Después del viaje, cargaré la información de la computadora portátil a la computadora de escritorio".

NumLock

Pronunciación: *num-lok.*

Significado: Una tecla en los teclados estándar de las PCs que bloquea el teclado numérico entre las teclas de número y las de dirección. Cuando el bloqueo de número se encuentra activado, el teclado numérico produce números. Cuando el bloqueo de número está desactivado, las teclas numéricas actúan como teclas de dirección. Muchos teclados incluyen un segundo juego de teclas de dirección, con lo que podrá utilizar el teclado numérico para producir números y hacer que las teclas de dirección estén disponibles (véase también *numeric keyboard* y *CapsLock*).

Enunciado: "Cuando presiono la tecla *NumLock*, puedo introducir grandes cantidades de datos numéricos en mi programa de hoja de cálculo al utilizar el teclado numérico. Si sólo pudiera averiguar cómo hacer que el apuntador de celda se mueva hacia abajo cuando presiono Enter..."

number crunching (transformación de números)

Pronunciación: *nóm-ber krón-shing.*

Significado: Realización de numerosos cálculos y procedimientos en la computadora. La transformación de números es muy común en las aplicaciones financieras y de ingeniería.

Enunciado: "Luego de seis días de *transformación de números*, hemos descubierto que el cerebro humano no puede sobrevivir a base de café y pastelillos, por lo que hemos decidido salir a almorzar".

numeric format (formato numérico)

Pronunciación: *nu-mé-rik fór-mat.*

Significado: Estilo visual de desplegado de números. Diferentes formatos numéricos despliegan números para distintos propósitos. Por ejemplo, un formato de circulante despliega el número 567.899 como $567.90 y un formato de porcentaje despliega el número .25 como 25%. Los formatos numéricos se localizan por lo general en los programas de hoja de cálculo, con la finalidad de desplegar números con un propósito específico sin tener que cambiar el valor o la "forma verdadera" del número.

Enunciado: "He utilizado la característica normal *del forma-to numérico* en Excel para añadir algunos ceros extra en cada número de mi informe "El valor de la red". Debido a que los formatos numéricos no cambian en realidad los valores inferiores en la hoja de cálculo, no podríamos decir que esto es deshonestidad... ¿o sí?"

numeric keypad (teclado numérico)

Pronunciación: *nu-mé-rik ki-pad.*

Significado: Juego de teclas que por lo general se localiza a un costado de las teclas estándar de escritura e incluyen números y símbolos para una operación de diez teclas. El teclado numérico despliega números justo como lo haría una calculadora de diez teclas y le permite introducir grandes cantidades de datos numéricos en sus aplicaciones. Las computadoras notebooks con frecuencia insertan el teclado numérico entre las teclas estándar, con lo que se requiere de la función NumLock (de bloqueo de números) para tener acceso a ellas (véase también *NumLock*).

Enunciado: "Mi teclado incluye un *teclado numérico* a la derecha de las teclas normales. Ya que soy zurdo, he tenido que comprar un teclado numérico por separado, para colocarla a la izquierda de mi teclado. Ahora todo está bien derecho (¿o izquierdo?)"

O

object code file (archivo de código objeto)

Pronunciación: *ób-yekt koud fail.*

Significado: Paso intermedio que se utiliza cuando se escribe un programa. No es de manera exacta el programa final, es más parecido a algo escurridizo que se introduce al programa dentro de un capullo, gracias a otro programa denominado Linker.

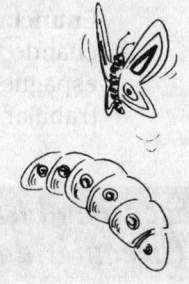

Enunciado: "Sólo esperamos a que Susan complete su *archivo de código objeto* para poder empacar el programa y ponerlo a la venta antes de probarlo para poder ver si funciona".

object-oriented (orientado a objetos)

Pronunciación: *ób-yect-o-rién-ted.*

Significado: Estilo de programación en el que se forman paquetes de instrucciones conocidos como objetos, de manera similar a la forma en que usted empaca pedazos de papel (billetes) en objetos denominados fajos. En la programación al estilo antiguo, se conoce como programación de procedimientos, donde el programador debe elaborar instrucciones una tras otra para que una acción conduzca a la siguiente. La programación orientada a objetos compacta las instrucciones en módulos autosuficientes. Por lo tanto, si usted ha escrito un código de objeto que despliega la fecha y la hora dentro de un cuadro en la pantalla, sólo tendrá que lanzar ese fajo de código dentro del programa y, vaya, pues funciona. Incluso podrá extraer ese trozo y transplantarlo a otro programa, en lugar de escribir un segundo programa desde el principio. Este modo de programación está favorecida por este tipo de versatilidad.

"La orientación a objetos también se aplica a las gráficas. Un elemento gráfico, digamos un círculo, se denomina objeto y se crea por medio de una fórmula que calcula y "dibuja"el objeto en la pantalla. Los objetos individuales podrán entonces ser manipulados sin tener que alterar el resto de sus dibujos".

Enunciado: "Trataba de manipular un *objeto* en la pantalla cuando me dí cuenta de que se trataba de un trozo de espagueti adherido al vidrio. Supongo que ya no debo trabajar y comer al mismo tiempo".

occasional irregularity (irregularidad ocasional)

Pronunciación: *o-kéi-sho-nal i-re-yiu-lá-ri-ti.*

Significado: Ocasiones en las que una computadora —o el programa que corre—, se altera o se detiene. Los síntomas no se repetirán para que usted pueda intentar resolver el problema, sólo suceden sin una causa aparente, es como llegar tarde al trabajo, olvidar el nombre de su esposa o los comentados OVNIS. La so-

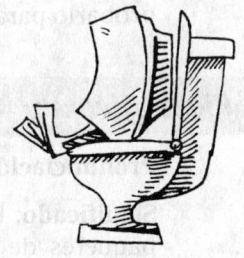

lución consiste en apagar la máquina por completo y reiniciarla (también pudiera funcionar con los humanos). Otra solución consiste en hacer que algún experto detecte el problema. Tales problemas sólo ocurrirán cuando usted se encuentre solo y no se repetirán para que otras personas los puedan observar.

Enunciado: "El problema de mi computadora es más serio que la simple *irregularidad ocasional,* es por eso que la llevaré con un especialista en Singapur".

OCR

Pronunciación: *ou-si-ar.*

Significado: Abreviatura de Optical Character Recognition (Reconocimiento óptico de caracteres). La habilidad que tiene una computadora (por medio de un programa especial) para observar una página de texto y reconocer las letras y las palabras con el objeto de traducirlas en un archivo computarizado para que usted no tenga que volver a escribir nada. El software OCR observa que una *A* es una *A,* y no sólo una colección de puntos que conforman una imagen. Esto es importante en ciertas ocasiones, por ejemplo, cuando usted cuenta con un módem de fax en su computadora y alguien le envía un documento por medio del fax. Si tiene software OCR, el fax será un documento que podrá editar. Si no cuenta con este tipo de software, su computadora pensará que el documento es sólo una gran imagen. OCR también significa Obvious Candidate for Rehabilitation (Candidato obvio para la rehabilitación), término utilizado para describir a ciertos programadores.

Enunciado: "Por medio del *OCR,* tal vez algún día las computadoras serán capaces de descifrar las recetas médicas".

octal

Pronunciación: *ok-tal.*

Significado: Base 8, donde los números van de cero al siete y el octavo valor se representa con el número diez. ¿Extraño, no es así? ¡Sí! Los humanos contamos con base 10, tal vez porque tenemos diez dedos en

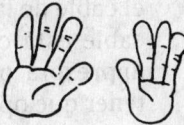

las manos. La base 10 utiliza números del cero al nueve y el diez representa el décimo valor. Octal, hey, es medio raro. Ya nadie lo utiliza, al menos nadie que tenga que ver con usted y sólo lo utilizaría si llegara a perderse en alguna universidad especializada o en una planta nuclear.

Enunciado: "Si los pulpos pudieran contar, con seguridad lo harían en base 8, en *octal*".

OEM

Pronunciación: *ou-i-em.*

Significado: Abreviatura de Original Equipment Manufacturer (Fabricante de equipo original). La compañía que fabrica las piezas con las que se ensamblan las máquinas que alguna otra persona vende. Por ejemplo, José Pérez puede fabricar las unidades de disco que se instalen en su compu-tadora, misma que vende el agente Jorge García. José es el OEM para las unidades de disco duro de Jorge. Muy pocos fabricantes de computadoras elaboran todos sus componentes.

Enunciado: "No obstante que las computadoras estadunidenses son las más avanzadas del mundo, la mayoría de las piezas son *OEMs* Japoneses".

off-line (fuera de línea)

Pronunciación: *of-lain.*

Significado: Desconectado de la computadora o, con seguridad, ni siquiera se molesta en poner atención a la computadora. Existe una diferencia entre encontrarse fuera de línea y estar desconectado. Si usted arroja a la basura el cable de la impresora, lo habrá desconectado. Pero si el cable está conectado, entonces tendrá que encender la impresora para ponerla en línea. Más adelante, pudiera tener que oprimir otro botón que le indique a la impresora que debe obedecer a la computadora, que también es "ponerla en línea".

Enunciado: "En ocasiones tengo que poner a mi impresora *fuera de línea* para poder avanzar una hoja de papel. En otras tantas tengo que poner a mi cerebro fuera de línea para poder tener algo de paz y tranquilidad".

offset

Pronunciación: *of-set.*

Significado: Consiste en permitir cierto espacio extra en los márgenes interiores de un documento creado por un procesador de palabras para que pueda ser encuadernado en un formato de libro. Tal libro deberá contar con un offset de alrededor de una pulgada, lo que permitirá que las páginas sean colocadas en unión. Si usted tuviera que arrancar una página para arrojarla al cesto de la basura, podría observar que existe más espacio en blanco en un lado que en el otro, esto se denomina offset.

Enunciado: "Hemos determinado un *offset* de seis pulgadas para este documento, en caso de que cometamos un error al encuadernarlo".

OK button (botón OK)

Pronunciación: *o-kei bó-ton.*

Significado: Las letras "OK" dentro de un pequeño rectángulo que se localiza en un cuadro de diálogo. Podrá utilizar su ratón para hacer clic sobre el rectángulo OK y, listo, podrá "presionar" el botón. También podrá "hacer clic" al botón OK si presiona la tecla Enter.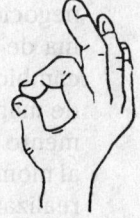

Enunciado: "Pienso que los *botones OK* que yo utilizo deberían llamarse 'bueno, qué importa'".

OK Corral (corral OK)

Pronunciación: *o-kay kó-ral.*

Significado: Lugar donde usted cuelga su sombrero, donde las reses se apretujan, donde los cielos no son nublados ni grises, donde las únicas palabras que se escuchan son 'hora de cenar', donde... ¡Maldición! ¡Me equivoqué de diccionario! Véase Arreo de rebaños para inexpertos.

Enunciado: "Ya es hora de cenar en el *corral OK.* Por favor haga clic en el botón OK".

OLE

Pronunciación: *o-el-i.*

Significado: Acrónimo de Object Linking and Embedding (Enlace e injertado de objetos). Actividad que se lleva a cabo mientras usted se encuentra en Windows. OLE significa que podrá insertar un documento (o parte de éste) creado por una aplicación dentro de un documento creado por otra aplicación, para después mantener un enlace vivo entre los dos. Por ejemplo, hagamos de cuenta que usted está en Windows, (¡por favor, basta de lloriqueos!) usted tiene un diagrama en Excel que desea incluir en una carta de negocios en Word. Con el enlace OLE, podrá pegar el diagrama de Excel a la carta en Word. Cada vez que realice un cambio de tal diagrama en el documento original Excel, éste de manera automática actualizará el diagrama en el documento Word. De otra forma, si diera un clic en el diagrama al momento de encontrarse en el documento Word, podría realizar cambios en el de Excel y esto actualizaría tanto el original como la versión enlazada. Con el injertado, podrá colocar una copia rigurosa del documento original en el documento de destino.

Enunciado: "Y ahora, Miguel pegará la fotografía del toro en su documento acerca de las corridas de toros. Aquí va. Clic, *¡OLE!*".

on-line (en línea)

Pronunciación: *on-lain.*

Significado: Conectado a una computadora específica. Por lo general se dice de la impresora que se encuentra conectada a su PC y lista para imprimir. Como podrá ver, es muy posible tener una computadora y una impresora conectadas en la toma de corriente eléctrica y conectadas entre sí y además hacer que las dos estén encendidas. Aun así, no funcionarán hasta que usted oprima ese botón especial de la impresora que la hace estar en línea. En cierta forma, en línea significa "nada de tapones para los oídos".

En línea pudiera también referirse al hecho de "estar conectado" a un servicio nacional de módem, como es el caso de Prodigy o CompuServe o incluso un BBS local. A pesar de que su computadora, su módem y su software pueden correr en forma simultánea, no estará en línea hasta que esté conectado con el servicio. Algunos de estos sistemas son denominados servicios en línea, debido a que quieren hacerle creer que están "en" funcionamiento durante todo el tiempo.

Enunciado: "Utilizo el servicio *en línea* CompuServe para obtener respuestas a todas mis extrañas preguntas acerca del software. Es algo así como un almacén de geeks de la computadora".

OOP

Pronunciación: *uup.*

Significado: Abreviatura de Object Oriented Programming (Programación orientada a objetos). Es un método de programación que crea objetos individuales de software que pueden ser utilizados una y otra vez en otros programas.

Aunque toma más tiempo el crear dos objetos, la habilidad para volver a utilizarlos en otros programas, reduce el tiempo de programación (véase también *object oriented*).

Enunciado: "Los lenguajes de programación como el C++ y el Pascal son ahora diseñados para proporcionar capacidades OOP. Por esto, ahora podrá escribir una parte de un programa y utilizarla en varios otros pro-gramas. Pero no deje las piezas sueltas por todas partes, o pudiera tropezarse con el *oop*".

open (abrir)

Pronunciación: *o-pen.*

Significado: Acceso a un programa o archivo, como si se abriera un libro para leerlo, un cuaderno para escribir en él, la puerta de un auto para golpearse la rodilla o una lata de atún si deseara comer una ensalada. Por lo tanto, si ha guardado su archivo BLOTCH.DOC y desea volver a trabajar con él, deberá iniciar el programa que creó el BLOTCH.DOC y después utilizar ese programa para abrir el archivo, cargarlo para su edición o cualquier otro procedimiento ridículo.

Enunciado: "Por favor no *abra* el archivo llamado 'GUSANOS.DOC'".

open architecture (arquitectura abierta)

Pronunciación: *o-pen ar-ki-ték-shur.*

Significado: Filosofía y práctica de la construcción de computadoras para hacer que el diseño y la ingeniería sean del conocimiento público. Esto invita a otros fabricantes y desarrolladores a incrementar la capacidad de la computadora con dispositivos periféricos, software y componentes internos. La teoría es, entre más trucos y características se encuentren disponibles en el mercado para funcionar con una computadora dada, mayores resultados podrá obtener el usuario y la máquina aumentará sus ventas como consecuencia.

La IBM ha practicado la arquitectura abierta con sus PCs y la compañía Sun Microsystems la ha practicado con sus estaciones de trabajo. La compañía Apple Computer se ha hecho famosa por NO practicarla. De hecho, la Apple se ha hecho notoria por hacer todo lo contrario, por gritar "¡Córtenles la cabeza!" siempre que alguien más fabrica algún producto que tiene una semejanza remota con un producto Apple. Aun así, la Macintosh se ha convertido más bien en una máquina "abierta" en la actualidad (véase también *architecture*).

Enunciado: "No obstante que la IBM tuvo la previsora idea de crear una *arquitectura abierta* para las PCs, no tuvieron la visión para darse cuenta de que los fabricantes de imitaciones les robarían la mayor parte de su negocio".

operand (operando)

Pronunciación: *ó-pe-rand.*

Significado: Valor, variable o factor en una ecuación, con el que el operador realiza su operación. En el enunciado 2+3=5, los números *2* y *3* son los operandos. Los signos + y el = son los operadores (véase también *operator*).

Enunciado: "Si usted elimina los símbolos de una ecuación matemática, lo único que quedará serán los *operandos*. Esto no suena muy útil, razón por la cual se trata de un concepto matemático".

operating system (sistema operativo)

Pronunciación: *o-pe-réi-ting sís-tem.*

Significado: El software que controla el hardware y que también corre sus programas. Algunos sistemas operativos comunes incluyen al DOS, el Sistema 7 para Macintosh, el OS/2 y el UNIX (Windows no es un sistema operativo por sí mismo, pues debe correr "sobre" DOS).

Enunciado: "Algunas personas que utilizan el *sistema operativo* DOS, añaden Windows para evitar los comandos DOS. Algunas de estas personas emplean programas como el Norton Desktop para evitar el uso de los comandos Windows. El 'evitar' es una parte importante de la computación".

operator (operador)

Pronunciación: *o-pe-réi-tor.*

Significado: Símbolo que representa una operación matemática. El contexto usual se encuentra dentro de un programa de software o de un lenguaje de programación. Los operadores comunes son:

+   suma.
-    resta.
*   multiplicación.
/   división.

Además de estos operadores matemáticos, existen muchos otros tipos. Los operadores relacionales, por ejemplo, prueban las relaciones entre los valores, de la siguiente manera:

<   menor que.
>   mayor que.
=   igual a.
<=   menor o igual que.
>=   mayor o igual que.
<>   diferente a.

Enunciado: "En mi hoja de cálculo, utilizo los *operadores* matemáticos para producir una hoja de trabajo para mi presupuesto. Después, uso los demás operadores para cubrir mi malversación de fondos".

optical (óptico)

Pronunciación: *óp-ti-kal.*

Significado: En general, se refiere a la luz o a la visión. Por ejemplo, cuando usted tiene una ilusión óptica, significa que ha observado algo que no existe, tal como el sistema nacional para el cuidado de la salud.

Enunciado: "El otro día, Windows surgió de pronto —splat— justo sobre la pantalla. Estoy seguro de que en esa ocasión sólo experimenté una ilusión *óptica*".

optical disk (disco óptico)

Pronunciación: *óp-ti-kal disk.*

Significado: Medio de almacenamiento para la computadora (unidad de disco) que opera por medio de rayos de luz digitalizados, esto es, rayos láser. Eso suena tan genial, que supongo debe haber alguna desventaja, y no sólo una, sino dos: la velocidad y el precio; los discos ópticos son lentos y muy caros, no obstante que pueden almacenar una gran cantidad de información. Los discos ópticos son algo semejantes a la tecnología CD-ROM. El punto que debemos alabar respecto a las unidades de disco óptico, es su capacidad de almacenamiento, que es mucho más grande que la de una unidad de disco magnético, como la suya.

Enunciado: "No me gusta la manera en que me mira ese nuevo *disco óptico*".

optical mouse (ratón óptico)

Pronunciación: *óp-ti-kal maus.*

Significado: Los primos lejanos de los tres ratones no ópticos, o "ciegos", que tenían sus colas... ay,ay,ay, ¡me volví a equivocar de diccionario! Véase también Cuentos infantiles para inexpertos. En términos computacionales, un ratón óptico es un dispositivo apuntador que utiliza un rayo de luz para rastrear la posición del cursor en la pantalla. Los ratones normales usan una bola mecánica que rueda para detectar el movimiento. El rayo de luz de los ratones ópticos se emplea con una almohadilla especial de tipo rejilla que refleja ese rayo (en realidad, el ratón de tipo mecánico también utiliza cierta tecnología óptica, pero de manera interna. Un ojo electrónico observa la bola que rueda y esta es la manera en la que el ratón detecta el movimiento. Muy interesante, ¿no está de acuerdo?).

Enunciado: "Si su *ratón óptico* se pierde, necesitará una trampa óptica especial para poder atraparlo".

optimize (optimizar)

Pronunciación: *óp-ti-maiz.*

Significado: Consiste en personalizar el software o el hardware a fin de que sirva al usuario en su máxima capacidad. El objetivo estriba en hacer que la maquinaria corra más rápido y de manera más eficiente. Esto puede incluir el deslizar porciones del software en diferentes partes de la memoria de la computadora, volver a escribir fragmentos de las aplicaciones de software e incluso manipular los controles de su panel de controles en el escritorio.

Enunciado: "Microsoft Windows ha obtenido su excelente reputación en parte debido a que carga su unidad de disco duro con imágenes gráficas que pueden ser utilizadas como 'papel tapiz'. Si piensa que puede trabajar sin usar estas imágenes, podrá *optimizar* Windows al deshacerse de todos los archivos con imágenes".

Option key (tecla Option)

Pronunciación: *óp-shon ki.*

Significado: Tecla que se localiza en los teclados Apple. Podrá utilizarla de manera conjunta con un número variado de otras teclas con la finalidad de ejecutar funciones especiales, justo a la manera de las teclas Alt, Shift y Ctrl. A semejanza de la tecla Shift, la tecla Option no realiza ninguna función por sí misma. Un ejemplo: en Word para Mac, el presionar la tecla Option y la tecla con el número ocho le darán el carácter de bala, como resultado. Option-* resultará en un pequeño carácter de muchacho malo. Si presiona Shift-Option-Enter podrá dispararle a ese chico malo con una bala. Por último, presione Ctrl-Option-B para limpiar el desorden que produjo esta matanza.

Enunciado: "Si presiono *Option*-S, podré guardar mi documento. Si oprimo Shift-Option-S, habré guardado todos mis documentos abiertos. Si presiono Ctrl-Shift-Option-S, habré conseguido un calambre en la mano".

orphan (huérfana)

Pronunciación: *ór-fan.*

Significado: Primera línea de un párrafo que es abandonada en la parte inferior de una página, mientras que el resto de las líneas continúan en la página siguiente. Las dimensiones de esta tragedia han llegado a tales proporciones que los desarrolladores del software para distribución de páginas han incluido capacidades de servicio social en sus programas, con la finalidad de rescatar a los huérfanos de este apuro. El término también se aplica a una computadora, por lo general uno de los modelos antiguos, que ya no es fabricado ni recibe apoyo por parte de la compañía que alguna vez lo anunció como la "revolución tecnológica" hace algunos años. Esto sucede con todas las computadoras, tarde o temprano.

Enunciado: "Tened piedad de aquellos que posean computadoras O Osborne. Y también de los mancebos que posean Adam, Atari y las ancestrales Radio Shack. Despedid a los gentiles propietarios de las Apple II, Apple III y Lisa. Un adiós muy grande a la multitud de las olvidadas PCs, nuestra desaprobación para los *huérfanos* de la era electrónica".

OS/2

Pronunciación: *o es tu* (acrónimo de la marca de casa que significa Sistema Operativo/2).

Significado: Sistema Operativo desarrollado por IBM en conjunción con Microsoft para las computadoras PC. Tenía que ser el siguiente sistema operativo, el que remplazaría y tendría un gran éxito al continuar con los pasos de DOS. Esa predicción y 75 dólares podrían comprar un terreno pantanoso en Florida. A pesar de las fanfarrias iniciales, pocos desarrolladores crearon aplicaciones para OS/2, así que cuando apareció Windows, acaparó por completo el espectáculo. Es como si IBM brindara una fiesta a la que nadie asistiera. Ahora, Windows NT promete poner el último clavo en el ataúd de OS/2. OS/2 puede correr tanto aplicaciones de Windows como de DOS. OS/2 ha ganado popularidad entre la gente de negocios, pero no parece que pueda llenar los zapatos de DOS.

Enunciado: "Algún día, tal vez, *OS/2* remplazará el término 'elefante blanco' como algo grande y creado con buena intención, pero tan inútil como el que más".

outline font *(fuente hueca)*

Pronunciación: *aut-lain font.*

Significado: Tipo de escritura que es sólida en sus bordes y hueca en el interior. Se utiliza para realizar carteles y encabezados, pero no para la escritura regular. Algunas familias de fuentes le dan la opción de crear una escritura hueca a partir de una regular. Por ejemplo, Times Roman puede convertirse en Times Roman Outline. Las fuentes huecas mantie-nen el estilo y proporción de las fuentes regulares a partir de las cuales fueron creadas (véase también *font family*).

Enunciado: "Los niños adoran las *fuentes huecas* porque pueden iluminar el interior con sus crayones".

outliner software
(software de bosquejo)

Pronunciación: *aut-lai-ner sóft-wer.*

Significado: Software que puede crear el tipo de bosquejo que usted solía hacer en sus tarjetas de 3x5 pulgadas cuando aprendía la manera de organizar sus composiciones en la preparatoria. Esos números romanos seguidos de letras mayúsculas, seguidas de números arábigos, seguidos de letras minúsculas lo transportarán en el tiempo. En los viejos tiempos, no tan viejos como sus días de preparatoria, este tipo de software fue una aplicación por separado del procesamiento de palabras. En estos tiempos de iluminación, usted podrá crear bosquejos en el mismo programa que utiliza para escribir cartas y novelas. Por ejemplo, WordPerfect incluye una característica de bosquejos, aunque son pocas las personas que se molestan en emplearla.

Enunciado: "Hemos usado *software de bosquejo* para organizar los esquemas de este nuevo diccionario. Dan y Wally crearon las letras, pero fue Chris quien de manera terminante sugirió que utilizáramos la característica alfabética para la organización. Gracias, Chris".

output (salida)

Pronunciación: *aut-put.*

Significado: Es el resultado que la computadora escupe después de masticar la información que usted le proporciona. La salida puede encontrarse en forma de caracteres sobre la pantalla, sonido de voces o papel impreso que emerge de la impresora. Las máquinas que nos proporcionan estos datos son denominadas dispositivos de salida (véanse también *Input, BIOS* y *BUS*).

Enunciado: "Cuando su entrada es concebida de una manera muy pobre, no deberá sorprenderse si su *salida* no es más que basura".

overflow (desbordamiento)

Pronunciación: *ó-ver-flou.*

Significado: Es para la memoria lo que un río demasiado caudaloso es para un pequeño dique. Sólo que, el agua vuelve  a su nivel, mientras que el desbordamiento de la memoria puede hacer que una computadora se detenga en seco, ¡o peor aún, el exceso de bits pueden inundar la parte posterior de su PC, escurrirse al piso y trepar por sus piernas para morderlo! El desbordamiento se origina debido a que los datos que usted introduce utilizan un espacio mayor al que el programador ha destinado para ese propósito. Por ejemplo, si el programador ha establecido diez caracteres para que usted escriba su apellido y su apellido es Zinzinburger. Demasiados caracteres equivalen a un desbordamiento. Solución: haga que su proceso sea más pequeño o que el espacio en el programa sea mayor (por lo general, este no es nuestro problema, sino del programador).

Enunciado: "Cuando la computadora le haga llegar un mensaje de *desbordamiento,* tome dos aspirinas, reinicie su computadora y llame a un programador a la mañana siguiente".

overhead (carga extra)

Pronunciación: *ó-ver-jed.*

Significado: Es similar a lo que sucede en la vida real: los recursos que usted necesita para permanecer en operación, en este caso, medidos en RAM, megabytes, velocidad de procesamiento y capacidad I/O. En su mayoría se refiere a los requerimientos de un programa para poder correr en su PC. Algunos programas pueden necesitar 640 K de RAM, 5 MB de espacio en el disco duro, además de tarjetas especiales para gráficas e impresoras.

Enunciado: "El trabajar con gráficas requiere de mucha *carga extra,* ¿no le parece que hay una conspiración entre los almacenes que venden el hardware y las personas que escriben el software?"

overlay (sobreposición)

Pronunciación: *ó-ver-ley.*

Significado: Esta es una forma sofisticada para hacer trampa con un programa cuando este es demasiado grande para caber en la memoria de un solo golpe. Lo que se tiene que hacer en estos casos, es dividir el programa en módulos y sobreponerlos en la memoria, por medio de un intercambio de fragmentos del programa entre la RAM y el disco (véase también *Murphy's Law*).

Enunciado: "Solían utilizar la tecnología de la *sobreposición* para salvar las limitaciones de RAM. Ahora podemos utilizar la ley de Parkinson para la programación: "expanda su programa hasta llenar toda la RAM que se encuentre disponible".

owner (propietario)

Pronunciación: *óu-ner.*

Significado: Es la persona que ha pagado por el software, en contraste con las docenas de personas que utilizan copias piratas. Si usted tuviera que buscar esta palabra en el diccionario, diríjase a la palabra *pirata* para tener una imagen más exacta.

Enunciado: "Si usted es en realidad el propietario de este paquete de software, ¿cómo es posible que la pantalla introductoria diga 'Bill Clinton, la Casa Blanca'?"

P

p-code (código p)

Pronunciación: *pi-koud.*

Significado: El código p sólo tiene relevancia para el viejo sistema operativo p, por cierto, hemos hecho una apuesta de diez dólares a que la mitad de ustedes nunca han escuchado nada acerca del código p. Con el sistema p, un programador podía compilar un programa, por lo general escrito en Pascal, para convertirlo en código p, que es una especie de abreviatura para la palabra pseudocódigo. El código p puede ser traducido por el intérprete del sistema para convertirlo en el lenguaje que el microprocesador de la PC comprenda mejor. Esto significaba, en teoría, que el código p era capaz de correr en cualquier computadora, siempre y cuando tal computadora corriera con un sistema p. ¿P, ha comprendido? (Véase también *pseudocode.*)

Enunciado: "Ya que el sistema p pasó a mejor vida al principio de la década de los ochentas, *el código p,* ya no es un término de utilidad, a menos que dé una nueva definición para indicar el código problemático o instrucciones de programación que el perro no comprendió para recoger el periódico".

paddle

Pronunciación: *pá-dol.*

Significado: Dispositivo de entrada, como un *joystick,* que se utiliza con frecuencia para usar los videojuegos en la computadora. El paddle es una especie de perilla que podrá girar y rotar en cualquier sentido (véase también *joystick*).

Enunciado: "Mi programa de simulador de vuelo me permite utilizar un *paddle* para controlar la nave, pero aún no he podido lograr que ésta despegue del suelo".

page (página)

Pronunciación: *peish.*

Significado: 1) Como en nuestro idioma regular, es la unidad electrónica de texto que corresponde a una página de la vida real. El modo por omisión es de 8.5 por 11 pulgadas, pero usted podrá cambiar tales medidas en su software de distribución de página o de procesamiento de palabras. Incluso si su monitor es demasiado pequeño para acomodar una página de estas dimensiones sobre la pantalla, la computadora reconocerá el principio y el final de la página y lo comunicará a la impresora. 2) Porción de RAM que actúa como unidad que puede ser intercambiada de ida y vuelta hacia el disco o cualquier lugar en la memoria (véanse también *expanded memory printer* y *page break*).

Enunciado: "Una característica a favor de las *páginas* en la computadora, es que pueden ser recicladas una y otra y otra vez. Los líderes de los movimientos ecologistas deben sentirse muy felices. Abracemos a un árbol".

page break (salto de página)

Pronunciación: *peish breik.*

Significado: En el procesamiento de palabras, es el punto en el cual una página se marcha y otra comienza. Existen dos formas de llevar a cabo este proceso: los saltos suaves de página y los saltos duros de página. Una interrupción suave de página sucede de manera automática al momento de llegar al último carácter de la última línea sobre la página. Si se añade o se elimina texto (o gráficas, si este es el caso) de la página, el salto cambiará de acuerdo con esta acción, lo que creará un espacio para incluir un nuevo segmento de texto. Un salto duro de página es el que usted mismo coloca en un lugar preciso. La nueva página siempre tendrá su inicio en ese punto, aun si se añade o se elimina material antes del salto de la página (véanse también *page* y *printer*).

Enunciado: "Como deseaba que mi trabajo final contara con veinte páginas y yo sólo tenía siete de ellas, aumenté el tamaño de la letra y coloqué una gran cantidad de *saltos duros de página*".

Page Down key (tecla Page Down)

Pronunciación: *peish daun kii.*

Significado: Una glorificada tecla del cursor que lo mueve (hacia abajo) en el documento, con la longitud exacta de una página por cada ocasión que esta tecla es presionada. Dependerá del programa si una "página" es la cantidad de información que cabe sobre la pantalla o el tamaño de una página real. Con frecuencia se abrevia PgDn (véase también *Page Up key*).

Enunciado: "Página, bájate de mi rodilla, ¡fuera de aquí!, ¡ahora mismo! ¡Abajo, página!, ¡página, abajo!"

page frame (marco de página)

Pronunciación: *peish freim.*

Significado: El marco de página es un lugar en la memoria donde se almacena un puñado de páginas de la memoria, algo semejante al almacenamiento de cubos de hielo en el congelador. Esto tiene lugar en una PC cuando se utiliza la memoria expandida. Para tener acceso a la memoria extra, es necesario crear un marco de página. Mediante ese marco, las páginas individuales de la memoria son almacenadas para tener acceso a la memoria expandida. ¿Por qué es tan complicado? DOS carece de una verdadera solución para el manejo de la memoria, con la finalidad de que los geeks puedan presentar conceptos tan oscuros como el de las páginas y los marcos de página. Estos son algunos de los aspectos vitales:

Una página contiene 16 K de memoria.

El marco de página contiene cuatro pedazos de 16 K de memoria. En ocasiones contiene muchos más pedazos de memoria.

El marco de página se localiza en la "memoria superior".

El marco de página vuelve loco a todo el mundo.

No necesitará un marco de página si ninguno de sus programas utiliza la memoria expandida (véase también *expanded memory*).

Enunciado: "Esa memoria luce fea y triste aquí sentada. *Enmárcala* y dime lo que piensas".

page layout (distribución de página)

Pronunciación: *peish lei-aut.*

Significado: Diseño del texto y de las gráficas en una página impresa y el software con el que la creó, denominado comúnmente *Desktop Publishing* (DTP) software (software para autoedición). La mayoría de los programas de software a partir de los cuales se puede imprimir como es el caso de los procesadores de palabras, las bases de datos y las hojas de cálculo, incluye algún tipo de capacidades para lograr distribución de página. En el procesamiento de palabras, po-

drá establecer los márgenes y especificar el tipo de escritura; en una base de datos, podrá elegir el lugar donde los campos serán colocados con respecto a los demás; en las hojas de cálculo, podrá ajustar la anchura de las columnas y la altura de los renglones. Esto es lo que se denomina distribución de página.

Sin embargo, para las funciones más avanzadas en la distribución de página, tendrá que dirigirse al software de autoedición, como el PageMaker, Ventura Publisher o QuarkXpress. Las aplicaciones de este tipo le proporcionan un control de precisión sobre los elementos de su diseño con relación entre sí, como es el caso de la colocación de texto alrededor de una gráfica o la reducción o aumento del tamaño de un elemento con respecto a los objetos que lo rodean. La mayoría de los programas DTP le permite "importar" archivos de procesamiento de palabras, de gráficas, de base de datos o de hoja de cálculo que hayan sido creados con anticipación, con la finalidad de pulir su presentación (véase también *desktop publishing software*).

Enunciado: "Deseaba iniciar mi propio periódico llamado *Crónica de las computadoras para inexpertos*, pero me dí cuenta que necesitaba algo de software de *presentación de página* y alrededor de cuarenta mil años para aprender a utilizarlo".

Page Up key (tecla Page Up)

Pronunciación: *peish op kii.*

Significado: Es lo opuesto de la tecla Page Down (para bajar la página). Esta tecla lo moverá una página a la vez, en retroceso a lo largo del documento hasta llegar al principio del mismo. Con frecuencia se puede observar la etiqueta PgUp sobre la tecla mencionada (véase también *Page Down key*).

Enunciado: "Si ya se encuentra al principio del documento, el presionar la tecla *Page Up* no lo llevará a ninguna parte".

pagination (paginación)

Pronunciación: *pa-yi-néi-shon.*

Significado: Es el acto de crear páginas donde éstas no exis-
tían con anterioridad. Ya que todo lo que imprima aparecerá de manera eventual sobre una hoja de papel —una
página— el arte de la paginación le muestra justo sobre la
pantalla el lugar donde deben ser colocadas esas páginas,
antes de realizar la impresión. También le permitirá observar en qué lugar aparecerán las secciones y títulos de su
documento para que usted pueda realizar ajustes menores
de distribución con la finalidad de asegurarse que todo
lucirá como mandado a hacer cuando realice la impresión
final.

Enunciado: "Si no puedo averiguar cómo funciona la *paginación* en mi programa de procesamiento de palabras,
tendré que imprimir mi novela completa en un solo rollo".

paint (pintura)

Pronunciación: *peint.*

Significado: Tal como en la vida real, con la diferencia de
que en la computadora, la pintura no está fresca, lo que
significa que no se necesita dejarla secar una vez terminado
el proceso. Los programas de pintura le proporcionan las
"herramientas" que le permitirán dibujar en forma electrónica y sobre la pantalla de la computadora efectos diferentes, como los tamaños diferentes de pinceles, rodillos (para
las áreas más grandes), latas de aerosol, etc. Los artistas en
ocasiones se sienten abrumados al observar los pequeños
controles de precisión con los que cuentan al tener un
programa gráfico de pintura y un ratón. La sensación es
comparable a pintar con las manos enfundadas en pesados
guantes para la nieve. Si usted todavía no es un artista, lo
sorprenderá la facilidad que brinda el utilizar la computadora para pintar —podrá cometer una infinidad de errores
y realizar todas las enmiendas que quiera sin crear hoyos en
el papel o dejar una enorme plasta de "colores" como el café

baño de lodo o gris lóbrego. ¡Los programas de pintura varían desde el Paintbrush que se incluye con Windows, hasta los paquetes profesionales como el Aldus Freehand y el CorelDraw!

Enunciado: "Con ese nuevo modo del terciopelo negro en el programa de *pintura* Adobe Ilustrator, vamos a lograr que la sociedad de pintores de Elvis en Tijuana, se retire del negocio".

palette (paleta)

Pronunciación: *pa-lét.*

Significado: Selección de colores disponibles en un programa de pintura o dibujo. La paleta se encuentra limitada en cierta forma por su hardware, en especial por su tarjeta del monitor y de gráficas. Algunos colores le serán proporcionados y otros más tendrá que mezclarlos usted mismo. Las paletas también pueden almacenar patrones de llenado, estilos de bordes y otros tipos de asuntos relacionados con la pintura.

Enunciado: "Tengo tantos colores en esta paleta, que han llenado toda la pantalla y sólo me queda un área de dos pulgadas para realizar mi dibujo".

pane (panel)

Pronunciación: *pein.*

Significado: Porción de la ventana que ha sido dividida en varias secciones. Por ejemplo, en Excel usted cuenta con una sola ventana y podrá ver su hoja de cálculo dentro de la misma. Más adelante, podrá crear hasta cuatro paneles en la ventana para dividirla tanto de manera horizontal como vertical. Diferentes partes de su hoja de cálculo o documento podrán ser desplegadas en paneles diferentes. El resultado final será con seguridad algo similar a la visión que tienen esos seres de ojos independientes, las iguanas, pero le ayudará a poder analizar grandes documentos y hojas de cálculo de una manera más fácil (véase también *window*).

Enunciado: "He viajado por los mares, he surcado los cielos, pero nunca he visto una ventana que llore a causa de sus *paneles*".

paper-white B/W VGA monitor (monitor de hoja blanca B/W VGA)

Pronunciación: *pei-per wait vi-yi-ei mo-ni-tor.*

Significado: Monitor VGA cuyo desplegado se aproxima a la blancura de una hoja de papel y proporciona texto y gráficas de color negro. ¡Pero, espere!, ¡hay más aún! Debido a que el monitor de hoja blanca también cuenta con diferentes tonalidades de gris, desde 4, 8, 16 hasta 32 sombras, es mucho más apegado a la realidad que un monitor monocromático, que por lo general sólo presenta texto de color verde o ámbar sobre un fondo negro. ¡Qué aburrido! Los monitores de hoja blanca son un buen auxiliar y con frecuencia son más fáciles de leer que algunos malos monitores de color, ¡ah, justo como el que usted tiene enfrente! (véase también *VGA monitor*).

Enunciado: "Ahora que he mejorado mi equipo al adquirir un *monitor de hoja blanca*, puedo tener el mismo tipo de bloqueo mental que padezco cada vez que deseo escribir algo sobre una hoja de papel en blanco".

parallel (paralelas)

Pronunciación: *pá-ra-lel.*

Significado: Dos líneas que nunca se tocan, a menos que no mire con atención o que usted se llame Albert Einstein. ¿Qué son las paralelas? Dos líneas que viajan en la misma dirección y que nunca se cruzan para saludarse. Con su PC, este término entra al juego en los puertos en paralelo, tema que se trata algunas líneas en paralelo hacia abajo después de este punto.

Enunciado: "En realidad, el universo no es *paralelo*. Si un tren viaja sobre rieles paralelos que acompasan al universo y usted espera alcanzar el tren de las 4:15 con destino a Filadelfia, pudiera verse a sí mismo descender de ese mismo tren acompañado por una extraña mujer, para pedirse a sí mismo cuarenta dólares prestados para no volver a verse el rostro en toda su vida".

parallel port (puerto paralelo)

Pronunciación: *pá-ra-lel port.*

Significado: Enchufe que se encuentra en la parte posterior de su computadora para que usted pueda conectar algún dispositivo, por lo general, una impresora. El otro tipo de puerto en las computadoras, es el puerto serial. Cuando un dispositivo se conecta al puerto paralelo, significa que los datos viajan a altas velocidades a través de circuitos en paralelo en las entrañas de su computadora. Los puertos en paralelo son conocidos por su alta velocidad en la transferencia de datos, pero se vuelven inservibles al transmitir con grandes distancias (véanse también *printer* y *serial port*).

Enunciado: "El manual decía que tenía que conectar las impresoras en *puertos paralelos*, así que las acomodé de tal manera que ambas miraran hacia la puerta de entrada".

parallel processing (procesamiento en paralelo)

Pronunciación: *pá-ra-lel- pro-sé-sing.*

Significado: Hacer que la computadora pueda pensar en más de una cosa a la vez, lo cual puede ocasionar una conducta neurótica, como sucede con los humanos. En la práctica, el procesamiento en paralelo se logra al contar con procesadores en paralelo, que es en esencia el único caso en que las computadoras son mucho más poderosas que la PC o Macintosh promedio. Los modelos más avanzados de cualquier tipo de computadora pueden utilizar hasta varios miles de procesadores en paralelo, en comparación con la computadora común de escritorio que sólo cuenta con un miserable procesador. El procesamiento en paralelo es la base de la inteligencia artificial, esto es, aquellas computadoras que de verdad pueden decir "¡Bah!"

Enunciado: "Las supercomputadoras, que tienen una velocidad y un poder increíbles utilizan algo que se denomina *procesamiento en paralelo* a nivel masivo. Yo nunca pensé que una cosa pudiera ser más paralela que otra".

parameter (parámetro)

Pronunciación: *pa-rá-me-ter.*

Significado: Valor, que puede ser números, letras o cualquier otro carácter, que usted introduzca en un enunciado o ecuación como, por ejemplo, una opción. El comando DOS FORMAT va seguido de un parámetro de "manejo". Esto es, una letra manejadora que le indica al comando FORMAT dónde se localiza el disco que se desea formatear. Parámetro es sólo una manera elegante de decir "esa cosa que se pone al final de un comando". También podrá utilizar los parámetros cuando realice una búsqueda de información. Por ejemplo, Cornelia puede introducir los parámetros "alta", "fea" y "peluda" en la base de datos de la computadora para buscar al hombre de sus sueños (véase también *option*).

Enunciado: "¿Qué le parece este mensaje de error?: optional required *parameter* missing (Parámetro opcional necesario, faltante). ¿Cómo es posible que algo necesario pueda ser opcional?"

paren (s) (paréntesis)

Pronunciación: *pá-renz.*

Significado: Modismo que se utiliza para designar a los paréntesis. En ocasiones tendrá que utilizar una gran cantidad de ellos y no deseará desperdiciar su aliento en sílabas extra. Se usan en los cálculos matemáticos de la programación, entre otras cosas. Por cierto, paren no es la versión singular de paréntesis.

Enunciado: "No sé por qué no funcionó esa ecuación. Agrega algunos *parens* por aquí y por allá y tal vez funcione".

parent/child (padre/hijo)

Pronunciación: *pá-rent shaild.*

Significado: Esto describe la relación (¡qué bello!) entre ambas categorías de información que pueden ser archivos, directorios, niveles de distribución o familias. El hijo es una subcategoría del padre (véase también *child process*).

Enunciado: "En mi distribución, 'cosas para comer' es el tema padre del tema 'dulces'. 'Dulces' es el hijo de 'cosas para comer'. Esto es más que una justificación de los productos que introduzco en mi boca para mi alimentación".

parity (paridad)

Pronunciación: *pá-ri-ti.*

Significado: Una forma de probar si los datos son correctos o no, al contar el número de bits (durante el proceso de la transmisión de datos). El número podrá ser par o non, y la información deberá ser guardada y comparada con cálculos subsecuentes que también deberán verificar si el número es par o non. Si no es así, no existirá una paridad y la computadora hará una mala cara para indicar su desaprobación (véase también *parity bit*).

Enunciado: "Está bien, Ivan, si tienes las suficientes armas nucleares como para destruir el mundo 530 veces y yo tengo las suficientes reservas como para destruirlo 488 veces, sin contar los extras, desde luego, supongo que hemos logrado una paridad, ¿o no?"

parity bit (bit de paridad)

Pronunciación: *pá-ri-ti bit.*

Significado: Bit extra que se incluye para verificar la paridad en los bytes de datos. El arreglo se especifica para que, digamos, si un bit de paridad tiene un valor de uno, eso significa que la paridad es non (existe un número non de unos en los ocho bits que se monitorean), si el valor es cero, entonces será par (véase también *parity*).

Enunciado: "Me burlé de la palabra *paridad* y escribí una parodia, pero mi módem me mordió".

park (estacionado)

Pronunciación: *park.*

Significado: Consiste en inmovilizar las cabezas de su unidad de disco duro para que no vibren y se dañen al mover la computadora. No debe ser confundido con el estacionamiento en paralelo, es fácil confundirse debido a que hay demasiadas cosas en paralelo que se relacionan con la computadora. En la actualidad, la mayoría de las unidades de disco duro se estacionan en forma automática al apagar la computadora (véanse también *head* y *head crash*).

Enunciado: "En la mayor parte del país, cuando desee asegurarse de que su computadora está a salvo, deberá *estacionar* la unidad de disco duro. Sin embargo, en el pueblo de Hahvuhd Squai-uh, deberá estahionar hu uhidad de hisco huro".

parse (análisis gramatical)

Pronunciación: *pars.*

Significado: 1) En la programación, se origina cuando un compilador especifica en qué "parte del discurso" se encuentra cada componente de la instrucción y actúa sobre éste de manera acorde. 2) En las hojas de cálculo, es la función que se utiliza para distribuir los datos importados de otras aplicaciones en campos separados de una nueva hoja de cálculo. 3) De manera genérica, es el acto de dividir un grupo de ítems (como un enunciado de palabras) en componentes individuales (véase también *compiler*).

Enunciado: "He tratado de realizar un *análisis gramátical* en la hoja de cálculo que importé de Lotus, pero el programa no supo dónde separar los números, así que ahora sólo tengo 'sopa de números'".

partition (partición)

Pronunciación: *par-tí-shon.*

Significado: Sección de un disco duro que es separada para ser utilizada con un sistema operativo específico, o el acto de separar la unidad de disco duro en secciones de este tipo (uno de esos verbos que se desvían para crear un sustantivo). Véanse también *hard disk* y *logical drive*.

Enunciado: "Tomó tanto espacio el ajuste de la *partición* de mi disco duro, que ahora ya no tengo espacio para instalar el sistema operativo".

Pascal

Pronunciación: *páss-kal.*

Significado: Lenguaje de programación utilizado de manera principal para enseñar los conceptos de la programación, con comandos que son semejantes a las palabras en el idioma inglés, aun si no se enlazan de la misma manera. Nombrado así en honor del filósofo-matemático del siglo XVII, Blas Pascal, este lenguaje fue creado por Niklaus Wirth a principios de la década de los setentas.

Enunciado: "Incluso un programador principiante debe ser capaz de escribir programas en *Pascal*".

password (contraseña)

Pronunciación: *pás-word.*

Significado: Es como decir "Ábrete sésamo" a la computadora. Por lo general se utiliza en una red de computadoras, donde se requiere una contraseña para tener acceso a ciertas partes de la red o en un BBS, donde se necesita a fin de tener acceso a un foro. Sin embargo, también podrá usar las contraseñas para proteger sus archivos individuales.

Enunciado: "Lucy quería asegurarse de recordar su *contraseña*, así que la escribió sobre un papel con grandes letras y lo pegó junto a su computadora", sugerencia para los usuarios: este hecho anula por completo el propósito de la contraseña.

paste (pegar)

Pronunciación: *peist.*

Significado: Inserción de un ítem que ha sido cortado o copiado de otro lugar con anticipación. El ítem puede ser texto, gráficas, registros de una base de datos, una columna de números de una hoja de cálculo, etc. El ítem mencionado ha sido cortado o copiado en la tierra mística de la nada llamada portapapeles hasta que se realice el siguiente evento de corte o copiado. Más adelante, usted podrá pegar la información de su portapapeles al documento (véanse también *clipboard, copy, cut* y *cut and paste*).

Enunciado: "Si desea pegar una parte de mi documento en su trabajo, al menos asegúrese de que las fuentes coincidan, para que su profesor no sospeche".

path (trayectoria)

Pronunciación: *pat.*

Significado: También conocida como enunciado de trayectoria, la trayectoria es insertada en el archivo AUTO-

EXEC.BAT de DOS, seguido de los nombres de todos los directorios que el usuario especifique. Ahora podrá iniciar sus aplicaciones desde el interior de cualquier subdirectorio en DOS sin tener que escribir el nombre de trayectoria completo. Este es un típico enunciado de trayectoria:

```
PATH=C:\DOS;C:\WINDOWS;C:\WINWORD;C\EXCEL
```

(Véanse también *path statement* y *path name.*)

Enunciado: "Cuando dije que quería tener acceso a mi programa de contabilidad sólo desde el interior del directorio C:\PROGRAMS\ACCT, me indicaron que actualizara mi *trayectoria*. He podido arreglar mi jardín y luce genial, pero todavía no logro tener acceso a mi programa de contabilidad desde ningún directorio".

path name (nombre de trayectoria)

Pronunciación: *pat neim.*

Significado: Es la ruta que sigue la computadora para llegar a un archivo específico, deletreado con agudo detalle. En ocasiones, los programas necesitan que usted deletree con sumo cuidado el nombre de trayectoria. Deberá incluir: la  letra que designa la unidad de disco, dos puntos, una diagonal invertida, nombre del directorio, nombre de cualquiera de los subdirectorios y nombre real del archivo.

De esta manera:

```
C:\PROGRAMS\GRAPHICS\PAINT.EXE
```

Cuando abra o guarde algún archivo, por lo general necesitará especificar la trayectoria del directorio (o nombre de trayectoria) para que el archivo identifique de dónde viene o a dónde va. En Windows, podrá especificar el nombre de trayectoria al escribirlo como se muestra o al continuar su camino por las carpetas que representan los directorios en un enunciado de trayectoria. En las computadoras Macintosh, las trayectorias no son un punto clave, no obstante que una intrincada masa de carpetas toma su lugar (véase también *path*).

Enunciado: "El *nombre de trayectoria* que lo llevará al archivo que contiene el manuscrito de este libro pudiera ser `c:\WINWORD\DUMMIES\P.DOC`. Pero no lo es; es algo muy diferente, así que ni siquiera intente localizarlo".

Pause key (tecla Pause)

Pronunciación: *póos kii.*

Significado: Tecla utilizada con frecuencia para detener en forma momentánea la salida de los datos en la pantalla, como es el caso de los listados de directorios. Se utiliza con DOS y con las aplicaciones DOS, el presionar esta tecla dos veces congela el desplegado; si se presiona una vez más, vuelve a su conducta habitual.

Enunciado: "La *tecla Pause* se encuentra en mi teclado, pero, ¿cuál es su función? Parece detener a Windows cuando éste se encuentra rodeado por la bruma de la apertura, pero no parece tener ningún efecto posterior, de todas formas ¿por qué tengo que esperar más tiempo para que mi Windows inicie?"

PC

Pronunciación: *pi-si.*

Significado: 1) Acrónimo de Personal Computer (Computadora personal). En la práctica se refiere a cualquier computadora aislada que se coloque sobre un escritorio y sea configurada para poder satisfacer las necesidades de un solo usuario a la vez. Este formato incluye las computadoras Macintosh, las compatibles con IBM, las Commodore y otras más. En el uso ordinario, este término sólo se refiere a las computadoras compatibles con IBM, que son lo contrario a las Macintosh. 2) Acrónimo de politically correct (políticamente correcto).

Enunciado: "Algunas personas dirían que es más PC el adquirir una *PC* en lugar de una Mac, debido a que la Apple es demasiado propietaria en sus prácticas de negocios".

PC-DOS

Pronunciación: *pi-si dos.*

Significado: Acrónimo que significa Personal Computer Disk Operating System (Disco del sistema operativo para computadoras personales). La versión de MS-DOS que se incluye con las PCs de IBM. De cualquier manera, es el sistema operativo utilizado con mayor frecuencia en las PCs (véanse también *DOS* y *MS-DOS*).

Enunciado: "¿Acaso las mejoras para el *PC-DOS* corresponden a las mejoras de MS-DOS? Yo creo que no".

PC-XT

Pronunciación: *pi-si-eks-ti.*

Significado: Abreviatura que representa Personal Computer eXtended Technology (Computadora personal de tecnología extendida). Una computadora personal pionera (si hablamos de manera relativa, esto es, 1983) que la IBM fabricaba, con un microprocesador Intel 8088 incluido. La XT, como fue denominada, era superior a las previas computadoras PC. Ahora, ni siquiera pueden regalarse (véase también *boat anchor*).

Enunciado: "No tendrá que ir al museo de la computadora para encontrar una *PC-XT;* la tecnología cambia tan rápido, que la mayoría de los usuarios no pueden mantener el paso, por razones económicas".

PCL

Pronunciación: *pi-si-el.*

Significado: Acrónimo que significa Printer Control Language (Lenguaje de control para impresora). Un juego de instrucciones que se utiliza para controlar una marca específica de impresora, no debe ser confundido con *page description languaje* (Lenguaje de descripción de página) o el *printer driver* (Manejador de impresora). El manejador de la impresora puede contener instrucciones escritas en un lenguaje de control de impresora, pero el PCL es pertinente a la impresora misma. También se utiliza de manera común para referirse a la compatibilidad con las impresoras Laser Jet HP.

Enunciado: "Tengo una impresora *PCL* que actúa como una Laser Jet III, pero es mucho más barata. Se llama Laser Jet II".

PCX

Pronunciación: *pi-si-eks.*

Significado: Formato de archivo de gráficas (y por lo tanto, extensión de archivo) para la PC. Desarrollado de manera original para el programa Paintbrush de la PC, el PCX puede ser soportado por casi cualquier programa para PC, tanto de Windows como de DOS. Los archivos PCX son archivos gráficos de mapa de bits (véase también *bitmapped*).

Enunciado: "Cuando capture la pantalla al presionar Shift-Print Screen, obtendrá un archivo *PCX*, que podrá abrir y examinar en el Paintbrush de Windows".

PDL

Pronunciación: *pi-di-el.*

Significado: Abreviatura de *Page Description Language* (Lenguaje de descripción de página). Un lenguaje de programación, como el PostScript, que es procesado por el CPU en la impresora misma. El PDL, por medio de sus enunciados particulares y comandos, "describe" la información en una página de salida impresa, por lo general, mediante cálculos con gráficas de vectores. Aun si pudiera tomar miles de líneas de código PDL el describir una página, los resultados se imprimen mucho más rápido que el método anterior de envío de información a la impresora: las gráficas de mapa de bits. El PDL es independiente del tipo particular de impresora que utilice, siempre y cuando la impresora tenga la capacidad de comprender el lenguaje (véanse también *PostScript* y *Vector Graphics*).

Enunciado: "PostScript es un *PDL* que se utiliza en forma común con las computadoras Macintosh. TrueType es el PDL más importante para las PCs en la actualidad. TrueType es compatible con PostScript, pero PostScript no es compatible con TrueType".

peek

Pronunciación: *piik.*

Significado: Comando de BASIC que le permite al usuario "husmear" en los contenidos de una dirección precisa de la memoria. El usuario podrá entonces *empujar* un nuevo valor en la dirección si así lo desea (véase también *poke*).

Enunciado: "¡Pude *husmear* en el costal de SantaClaus y me dí cuenta que tenía un superfax-módem para mí como regalo de Navidad!"

peer-to-peer (punto por punto)

Pronunciación: *pir-tu-pir.*

Significado: Arreglo democrático en la tecnología de las redes donde todos los nodos son creados de la misma manera. El otro tipo de red es el arreglo *cliente-servidor*, donde una máquina ha sido diseñada de manera especial como servidor de archivos que puede localizar recursos que no se encuentren disponibles para los nodos de los "clientes". Usted podrá contar con una relación punto a pun to entre las computadoras de una red que contiene servidores. La *transferencia de archivos punto por punto* es la tecnología que se utiliza para tener acceso a los archivos disponibles de otros miembros en la red (véanse también *client-server, network, nodes* y *server*).

Enunciado: "*Punto por punto* significa que nuestras computadoras se comunican en una red sin necesidad de un servidor. También significa que levantamos la vista para poder husmear".

pen (pluma)

Pronunciación: *pen.*

Significado: 1) Dispositivo largo y delgado que se utiliza para la escritura y que puede ser desde una pluma de ave hasta el clásico cilindro plástico. 2) Computadora que recibe datos de entrada a partir de un dispositivo que tiene una forma similar a los mencionados en el punto anterior, pero registra las señales de manera electrónica para que los usuarios puedan utilizar la escritura a mano, en lugar de introducir la información por medio de un teclado o un ratón. La entrada a base de una pluma puede dar como resultado una muy buena calidad de impresión. Aun así, existe un irónico inconveniente: cuando perdimos el contacto con el papel y nos convertimos en dependientes del teclado, nuestra escritura manuscrita se volvió una casualidad del desarrollo tecnológico. Ahora que la tecnología ha mejorado tanto, la escritura a mano se ha convertido una vez más en una necesidad ¡para poder obtener ventaja de la tecnología! Los analistas de la industria realizaron la predicción de que la computación a base de pluma electrónica sería la tecnología más utilizada en algunos años. En realidad, la pluma sólo ha tenido un pequeño impacto en la industria de las computadoras, hasta el momento (véase también *light pen*).

Enunciado: "La pluma es más poderosa que el teclado".

Pentium

Pronunciación: *pén-tium.*

Significado: Chip muy reciente (microprocesador) para las computadoras personales, fabricado por la compañía Intel. Es el sucesor del chip 486 e incluso las personas que no apoyan a la compañía Intel lo consideran revolucionario, debido a su velocidad y eficiencia. Intel deseaba utilizar la denominación 586 para este chip, pero no pudieron registrar el término, así que decidieron llamarlo *Pentium*. Al momento de escribir este libro, los primeros chips Pentium son embarcados, por lo que en este preciso instante, ningún humano sobre la faz de la tierra goza de los beneficios que proporciona este avance tecnológico (véanse también *coprocessor, Intel, microprocessor y processor*).

Enunciado: "El *Pentium* es una magnífica idea para un regalo cuando no sepa qué obsequiar a una persona que lo tiene todo. Para esa ocasión especial, regale un Pentium a sus seres queridos".

peripheral (periférico)

Pronunciación: *pe-rí-fe-ral.*

Significado: Cualquier pieza de maquinaria que se encuentre conectada a la computadora, lo que incluye los monitores, las impresoras, los digitalizadores, los ratones, las unidades externas de disco, ya sean de disquete o de disco duro, las unidades CD-ROM, los altavoces y los teclados.

Enunciado: "Estaremos tan emocionados con los *periféricos*, que no podremos volver a localizar la unidad central".

peripheralitis (periferiquitis)

Pronunciación: *pe-ri-fe-ra-lí-tis.*

Significado: Enfermedad caracterizada por contar con muchos dispositivos periféricos sin tener un solo lugar para conectarlos. Otro problema consiste en los trastornos que le ocasionarán cuando intente que se comuniquen entre sí.

Enunciado: "La cura más efectiva para la *periferiquitis* es la pobreza".

permanent storage (almacenamiento permanente)

Pronunciación: *pér-ma-nent stó-resh.*

Significado: Cualquier tipo de datos o medios de almacenamiento que hayan sido encerrados para que no se vayan de fiesta una vez que usted apaga su computadora. Las unidades de disco duro y de disquete, así como la ROM son ejemplos del almacenamiento permanente. La RAM es todo lo contrario, cualquier cosa que se encuentre en la RAM podrá salir a celebrar, una vez que usted apague la computadora (véase también *nonvolatile memory*).

Enunciado: "He colocado todos los nombres de mi lista negra en el *almacenamiento permanente* de mi computadora".

PERT

Pronunciación: *pert.*

Significado: Acrónimo de Program Evaluation y Review Technique (o Peripheral Envy Regression Training, for all you closet New Agers out there), [Entrenamiento regresivo de envidia de periféricos, para sus más cercanos usuarios de la nueva era]. Un enfoque a la administración de proyectos que no necesita como norma ser implementado por la computadora. Podrá utilizar PERT de la misma manera sobre el papel. PERT involucra la esquematización del tiempo y otros recursos necesarios para completar los varios componentes que conforman un proyecto. Los programas de software para la administración de proyectos contienen por lo general características PERT para realizar tal esquematización (¿qué no es PERT el nombre de un shampoo, también?).

Enunciado: "Utilicé un diagrama *PERT* para mostrarle al vicepresidente el horario calendarizado que deseamos implantar. Le gustó tanto, que ahora soy el gerente oficial PERT de la compañía".

phosphor (fósforo)

Pronunciación: *fós-for.*

Significado: Material utilizado en el CRT (tubo de rayos catódicos) para crear el desplegado. Funciona al ser estimulado por una emisión de electrones para emitir la energía que absorbe en los patrones de luz que el usuario puede observar.

Enunciado: "El *fósforo* de mi monitor debe estar muy estimulado a estas alturas, debido a que he escrito poemas de amor durante todo el día".

phosphor burn-in (fundido de fósforo)

Pronunciación: *fós-for born-in.*

Significado: Imagen fantasmagórica que aparece sobre la pantalla —y permanece ahí— como resultado de que las mismas partículas han sido activadas durante un largo período. Parecido a una quemadura de sol, el fundido de fósforo en el monitor ocurre cuando se mantiene la misma imagen sobre la pantalla durante varias horas. Los cuidadores de pantallas son una ayuda para prevenir este efecto de fundido (véase también *screen saver*).

Enunciado: "Cuando consiga cuidadores de pantallas para evitar el *fundido de fósforo*, asegúrese de que cuenten con factores de protección como los bloqueadores solares".

physical device *(dispositivo físico)*

Pronunciación: *fí-si-kal di-váis.*

Significado: Dispositivo real, físico, palpable, que se asocia con su computadora. Los *dispositivos físicos* no necesitarían una definición si no fuera por los dispositivos virtuales, que son dispositivos imaginarios, no reales y no palpables (véase también *virtual device*).

Enunciado: "Coloqué mi archivo virtual, que contiene mi proyección virtual de ingresos, en un *dispositivo físico* para su almacenamiento. Sólo espero que se vuelva real".

physical drive *(unidad física)*

Pronunciación: *fí-si-kal draiv.*

Significado: El disquete real que el usuario utiliza para escribir o leer información, con toda su autenticidad, su identidad de marca y su idiosincrasia, a diferencia de las *unidades lógicas*, que sólo son un concepto electrónico, o las *unidades virtuales*, que en realidad sólo son archivos en una unidad física que actúa como unidad por separado (véase también *logical drive*).

Enunciado: "Si realiza la disección de la *unidad física* mientras guarda sus datos, conseguirá un desastre virtual".

pica

Pronunciación: *pi-ka.*

Significado: Medida tipográfica pasada de moda que rivaliza en obsolescencia con el sistema inglés (pulgadas, libras, etc.). Una pica equivale a 12 puntos, que es la medida utilizada para definir los tipos de escritura. Una pica equivale *de manera aproximada* a ¹/₆ de pulgada, pero cada programa de distribución de página puede tener una versión diferente de estas cifras. Las páginas y las secciones de página se miden por picas.

Enunciado: "Haremos que el medianil entre esas columnas sea de tres *picas* de ancho".

pico-

Pronunciación: *pi-kou.*

Significado: Prefijo que significa una billonésima.

Enunciado: "Dame un par de *pico*segundos para respaldar mi unidad de disco duro y regresaré contigo".

PIF

Pronunciación: *piff.*

Significado: Acrónimo que significa *Program Information File* (Archivo de información del programa). Los archivos PIF son utilizados por Windows para definir los parámetros en los programas DOS. Un archivo de tipo PC que contiene información acerca de la logística del corrido de la aplicación a la que pertenece.

Enunciado: "Windows tiene un editor *PIF* que le permitirá crear y cambiar los archivos PIF. ¿De verdad existe alguien que maneje esta utilería?"

pin (alfiler)

Pronunciación: *pin.*

Significado: Pequeñas protuberancias en una impresora de matriz de puntos que realizan la impresión sobre la cinta, que a su vez crea la impresión sobre el papel. Entre más alfileres tenga la impresora, mejor será la imagen. Son también las pequeñas piezas dentro de un puerto serial o en paralelo que ayudan a configurar el flujo de información.

Enunciado: "Tengo una impresora de 24 *pines*, el problema es que le toma una eternidad el imprimir una simple carta".

pin feed (provisionamiento de sujeción)

Pronunciación: *pin fid.*

Significado: Este término no es igual que el mencionado en el punto anterior. Este tipo de alfileres (más bien, dientes) se localizan en la rueda dentada y no son tan afilados como los otros. Es el mecanismo que se localiza en las impresoras de matriz de puntos que le dan sujeción al tractor, ese tipo de papel con márgenes desprendibles que tienen una serie de orificios. Los alfileres (la sujeción) se insertan en los orificios e impulsan el papel hacia el interior de la máquina (véase también *dot-matrix printer*).

Enunciado: "En ocasiones el mecanismo de *provisionamiento de sujeción* se atora y mis documentos salen de la impresora con un aspecto muy similar al de los abanicos japoneses".

pipe (tubo)

Pronunciación: *paip.*

Significado: En UNIX y DOS, es la tecnología para dar nombre y conectar dos o más programas para que los resultados del primero que es nombrado en el enunciado, sirvan como datos de entrada para el segundo de ellos y así, de manera sucesiva, ad infinitum. Es algo similar a bombear por medio de una tubería (véanse también *filter* y *pipe character*).

Enunciado: "Este primer programa llega hasta la base de datos de la computadora en el banco y localiza mi cuenta de ahorros para saber cuánto dinero necesito. El segundo programa transfiere el dinero necesario a mi cuenta. En particular, utilizo un *tubo* para conectar estos dos programas".

pipe character (carácter de tubo/barra vertical)

Pronunciación: *paip ka-rak-ter.*

Significado: Carácter del teclado que usted nunca podrá ver en la vida real y que tiene este aspecto: |. En ocasiones es una línea larga y otras veces está dividida a la mitad. Este carácter se localiza por lo general sobre la diagonal invertida, un carácter más que sólo se encuentra en las computadoras (véase también *pipe*).

Enunciado: "Tengo acceso al *carácter de tubo* (*barra vertical*) si presiono Shift y la tecla de la diagonal invertida".

piracy (piratería)

Pronunciación: *pái-ra-si.*

Significado: Copiado del software sin la autorización del escritor o el publicador y, si usted es muy, muy malo, también se refiere a la distribución del mismo para obtener ganancias. Se estima que por cada copia de un programa que se compra en forma legítima, se realizan  dos copias piratas. La mayoría de los piratas justifican esta práctica al explicar que las compañías de software ganan demasiado dinero con la venta de sus productos y que las copias piratas no roban muchas de las ganancias de los publicadores, debido a que los piratas no habrían comprado el producto, de todas formas. Se han realizado muchos esfuerzos para eliminar esta plaga, entre los que se incluyen la protección contra el copiado, el registro de los propietarios legales y el simple hecho de decir No, aunado al hecho de que usted podría ir a la cárcel como consecuencia.

Enunciado: "La *piratería* de software ha generado un nuevo campo para la actividad legal y una fuente de ingresos para los abogados".

pitch (densidad de línea)

Pronunciación: *pich.*

Significado: Número de caracteres por pulgada, como en las viejas máquinas de escribir. Algunos de los programas antiguos de procesamiento de palabras aún utilizan este tipo de factor y pudieran, por ejemplo, darle la posibilidad de elegir entre una impresión con densidad 10 y una de 12.

Enunciado: "El imprimir en una *densidad de línea* de 12 (12-pitch), ahorra espacio y tiene más clase. El utilizar l0 utiliza más papel, por lo que será con seguridad su elección al imprimir sus documentos finales, y también si su trabajo consiste en escribir, siempre y cuando cobre por cada página que escriba".

pixel

Pronunciación: *pík-sel.*

Significado: Acrónimo para Picture Element (Elemento de imagen). Los pixeles son para las imágenes lo que los átomos son para las moléculas. Son las unidades indivisibles más pequeñas de una imagen en la pantalla. Cuando la calidad de la imagen es pobre, se está consciente con gran dolor de contar con sólo un puñado de puntos cuadrados.

Enunciado: "Cuando los *pixeles* son demasiado grandes, es difícil manejar con precisión las curvas de una imagen".

PL/1

Pronunciación: *pi-el-wan*.

Significado: Abreviatura de Programming Language One (Lenguaje de programación uno), un antiguo lenguaje que se utilizaba de manera especial con los mainframes de IBM.

Enunciado: "No existen muchas personas que aún utilicen el *PL/1*, pero todavía se considera un punto a su favor en su currículum vitae".

plasma

Pronunciación: *pláz-ma*.

Significado: Tipo de desplegado o monitor que se utiliza en las computadoras notebooks y laptop, adaptación de la tecnología LCD. Los monitores de plasma son planos, no requieren de tubos y, por lo tanto, son más pequeños y ligeros que los monitores CRT. La imagen es producida al estimular un gas que se encuentra atrapado entre dos paneles. También se conoce como *desplegado de panel plano* (véanse también *gas plasma display* y *monitor*).

Enunciado: "Si observo el desplegado de *plasma* de mi computadora laptop desde el ángulo adecuado, creo que puedo ver el océano".

platen (rodillo)

Pronunciación: *pléi-ten*.

Significado: En las impresoras de matriz de puntos y de margarita, es la pieza cilíndrica que guía el papel hacia el interior. Las teclas de los caracteres se impactan contra el papel al momento que éste se desliza sobre la superficie del rodillo.

Enunciado: "No permita que su *rodillo* tenga arañazos o muescas, puesto que eso podría ocasionar que sus documentos sean impresos con caracteres de aspecto gracioso".

platform (plataforma)

Pronunciación: *plát-form.*

Significado: Base del hardware sobre la que se apoya el sistema operativo, o el sistema operativo sobre el que se apoya una aplicación de software. Por ejemplo, los procesadores Intel X86 constituyen una plataforma sobre la cual se construyen los sistemas operativos. DOS/Windows es una plataforma que sirve de base para construir los programas de aplicación.

Enunciado: "Un amigo me comentó que de verdad le gusta su *plataforma* Macintosh. Yo le dije que no le diera tanta importancia como para colocarla sobre un pedestal de alabanza".

plotter (graficador)

Pronunciación: *plô-ter.*

Significado: Tipo de impresora que dibuja imágenes por medio de una o más plumas, con base en las instrucciones que recibe de la computadora. Es muy útil, en especial cuando se utilizan gráficas o aplicaciones de CAD.

Enunciado: "Cuando la tinta se tira en un *graficador*, ¿es correcto utilizar la frase 'el graficador se espesa'?"

plug (conector)

Pronunciación: *plog.*

Significado: Es la cosa al final del cable, que se introduce en el enchufe para hacer que la información o la corriente eléctrica fluyan. Es un sinónimo de *conector macho* (véase también *male connector*).

Enunciado: "Si en ocasiones no logra que su computadora funcione, tal vez debiera *conectarla*".

PMMU

Pronunciación: *pi-em-em-yu.*

Significado: Abreviatura de *Paged Memory Management Unit* (Unidad de manejo de la memoria paginada). Un chip o circuito en algunos modelos recientes de computadoras que les da la posibilidad de invocar a la memoria virtual (véase también *virtual memory*).

Enunciado: "Me encanta pensar en todas las cosas de mi Mac que en vez de ser reales, son más bien virtuales, como el *PMMU*".

point (apuntar/punto)

Pronunciación: *point.*

Significado: 1) Movimiento que realiza el usuario por medio del ratón o el "dispositivo apuntador", que es en esencia un movimiento del ratón para que el desplazamiento de éste lo conduzca a la locación deseada sobre la pantalla. 2) Medida para los tipos de escritura. Es muy sencillo especificar o cambiar el tamaño de punto en un programa común de procesamiento de palabras, pero si desea medir el texto en una página, tendrá que utilizar una regla especial. Un punto equivale a $1/6$ de una pica, lo que es una cantidad *aproximada* a $1/72$ de pulgada. La medida exacta puede cambiar de acuerdo con cada programa de procesamiento de palabras o de distribución de página. El tamaño de punto común para la escritura de libros fluctúa entre 11 y 12. El tipo de desplegado, que se utiliza para la publicidad, puede llegar a ser de 72 y aun mayor (véase también *pica*).

Enunciado: "Si desea que su currículum vitae se imprima en una sola página, sólo deberá reducir el tamaño de *punto*".

point-of-sale system (sistema de punto de ventas)

Pronunciación: *point-of-seil sís-tem.*

Significado: Hardware y software de computadora que se utilizan para las operaciones de ventas. El tipo de hardware puede variar desde una computadora personal hasta un mainframe, pero su función siempre es la misma: registra los precios de ítems individuales, recolecta datos de las ventas, mantiene información de los inventarios y conserva una base de datos para el cliente. Puede incluir periféricos como una impresora de recibos, un dispositivo analizador de código de barras y otro para realizar la verificación de tarjetas de crédito.

Enunciado: "Hemos instalado un nuevo y muy caro *sistema de punto de ventas* en nuestro almacén. Ahora sólo necesitamos hacer que las personas compren en nuestro local".

pointer (apuntador)

Pronunciación: *póin-ter.*

Significado: Símbolo que aparece sobre la pantalla y que corresponde al movimiento del ratón o cualquier otro dispositivo apuntador. El apuntador no siempre tiene la misma apariencia. Puede utilizar diferentes atuendos para diferentes aplicaciones o para diferentes funciones dentro de la misma aplicación. Un apuntador también es un término de programación que se relaciona con una variable que sigue la pista de un objeto (como el siguiente ítem en una lista de enlace). Véanse también *I-beam pointer, linked list* y *mouse*.

Enunciado: "En las Mac, el *apuntador* cambia su apariencia de una flecha a un pequeño reloj cuando la computadora se encuentra ocupada con alguna operación. Eso significa que usted no podrá mover un dedo hasta que la computadora termine con ese procedimiento".

pointing device (dispositivo apuntador)

Pronunciación: *póin-ting di-váis.*

Significado: Dispositivo apuntador que puede ser un ratón, un trackball, un joystick, o una pluma que le permite a usted mover el cursor en la pantalla.

Enunciado: "En los monitores sensibles al toque, sus dedos se convierten en el *dispositivo apuntador.* ¡Cómo si fuera tan difícil utilizar un ratón!"

poke

Pronunciación: *pouk.*

Significado: Comando de BASIC que le permite colocar un valor específico en una dirección precisa de la memoria (véase también *peek*).

Enunciado: "¿Qué es un *pik* en un *poke?* y más aún, ¿tiene algo que ver con BASIC?"

polymorphism (polimorfismo)

Pronunciación: *po-li-mor-ff-sem.*

Significado: En el contexto de la programación orientada a objetos, esto significa utilizar el mismo nombre para especificar diferentes procedimientos dentro de contextos diferentes. Una buena analogía es la palabra "cocinar". Este término involucra un método diferente para la preparación de pan, pasta, vegetales y carne. Podrá definir desplegado, por ejemplo, para ser aplicado al texto, gráficas, imágenes, hojas de cálculo, películas, efectos de sonido y cualquier otro concepto relacionado con este término (véase también *object-oriented programming*).

Enunciado: "Creo que tengo un problema de *polimorfismo* en mi computadora; cuando utilicé el comando Exit, la computadora se levantó y salió de la habitación".

pong (rebote)

Pronunciación: *pong.*

Significado: 1) Digamos que usted trabaja en una computadora que es parte de una red y, desea dirigirse a otra computadora en esa misma red. Existe un modo de enviar una señal (además del correo electrónico) para saber si la otra computadora está disponible para realizar la conexión. Su verificador de estado indica "ping"; la respuesta de la otra computadora es "pong". 2) Juego de video desarrollado por la compañía Atari a mediados de la década de los setentas y que ahora es exhibido en algunos museos.

Enunciado: "Solía jugar el *ping pong* electrónico en mi infancia. Ahora, los juegos para computadora son tan complicados que prefiero ir al trabajo".

pop (sacar)

Pronunciación: *pop.*

Significado: Cuando los datos se acomodan en una pila (como en una pila de platos), tendrá que *sacar* el siguiente registro (o porción de datos que se encuentra en la parte superior de la pila) para recuperarlo. Esto no sucede con frecuencia con los usuarios finales, pero puede suceder dentro del contexto de la programación.

Enunciado: "Traté de jugar *Pop Goes the Weasel* (*haz saltar al tonto*) en mi tarjeta de sonido, pero no funcionó".

pop-up menu (menú desplegable)

Pronunciación: *pop-op mé-niu.*

Significado: Es en esencia la misma idea del menú descendente, pero a diferencia de este último, aparece en un lugar diferente a la barra de menús y con frecuencia es el resultado de un comando del teclado. En el ambiente Mac, algún menú desplegable puede aparecer cuando usted resalta una de las opciones de un menú descendente (véase también *pull-down menu*).

Enunciado: "Un *menú desplegable* es algo diferente de un libro desplegable con imágenes que sobresalen al abrirlo. Lo que quiero decir es que la imagen del ítem no saldrá sobre el vidrio de la pantalla cuando usted utilice esta función".

port (puerto)

Pronunciación: *port.*

Significado: 1) Contacto en la parte posterior de la computadora donde podrá conectar algún dispositivo periférico. Los puertos son por lo general seriales y paralelos. 2) Conversión de una aplicación de software para un sistema operativo diferente del sistema para el que fue creado, esto es, *portear* la aplicación en otra plataforma (véase también *printer*).

Enunciado: "Muchas compañías de software sólo *portean* sus aplicaciones de la PC a la Macintosh, en lugar de volver a escribir la aplicación desde el principio para que pueda ser utilizada por las Macs. Más tarde, es frecuente que descubran problemas asociados con el porteo de las aplicaciones que por lo general toma más tiempo resolver que el volver a escribir el programa desde un principio".

portable computer (computadora portátil)

Pronunciación: *pór-ta-bol kom-piú-ter.*

Significado: Computadora que podrá llevar consigo a cualquier lugar sin volverse un candidato serio para adquirir complejo de custodia. La clasificación de estas máquinas incluye las computadoras laptops, las notebooks y las palmtop (de bolsillo) que puede sostener en una mano. Una computadora portátil que sea demasiado pesada para llevar consigo, no debe ser denominada portátil, sino "transportable" o "tabique con correa".

Enunciado: "Tengo una computadora portátil de cuaderno, una calculadora de bolsillo, una impresora portátil y un nuevo dispositivo PIM. Tengo tantos dispositivos *portátiles*, que necesitaré una maleta extra para llevarlos en mi viaje".

portrait orientation (orientación de retrato)

Pronunciación: *pór-treit o-rien-téi-shon.*

Significado: Es una manera superintrincada de decir "la dirección usual" cuando se discute acerca de cómo colocar el papel o en qué dirección se imprime el mismo. Tiene un significado de vertical más que horizontal o "la versión larga" en oposición a "orientación apaisada", esto es, "la versión ancha". Esta terminología se localiza por lo general en las aplicaciones  gráficas. Como muchos otros profesionales, los artistas gráficos sienten esa irresistible necesidad de mistificar incluso los detalles más simples (véase también *landscape orientation*)".

Enunciado: "Si no hubieras impreso la fotografía del presidente con la *orientación de retrato*, pudieras haber cometido el tremendo error de cortar su bisoñé".

POS

Pronunciación: *pi-ou-es.*

Significado: Abreviatura de Point of Sale (Punto de ventas). Véase también *point-of-sale system*.

Enunciado: "Nuestro sistema *POS* acaba de ser instalado. Consiste en un talonario de recibos, un bolígrafo y un cajón para guardar el dinero".

POSIX

Pronunciación: *pos-iks.*

Significado: Acrónimo de Portable Operating System Interface for UNIX (Interfaz portátil del sistema operativo para UNIX). Una versión de UNIX que ha sido desarrollada por el IEEE (véase también *UNIX*).

Enunciado: "IEEE lo vuelve a intentar con el POSIX, para imponer algún tipo de estandarización en las muchas implantaciones de UNIX".

POST

Pronunciación: *post.*

Significado: Acrónimo de Power-On Self-Test (Autoexaminación de poder), una rigurosa batería de pruebas a la cual se sujeta la PC cuando inicia por primera vez. Corre un rumor que dice que si la computadora falla en cualquiera de las pruebas, desplegará un mensaje de error codificado y se esconderá en un rincón hasta que usted llame a un experto para que le brinde ayuda.

Enunciado: "Antes de salir de casa, realizo un *POST* en mi persona. Verifico para saber si llevo mi cartera, mis llaves, mis lentes, el cabello bien peinado y el material importante que necesito. Oh, también me aseguro de llevar puestos los pantalones".

PostScript

Pronunciación: *post skript.*

Significado: Lenguaje de descripción de página desarrollado por la compañía Adobe Systems, para ser utilizado con las impresoras láser y otras máquinas de alta resolución. Para poner el PostScript en funcionamiento, deberá contar con un manejador PostScript de impresora incluido en su aplicación de software o en el sistema operativo. Uno de los grandes beneficios de esta tecnología es que usted podrá crear un documento con una computadora ordinaria de escritorio, pero su archivo podrá ser leído por fotocomponedoras como la Linotronic. Por lo tanto, si deseaba crear un folleto, un cartel o imprimir algún tipo de publicidad, podrá realizar *todo* el diseño en su terminal y llevar el disquete a un taller de impresión que pueda generar la salida necesaria para la impresora (véase también *Linotronic*).

Enunciado: "Si necesita impresiones con una calidad como la que brinda la fotocomponedora, lleve sus archivos *PostScript* a un local de impresiones láser para obtener un buen resultado".

power down (desactivar/devorar)

Pronunciación: *pa-wer daun.*

Significado: 1) Desconectar el suministro de corriente eléctrica para la computadora y(o) los dispositivos periféricos. 2) Comer con gran velocidad y vigor.

Enunciado: "Tenemos que escribir más de treinta mil líneas de código antes de las 5:00 p.m.; ¡*devora* ese pastelillo y regresa a tu trabajo!"

power supply (fuente de poder)

Pronunciación: *pa-wer su-plái.*

Significado: El dispositivo interno de la computadora que cambia la AC (corriente alterna) que surge del toma corriente en su pared y la convierte en DC (corriente directa) que puede ser utilizada por la computadora. No es una correspondencia uno a uno. Necesitará asegurarse de que la fuente de poder de su computadora sea la adecuada para cubrir las necesidades de todas las piezas de maquinaria a que ésta sirve (véanse también *AC* y *alternating current*).

Enunciado: "La *fuente de poder* de mi computadora se calienta tanto, que ahora la utilizo para hacer mi desayuno todas las mañanas".

power surge (sobrecarga de corriente)

Pronunciación: *pa-wer sursh.*

Significado: Pudiera pensar que debido a que la forma de las conexiones no cambia y el tamaño de los cables tampoco cambia, podrá obtener la misma cantidad de electricidad si conecta el mismo artefacto en el mismo contacto. Si eso fuera cierto, mi vida sería más fácil. La cantidad de corriente que fluye a lo largo de los cables, puede variar de una manera considerable y tener un incremento drástico que puede causar un daño en el interior de su computadora.

Por lo general, la sobrecarga se encuentra más allá de sus posibilidades de control, pero sin tomar en cuenta la causa, todo usuario de una computadora debería instalar un dispositivo denominado *protector de sobrecarga* que se conecta entre la computadora y el contacto en la pared. Esto le brindará una protección total contra cualquier sobrecarga de corriente, pero no significará una protección contra las enfermedades transmisibles (véase también *surge protector*).

Enunciado: "En cierta ocasión leí una historia de ciencia ficción acerca de una *sobrecarga de corriente* que ocasionó que una computadora cobrara vida. En realidad, es más factible que las *sobrecargas de corriente* ocasionen la muerte de su computadora".

power user (usuario de poder)

Pronunciación: *pa-wer yú-ser.*

Significado: Alguien que es un conocedor total, perito y genial en cualquier aspecto que se relacione con las computadoras. Los usuarios de poder no sólo saben lo que se necesita para hacer que algo suceda, sino que también saben el *por qué* del funcionamiento de todos los componentes. Pueden utilizar atajos. Pueden presionar más de una tecla con una sola mano. Pueden impresionar a una habitación llena de personas en alguna fiesta de coctel mientras saborean un bocadillo y hablan acerca de las tecnologías del software de poder, la programación orientada a objetos y el porteo de plataformas cruzadas.

Enunciado: "En cierta ocasión que tuve problemas con mi computadora, pedí la ayuda del *usuario de poder* más importante de la compañía. El único consejo que me dio fue 'apaga tu computadora y enciéndela de nuevo, ¿es posible que una persona cobre por ser un *usuario de poder*?"

PPM

Pronunciación: *pi-pi-em.*

Significado: Abreviatura de Pages Per Minute (páginas por minuto). El número de páginas que surge de una impresora en cada minuto. "En cada" significa "por" en este caso, por lo que es correcto decir "páginas POR minuto" o PPM. Sin embargo, no dé mucha importancia a los números. Ocho páginas por minuto pudieran significar algo diferente de un fabricante a otro (aun si ambos fabricantes saben contar). Lo que necesita saber es si la cantidad se refiere a ocho páginas con sólo texto, ocho páginas de la fuente favorita de la impresora, ocho páginas con gráficas de cuatro colores, ocho páginas cuando el sol brilla, se siente una agradable brisa y el déficit del presupuesto federal está bajo control...

Enunciado: "Cuando se habla acerca de la compra de una impresora pregunte por las *PPMs*, así como las PCLs y las

PDLs. Por cierto, mientras le informan, pregunte por las impresoras que puede utilizar con PIMs o PDAs. No importa lo que usted compre, asegúrese de que sea tratado con TLC".

precedence (precedencia)

Pronunciación: *pré-se-dens.*

Significado: El orden en el que las cosas se realizan en una operación matemática. Si la operación A se realiza (a propósito, si así lo desea) antes de la operación B, eso quiere decir que la operación A tiene *precedencia* sobre la operación B. Una operación en los paréntesis más internos de un enunciado tiene precedencia sobre aquellas que se localicen en los paréntesis exteriores. Si no existen paréntesis, el orden de las operaciones se determina por el orden natural de la operación.

Enunciado: "El cálculo del subtotal debe tomar *precedencia* sobre el cálculo del total".

precision (precisión)

Pronunciación: *pre-sí-shon.*

Significado: Exactitud de un número, en términos de cuántos lugares decimales se utilizan. Por ejemplo, el número 3.17259324867 tiene una mayor precisión que el número 3.17. La precisión es un área que dispara las tendencias obsesivas/compulsivas de las personas, pero para nuestra buena fortuna, las computadoras tienen más desarrollado su sentido de autorrestricción.

Enunciado: "Mi programa de hoja de cálculo calcula con una *precisión* de 16 dígitos. Supongo que eso es suficiente como para balancear mi chequera".

presentation graphics (gráficas de presentación)

Pronunciación: *pre-sen-téi-shon grá-fiks.*

Significado: Una ramificación del software encaminada a la creación de impresionantes componentes visuales que se utilizan en los discursos y otras presentaciones. En esencia, este tipo de software traduce los datos de una base de datos  o una hoja de cálculo en un esquema o gráfica, pero también es capaz de integrar texto, títulos, arte, sonido e incluso actividades de multimedia. El resultado final es un espectáculo de imágenes de alta tecnología que pueden ser visualizadas en el monitor o proyectadas en una pantalla a base de diapositivas (véase también *graphics*).

Enunciado: "Tengo un paquete de *gráficas de presentación* que puedo utilizar para crear gráficas para las reuniones de mi comité de directores".

Presentation Manager

Pronunciación: *pre-sen-téi-shon má-na-yer.*

Significado: Un GUI y API para OS/2 o, en otras palabras, una interfaz gráfica para el usuario y una interfaz de programación de aplicaciones para el sistema operativo 2 de la IBM (véase también *OS/2*).

Enunciado: "El *Presentation Manager* proporciona a OS/2 su apariencia y sensación".

print (impresión)

Pronunciación: *print.*

Significado: Generación de datos de salida desde la computadora en las páginas de papel por medio de cualquier cantidad de impresionantes tecnologías. Es también un comando muy estándar para cualquier programa o lenguaje de programación, uno de los pocos que son entendidos en todo el universo sin utilizar nombres extraños con diferentes programas en un esfuerzo por crear una identidad de marca. Existen algunas opciones involucradas en cada trabajo de impresión. Usted podrá especificar, por ejemplo, cuántas copias desea, qué páginas del archivo se deben imprimir (en caso de que no quiera imprimir el archivo entero), el hecho de si desea o no que la máquina coteje las páginas, etcétera.

Enunciado: "Utilicé el comando *Print* para imprimir mi documento al Print Manager. Print lo conserva en una fila de impresión mientras la impresora termina su trabajo actual. ¿Cree usted que algún día volveré a ver mi documento?"

print buffer (buffer de impresión)

Pronunciación: *print bó-fer.*

Significado: Porción de la memoria que conserva de manera temporal la fila de impresión. La impresora necesita un área de este tipo, debido a que su procesamiento es mucho más lento que el de la computadora y esta "celda de conservación temporal" evita un embotellamiento. La computadora envía información a la impresora, pero sólo tan rápido como el buffer de impresión la acepta (véanse también *buffer* y *screen buffer*).

Enunciado: "Acabo de expandir el *buffer de impresión* en mi impresora a cuatro megabytes".

print head (cabeza de impresión)

Pronunciación: *print jed.*

Significado: Parte del mecanismo de una impresora de matriz de punto que contiene los alfileres. La cabeza de impresión analiza el papel al tiempo que los alfileres se impactan contra la cinta, lo que crea las imágenes (véase también *dotmatrix*).

Enunciado: "La garantía de mi impresora de matriz de puntos indica que la *cabeza de impresión* durará hasta trescientos millones de impresiones. Estoy seguro que no pasé de unas cuantas impresiones antes de empezar a utilizar mi impresora láser".

print job (trabajo de impresión)

Pronunciación: *print yob.*

Significado: Orden de impresión de cierto material en cierta forma y en cierto momento. Sucede cada vez que usted golpea esa tecla final de aceptación (OK, o el equivalente) una vez realizadas todas sus especificaciones de impresión, que constituyen un trabajo de impresión, no importa cuántas veces pueda crear un duplicado de ese mismo orden. Un trabajo de impresión es también la unidad que podrá cancelar, eliminar o complementar con otras operaciones (véase también *queue*).

Enunciado: "Envié un *trabajo de impresión* a la impresora de la red, donde aún espera en la fila para poder ser impreso".

Print Screen

Pronunciación: *print skrin.*

Significado: Instrucción de la computadora para que se imprima la pantalla de la manera exacta en la que se encuentra, aun con todos esos raros comandos de formateo. Es también una tecla que se localiza sobre el teclado y que, en algunas aplicaciones, imprime la pantalla.

Enunciado: "En Windows, puedo presionar Shift-*PrintScreen* para capturar la pantalla en un archivo PCX".

print spooler (fila de impresión)

Pronunciación: *print spú-ler.*

Significado: Software que maneja una fila de impresión y permite que estos trabajos se coloquen en línea uno después del otro en forma sucesiva —como si estuvieran enrollados en una bobina— y de manera paciente los alimenta a la impresora en el segundo plano, mientras el usuario está muy ocupado en escribir novelas, trabajar con números, jugar Tetris, o realizar cualquier otro tipo de trabajo productivo en el primer plano (véanse también *background, foreground, queue* y *printer buffer*).

Enunciado: "La fila de impresión de Windows es denominada Print Manager, el cual maneja los trabajos de impresión enviándolos a la impresora en una fila. Podrá pasar de largo la fila de impresión si elimina la marca de selección en la opción Use Print Manager en las opciones Printer Setup".

printer (impresora)

Pronunciación: *prín-ter.*

Significado: Dispositivo de salida que traduce las señales que le envía la computadora para convertirlas en texto y en gráficas sobre el papel (o mylar o cualquier otro tipo de material con este propósito). Los diferentes tipos de impresoras fluctúan desde las viejas impresoras de matriz de puntos, tan ruidosas que en ocasiones los usuarios colocan cajas sobre ellas en un frustrado intento de disminuir el escándalo, hasta las maravillosas y tan silenciosas como un murmullo impresoras láser profesionales. Las impresoras, a semejanza de las fotocopiadoras, están sujetas a las extrapolaciones de última instancia de la ley de Murphy. No sólo algo que pudiera salir mal tendría este resultado, sino que también sucedería de una manera más persistente y con mucho menos retroalimentación de la que necesitaría cualquier otro tipo de máquina que usted haya llegado

a tener en estima. Los tipos principales de impresora incluyen las de matriz de puntos, de margarita, *LED* y *LCD*, de
chorro de tinta y láser (véase también *Murphy's Law*).

Enunciado: "Mi impresora láser devora hasta ocho páginas
por minuto. Esto es un poco más rápido de lo que yo puedo
escribir, así que·supongo que vale la pena tenerla".

printer driver (manejador de impresora)

Pronunciación: *prín-ter drái-ver.*

Significado: Software que actúa como intérprete entre el
sistema operativo o el software de aplicación y el tipo o modelo particular de impresora con la que usted trata de comunicarse. En la mayoría de los casos, la instalación de los
manejadores de impresora, se escribe en el sistema operativo, pero en otros casos, como en DOS, cada aplicación
debe contar con su propio manejador de impresora.

Enunciado: "Parece que no puedo conseguir el manejador
de impresora adecuado para mi impresora. Tal vez se deba
a que fue fabricada en Corea y las instrucciones tienen que
estar en coreano".

printer font (fuente de impresora)

Pronunciación: *prín-ter font.*

Significado: En los viejos tiempos, eran los tipos de fuente
que la impresora podía imprimir, pero que la computadora
no era capaz de desplegar en la pantalla. Esto sucede muy
rara vez en estos tiempos de ilustración. De hecho, en ciertas ocasiones sucede a la inversa, cuando se tienen fuentes
que se muestran en la pantalla, pero que la impresora se
niega a producir. El término fuente de impresora también
se aplica a las fuente que hayan sido creadas por el PDL de
la impresora y que, en el mejor de los casos, se adaptan a la
fuente de la pantalla, para que usted pueda ver algo parecido a lo que su impresora producirá (véase también *font*).

Enunciado: "Ya que no me es posible observar mis fuentes de impresora, he tenido que lanzar los dados para decidir qué fuente utilizaré en mi presentación".

printer port *(puerto de impresora)*

Pronunciación: *prín-ter port.*

Significado: Contacto en la parte posterior de su computadora que se utiliza para conectar la impresora, por lo general un puerto en paralelo (véase también *parallel port*).

Enunciado: "Estoy en espera de una computadora portátil que me permita conectar mi rasuradora eléctrica en el puerto de la impresora".

processor *(procesador)*

Pronunciación: *pro-ce-sor.*

Significado: Cerebro de la computadora, la parte fundamental de la experiencia de la máquina. Por lo general, el procesador es el CPU, pero existen otros tipos y el segundo más notable es el coprocesador matemático. Asimismo, casi todo tipo de aparatos electrónicos cuentan con un procesador. El sello de un procesador es que actúa a base de instrucciones: las ordena, las filtra o realiza operaciones matemáticas con ellas (véanse también *microprocessor* y *coprocessor*).

Enunciado: "El procesador de la mayoría de las computadoras PC es de la familia X86. Las computadoras Macintosh utilizan procesadores 680X0".

Prodigy

Pronunciación: *pró-di-yi.*

Significado: Servicio en línea para los usuarios de computadoras, que ofrece la opción de realizar compras vía electrónica, intercambio de valores, juegos, archivos para copiar y correo electrónico, por sólo mencionar unos cuantos. Cualquier persona puede ser miembro; todo lo que se necesita es contar con una computadora de modelo reciente, un módem y una indiferencia total respecto al alto costo de las comunicaciones.

Enunciado: "Acudí al almacén Sears para comprar el software que necesitaba para utilizar el servicio Prodigy, pero el vendedor me dijo que no sabía de lo que yo hablaba. Y más aún, me preguntó si yo era algún tipo de individuo Mozartsiano".

program (programa)

Pronunciación: *pró-gram.*

Significado: Juego de instrucciones escritas en un lenguaje de programación. El software es lo mismo que el programa. También recibe el nombre de aplicación. Ya sea que usted utilice cualquiera de estos términos para expresarlo, un programa se compone en un teclado y es ensamblado por medio de máquinas o de trabajadores técnicos con bajo salario. Los tipos más familiares de programas para el mercado del consumidor y el usuario final son los programas de aplicación, como es el caso de los procesadores de palabras, las bases de datos, las hojas de cálculo, los programas de gráficas, los videojuegos y los programas educacionales. Sin embargo, existen otros tipos de programas que no son perceptibles a simple vista y que pueden ser considerados como la computadora que habla consigo misma (de una manera redundante). Estos programas incluyen los sistemas operativos, el software de comunicaciones y las utilerías, el programa más novedoso de análisis umbilical es el Norton Utilities con el cual la computadora observa su interior para detectar y reparar posibles problemas en las unidades de disco duro y de disquete. En cierta forma, la computadora puede imaginarse a sí misma: es posible obtener programas que simulen la actividad de un chip o cualquier otro componente del hardware (véase también *application program*).

Enunciado: "Acabo de comprar un nuevo programa para mi computadora. ¿Puede alguien decirme qué tengo que hacer ahora?"

programmer (programador)

Pronunciación: *pro-grá-mer.*

Significado: Alguien que escribe programas. Esto incluye el diseño del programa —lo que debe lograr y la manera de hacerlo— la escritura del código en un lenguaje de programación, la colocación del código fuente en el compilador, el cual lo traduce para convertirlo en algo que la máquina pueda comprender, además de realizar la depuración o la eliminación de cualquier error. Los programadores se clasifican en tres categorías: los geeks, los magos y los escritores a sueldo (véase también *programming language*).

Enunciado: "Fui a la escuela durante ocho años para obtener un doctorado, pero ahora soy un programador. ¡Y pensar que no hubiera necesitado ningún tipo de educación para ello!"

programming language (lenguaje de programación)

Pronunciación: *pro-grá-ming lán-wash.*

Significado: Es la forma de hablar con la computadora; es similar a la manera en que los humanos han desarrollado su comunicación entre sí. Como los lenguajes naturales, los de programación incluyen gramática, sintaxis y vocabulario, así como estilo y organización. Algunos lenguajes de programación no se alejan demasiado del idioma inglés (los llamados lenguajes de alto nivel), mientras que otros son más similares a los jeroglíficos (los denominados lenguajes de bajo nivel). Algunos son más adaptables a ciertos mercados específicos, como es el caso del Ada para la industria de la defensa, FORTRAN para los negocios y el C++ para la construcción de aplicaciones.

Entre más bajo sea el nivel del lenguaje, más cerca estará de las entrañas de la máquina y, por lo tanto, será más eficiente como es el caso del lenguaje ensamblador; sin embargo, cuando hable con una máquina en un lenguaje de bajo nivel, hablará con una máquina en específico y su trabajo no podrá volver a ser usado en una plataforma diferente. Los lengua-jes de alto nivel, mismos que incluyen casi a todos desde el BASIC, hasta el C++, tienen una relación más cercana con los lenguajes humanos (véanse también *Ada, BASIC, C, C++, Fortran, LISP* y *Pascal*).

Enunciado: "Cuando me inicié en la programación, utilicé el lenguaje de programación BASIC".

progress indicator (indicador de progreso)

Pronunciación: *pró-gres in-di-kéi-tor.*

Significado: Elemento gráfico que despliega el progreso de un evento, como sería la apertura de un archivo o el ordenamiento de una base de datos. Los indicadores de progreso son con frecuencia denominados barras de termómetro. Conforme un evento progresa, el "nivel" del termómetro se eleva hasta que la barra completa se llene, lo que indica que el evento está cien por ciento completo. Los indicadores de progreso también pueden ser simples contadores de por-centaje completo.

Enunciado: "Cuando guardo un archivo, el indicador de progreso me muestra cuánto tiempo tardará. Cuando el indicador de progreso se encuentra al tope, desaparece y tengo que esperar aun más".

PROLOG

Pronunciación: *pró-log.*

Significado: Lenguaje de programación de interés especial para los matemáticos y los investigadores de ciencias computacionales. En la vida real, es útil en las aplicaciones de tipo diagnóstico y los sistemas expertos, en los que el procedimiento consiste en aprobar o desaprobar que x sea el caso.

Enunciado: "Utilizo *PROLOG* para saber si mi x podrá salir en libertad".

PROM

Pronunciación: *pi-rom.*

Significado: Acrónimo de Programmable Read-Only Memory (Memoria programable de sólo lectura). Un chip semiconductor que permite que un programa sea escrito en él una vez —y sólo una vez— por el fabricante de la computadora. Este tipo de chip se posa a mitad del espectro, entre los dos extremos: chip que se incluye con la programación moldeada por el fabricante del semiconductor y los chips  EPROM, que pueden ser borrados (es por eso que la palabra incluye una E, de "erase", que en inglés significa borrar) y reprogramados (véase también *EPROM, EEPROM* y *ROM*).

Enunciado: "En lugar de permitirme asistir al Prom (baile de graduación escolar) con mi amigo Luke, mi papá me obligó a completar el ensamblado de los chips *PROM* que había comenzado".

prompt (indicador)

Pronunciación: *prompt.*

Significado: Pequeño carácter que aparece en la pantalla para indicar que la pelota está en su lado de la cancha. En DOS, con frecuencia tiene la apariencia de un símbolo "mayor que". En CompuServe, es un signo de admiración. En otros programas, pudiera aparecer como un pequeño subrayado parpadeante o una barra vertical también parpadeante. En ocasiones, sólo es un signo de interrogación. Cualquiera que sea su forma, el indicador le señalará que el programa sólo espera a que usted introduzca cualquier tipo de información. Por lo general, usted deberá introducir algún dato y presionar la tecla Enter. Es posible cambiar la apariencia del indicador de DOS, si escribe el comando PROMPT de esta manera:

```
PROMPT = $P "¿Qué deseas ahora?"
```

Enunciado: "Cuando la computadora del Pentágono me *indicó* una contraseña de alta seguridad, escribí **LOURDESLAREINA** y me dio el acceso".

proportional pitch (densidad proporcional)

Pronunciación: *pro-pór-sho-nal pich.*

Significado: Es la práctica de permitir que una letra utilice tanto espacio como necesite. Si esto suena bastante obvio, considere que las impresoras antiguas y las máquinas de escribir no conocían la densidad proporcional. En tales máquinas de escribir, una *i* utilizaría la misma cantidad de espacio que una *w*, aun si no hubiera necesidad de esto. Es de esperarse que las más recientes y avanzadas impresoras utilicen la densidad proporcional, de la misma manera en que nuestra sensibilidad se ha acostumbrado a esta característica estética.

Enunciado: "Mi nueva impresora láser es tan avanzada, que puede imprimir mis informes de tal forma que luzcan como si hubieran sido imprimidos en una vieja máquina de escribir sin densidad proporcional".

proprietary (propietario)

Pronunciación: *pró-pie-ta-ri.*

Significado: "Mío, todo mío y de nadie más", por citar mi frase favorita de niño de siete años. Propietario significa que la compañía que ha desarrollado el diseño, es la dueña del diseño, por lo que nadie puede duplicarlo o distribuirlo sin la autorización de tal compañía (véase también *open architecture*).

Enunciado: "El Sistema 7 de la Macintosh, es un sistema operativo *propietario* desarrollado por la compañía Apple Computer Inc. No obstante, la compañía Apple considera que de todo lo que fabrica es propietario. Es bastante claro que no saben lo que significa el término compartir".

protect mode (modo de protección)

Pronunciación: *pro-tert moua.*

Significado: Utilizado de manera más notable con referencia a las PCs 386 y posteriores. Esto significa que cada programa tiene reservado su propio nicho en la memoria (RAM) para que, si usted corre más de un programa a la vez, sea sencillo mantener el procesamiento de un programa separado del procesamiento de otro programa. Sin esta capacidad, los programas de multitareas podrían disfrutar algo semejante a la sencilla elegancia y delicada coreografía de la hora del tráfico en Nueva York. El modo de protección no es accesado por DOS o cualquiera de los programas DOS, lo que incluye Windows. Sin embargo, existen algunos nuevos sistemas operativos disponibles en el mercado que pueden obtener en ventaja el modo de protección de los procesadores X86. Tales sistemas operativos incluyen a Windows NT y OS/2 (véase también *multitasking*).

Enunciado: "La habilidad para utilizar el *modo de protección* del microprocesador permite que 0S/2 corra el software de Windows mucho mejor que el Windows mismo. Si al menos pudiera instalar el maldito artefacto..."

protocol (protocolo)

Pronunciación: *pró-to-kol.*

Significado: Juego de estándares que permite la comunicación o la transferencia de archivos entre dos computadoras.

En el contexto de las comunicaciones, por ejemplo, se necesita determinar los parámetros para el índice de bauds, la paridad, el número de bits de datos, la presencia o ausencia de un bit de paro y el tipo de duplex. Sin tal acuerdo, las dos computadoras pudieran hablar en lenguajes diferentes.

Enunciado: "Es importante que las computadoras dentro de una red utilicen el mismo *protocolo*. De otra manera, nadie sabrá lo que pasa".

prototype (prototipo)

Pronunciación: *pró-to-taip.*

Significado: Modelo de las versiones más recientes y avanzadas de algún dispositivo de hardware o software. Un prototipo por lo general contiene las intenciones del diseñador, pero los detalles no han sido pulidos.

Enunciado: "Mi hardware de comunicaciones es tan difícil de utilizar, que me pregunto si el fabricante me envió el *prototipo* en lugar de la versión normal".

PrScr

(Véase *Print Screen.*)

PS/1

Pronunciación: *pi-es-wan.*

Significado: Abreviatura de Personal System 1 (Sistema personal 1); una PC que ha sido en realidad creada y distribuida en el mercado por la IBM misma. La computadora PS/1 fue diseñada para uso personal/de hogar y es el segundo intento de la IBM para introducirse al mercado de las computadoras caseras (véase también *Bozo*).

Enunciado: "Compré una computadora *PS/1* para utilizarla en mi hogar. Ha resultado genial para utilizar mis videojuegos".

PS/2

Pronunciación: *pi-es-tu*.

Significado: Abreviatura de Personal System 2 (Sistema personal 2), una PC de IBM que presenta un bus de expansión propietario de 32 bits denominado Microchannel bus (bus de Microcanal). Las computadoras PS/2 son con frecuencia enviadas con el sistema operativo OS/2 incluido. Las PS/2 aún son un fuerte contrincante en la batalla de las computadoras (véanse también *expansion bus*, *MCA* y *OS/2*).

Enunciado: "Los precios de algunas computadoras como las *PS/2* son tan bajos en la actualidad, que estoy tentado a comprar una mejor imitación de la que tengo ahora".

pseudocode (seudocódigo)

Pronunciación: *su-do-koud*.

Significado: Flujo de un programa que se expresa en español fracturado —esto es, una parte en español ordinario y una parte en lenguaje de programación— para que el programador pueda mapearlo sin necesidad de detenerse demasiado en los detalles (véase también *p-code*).

Enunciado: "Escribí este programa en *seudocódigo* para que mi madre pudiera entenderlo. Ella es ahora una muy cotizada programadora en el Valle del Silicio".

public domain (dominio público)

Pronunciación: *pu blik do-méin*.

Significado: Software que no tiene patente y que por lo tanto puede ser copiado y distribuido sin ramificación alguna. Existen cientos de programas del dominio público que se encuentran disponibles por medio de catálogos y distribuidores PD. El dominio público también se denomina *freeware*. Sin embargo, el *shareware* no es del dominio público. En lo general, el software de dominio público es material que podríamos catalogar como "bajo su propio riesgo". Si este tipo de software hace que su unidad de disco produzca humo y su computadora genere una tos seca y aguda, su buena fortuna pudiera haber tomado otro rumbo (véanse también *freeware* y *shareware*).

Enunciado: "Conseguí un grandioso programa de *dominio público* que me permite acomodar el mobiliario de mi hogar con mi computadora. Si al menos pudiera deshacerme de la basura con mi computadora, nunca tendría que levantarme de esta silla".

pull-down menu (menú descendente)

Pronunciación: *pul-daun mé-niu.*

Significado: En una aplicación de software, un menú descendente es una lista de intrigantes posibilidades que aparecen cuando usted selecciona una opción de la barra de menús. Para elegir un ítem de la lista, deberá arrastrar el ratón hacia el mismo y soltarlo o usar los teclazos apropiados. Las computadoras Macintosh popularizaron los menús descendentes en su sistema operativo original en el año de 1983. Ahora, los menús descendentes, desplegables y desprendibles tienen un lugar en común.

Enunciado: "El *menú descendente* de la función Formato en Microsoft Word 4 ofrece estas opciones: Mostrar regla, Carácter, Párrafo, Sección, Documento, Celdas, Posición, etc. ¡Algo para todos los gustos en este restaurante!"

punched card (tarjeta perforada)

Pronunciación: *punchd kard.*

Significado: Manera anticuada y poco manejable para el procesamiento de datos que utilizaba una gran reserva de tarjetas para transmitir la información. La computadora tenía que traducir un patrón de orificios perforados en la tarjeta —esto es, la luz que pasaba a través de tales orificios— en señales electrónicas. Este autor prefiere pensar que las tarjetas perforadas son obsoletas.

Enunciado: "Hace mucho, mucho, mucho tiempo, en mi época universitaria, teníamos que registrarnos a nuestros cursos por medio de *tarjetas perforadas*".

purge (purgar)

Pronunciación: *pursh.*

Significado: Consiste en deshacerse de todos los objetos no deseados/no necesarios, si es posible, de una manera automatizada, como sería el uso de una opera-

ción global de búsqueda —eliminación o la utilización del comando PURGE.

Enunciado: "Cuando *purgué* mi unidad de disco duro, eliminé mi libreta de direcciones por error. ¡Ahora ya tengo una excusa para no telefonear a mi mamá!"

push (empujar)

Pronunciación: *push.*

Significado: Relacionado con el apilado de los datos. Procedimiento que sucede, fuera de la vista vigilante del usuario final, en alguna parte de las entrañas de un programa. Los datos apilados pueden ser comparados a una pila

de platos y se refiere a la manera en que los datos se almacenan en cierta parte de la memoria de la computadora.
El empujar un registro en la pila, significa instalarlo en la
parte superior de la misma, donde podrá ser el primero que
se haga saltar cuando nos dirijamos a la pila mencionada
(véanse también *stack* y *pop*).

Enunciado: "Cuando *empujé* los datos en la pila, obtuve un
mensaje de error que decía `Stack Overflow`, por lo que
la computadora me empujó a la salida".

Q

Quadra

Pronunciación: *kua-dra.*

Significado: Macintosh bastante rápida (y cara) con un procesador 68040. Ideal para ser utilizada como servidor de archivos, para la autoedición, para el procesamiento de imágenes o para un complejo prensado de números.

Enunciado: "Adquirí una nueva *Quadra* porque deseaba ser mejor que José, quien es gerente del departamento contiguo. Él sólo cuenta con una Macintosh Classic. Además, el nombre Quadra suena mejor y lo mejor de todo es que la compañía pagó por ella".

query (consulta)

Pronunciación: *ku-ri, kue-ri o kuei-ri.*

Significado: Indagar acerca de algo. Solicitar información específica de una base de datos. Por ejemplo, para localizar todos los registros que contengan *Padlevski* en el campo del apellido, tendrá que utilizar una consulta como ésta:

```
Apellido = Padlevski
```

Es entonces cuando la base de datos inicia su búsqueda en todos los registros hasta localizar un valor idéntico. Las consultas de base de datos pueden volverse más bien complejas e intrincadas, como la siguiente:

```
Apellido = o (CPOSTAL > 80000 y < 99999)
```

Esto no tiene sentido, pero indaga en la base de datos para localizar todos los registros que contengan Padlevski en el campo del apellido o un CPOSTAL entre 80000 y 99999 (véase también *database*).

Enunciado: "Ese último cliente empezó a gritar desesperado cuando no pudo localizar su registro en nuestra base de datos; así que *consulté* en la base de datos en busca de todos los registros que incluyeran el término 'torpe' y ¡por fin pude localizarlo!"

queue (fila)

Pronunciación: *kiu.*

Significado: Colección de documentos o archivos que esperan con gran paciencia su turno para ser imprimidos, o cualquier otro tipo de procesamiento. Por ejemplo, una *fila de impresión* es un grupo de documentos que sólo esperan que la impresora los tome en cuenta. En Inglaterra, la palabra queue significa *línea*, como la línea de personas que esperan en algún centro de espectáculos con la esperanza de comprar algún boleto. Ellos dicen: "Hey, fórmese en la línea y compre su boleto, yo llegué primero, ja, ja, ja".

Enunciado: "Mi documento espera en la *fila* de la red para poder ser impreso. Es el número cuatro y aún estoy en espera. ¡Sí señor!, aquí espero. Aquí me sentaré. Espero por mi documento. Es el número cuatro. ¡Esperen!, ¡esperen un segundo, miren! Todos se mueven. Ahora, mi documento es el número tres en la fila. Bueno, aún es demasiado pronto. Esperaré con paciencia. Espero que mi documento sea impreso. Esperaré aquí. Mientras observaré la fila en la pantalla. He aquí mi documento. Ahora es el número tres. Antes, fue el número cuatro. Espero en la fila..."

Quit (salir)

Pronunciación: *kuit.*

Significado: 1) Es lo que usted debe hacer si su compañía lo obliga a trabajar con una computadora Macintosh Plus o una PC 286 con 2MB de RAM. 2) Un comando que da salida a un programa. Abandono, he terminado, ¿comprende?, todo ha terminado. Todo se ha marchado. Todo ha dicho adiós (véase también *exit*).

Enunciado: "El comando *Quit* es uno de los primeros comandos que usted debe conocer. No hay nada peor que entrar a un programa y no saber cómo salir (es como llegar al 'Hotel California')".

QWERTY

Pronunciación: *kuer-ti.*

Significado: Nombre otorgado de manera común al esquema estándar del teclado. El nombre surge de la combinación de las primeras seis teclas en la tercera fila de éstas sobre el teclado (véase también *Dvorak keyboard* y *keyboard*).

Enunciado: "Se han realizado muchos intentos para remplazar el viejo teclado QWERTY con algo más sensible. Esto es como tratar de hacer que se utilice el sistema métrico en todo Estados Unidos. Es un imposible".

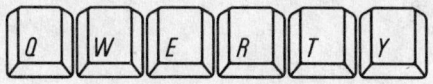

radiation (radiación)

Pronunciación: *rei-di-éi-shon.*

Significado: Forma invisible de energía que mata a los trabajadores de las plantas nucleares, hace explotar las salchichas en los hornos de microondas y le da una bofetada cada vez que observa la pantalla de su computadora. Pero, en general, es inofensiva en absoluto.

Enunciado: "El intentar una cirugía ocular por medio de la acupuntura, es como intentar remediar la caída del cabello por medio de la *radiación*".

radio button (botón de radio)

Pronunciación: *rei-dio bó-ton.*

Significado: Tipo de botón presionable en el ratón que se utiliza en las interfases gráficas para el usuario. Los botones de radio conforman un grupo y sólo uno de los integrantes de ese grupo puede estar "activo" a la vez. El nombre proviene del tipo de botones que solían utilizarse en aquellos viejos radios para automóvil; cuando se presionaba un botón para seleccionar una estación, cualquier otro botón que estuviera presionado saltaba y volvía a su posición original. La misma lógica se aplica en estos botones de radio, que se utilizan para seleccionar sólo un grupo de opciones a la vez (véanse también *button* y *graphical user interface*).

Enunciado: "Siempre que utilizo el comando Format-Tabs (a fin de formatear los tabuladores) en Microsoft Word, un juego de *botones de radio* me asalta con varias opciones de alineación".

ragged justification (justificación cortada)

Pronunciación: *ragd yus-ti-fi-kéi-shon.*

Significado: Estupidez que en realidad significa que no se tiene justificación en lo absoluto. La justificación cortada significa que tanto el margen izquierdo como el margen derecho de un documento no han sido alineados de alguna forma. De manera específica, se utiliza como norma para el margen izquierdo o derecho en forma individual. La justificación cortada hacia la derecha, por ejemplo, se refiere a un párrafo de texto que tiene un borde derecho desigual (véase también *justify*).

Enunciado: "Cuando le pregunté a Juan por qué tomaba dos horas para su almuerzo, me dio una *justificación cortada* de sus acciones".

RAM

Pronunciación: *ram.*

Significado: Acrónimo de Random-Access Memory (Memoria de acceso aleatorio), un tipo de memoria en la computadora, en la que se puede escribir y leer. El término "aleatorio" significa que sólo una locación puede ser leída a la vez; no es necesario leer toda la memoria para encontrar una  locación. La RAM se refiere de manera común a la memoria interna de su computadora, suministrada por los microchips y medida en kilobytes o megabytes. Sin embargo la RAM puede referirse a cualquier medio de memoria de acceso aleatorio, lo que incluye los discos magnéticos y el cerebro humano. RAM es por lo general un área de memoria rápida y temporal donde habitan los datos y los programas hasta que usted los guarde o desactive la computadora (véanse también *ROM* y *WORM*).

Enunciado: "La mejor manera de mejorar la funcionalidad de Windows, consiste en incrementar la *RAM* de su computadora. Siga esta fórmula: investigue cuánta RAM podrá adquirir sin sobregirar su tarjeta de crédito. Después, compre toda la RAM que le sea posible e instálela en su PC".

RAM disk (disco RAM)

Pronunciación: *ram-disk.*

Significado: Porción de la memoria interna en la computadora (RAM) que es configurada para comportarse como una unidad de disco. Podrá utilizar el disco RAM de la misma forma en que utilizaría una unidad de disco normal —para almacenar y recuperar archivos— sin embargo, un disco RAM es mucho más veloz que una unidad estándar de disco debido a que todos los componentes son electrónicos y no hay partes mecánicas. La desventaja consiste en que todos los datos que se almacenan en el disco RAM desaparecen cuando se apaga o se restituye la computadora. Los discos RAM son mucho más rápidos que los discos regulares. Otro inconveniente aquí es que, por lo general, necesitará una gran unidad de RAM para almacenar el programa, lo que significa que tendrá menos RAM disponible para los programas que la necesiten.

Enunciado: "El astrólogo al final de la calle me ha dicho que lo mejor es crear un *disco RAM* bajo el signo de Aries".

RAM drive (unidad de disco RAM)

Pronunciación: *ram draiv.*

(Véase también *RAM disk.*)

random access (acceso aleatorio)

Pronunciación: *rán-dom ák-ses.*

Significado: La habilidad para tener acceso a cualquier pieza de información a partir de algún medio de almacenamiento, como es el caso de un disco o la RAM. La idea consiste en que el acceso aleatorio le proporciona la habilidad de tener acceso a cualquier información antigua sin necesidad de leer todos los datos que se encuentran antes de ésta. Lo opuesto del acceso aleatorio es el acceso secuencial. Este último funciona como una videocinta. Si desea ver la segunda mitad de una película, deberá adelantarla hasta ese punto en la cinta. El acceso aleatorio funciona más como un reproductor de discos láser (o tocadiscos, si es usted un anticuado). En tales discos láser, sólo tendrá que indicar al rayo láser que "apunte a la segunda mitad de la película" y éste de manera instantánea se dirigirá a ese punto, sin necesidad de adelantar en forma mecánica. Con la RAM, el acceso aleatorio significa que podrá tener acceso a cualquier byte de la memoria en cualquier momento que lo disponga. En el disco, el acceso aleatorio significa que podrá tener acceso a todos los archivos sin tener que realizar un pesado recorrido en cada uno de los archivos previos del disco (véase también *sequential access*).

Enunciado: "Mi tío Pedro siempre cuenta chistes acerca del *acceso aleatorio*. Sólo dele un tema y él le contará algún chiste".

random numbers (números aleatorios)

Pronunciación: *rán-dom nóm-bers.*

Significado: Números que son generados en forma aleatoria (esto es, sin un objetivo, orden, dirección o secuencia en particular), como cuando usted lanza los dados.

Enunciado: "Debido a las nuevas teorías acerca de la naturaleza del caos y el proceso aleatorio, muchas personas argumentan que no existe algo que pueda ser considerado como *número aleatorio*. Seguro que estas personas no han visto mi cuenta de cheques".

range (rango)

Pronunciación: *rensh.*

Significado: Término utilizado para describir una serie de objetos, desde una baja hasta una alta numeración. Por ejemplo, un rango pudiera ser un bloque de celdas en una hoja de cálculo. Un rango puede también significar un segmento de valores, como el rango entre uno y diez. Es también un lugar donde juegan los venados y los antílopes (véanse también *block* y *cell*).

Enunciado: "Un rango puede fluctuar de una celda a otra en una hoja de cálculo, de aquí para allá o para confundir a los radares".

raster (rastro)

Pronunciación: *rás-ter.*

Significado: Marco o patrón que un rayo de electrones envía a la pantalla o monitor. Los patrones de rastreo son enviados a la pantalla de manera continua, una línea a la vez, para crear las imágenes y el movimiento que usted ve. Los patrones desplegados en la pantalla son enviados por medio de un "cañón" de electrones que limpia el interior de su monitor como si utilizara una manguera de bombero. Los patrones son enviados desde la parte alta de la pantalla hasta la parte baja y cada nuevo patrón es enviado antes de que el anterior finalice su recorrido. Esto crea "bandas" de imágenes, llamadas imágenes de rastro. Si observa la pantalla de reojo podrá observar un efecto pulsante que es causado por el rastreo de las imágenes (véase también *graphics*).

Enunciado: "Lo que usted observa cuando mira la pantalla de su computadora o su televisión, es el *rastro* de la línea. ¿Bastante feo, verdad?"

RCA connector (conector RCA)

Pronunciación: *ar-si-ei ko-nék-tor.*

Significado: Tipo estándar de conector que se utiliza en los audífonos y altavoces en estéreo. Cuentan con una larga punta metálica rodeada de una cubierta plástica de media pulgada de diámetro. Es el tipo de conector utilizado para algunos sistemas de video, pero en su mayoría se utiliza para conectar equipo de audio computarizado.

Enunciado: "Nada causará tanta dicha al corazón de su gurú, como el referirse al 'artefacto conector' con el término adecuado: conector *RCA*".

read (lectura)

Pronunciación: *riid.*

Significado: Acto de la transferencia de datos a partir de un medio de almacenamiento hacia la RAM interna de la computadora. Por ejemplo, una computadora "lee" la información de un disco y después la almacena en la memoria. Si su unidad de disco fuera una videocinta o un audiocasete, "lectura" sería equivalente a "reproducción".

Enunciado: "Mi computadora no *lee* el archivo de su disco floppy; me indica: `'Cannot read from Drive A.'` (no puedo leer la unidad A). Tal vez mi computadora necesita lentes".

read only (sólo lectura)

Pronunciación: *riid ón-li.*

Significado: Medio a partir del cual podrá leer los datos, pero no podrá escribir ningún tipo de información. Los discos CD-ROM son un medio de sólo lectura, como también lo son los discos LP para fonógrafo. Podrá leerlos (reproducirlos), pero no podrá escribir (grabar). Es también un atributo de archivos en DOS (véanse también *file attribute* y *write-protect)*.

Enunciado: "Los medios de *sólo lectura* se utilizan para almacenar información que no se desea cambiar, como es el caso de su peso a los 18 años de edad".

read/write head (cabeza de lectura/escritura)

Pronunciación: *riid/rait jed.*

Significado: Un mecanismo de la unidad de disco que realiza el acceso y almacena la información. La "cabeza" es por lo general de un material cerámico que flota o se inclina sobre la superficie del disco, crea un campo magnético que se carga debido a los impulsos magnéticos del disco. Cuando escribe información en el disco, la cabeza cambia las partículas magnéticas en lugar de ser afectadas por éstas. Es así como la información se lee o se escribe en el disco (véanse también *head* y *head crash)*.

Enunciado: "Una *cabeza de lectura/escritura* es una pieza delicada; aun las pequeñísimas partículas de polvo entre la cabeza y la superficie de disco pueden causar errores. Es por eso que debe evitar introducir esos emparedados de queso fundido en sus unidades de disco".

README

Pronunciación: *riid-mi.*

Significado: 1) Nombre que se da de manera común a un archivo de texto que contiene información actualizada acerca del programa, como pueden ser los cambios en la documentación, información sobre las adiciones de último minuto y las explicaciones de los errores que no fueron solucionados antes de poner el producto a la venta. Cuando un programa difiere de la documentación, los desarrolladores de software se apoyan en el archivo README para explicar lo que sucedió. Los archivos README son por lo general archivos sólo de texto, por lo que pueden ser leídos con cualquier editor de texto o procesador de palabras. 2) Es también un archivo que nadie lee.

Enunciado: "Me enfrentaba a ciertos problemas con un paquete de software. Cuando utilicé el archivo *README*, éste me indicó que un cambio de último minuto evitaba que el programa funcionara en mi sistema. Cuando la compañía creadora del programa me envió la cuenta de cobro, yo le envié una copia de mi archivo DEMÁNDAME".

real mode (modo real)

Pronunciación: *riil moud.*

Significado: Un modo operativo del microprocesador 80286 y posteriores, que opera como el microprocesador 8088 de la primera PC. DOS y todas las aplicaciones DOS utilizan el modo real sin importar qué tipo de microprocesador habita en su PC (véase también *protect mode*).

Enunciado: "Abigaíl no tenía la seguridad de que su programa virtual de realidades corriera en el *modo real*".

real number (número real)

Pronunciación: *riil nóm-ber.*

Significado: En esencia, un número real es cualquier valor, por lo general un valor que tiene alguna parte fraccionaria. Esto, en contraste con los números enteros, que son números totales, sin fracciones ni decimales.

Enunciado: "Le proporcioné a mi contador una copia de mi proyección de ingresos y me aconsejó que dejara de utilizar números imaginarios y empezara a utilizar algunos *números reales*".

real time (tiempo real)

Pronunciación: *riil taim.*

Significado: Medida del tiempo que se basa en el tiempo real transcurrido, en vez de basarse en las unidades de tiempo de las computadoras; los eventos de tiempo real en las computadoras pueden ser medidos con un equipo normal. Muchas operaciones de las computadoras miden el tiempo transcurrido con base en el tiempo de procesamiento de las mismas y otros sistemas no reales o incluso pueden simular una aceleración o una disminución del tiempo en ciertos experimentos.

Enunciado: "Lo siento, amigo mío, pero la hora de entrada en esta oficina se basa en el *tiempo real*".

real-time clock (reloj de tiempo real)

Pronunciación: *riil-taim cloc.*

Significado: El reloj de la computadora o dispositivo similar que mantiene un registro preciso del tiempo. Por ejemplo, en los inicios de DOS, éste suponía que la fecha de "hoy" era primero de enero de 1980, a la media noche. En aquellos tiempos, los usuarios tenían que ajustar la hora y la fecha en forma manual cada vez que usaban a DOS, a menos que compraran un dispositivo denominado reloj de tiempo real, mismo que de manera automática llevaría el registro del tiempo y ajustaría el reloj de DOS cada vez que se utilizara la PC.

Enunciado: "El muchacho de la esquina me dijo que se trataba de un *reloj de tiempo real*, pero cuando lo instalé, la carátula se desprendió y una envoltura de goma de mascar surgió del interior".

reboot (recargar)

Pronunciación: *ri-bút.*

Significado: Consiste en reiniciar la computadora. El arranque de la computadora se denomina "booting" o "booting up" (carga). Existen dos formas de recargar la computadora: se puede realizar una carga en frío al apagar la computadora, esperar algunos instantes y volverla a encender. Se realiza una carga en caliente cuando se presiona Ctrl-Alt-Del en una PC o al

golpear el botón de reinicio. Por lo general, una carga en caliente es todo lo que se necesita, pero, en ciertas ocasiones, es necesario implantar una carga en frío para limpiar por completo la memoria.

Enunciado: "Cuando mi computadora funciona mal, suelo *recargarla* al presionar Ctrl-Alt-Del. Cuando esto no funciona, me calzo mis botas vaqueras y le doy un puntapié".

record (registro)

Pronunciación: *ré-kord.*

Significado como sustantivo: Porción individual de datos que se almacena en una base de datos. Un registro consta de uno o más campos relacionados, que son las piezas reales de los datos que han sido almacenados. Los campos se combinan para crear un registro de la misma manera en que los espacios en blanco se llenan en una

hoja de papel. Los espacios en blanco son los campos y la hoja representa el registro.

Significado como verbo: Consiste en escribir información. Por lo general es utilizado al registrar información de sonidos que es almacenada en un archivo del disco. Es normal que la palabra "escritura" sea utilizada cuando se registra información en el disco o en la memoria (RAM).

Enunciado: "Cuando el inoportuno señor Hernández llamó por teléfono, inicié la búsqueda de su *registro* y localicé 200 Hernández en la base de datos. Quizá deberíamos ordenar nuestros registros de acuerdo con el cociente intelectual de nuestros clientes".

recover (recuperar)

Pronunciación: *ri-kó-ver.*

Significado: 1) Restituir un archivo eliminado. Con frecuencia podrá recuperar archivos que haya eliminado por medio del comando o la utilería UNDELETE (véase también *undelete*). 2) La habilidad de un programa para continuar su operación aun después de localizar ciertos errores que en otras circunstancias lo hubieran enviado al espacio exterior.

Enunciado: "Nuestro programa de base de datos es muy sofisticado. Puede lograr una *recuperación* después de tener serios errores, como cuando pateo la computadora" (véase también *reboot*).

recursion (recursión)

Pronunciación: *ri-kór-shon.*

Significado: Es un concepto de la programación avanzada que no es necesario para los simples mortales. No obstante, si a usted le interesa saber, la *recursión* es el proceso que ocurre cuando una rutina (o procedimiento) de software se llama a sí misma mientras corre. En realidad no vale la pena que avancemos con esta discusión, pues esto ocasionaría que su cerebro explotara. Es suficiente mencionar que el procedimiento se llama a sí mismo hasta que se encuentra y después se detiene; y la computadora, de manera milagrosa, no explota.

Enunciado: "Traté de escribir un programa que utilizara la *recursión.* pero cada vez que el programa se llamaba a sí mismo, recibía una señal de ocupado".

redirection (redireccionamiento)

Pronunciación: *ri-di-rék-shon.*

Significado: Es el acto de enviar la salida de un programa a una locación que no sea la pantalla. Por lo general, los datos de salida se dirigen a la pantalla; usted lo escribe, usted lo observa. Los datos de entrada por lo general provienen del teclado. Por medio del redireccionamiento, podrá indicar a la computadora la parte a la que deberá enviar su información de salida y el sitio del que debe provenir la entrada. Por ejemplo, el siguiente comando DOS utiliza el redireccionamiento de salida para enviar la información a la impresora: DIR > PRN.

El símbolo > indica el redireccionamiento de salida tanto de DOS como de UNIX. El símbolo < indica el redireccionamiento de entrada. Utilice ambos conceptos con precaución; consulte un texto de DOS para obtener información precisa (véase también *output*).

Enunciado: "Utilicé el *redireccionamiento* de salida para hacer que mi computadora envíe al cesto de la basura todos los memos que recibo".

redundant (redundante)

Pronunciación: *ri-dón-dant.*

Es lo mismo que *repetitive* (repetitivo).

reformat (reformatear)

Pronunciación: *ri-fór-mat.*

Significado: Acto de volver a formatear algo. Si formatea una vez y después formatea por segunda vez (y cualquier ocasión adicional), habrá reformateado (véanse también *format* y *FORMAT*).

Enunciado: "Nunca deberá intentar *reformatear* un disco a una mayor capacidad. Si hace esto, obtendrá uno de esos mensajes de error `'Track 0 unusable'` (pista 0 no utilizable)".

refresh rate (media de refrescado)

Pronunciación: *ri-frésh reit.*

Significado: La media con el que una pantalla se refresca o redibuja su imagen de acuerdo con la nueva información. Entre más rápido sea el ritmo, menos probable será que la pantalla parpadé, lo que evita el desgaste y el daño en sus córneas y cerebro. También significa que ha pagado más de lo que en realidad vale su monitor.

Enunciado: "José no pagó mucho dinero por su monitor. No obstante, la *media de refrescado* es tan lenta que más bien parece un estroboscopio".

register (registro)

Pronunciación: *ré-yis-ter.*

Significado: 1) Pequeños lugares de almacenamiento en el interior del microprocesador de su computadora. Un registro es una fila o un banco de algo que se denomina flip flops (unidades binarias de almacenamiento) que almacenan bits de información para ser procesados por la computadora.  Esto es algo que no necesita saber a menos que programe una computadora a muy bajo nivel (véanse también *assembly language, bit, flip flop* y *word*). 2) Es algo que los publicadores de software desean que usted haga con los productos, para que puedan venderle versiones mejoradas por medio del correo.

Enunciado: "¿No es irónico que tenga que *registrar* un producto de software antes de obtener en servicio al cliente y sin embargo, no poder registrar un arma para obtener el permiso?"

relational database (base de datos relacional)

Pronunciación: *re-léi-sho-nal déi-ta-beis.*

Significado: Base de datos que consta de varios archivos por separado que se "relacionan" uno a otro por medio de palabras cables o valores. La información almacenada en un archivo puede ser accesada por uno o más de los archivos restantes, debido al establecimiento de relaciones en la base de datos. Por ejemplo, usted pudiera almacenar información acerca de las direcciones de sus clientes en la base de datos de los Clientes e información acerca de los pedidos de productos en la base de datos de los Pedidos. Estas dos bases de datos pueden relacionarse entre sí por medio del nombre del cliente. Cuando examine el registro de un cliente en la base de datos de los Clientes, pudiera, por ejemplo, visualizar todos los pedidos asociados con ese cliente. De manera similar, cuando introduzca un pedido en la base de datos de los Pedidos, podrá escribir el nombre de un cliente y el registro entero de ese cliente aparecerá en la parte superior de la hoja de pedido. Otra ventaja del diseño relacional en las bases de datos, consiste en que cada campo (tipo de información) de la base de datos, puede ser accesado en forma individual (eso es, podrá realizar la búsqueda de una entrada basada en cualquier campo). Véanse también *data, database, field* y *record.*

Enunciado: "Es la administración de las *bases de datos relacionales* lo que explica el por qué debe indicar su nombre y dirección a los técnicos de apoyo cada vez que llama para solicitar ayuda".

relational operator (operador relacional)

Pronunciación: *ri-léi-shonal o-pe-réi-tor.*

Significado: Símbolo como el > o el <, que define una operación relacional entre dos variables u operandos. Los operadores relacionales son utilizados por los lenguajes de programación, los productos de hoja de cálculo y los sistemas manejadores de base de datos, para probar las relaciones entre dos valores (véase también *operator*).

Enunciado: "Utilicé un *operador relacional* para saber si las albóndigas serían una mejor opción que el sushi para la cena de esta noche".

relative reference (referencia relativa)

Pronunciación: *ré-la-tiv ré-fe-rens.*

Significado: La dirección (o referencia) de una celda, que es introducida en una fórmula de hoja de cálculo por medio de designaciones relativas de renglón y(o) columna. Cuando una fórmula que contiene las referencias relativas es copiada en otras celdas de la hoja de cálculo, las referencias son actualizadas en forma automática para reflejar las celdas que son relativas a la nueva locación de la fórmula. Las referencias relativas sólo se aplican durante el procedimiento de copiado (véase también *absolute reference*).

Enunciado: "Cuando llega el momento de contar viejas historias tétricas acerca de la Noche de Brujas, utilizamos a la tía Gloria como *referencia relativa*".

REM

Pronunciación: *rem.*

Significado: Abreviatura de REMARK. REM es un enunciado, o comando que se utiliza en muchos lenguajes de programación (lo que incluye el lenguaje de programación para los archivos por lote de DOS) que le permite añadir una línea al programa sin causar ningún efecto negativo. En otras palabras, le permite introducir comentarios para ayudar a explicar la función del programa. He aquí un ejemplo:

```
REM Este es un común archivo por lote
PATH C:\DOS;C:\WINDOWS;C:\WINWORD
PROMPT $p$g
C:\MOUSE\MOUSE.COM
```

Arriba, el comando REM sólo es un comentario y es ignorado cuando el programa corre.

Enunciado: "Carlos se ha relacionado de verdad con la programación. La noche anterior escuché que trató de utilizar un *REM* con su perro".

remote (remoto)

Pronunciación: *ri-móut.*

Significado: Algo que no se encuentra dentro de su territorio. Una computadora remota es una que está conectada a su red desde un lugar lejano, tal vez al otro lado del pasillo. El acceso remoto significa que usted puede utilizar una computadora que no está al alcance de su mano.

Enunciado: "Cuando llego a nuestra red desde otra locación, mis oportunidades de realizar la conexión son *remotas*".

removable disk (disco removible)

Pronunciación: *ri-mú-va-bol disk.*

Significado: Cualquier disco que pueda ser removido de su unidad o de la computadora. Sin embargo, el término se utiliza por lo general para describir un tipo de disco de alta capacidad (como es el disco duro) que puede ser insertado y removido de su unidad, como la unidad de disco Bernoulli. Otro término usado para señalar un disco removible es *disco fijo*, lo que significa que el disco ha sido unido a la computadora de manera sólida, no significa que lo hayan unido con pegamento.

Enunciado: "Oh, oh, aquí viene Alfredo con esa gran sonrisa en su rostro. Supongo que será mejor que le diga que su disco duro no es un *disco removible*".

repetitive (repetitivo)

Pronunciación: *re-pé-ti-tiv.*

Es lo mismo que *redundant* (redundante).

ResEdit

Pronunciación: *rez-é-dit.*

Significado: Abreviatura de Resource Editor (editor de recursos), una utilería de las computadoras Macintosh que le permite tener acceso y editar los recursos del sistema. ResEdit le permitirá tener relación con los varios componentes de un archivo Mac. Podrá en realidad utilizarlo para volver a dar nombre a los menús, a los botones, al texto en los cuadros de diálogo, copiar o pegar gráficas, etc. Es una herramienta genial, lo que implica que también es bastante técnica, por lo que su uso es una forma segura de estropear su sistema.

Enunciado: "Ese Martínez es algo especial. Utiliza *ResEdit* para cambiar todos los mensajes de error de su Macintosh para convertirlos en pequeñas rimas de doble sentido. El problema es que nadie se ha dado cuenta".

reserved word (palabra reservada)

Pronunciación: *ri-sérvd word.*

Significado: Cualquier palabra o código utilizado para un propósito especial que no puede ser usado con otro propósito. Las palabras reservadas tienen un lugar en los lenguajes de programación, los sistemas operativos y algunas aplicaciones. Por ejemplo, en DOS las palabras COPY, DEL y REN son nombres de comandos DOS y, por lo tanto, son palabras reservadas. Otros programas no pueden emplear estas mismas palabras pues DOS se enojaría, y mucho.

Enunciado: "En el ámbito hogareño de algunas personas, 'cabeza hueca' es una *palabra reservada*".

reset *(reiniciar)*

Pronunciación: *ri-sét.*

Significado: Consiste en volver a encender la computadora o restaurar ajustes previos. El reinicio es también una tecla de algunos teclados Macintosh, que realiza una carga en caliente cuando es presionada (véase también *warm boot*).

Enunciado: "Helo aquí, por fin terminé la última página de mi discurso y debo admitir que he realizado una brillante labor con mi computadora. Ahora, tomaré algunos momentos para sentarme y relajar mi mente mientras descanso... Por cierto, me pregunto para qué servirá este botón de *reinicio* ..."

resolution *(resolución)*

Pronunciación: *re-so-lú-shon.*

Significado: Es una forma de medir la claridad de una imagen. La resolución tiene que ver con el número de elementos por pulgada —el número de pixeles en su pantalla o puntos que su impresora láser puede producir— lo que indica qué tan clara y nítida es la imagen. Por ejemplo, algunas impresoras láser producen 300 puntos por pulgada (dpi) de resolución. Las impresoras de alta resolución despliegan entre 600 y 2400 puntos por pulgada. La resolución de las gráficas de video se mide tanto en forma horizontal como vertical. Una resolución de 320 x 200, significa que el tamaño de los puntos para producir la imagen es muy grande. Una resolución de 1240 x 800 significa puntos más pequeños y una imagen más fina, que da como resultado una mayor resolución. Cuando examine la resolución de una imagen, podrá observar a simple vista los puntos de las imágenes de menos de 600 dpi. Sin embargo, las impresoras láser de 300 dpi se consideran como fuentes de una resolución adecuada para la mayoría de las necesidades de impresión.

Con los desplegados de color, la resolución también está relacionada con el número de colores que pueden ser desplegados al mismo tiempo. Por ejemplo, una imagen que presenta una relativa baja resolución, pudiera ser capaz de desplegar varios cientos de colores al mismo tiempo, esto proporciona la ilusión de que la imagen tiene una mayor resolución, pero sólo se debe a que la vista es engañada por la gran variedad de colores. Las imágenes de alta resolución, utilizan por lo general menos colores (la mayoría de los videojuegos para computadora utilizan una resolución media como sello distintivo). La resolución puede ser abreviada como *res* (se pronuncia *rez*). Por ejemplo, "alta res" o "baja res" indican alta o baja resolución (véase también *pixel*).

Enunciado: "Como resolución de año nuevo, he decidido que esta vez sí compraré una impresora de *alta resolución*".

resource (recurso)

Pronunciación: *ri-sórs.*

Significado: Al igual que los humanos tienen ciertos recursos, las computadoras también tienen los suyos. Un recurso puede ser la memoria, el almacenamiento en las unidades de disco, la impresora, el monitor, y así. En Windows y en las redes siempre deberá estar alerta para no quedarse sin recursos.

Enunciado: "Nuestros *recursos* han disminuido, ya casi no tenemos espacio en el disco duro, ni memoria, y de repente, el jefe aparece y nos regaña muy enojado. Ahora nos ha hecho acudir al almacén y comprar más recursos, pero sólo podremos utilizar un cincuenta por ciento de ellos porque son tan novedosos que no estamos capacitados para implantarlos".

restore (restaurar)

Pronunciación: *ris-tóor.*

Significado: 1) Devolver a la normalidad, como cuando nos dicen: "sí, Mary se ha restaurado totalmente después de ese gran berrinche." 2) El acto de copiado de archivos de un archivero o juego de discos de respaldo o unidad de cinta, hacia sus locaciones originales en el disco duro. Es el procedimiento opuesto al respaldo, que se realiza por lo general luego de que algo malo ha sucedido. Por ejemplo, después de perder todos sus datos, deberá restaurar sus archivos a partir de un disco de respaldo reciente. No es necesario decir que esto sólo funciona si usted respalda con frecuencia. 3) En DOS, el comando RESTORE devuelve al disco duro los datos respaldados.

Enunciado: "No seas presa del pánico, David, podrás *restaurar* todos los archivos que acabas de perder si utilizas tus disquetes de respaldo. Porque supongo que respaldas con frecuencia, ¿o no?"

retrieve (recuperar)

Pronunciación: *ri-trív.*

Significado: 1) Es habla elegante para indicar el acceso o la apertura de un archivo, como es el caso del comando Retrieve de la hoja de cálculo Lotus 1-2-3 (véase también *open*). 2) También puede referirse a la apertura de un archivo dentro de otro archivo, como en WordPerfect.

Enunciado: "La mayoría de las personas utiliza la palabra *open* cuando se refieren a la obtención de un archivo a partir del disco. Algunas otras utilizan la palabra *retrieve*. Los veteranos fanáticos del Microsoft Word también recuerdan el término Transfer Load. ¿Acaso esto no le trae agradables recuerdos?"

Return key (tecla Return)

Pronunciación: *ri-tórn kii.*

Significado: Es lo mismo que la tecla Enter, pero toma su nombre del regreso del carro en una máquina de escribir (Return significa regreso). Se localiza por lo general en algunos teclados Mac.

Enunciado: "Tanto la tecla Enter como la tecla *Return* realizan en esencia la misma función, pero no tendrá que darnos un premio por proporcionarle esta información".

reverse engineer (ingeniería en reversa)

Pronunciación: *ri-vérs én-yi-niir.*

Significado: Proceso de decodificación de un programa que se basa no sólo en el código del programa, sino también en su función y la manera en que éste afecta las cosas. También se aplica al acto de analizar el hardware para determinar su funcionamiento.  La ingeniería en reversa es utilizada en forma primaria cuando los ingenieros desean indagar cómo funciona un artefacto de *caja negra* y no les es posible o no les es permitido desarmarla por razones legales. Por ejemplo, la razón por la que hoy en día todos nosotros tenemos computadoras compatibles con IBM, se debe a que alguien realizó una ingeniería en reversa con los chips de la primera PC IBM (la BIOS) y creó una contraparte sin infringir el derecho de patente de la IBM.

Enunciado: "Apuesto a que la IBM de verdad lamenta no haber amenazado a sus grandes grupos de trabajadores en la primera compañía que realizó con éxito una *ingeniería en reversa* de las entrañas de aquella PC IBM".

revision history (historial de revisión)

Pronunciación: *ri-ví-shon jís-to-ri.*

Significado: Un historial de revisión lleva la cuenta de las varias revisiones de un programa y lo que ocurrió en cada una de ellas. Por ejemplo:

Versión 1.0 Presentación del producto. A ellos les encanta esta parte.

Versión 1.1 Se elimina el problema "todos los archivos son borrados por accidente".

Versión 1.2 Se soluciona el molesto problema "disco duro borrado".

Versión 2.0 Se añaden características de red, el grupo de usuarios es trasquilado con una cuota de 50 dólares.

Versión 2.1 Se elimina el odioso problema "red no localizada".

Versión 2.2 Se añade soporte para las personas de gran estatura.

Versión 2.3 Se añade soporte para los zurdos.

Versión 3.0 Se presenta la mejora DOS 5, se vuelven a cobrar otros 50 dólares.

Versión 3.1 Se eliminan los problemas de DOS.

Enunciado: "Es obvio que la mayoría de las aplicaciones no incluyen un *historial de revisión*, pues éste podría ser bastante vergonzoso".

RF

Pronunciación: *ar-ef.*

Significado: Acrónimo de Radio Frequency (Frecuencia de radio), incluye una cierta porción del espectro electromagnético que usted podría encontrar tan poco interesante como el que más. Por lo general se utiliza con la RFI, como se verá a continuación.

Enunciado: "Sintonice a la KRUD, eso es, el 1240 AM en su cuadrante *RF*".

RFI

Pronunciación: *ar-ef-ai.*

Significado: Acrónimo de Radio Frequency Interference (Interferencia de frecuencia de radio). Es el tipo de interferencia que se presenta cuando dos dispositivos que emiten ondas electromagnéticas interfieren entre sí; las computadoras, los radios, los aparatos 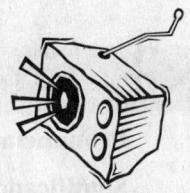 de televisión y muchos otros dispositivos de transmisión de radio, emiten ondas que pueden interferir con las ondas de otros dispositivos, lo que causa un ruido desagradable, nieve en el monitor, un gato demasiado inquieto y otras anomalías. La RFI es la razón por la cual usted no podrá utilizar su teléfono portátil en un avión, y también es la razón por la cual las computadoras notebooks tienen que someterse a una serie monstruosa de pruebas para ser aceptadas por la FCC. Una conexión apropiada a tierra y la utilización de cables de calidad es una gran ayuda para minimizar la RFI en las computadoras.

Enunciado: "Esta *RFI* ha causado efectos extraños en mi computadora. Casi puedo jurar que vi la imagen de Bill Gates aparecer en mi monitor".

RGB

Pronunciación: *ar-yi-bi.*

Significado: Acrónimo de Red Green Blue (Rojo verde azul). Un tipo de procesamiento de colores que involucra la mezcla de intensidades de los colores rojo, verde y azul reflectivos (o aditivos). Si se basa en la mezcla e intensidad de estos colores, podrá producir muchos de los colores del espectro normal. Las televisiones y monitores de computadora usan RGB para producir los colores en la pantalla. Usted podrá aclarar los pixeles individuales de color rojo, verde y azul, para mezclar los colores.

Enunciado: "Tengo un monitor *RGB* pero, en este caso, *RGB* significa Randomly Goes Blank (Se pone en blanco en forma aleatoria)".

ribbon cable (cable tipo cinta)

Pronunciación: *rí-bon kéi-bol.*

Significado: Tipo de cable para computadora que es plano como una cinta. Los cables tipo cinta se utilizan con frecuencia para la impresora y, en el interior de las unidades de disco de las PCs. En los viejos tiempos de las computadoras Apple II, los cables tipo cinta eran multicolores —como el arco iris—. Hoy en día son por lo general de un color "azul-hospital" (véase también *cable*).

Enunciado: "Doris es tan linda. Pensó que la oficina tenía un aspecto demasiado sobrio y colocó moños de colores en todos nuestros *cable tipo cinta*".

Rich Text Format (formato abundante de texto)

Pronunciación: *rich teks fór-mat.*

Significado: Tipo de formato para archivos de documento que puede ser leído por la mayoría de los procesadores de palabras. El Rich Text Format (RTF) es en esencia un archivo de texto. Sin embargo, dentro del texto se incluyen varias instrucciones que describen el formateo del documento. Esto pudiera ser burdo en extremo cuando se observa en un crudo formato de sólo texto. Aún así, los procesadores de palabras que entienden el RTF pueden leer los archivos y traducir el espantoso texto para convertirlo en códigos de formateo, lo que da como resultado que el documento tenga una muy buena apariencia.

Enunciado: "El *Rich Text Format* fue un intento por crear un formato común para los archivos de documento que pudiera ser compatible con todos los procesadores de palabras y las personas que viven en Scarsboro".

RISC

Pronunciación: *risk.*

Significado: Acrónimo de Reduced Instruction Set Computer (Conjunto reducido de instrucciones para computadora). Un sistema RISC es una computadora que corre mucho muy rápido debido a que su microprocesador sólo puede realizar un número limitado de operaciones. La idea consiste en que esas pequeñas operaciones constituyan los bloques de construcción para las operaciones mayores, por lo que el procesador RISC no es obstaculizado por su limitado número de instrucciones.

Enunciado: "No importa qué tan rápido sea, el simple hecho de colocar algo que se llame *RISC* en mi computadora no va de acuerdo con mis convicciones".

RLL

Pronunciación: *ar-el-el.*

Significado: Abreviatura de Run-Length-Limited. Un tipo de controlador del disco duro (ahora difunto) que incrementa la capacidad de la unidad de disco duro al utilizar la tecnología de compresión de disco en forma directa del controlador del disco duro. Un controlador RLL puede incrementar la capacidad de almacenamiento en el disco hasta en un cincuenta por ciento (véase también *IDE*).

Enunciado: "¡Cielos! ¿De dónde sacaste esa antigüedad *RLL*?"

robot

Pronunciación: *róu-bot.*

Significado: Mecanismo automatizado que simula o reproduce (o remplaza) las actividades humanas, como en las líneas de ensamblado y el trabajo en el espacio profundo. El R2D2 de la película *STAR WARS* (La guerra de las galaxias) es un ejemplo de un robot. Los robots son utilizados en muchas aplicaciones, lo que incluye el ensamblado y la prueba de las computadoras.

Enunciado: "Tal vez el *robot* más famoso de todos los tiempos es Robby, de la película *Forbidden Planet* (El planeta prohibido). Este personaje tenía una conducta encantadora, amable, amigable y tanta fuerza como para aplastar su cabeza como si fuera una toronja".

robotics (robótica)

Pronunciación: *rou-bó-tiks.*

Significado: 1) El estudio y la aplicación de los robots. 2) Bichos mecánicos que chupan la sangre (se pronuncia robo-tiks).

Enunciado: "Mi sobrino estudió *robótica* en la universidad. Ahora trabaja en un restaurante Burger King. Supongo que todos los días experimenta la sensación de ser un robot".

ROM

Pronunciación: *rom.*

Significado: Acrónimo que significa Read-Only Memory (Memoria de sólo lectura). ROM es cualquier tipo de memoria que puede ser leída, pero que no puede ser escrita. Por ejemplo, los discos compactos (CDs) son medios ROM, el cual se utiliza también para describir los chips internos de su computadora, que contienen de manera permanente la información básica para el funcionamiento de la misma (véanse también *RAM, PROM* y *ROM BIOS*).

Enunciado: "Supongo que 'colapso aleatorio' es una instrucción especial en la *ROM* de mi computadora".

ROM BIOS

Pronunciación: *rom bai-os.*

Significado: Acrónimo que significa Read-Only Memory Basic Input/Output System (Sistema básico de entrada /salida en la memoria de sólo lectura). Es un BIOS que se almacena en la ROM (véanse también *ROM* y *BIOS*).

Enunciado: "No, señor Salinas, *BIOS* no es el apellido de *ROM*".

Roman

Pronunciación: *róu-man.*

Significado: Clasificación de estilos de escritura (fuentes), lo que incluye Times y muchas otras. También se refiere a la versión normal y sin curvaturas estilizadas de la escritura, que es lo contrario a la escritura en cursiva (véase también *font*).

Enunciado: "Cierto *Romano* dijo en alguna ocasión: 'Hola, mi nombre es Gaius Julius Caesar y busco un tipo especial de fuente, ¿quién me puede proporcionar la información?'"

root directory (directorio raíz)

Pronunciación: *rut di-rek-to-ri.*

Significado: Es el primero y con frecuencia el único directorio en un disco. El directorio raíz no es de suma importancia hasta que usted cuente con subdirectorios y una estructura de árbol para su disco. Después, los demás directorios —los subidirectorios— se ramifican a partir del directorio raíz, a semejanza de un árbol. En DOS, el símbolo de directorio raíz es una diagonal invertida. En UNIX, el símbolo que lo representa es una diagonal normal (véanse también *tree strcture, directory, subdirectory, path* y *pathname*).

Enunciado: "Escribí el elegante programa PERRO.COM, que de manera instantánea olfatea el *directorio raíz* en la estructura de árbol de mi unidad de disco".

rounding error (error de redondeo)

Pronunciación: *raun-ding é-ror.*

Significado: Error de centésima que sucede cuando la computadora convierte los números decimales en código binario (para su procesamiento interno) y los vuelve a su normalidad. Esto siempre sucede, pero no es algo que debería preocuparle demasiado, a menos que realice un proyecto de física nuclear, o que miles de vidas estén en peligro, en cuyo caso deberá utilizar la alegata "la culpa es de Microsoft" si es que su caso llega a la corte de crímenes contra la humanidad, en las Naciones Unidas. La razón por la que se producen los errores de redondeo, es que ciertos números sólo pueden ser aproximados en la memoria de la computadora como dígitos binarios. Como resultado, existe un pequeño índice de mescolanza al momento que las aproximaciones de la computadora son manejadas de manera matemática.

Enunciado: "Traté de explicar que todas las respuestas equivocadas de mi examen final de matemáticas se debían a *errores de redondeo*, pero el profesor se negó a creer que yo fuera una computadora".

row (renglón)

Pronunciación: *rou.*

Significado: Arreglo horizontal de datos, como en el caso de las tablas y las hojas de cálculo. Las hojas de cálculo organizan los datos en forma de renglones y columnas para obtener los totales y otro tipo de cálculos de manera rápida y fácil. El renglón también se puede referir a una línea de texto en un documento de procesamiento de palabras o a una línea de texto sobre la pantalla.

Enunciado: "La pantalla común de la PC tiene 25 *renglones* de texto, de los cuales sólo cuatro tienen sentido en la mayoría de los casos".

RS-232C

Pronunciación: *ar-pi-em.*

Significado: Acrónimo de Revolutions Per Minute (Revoluciones por minuto), medida del número de veces que un dispositivo gira. Las unidades de disco y los acetatos para fonógrafo (¿se acuerda de ellos?) giran a cierto número de RPM. Los acetatos mencionados giran por lo general a 33 $^1/_3$ RPMs o a 45 RPMs (en realidad es 44).

Enunciado: "Me agradan los reproductores de Discos Compactos (CDs), porque no tengo que preocuparme por las *RPMs.*"

RPM

Pronunciación: *ar-es-tu-thir-ti-tu-si (ere ese dos treinta y dos ce).*

Significado: Abreviatura para Recommended Standard-232C (Estándar recomendado 232C), también conocido como RS-232. En realidad, éste no es el número de un componente de Radio Shack. Más bien, es un método estándar de transmisión de datos por medio de cables seriales que se utiliza en los modems, impresoras y otros dispositivos en serie. Existe una gran cantidad de material técnico alrededor del estándar, pero puede llegar a ser aburrido, es por eso que esta es toda la información que mencionaremos (véanse también *serial* y *serial port*).

Enunciado: "Si el *RS-232* es el estándar número 232 que han determinado este año, sería un tonto por haber asistido a las primeras 231 asambleas".

RTF

Pronunciación: *ar-ti-ef.*

(Véase *Rich Text Format.*)

run (correr)

Pronunciación: *ron.*

Significado: 1) Lo que usted debe hacer cuando la computadora empiece a producir humo. 2) Ejecución o empleo de un programa. Otros términos similares son arrancar, lanzar, ejecutar e inicializar.

Enunciado: "El operador de servicio al cliente me dijo que primero tendría que hacer que mi programa *corriera*, pero nunca pude encontrar una correa para poder sacarlo".

run time (tiempo de corrida)

Pronunciación: *ron taim.*

Significado: 1) El tiempo que transcurre mientras un programa corre. 2) Una versión especial del programa, como una base de datos o una hoja de cálculo, que realiza una tarea específica. Por ejemplo, cierta versión de Excel de tiempo de corrida pudiera permitirle usar sus hojas de trabajo Excel, pero no le permitiría utilizar ninguno de los comandos y opciones.

Enunciado: "El *tiempo de corrida* es un término erróneo al trabajar con Windows. En este caso, es más bien un tiempo de caminata o gateo".

S

S-100

Pronunciación: *es-wan-jun-dred.*

Significado: Tipo de tarjeta de expansión y también el nombre de una computadora CP/M de la última parte de la década de los setentas, que utilizaba ese tipo de tarjeta de expansión. Estos sistemas pudieran ser llamados dinosaurios hoy en día (véanse también *expansion card* y *CP/M*).

S-100

Enunciado: "Durante su período de mayor prosperidad, los sistemas *S-100* fueron los Cadillacs de las PCs".

SAA

Pronunciación: *es-ei-ei.*

Significado: Acrónimo de Systems Application Architecture (Arquitectura para sistemas de aplicación), un juego de guías que IBM desarrolló para estandarizar la forma en que las computadoras funcionaban. La mayor parte de las personas seguían estos lineamientos y después añadían suficientes "mejoras" para destruir el propósito inicial del estándar (véase también *IBM*).

Enunciado: "Mi computadora sigue el estándar *SAA* de IBM. Eso parece ser algo extraño ya que mi computadora es una Macintosh".

sans serif

Pronunciación: *sans se-ríf.*

Significado: Tipo de escritura que no tiene *serif*, que son esas pequeñas curvas (patines) ornamentales que aparecen en los bordes de las letras. Aunque usted no lo crea, el *serif* de verdad hace que las letras sean más fáciles de leer. Los tipos de escritura Sans serif —la palabra sans, viene del francés y significa sin—, son más difíciles de leer (véase también *serif*).

| serif |
| sans serif |

Enunciado: "Una regla simple de la autoedición, consiste en utilizar *fuentes sans serif* para los encabezados o los títulos y fuentes *serif* para el texto. En cierta ocasión decidí, de manera muy dolorosa por cierto, seguir este consejo con Microsoft Word para Windows, sólo para guardar, volver a cargar mi documento y darme cuenta que el WinWord había cambiado todo".

save (guardar)

Pronunciación: *seiv.*

Significado: Almacenamiento de datos (de la RAM) en un disquete o un disco duro, con la esperanza de volver a localizar la información. Casi todos los programas cuentan con un comando Save (para guardar) con la finalidad de almacenar su trabajo (véase también *RAM*).

Enunciado: "Utilice el comando *save* en forma periódica para almacenar su trabajo en caso de que falle el suministro de corriente o que la computadora se provoque a sí misma un cortocircuito".

save as (guardar como)

Pronunciación: *seiv as.*

Significado: Consiste en almacenar un archivo existente bajo un nombre diferente. El comando Save As guarda un archivo, pero permite que usted cambie el nombre de ese archivo y tal vez conservar el formato bajo el cual se ha guardado el archivo.

Enunciado: "Todos los documentos ultrasecretos tienen nombres de archivo como SECRET1 y SECRET2. Por lo tanto, cargué todos los archivos en mi procesador de palabras, utilicé el comando *Save As* y los guardé bajo un nombre diferente. Ahora puedo husmear en esos archivos secretos sin que la guardia nacional sospeche de mí".

scalable font (fuente escalable)

Pronunciación: *skéi-la-bol font.*

Significado: Tipo de fuente que puede aparecer en diferentes tamaños y aun así tener una buena apariencia. Las fuentes que no son escalables también pueden aparecer en diferentes tamaños, pero algunos de estos tamaños lucen tan horribles como el observar los poros de su piel a través de un vidrio de aumento.

Enunciado: "Sólo utilizo las *fuentes escalables* con mis trabajos de autoedición, en caso de que algún cliente desee cambiar el tamaño de la escritura en el último minuto".

scan (digitalizar/exploración/muestreo)

Pronunciación: *skan.*

Significado: Lectura de texto, imágenes o bien códigos de barras en la computadora. Este procedimiento se lleva a cabo por medio de un dispositivo llamado *digitalizador* (véase también *scanner*).

Enunciado: "Llevé una cebra al supermercado, la obligué a recostarse sobre el analizador de codigo de barras y realicé una *exploración* de las franjas de su piel para saber su valor real".

scan rate (media de muestreo)

Pronunciación: *skan reit.*

Significado: La velocidad a la cual un monitor dibuja de manera constante una imagen en la pantalla. En ocasiones denominado *media de refrescado*; el media de muestreo se mide en hertz (Hz), lo que suena como el nombre de una popular agencia de renta de automóviles que se localiza por lo general junto al sitio de reclamo de equipaje en los aeropuertos. Entre más alto sea el media de muestreo, más caro será su monitor. Y, como bien sabe cualquier persona relacionada con las computadoras, entre más dinero pague, mejor será la calidad de su equipo (véase también *refresh rate*).

Enunciado: "Mi monitor tiene una *media de muestreo* de 72 Hz. La mayoría de los empleados del supermercado tiene una media de muestreo de 18 artículos por minuto".

scanner (digitalizador)

Pronunciación: *ská-ner.*

Significado: 1) Dispositivo que puede "leer" de manera electrónica el texto impreso o las imágenes hacia la computadora. Los digitalizadores vienen en dos tamaños: los de cama plana y los portátiles. Los digitalizadores de cama plana pueden verificar una página entera a la vez, mientras que los portátiles sólo pueden revisar franjas de alrededor de cuatro pulgadas. 2) En 1981, una productora cinematográfica de Hollywood lanzó al mercado una película de horror llamada *scanners*, donde las personas podían utilizar el poder de su mente para hacer explotar la cabeza de las demás personas (véase también *scan*).

Enunciado: "Mientras veía la película *Scanners* en la televisión e intentaba concentrarme lo suficiente para hacer explotar la cabeza de mi perro, decidí comprar un *digitalizador* para no tener que volver a escribir mis artículos en el procesador de palabras".

scope (extensión)

Pronunciación: *skoup.*

Significado: 1) Enjuague bucal que por lo general no utilizan los felices programadores de aliento fétido. 2) Término utilizado por los programadores para describir el área de un programa en la que se puede utilizar una variable.

Enunciado: "Mientras limpiaba mi boca con el enjuague Scope, me dí cuenta que la *extensión* de las variables de mi subprograma en realidad incluía mi propio subprograma, así como los que Bob había escrito. Pero, para ser sincero, ese tema está más allá de la extensión de este libro".

Scrapbook (apuntador)

Pronunciación: *skrap buk.*

Significado: Accesorio de escritorio que se encuentra en las computadoras Macintosh y que se utiliza con el objeto de almacenar las imágenes o el texto que se emplean con mayor frecuencia para ser pegados en otros documentos.

Enunciado: "Siempre que utilizo MacPaint para dibujar la imagen de mi hermana en el momento que se introduce los lápices en sus oídos, almaceno las imágenes en el *Apuntador* para poder pegarlas más tarde en un documento PageMaker, con la finalidad de enviárselas por correo junto con una nota amenazadora".

screen blanker (limpiador de pantalla)

Pronunciación: *skrin bléin-ker.*

Significado: Programa especial que limpia la pantalla de manera periódica y la remplaza con una oscuridad intensa, con toda intención. Estos limpiadores evitan que la misma imagen aparezca en su pantalla durante un largo período y sea "fundida" en forma permanente.  Por ejemplo, muchas de las antiguas PCs tienen imágenes de 1-2-3 o de WordPerfect trazadas de manera permanente en los monitores. Algunos limpiadores de pantalla pueden ser bastante creativos. En lugar de sólo limpiar la pantalla, también muestran imágenes de objetos como tostadores de pan que vuelan, luces de destello o gotas de lluvia; éstos son los denominados *cuidadores de pantalla* (véanse también *phosphor burn-in* y *screen savers*).

Enunciado: "Si no toco mi teclado o mi ratón durante cinco minutos, mi *limpiador de pantalla* desactivará la pantalla para desplegar una serie de peces en una pecera, con la finalidad de evitar que mi monitor sea fundido. Pero, a causa de esto, mi estúpido hermanito pensó que se trataba de una pecera verdadera y vertió agua en mi monitor, que de todas formas se arruinó".

screen buffer (buffer de pantalla)

Pronunciación: *skrin bó-fer.*

Significado: Área de la memoria que se utiliza con el objeto de desplegar las gráficas o texto de la pantalla. También se denomina *Memoria de pantalla* o *Video RAM*.

Enunciado: "Y todo este tiempo yo pensé que el término *buffer de pantalla* se utilizaba para designar un producto de nueve dólares que servía para limpiar la pantalla".

screen dump *(vaciado de pantalla)*

Pronunciación: *skrin domp.*

Significado: Impresión de la imagen que aparece en la pantalla. El poco agradable término *vaciado* se utiliza con frecuencia en el habla de las computadoras para designar el copiado total de la información, de un lugar a otro. Podríamos hacer hincapié sobre esto durante un largo tiempo y volvernos bastante descriptivos. Sin embargo, la editora en jefe de los libros IDG, la señora Mary Bednarek, mostraría un gesto de desaprobación con respecto a tal iniciativa tan llena de vocablos.

Enunciado: "Siempre que mi computadora se colapsa sin una causa aparente, trato de obtener un *vaciado de pantalla* para explicarle al técnico lo que sucedió e indicarle por qué su más reciente solución no funcionó después de todo".

screen font *(fuente de pantalla)*

Pronunciación: *skrin font.*

Significado: Fuente de mapa de bits que imita la apariencia de las fuentes de impresora. Ya que las fuentes de impresora utilizan una resolución de trescientos puntos por pulgada o más, las fuentes consiguen una mejor apariencia que la que mostraba la pantalla. Como resultado, las fuentes que aparecen en pantalla pueden parecer planas y simples en comparación con las fuentes que aparecen en la impresora, lo que resultaría en una confusión al tratar de averiguar lo que se hace.

Enunciado: "Odio las *fuentes de pantalla,* porque nunca se puede saber cómo lucirán, a menos que las imprima todas y desperdicie papel en este proceso".

screen saver *(cuidador de pantalla)*

Pronunciación: *skrin séi-ver.*

(Véase también *screen blanker.*)

scroll (desplazamiento)

Pronunciación: *skrol.*

Significado: Consiste en mover el texto o las gráficas sobre la pantalla en forma horizontal o vertical, como si su monitor fuera una mirilla por donde se observa una parte de una gran imagen.

Enunciado: "Con un documento de 250 páginas, su monitor sólo le mostrará media página a la vez. Para poder observar el resto de su documento, tendrá que *desplazarse* hacia arriba o hacia abajo. De cualquier manera, podrá alegar que únicamente puede observar una parte del documento, para que no lo hagan responsable del resto del mismo".

scroll bar (barra de desplazamiento)

Pronunciación: *skrol bar.*

Significado: Franja rectangular horizontal o vertical que aparece con frecuencia a la derecha y en la parte baja de la ventana. La barra de desplazamiento le permitirá utilizar el ratón para desplazar la imagen hacia arriba/abajo o hacia la izquierda/derecha. Tal barra de desplazamiento también podrá mostrarle la posición aproximada de la pantalla actual, con relación al principio o al final del archivo.

Enunciado: "Siempre que me aburro con mi trabajo, observo la *barra de desplazamiento* y trato de adivinar qué tanto he avanzado desde que empecé. Después, utilizo esta barra para llegar al principio de mi documento, para hacer de cuenta que sé lo que hago".

scroll box (cuadro de desplazamiento)

Pronunciación: *skrol boks.*

Significado: En ocasiones denominado *cuadro elevador*, el cuadro de desplazamiento aparece a la mitad de la barra de desplazamiento. Si utiliza el ratón, podrá desplazarse en el archivo al mover el cuadro elevador en la barra de desplazamiento y también podrá ver qué tan cerca se encuentra su pantalla del principio o el final del archivo (véase también *elevator*).

Enunciado: "No desperdicie su tiempo en presionar las teclas Page Up/Down (para subir y bajar la página), mueva el *cuadro de desplazamiento* en forma alocada hacia arriba y hacia abajo sobre la barra de desplazamiento e imagine que la barra está llena de personas que en cada movimiento son lanzadas con violencia contra el piso y el techo".

Scroll Lock key (tecla Scroll Lock)

Pronunciación: *skrol lok kii.*

Significado: 1) Tecla que se localiza en algunos teclados y que aparenta no tener ninguna función cuando es presionada. 2) En algunos (pero no en todos) los programas, el presionar las teclas hacia arriba/abajo del cursor, ocasiona que éste se desplace hacia arriba y hacia abajo. Sin embargo, al presionar la tecla Scroll Lock y después presionar las teclas hacia arriba/abajo del cursor, éste permanece fijo en la pantalla, pero el texto o las gráficas sí parecen deslizarse hacia la parte superior o inferior. Si intenta este movimiento con su programa y no sucede nada, habrá descubierto que tal programa ignora por completo esta tecla.

Enunciado: "En ocasiones me gusta presionar la *tecla Scroll Lock* mientras uso diferentes programas, sólo para saber cuáles programas en realidad utilizan esta tecla. Supongo que esta tecla en las computadoras, es el equivalente a la muela del juicio en las personas".

SCSI

Pronunciación: *scuz-si (escosi).*

Significado: Acrónimo de Small Computer System Interface (Interfaz de sistema pequeño de computadora), que es un estándar más para realizar la conexión de unidades de cinta, discos duros y digitalizadores con la computadora. Se trata de un acrónimo extravagante y muy fácil de pronunciar como el WYSIWYG, pero no como el GUI.

Enunciado: "He comprado una unidad de disco duro *SCSI* sólo para descubrir que no podía conectarlo a mi computadora sin un puerto SCSI. Ahora ya tengo un puerto SCSI, una unidad de disco duro SCSI y una cuenta de mil dólares que no sé cómo voy a pagar".

search *(búsqueda)*

Pronunciación: *serch.*

Significado: Consiste en examinar un archivo en busca de datos específicos como palabras, caracteres o símbolos. Los procesadores de palabras le permitirán realizar la búsqueda de palabras y con las bases de datos podrá buscar registros específicos (véase también *sort*).

Enunciado: "Ya que el comité directivo no ha podido decidir a qué empleados daremos de baja, conduciremos una *búsqueda* en las unidades de disco de todo el personal y despediremos de la compañía a todos aquéllos que hayan escrito las palabras Odio esta compañía en uno o más de sus archivos".

search and destroy *(búsqueda y destrucción)*

Pronunciación: *serch and dis-trói.*

Significado: Término militar que se hizo popular durante la guerra de Vietnam, que es una forma menos brusca de decir que se tiene que buscar y matar a alguien. En las computadoras, la búsqueda y destrucción significa una forma

de búsqueda y remplazo cuando lo que usted encuentra debe ser remplazado por nada. El término apropiado debería ser *búsqueda y eliminación*, pero supongo que nadie buscaría esa definición en este diccionario, así que utilizamos la otra opción (véase también *search and replace*).

Enunciado: "Alguien me dijo que mi programa de computadora tenía ciertos parásitos, es por eso que he dedicado estos últimos días a llevar a cabo una misión de *búsqueda y destrucción* por medio de pesticidas, mismos que extraño desde que el gobierno los prohibió".

search and replace (búsqueda y remplazo)

Pronunciación: *serch and ri-pléis.*

Significado: Consiste en buscar caracteres específicos en un archivo y sustituirlos con otro carácter o grupo de caracteres. Todos los procesadores de palabras ofrecen un comando de búsqueda y remplazo para que usted pueda cambiar palabras y frases enteras al toque de un botón.

Enunciado: "Cuando Margaret Mitchell escribió *Lo que el viento se llevó*, el nombre original de la heroína fue Pansy O'Hara. En el último instante, decidió cambiar el nombre a Scarlett O'Hara. Si hubiera utilizado un procesador de palabras, sólo habría tenido que utilizar la función de *búsqueda y remplazo* a fin de realizar todos los cambios al instante. En vez de eso, algún pobre editor tuvo que revisar todas y cada una de las páginas en forma manual y realizar los cambios de esa misma manera".

search string (cadena de búsqueda)

Pronunciación: *serch string.*

Significado: Grupo de caracteres que la computadora busca cuando recibe el comando de búsqueda o búsqueda y remplazo. Una cadena es un grupo de caracteres (véase también *string*).

Enunciado: "Si desea remplazar todas las ocurrencias de la palabra *Pansy* con la palabra *Scarlet* en su procesador de palabras, deberá indicarle a la computadora que utilice el término *Pansy* como *cadena de búsqueda*".

sector

Pronunciación: *sék-tor.*

Significado: Para almacenar los datos, es necesario formatear los discos a base de anillos concéntricos que son denominados *pistas*, además, cada pista es dividida en sectores. Cuando un disco se arruina hasta el punto en que la computadora no puede leer su información, se debe por lo general a que uno o dos sectores han sido dañados. Un sector dañado en un disco es como un libro al que se le han desprendido algunas páginas (véase también *track*).

Enunciado: "El técnico me dijo que no podía utilizar mi disquete debido a que el *sector* de carga había sido destruido por un virus. Me dijo que mi problema era similar a desconectar la batería y el interruptor de mi automóvil para evitar que funcionara. Le dí las gracias por su analogía y llevé mi computadora con otro técnico que no tuviera aspiraciones literarias tan pretenciosas".

seek (accesar)

Pronunciación: *siik.*

Significado: Movimiento de las cabezas de lectura/escritura de una unidad de disco para que los datos y las instrucciones del programa puedan ser cargados, de manera muy similar a la forma en que se mueve la aguja para reproducir una parte del disco en el viejo tocadiscos de la abuela. Es en realidad un término bastante religioso para una computadora ¿no lo cree? Lo normal sería esperar un término como Ve Hacia o Busca o Investiga. El acceso, desde luego, siempre implica que existe cierta posibilidad de falla, lo cual debe ser la razón por la que los dioses de la computadora la eligieron (véase también *read/write head*).

Enunciado: "Compré un programa de la biblia para localizar el pasaje que dice Accesa y encontrarás. Cuando empecé mi acceso, pude escuchar las cabezas de la unidad de disco que se deslizaban sin parar en todas direcciones, en busca de la información que yo deseaba".

segment (segmento)

Pronunciación: *ség-ment.*

Significado: Porción o parte de algo. Con los gusanos, un segmento es como un nuevo arillo del gusano que lo hace crecer, es decir, una rebanada de gusano; claro, si se diera el caso de que un gusano deseara caminar sobre la navaja de una máquina rasuradora. En las PCs, un *segmento* se refiere a un pedazo de memoria que contenga 64 K.

Enunciado: "Los programas por lo general corren muy lento bajo DOS, debido a que se ven en la necesidad de apretujarse en pequeñísimos *segmentos* de memoria de sólo 64 K".

select (selección)

Pronunciación: *se-lékt.*

Significado: Consiste en resaltar y elegir el texto o las gráficas que aparecen en la pantalla, por lo general, por medio de un arrastre con el ratón, las teclas del cursor o por medio de teclazos al azar mientras se lanzan intensas maldiciones a la computadora. La selección es lo mismo que el "marcado como bloque" o el "resaltado".

Enunciado: "Antes de poder eliminar, copiar, o cortar cualquier objeto en la pantalla, deberá primero *seleccionar* para que la computadora sepa cuál es el punto que usted desea eliminar, copiar o cortar".

select all (seleccionar todo)

Pronunciación: *se-lékt ol.*

Significado: Resaltado y elección de todo el texto y las imágenes gráficas en pantalla o en un documento de un solo golpe. Este es un buen comando para eliminar todo un segmento de información al mismo tiempo, ajustar todo lo que se ve en pantalla o copiar todo al mismo tiempo. Si se utiliza sin cuidado, también es una buena forma de eliminar cuatro años de trabajo con un solo teclazo.

Enunciado: "Para reformatear mi informe de quinientas páginas, elegí el comando de *seleccionar todo*, pero entonces oprimí la tecla Del por error y lo perdí todo. ¿Ya me puedo ir a mi casa?"

selected (seleccionado)

Pronunciación: *se-lek-ted.*

Significado: Resaltado del texto o las imágenes gráficas que le muestran los objetos que serán afectados por el siguiente comando que utilice (corte, copiado, eliminado, etcétera).

Enunciado: "Después de haber *seleccionado* todo el contenido de la pantalla, presioné Del para eliminarlo todo. Nunca pensé que fuera tan fácil arruinar el trabajo de alguien más".

self-modifying (automodificable)

Pronunciación: *self-mo-di-fá-ying.*

Significado: Sucede cuando un programa realiza cambios en sí mismo al momento de correr. Muchos programas de virus son automodificables (también denominados *mutantes*) para evitar ser detectados por el software antivirus. Muchos programas de inteligencia artificial también son automodificables, para crear la ilusión de que se modifican a sí mismos o se adaptan a estímulos externos, como por ejemplo un organismo vivo.

Enunciado: "Escribí un programa de ajedrez que es *automodificable*. Cada vez que pierde un juego, vuelve a escribir sus propios algoritmos para corregir su conducta. Aún así, no es muy buen jugador de ajedrez y, ¿quiere que le diga un secreto? Tampoco es muy bueno para reprogramarse".

semiconductor

Pronunciación: *se-mi-kon-dók-tor.*

Significado: Material que no es un buen aislante, pero tampoco es un buen conductor de la electricidad. Los semiconductores son utilizados para fabricar transistores, diodos, circuitos integrados y todos esos geniales componentes que conforman las computadoras. El silicio y el germanio son dos materiales populares para la fabricación de semiconductores (véanse también *silicon* y *germanium*).

Enunciado: "Antes de trabajar como diseñador de *semiconductores* en la industria de la electrónica, Jorge solía tener un trabajo de medio tiempo como conductor de trenes".

separator bar (barra de separación)

Pronunciación: *se-pa-réi-tor bar.*

Significado: En los menús descendentes, la barra de separación aparece entre grupos de comandos, lo que hace que sea más fácil observar cada comando sin que sus ojos se salgan de sus órbitas (véase también *pull-down menu*).

Enunciado: "El menú File de mi procesador de palabras cuenta con una *barra de separación* entre los comandos como Open (abrir), New (nuevo), Save (guardar) y Save As (guardar como), así como entre los comandos Print (imprimir), Print Setup (ajuste de impresión) y Repaginate (repaginar)".

sequential access (acceso secuencial)

Pronunciación: *si-kuén-shal ák-ses.*

Significado: Consiste en analizar la información desde el principio, como en el respaldo de cinta o la cinta de su estéreo. En comparación, el acceso aleatorio le permite analizar la información en cualquier punto, como en el caso de un disco CD-ROM.

El acceso secuencial es como norma mucho más lento que el acceso aleatorio, pero, si desea matar el tiempo para hacerse el tonto por un rato, es un excelente método de búsqueda en su computadora (véase también *random access*).

Enunciado: "Cada vez que deseo escuchar mi canción favorita almacenada en una cinta de audio, tengo que utilizar el *acceso secuencial* al adelantar o retrasar la cinta. Si tuviera esa misma canción almacenada en un disco CD-ROM, podría utilizar el acceso aleatorio y escuchar mi canción al instante".

serial

Pronunciación: *sí-ri-al.*

Significado: Transmisión de datos, un bit después de otro, por medio de un solo cable. Esto es parecido a la marcha de un solo archivo. El término serial contrasta con el término *paralelo*, que es donde los datos son enviados en filas de 8 bits (o más), como si marcharan en un desfile. La ventaja del factor serial  es que la información puede ser enviada a grandes distancias (véase también *parallel*).

Enunciado: "El habla es una actividad *serial* porque las palabras tienen que ser mencionadas una después de otra. El discutir tiene mayor relación con la naturaleza del factor paralelo, porque nadie se molesta en escuchar lo que la otra persona dice antes de empezar a gritar su respuesta. ¡Vaya molestia! Creo que será mejor que me vaya a comer mi cereal Super Chompo Sugar Flakes".

serial communications (comunicaciones seriales)

Pronunciación: *sí-ri-al ko-miu-ni-kéi-shons.*

Significado: Transferencia de datos de un bit a la vez por medio de un solo cable, por lo general, un módem (véase también *modem*).

Enunciado: "Ted es nuestro experto de *comunicaciones seriales*. Lo sabe todo acerca de los modems, los protocolos de transmisión como el ZModem y el Kermit, además de saber quién elabora los cereales Quisp y Quake".

serial mouse (ratón serial)

Pronunciación: *sí-ri-al maus.*

Significado: Ratón que se conecta en el puerto serial de una computadora. El otro tipo de ratón, denominado ratón de *bus*, se conecta en una tarjeta de expansión especial que a su vez se conecta en la computadora (véase también *bus mouse*).

Enunciado: "La mayoría de las personas utiliza un *ratón serial* debido a que es más barato que un ratón de bus. Yo utilizo un ratón serial porque es más fácil de mover cuando tengo que llevarlo de una computadora a otra".

serial port (puerto serial)

Pronunciación: *sí-ri-al port.*

Significado: Puerto (conector en la parte posterior de su computadora) que permite la transferencia de datos, sólo un bit a la vez. Los puertos seriales son denominados en ocasiones puertos *RS-232* o "el orificio en la parte de atrás de su computadora". Vienen en tamaños de 9 y 25 pines (véanse también *RS-232C* y *parallel port*).

Enunciado: "Compré un módem externo y un ratón. Para mi mala fortuna, mi computadora sólo cuenta con un *puerto serial*, por lo que tuve que conectar otro puerto de este tipo a mi computadora para poder utilizar mi módem y mi ratón en forma simultánea. A pesar de todo, es una verdadera pena que aún no sepa cómo utilizar mi computadora".

serial printer (impresora serial)

Pronunciación: *sí-ri-al prín-ter.*

Significado: Impresora que se conecta en el puerto serial de una computadora. La mayoría de las impresoras se conectan en los puertos en paralelo debido a que la transferencia de los datos es más rápida y el ajuste es más fácil. Algunas impresoras sólo pueden conectarse a un puerto serial o a un puerto en paralelo y otras impresoras pueden conectarse tanto en serie como en paralelo. Además, existen otras impresoras que ni siquiera funcionan (véanse también *serial port* y *parallel port*).

Enunciado: "Decidí comprar la impresora más lenta del mercado para mi jefe, por lo que le compré una *impresora serial*. Ahora, tendrá que comprar otro puerto serial para poder utilizar su módem externo, su ratón y su impresora serial, de manera simultánea".

serif

Pronunciación: *se-ríf.*

Significado: Pequeñas curvas (patines) ornamentales de las letras que facilitan su lectura. La mayoría de los tipos de escritura tiene algún tipo de serif (véase también *sans serif*).

serif
sans serif

Enunciado: "Este libro utiliza un tipo de escritura *serif* para que la impresión no lastime su vista y le provoque dolores de cabeza al leerlo. Qué pena que no podamos decir lo mismo de los documentos legales, las formas para los impuestos o los libros de texto".

server (servidor)

Pronunciación: *sér-ver.*

Significado: Es por lo general la computadora más costosa que nadie puede utilizar debido a que se encuentra muy ocupada en controlar toda la red. Usted podría pensar que el servidor es el "esclavo" de la red, pero no es así. El servidor es en realidad la "computadora maestra", la única a la que las demás computadoras se conectan y suplican para utilizar las unidades de disco y las impresoras. Este es el mismo concepto diabólico que ha dominado la computación con mainframes durante las últimas tres décadas (véase también *clent/server network*).

Enunciado: "Si desea sabotear una red, no se moleste en arruinar cada una de las computadoras. Sólo desconecte el *servidor* y la red entera se hundirá como el Titanic".

session (sesión)

Pronunciación: *sé-shon.*

Significado: 1) Hora de cincuenta minutos en el consultorio de un psiquiatra en busca de una terapia que nos ayude a sobreponernos al trauma de tener que utilizar una computadora. 2) Actividad individual que es realizada por una computadora multitareas (véase también *multitasking*).

Enunciado: "El año pasado gasté más de 23 mil dólares en *sesiones* con un psiquiatra. Ahora creo que por fin estoy curado de mi adicción a las computadoras. Mi nuevo problema es que me he convertido en un adicto al Nintendo".

setting (instalación/puesta)

Pronunciación: *sé-ting.*

Significado: Configuración de un programa que define su apariencia sobre la pantalla (color, tamaño de ventanas, uso de la memoria, etcétera).

Enunciado: "Para el momento en que el sol se había *puesto* en el poniente, yo había terminado la *instalación* de mi programa para que no pareciera un punto rosa sobre un fondo de color morado cada vez que lo cargaba".

setup (ajuste)

Pronunciación: *set-op.*

Significado: Modificación de un programa o una computadora para que funcione de una manera específica cuando se utiliza. La primera vez que se ajusta un programa o computadora, es cuando se instala. Más adelante, se podrán realizar ajustes a la instalación (véanse *configure* e *install*).

Enunciado: "Tuve que elegir el comando *Print Setup* (Ajuste de impresión) para que mi computadora supiera cómo utilizar la impresora. Ahora, tanto la computadora como la impresora funcionan en forma genial, pero yo todavía no tengo la menor idea de lo que hago".

shareware

Pronunciación: *shér-wer.*

Significado: Software que puede copiar y regalar en forma legal, pero por cuyo uso debe pagar de manera regular.

Muchos programas de shareware con frecuencia rivalizan con las características de los programas comerciales, pero son mucho menos costosos. Una vez que realice su pago por el shareware, obtendrá un manual impreso, apoyo por vía telefónica y la notificación de mejoras futuras (véanse también *freeware* y *public domain*).

Enunciado: "Los programas de *shareware* le permiten realizar una prueba antes de comprar, lo cual es como pedirle al concesionario Ford que le permita manejar un Mustang último modelo por varias semanas antes de decidirse a comprarlo".

sheet feeder (alimentadora de hojas)

Pronunciación: *shit fí-der.*

Significado: Charola que sujeta el papel y alimenta una página a la vez a la impresora. Las alimentadoras de hojas le permiten utilizar cualquier tipo de hojas o papel membretado que tenga por ahí arrumbado en lugar de utilizar papel especial para computadora.

Enunciado: "Cada vez que mi jefe me entrega un memorandom, lo volteo y lo coloco en mi *alimentadora de hojas* para poder imprimir sobre el otro lado de esa hoja. Esto es una gran ayuda para evitar el desperdicio de papel".

shell

Pronunciación: *shell.*

Significado: 1) Programa que tiene como función hacer que otro programa sea más fácil de utilizar. Los shells de DOS son los programas shell más comunes y con frecuencia proporcionan menús para elegir comandos comunes de DOS. 2) Nombre dado a cualquier programa que alguien utiliza

para controlar una computadora. En DOS, el shell es en realidad un programa denominado COMMAND.COM; tal programa despliega el indicador de DOS, interpreta sus comandos y corre otros programas. 3) El nombre dado al comando que corre otro programa a partir de un primer programa. Por ejemplo, el comando Shell en WordPerfect le permite correr un segundo programa sin antes tener que salir de WordPerfect. Al abandonar el segundo programa, estará de nuevo en WordPerfect (la palabra shell también significa concha en español).

Enunciado: "Susan vende conchas de mar en la playa y utiliza un *shell* de DOS para que su computadora IBM sea más fácil de usar. A Susan le gustan los menús descendentes en vez de memorizar esos enigmáticos comandos de DOS".

Shift key (tecla Shift)

Pronunciación: *shift kii.*

Significado: La tecla con el letrero Shift (¿de verdad?) que usted tendrá que presionar para producir letras mayúsculas COMO ÉSTAS. La tecla Shift también puede ser utilizada con teclas de función para otorgar comandos como Shift-F4.

Enunciado: "Presione y mantenga la *tecla Shift* al tiempo que golpea la tecla F4 una sola vez para después liberar ambas teclas. Eso es lo que significa la frase Shift-F4 cuando usted la lee en el manual. Shift-Tab significa que deberá presionar y mantener tanto la tecla Shift como la tecla Tab al mismo tiempo".

Shift-Arrow (Shift-flecha)

Pronunciación: *shift â-rou.*

Significado: Consiste en presionar y mantener la tecla Shift al tiempo que se presiona una de las teclas de flecha (arriba, abajo, izquierda, derecha) para después liberarlas. Este comando se utiliza con frecuencia para mover el cursor con la finalidad de resaltar una porción de texto en un procesador de palabras.

Enunciado: "Presione *Shift-flecha hacia la izquierda* y el cursor resaltará el texto que acaba de escribir. Ahora presione Del y borrará todo su valioso trabajo en un instante".

shift-click (shift-clic)

Pronunciación: *shift-klik.*

Significado: Presionar y mantener la tecla Shift mientras se hace clic con el botón del ratón. El utilizar Shift-clic es de utilidad para seleccionar dos o más objetos en la pantalla (véase también *click*).

Enunciado: "Si se encuentra en un programa de dibujo, podrá seleccionar dos objetos si hace clic en el primero de ellos y después utiliza *Shift-clic* con el segundo. Si acaba de hacer clic en el segundo objeto, el primero ya no podrá ser seleccionado. Por cierto, si apaga su computadora en este momento, ya no tendrá que preocuparse por nada".

Show Clipboard (Mostrar Portapapeles)

Pronunciación: *shou klíp-bord.*

Significado: Comando que le permite observar el último ítem que fue copiado o cortado de la pantalla. Al elegir primero el comando Show Clipboard, podrá observar lo que aparecerá en la pantalla si después elige el comando Paste (para pegar).

Enunciado: "Escribí mi currículum vitae completo, lo resalté y lo corté para que desapareciera y se colocara en el interior del portapapeles. Por pura diversión, elegí el comando *Show Clipboard* para observar mi documento en el portapapeles. Después, escribí un enunciado, lo corté y utilicé el comando Show Clipboard una vez más. Caramba, de verdad me sorprendí cuando me dí cuenta que mi currículum ya no estaba ahí. He aprendido algo nuevo, pero perdí mi documento para siempre y tal vez nunca vuelva a conseguir un trabajo decente".

shrink wrap (envoltura protectora)

Pronunciación: *shrink rap.*

Significado: Consiste en cubrir una caja por completo con una envoltura plástica transparente para dar la apariencia de que no ha sido tocada por manitas de niño o cualquier otra persona antes de llegar a su escritorio en una forma intacta e inmaculada. La mayor parte del software se vende en cajas con envoltura protectora para proporcionar una apariencia pulcra, muy similar al rodete de papel 'para su protección sanitaria' que se coloca sobre los sanitarios de algunos moteles.

Enunciado: "Sólo compre software *con envoltura protectora* para aminorar las posibilidades de obtener programas que alguien más haya devuelto y que puedan estar infectados con algún virus. No obstante, si alguien ya pasó por todos esos problemas, con seguridad se tomará la molestia de volver a colocar la envoltura protectora, por lo que deberá tener mucho cuidado de todas maneras".

sidelit (iluminación de costado)

Pronunciación: *sald lait.*

Significado: Iluminación adicional desde un costado de un desplegado de cristal líquido (LCD) para facilitar la lectura (véase también *backlit*).

Enunciado: "Si no fuera por mi LCD de *iluminación de costado*, tampoco podría ver mi computadora laptop. De todas formas, si llegara a tener problemas, sólo haría que mi secretaria realizara el trabajo sucio por mí".

SIG

Pronunciación: *sig.*

Significado: Acrónimo de Special Interest Group (Grupo de interés especial). Es un grupo de personas que comparten el mismo interés por las computadoras, como es el uso de un tipo específico de computadora como la Amiga, un programa como dBASE IV o un campo como el de la autoedición o la inteligencia artificial.

Enunciado: "Las personas más relacionadas con las computadoras dicen que pertenecen a un *SIG*. Las demás personas dicen que pertenecen a un grupo de interés especial, porque todos saben que sólo los mejores usuarios de computadora utilizan los acrónimos siempre que les es posible".

sign on (firmar)

Pronunciación: *sain on.*

Significado: Consiste en llamar a otra computadora, como un BBS local, CompuServer o Prodigy, y escribir su nombre o una contraseña para poder utilizar los servicios (véase también *logon*).

Enunciado: "Antes de irrumpir en las computadoras del Pentágono, colocamos el letrero de 'no molestar' en la puerta de nuestra habitación del hotel y conectamos nuestras computadoras portátiles al teléfono para poder llamar y *firmar* sin que nadie nos viera".

silicon (silicio)

Pronunciación: *sí-li-kon.*

Significado: Un elemento —arena— que se utiliza para fabricar vidrio y los moldes de cerámica que son ideales para moldear los chips.

Enunciado: "Los entremeses no estarían completos en fiestas de usuarios de la computadora sin contar con una bandeja de obleas de *silicio*".

Silicon Valley (Valle del Silicio)

Pronunciación: *sí-li-kon-vá-li.*

Significado: Lugar en el norte de California que es famoso en el mundo entero por su manufactura de semiconductores, microprocesadores y otros componentes para circuitos electrónicos. También cuenta con al-gunas buenas pizzerías y uno que otro restaurante chino.

Enunciado: "Conducimos nuestro automóvil hasta el *Valle del Silicio* para buscar un trabajo en la industria de las computadoras, pero con tanta demanda de computadoras, terminamos por obtener un empleo en una compañía de computadoras de Fresno".

silicone (silicón)

Pronunciación: *sí-li-koun.*

Significado: Es ese material plastificado que utilizan los cirujanos plásticos para moldear la nariz, las mejillas y otras partes del cuerpo de algunas personas con la finalidad de lograr diferentes formas. No es lo mismo que el silicio.

Enunciado: "Pensé que el *silicón* era el mismo material que utilizaron para fabricar la Boligoma".

SIMM

Pronunciación: *sim.*

Significado: Acrónimo de Single In-line Memory Module (Módulo de memoria sencillo y en línea), que es un pequeño tablero de circuito con varios chips de memoria. Los SIMMs conectados en una computadora tienen la misma apariencia que la serie de cucarachas sin cabeza que se encuentran en ciertos moteles (véase también *SIP*).

Enunciado: "Los *SIMMs* facilitan la instalación de grandes cantidades de memoria. En lugar de conectar chips individuales de memoria en su computadora, sólo conecte un par de SIMMs".

simulation (simulador)

Pronunciación: *si-miu-léi-shon.*

Significado: Programa o dispositivo que simula la operación de algo más. Un programa de simulación de vuelo imita el vuelo de un avión (pero, ¿cuántas cabinas de avión conoce que utilicen un teclado de computadora para controlar un avión?), mientras que un simulador del mercado de valores imita el alza y la caída dramática de las acciones en Wall Street (véase también *emulation*).

Enunciado: "Para darle a mis hijos una idea de lo que es manejar un auto de verdad, les permito utilizar el *simulador* de manejo en mi computadora en lugar de prestarles mi auto".

single-density (densidad sencilla)

Pronunciación: *sin-gol-dén-si-ti.*

Significado: La forma más primitiva de almacenamiento en medios magnéticos que ha sido remplazada con la doble densidad y la quad o alta densidad. Un disquete de densidad sencilla y 5.25 pulgadas puede contener hasta 180 K de datos, uno de doble densidad y 5.25 pulgadas puede contener hasta 360 K y uno de alta densidad y 5.25 pulgadas puede contener un total de 1.2 MB (véanse también *high-density* y *double-density*).

Enunciado: "No compré disquetes de *densidad sencilla* porque en la actualidad son obsoletos. Aun así, todo lo demás también lo será en uno o dos meses".

single-sided disk (disco de densidad sencilla)

Pronunciación: *sin-gol-sái-ded disk.*

Significado: Disquete que sólo almacena datos en una de sus caras. En ocasiones podrá hacer una muesca en una cara de estos discos, voltearlos y almacenar datos en ambos lados, no obstante que los fabricantes no recomiendan esta medida (debido a que si sigue las instrucciones se verá obligado a comprar el doble de discos y hacer que la compañía obtenga el doble de ganancias).

Enunciado: "Dame todos tus *discos de densidad sencilla* y les haré muescas para poder utilizar ambos lados. No, mejor aún, ¿por qué no nos deshacemos de estos discos y compras algunos de alta densidad?"

single-user (de un solo usuario)

Pronunciación: *sin-gull yú-ser.*

Significado: Equipo que sólo una persona puede tratar de utilizar a la vez. Una computadora laptop es un dispositivo de un solo usuario, porque si dos o más personas intentaran escribir con el teclado de manera simultánea pudiera incluso parecer obsceno. Algunos programas de base de datos son de un solo usuario, lo que significa que únicamente pueden ser utilizados por una persona a la vez. Los programas de base de datos multiusuarios permiten que dos o más personas trabajen al mismo tiempo (véase también *multiuser*).

Enunciado: "Muchas compañías desean eliminar las computadoras *de un solo usuario* y conectar todo en una red. De esa manera podrán observar lo que cada persona hace y evitar que algunos empleados desperdicien tiempo con los videojuegos en la computadora. Es una lástima que eso destruya la moral y reduzca la productividad a la larga. Y todavía hay personas que se preguntan por qué los japoneses son más productivos que los estadunidenses".

SIP

Pronunciación: *sip.*

Significado: Acrónimo de Single In-line Processor (Procesador sencillo y en línea), un tipo de tarjeta de expansión para memoria similar al SIMM. La diferencia entre un SIP y un SIMM es que el SIP utiliza una fila de pequeñísimos pines como conector, como un peine barato. Los SIPs son por lo general susceptibles de mejoras y como norma son instalados sólo en la fábrica (véase también *SIMM*). (La palabra sip significa sorbo en español.)

Enunciado: "Necesito más *SIPs* porque mi PC toma grandes sorbos de mi memoria".

site license (licencia de sitio)

Pronunciación: *sait lái-sens.*

Significado: Acuerdo de software que le permite de manera legal utilizar múltiples copias del mismo programa en varias computadoras al mismo tiempo. Las licencias de sitio son más baratas que el comprar muchas copias del mismo programa y además son legales, en comparación con la piratería del software.

Enunciado: "Necesitábamos 500 mil millones de copias de WordPerfect para las computadoras de nuestra compañía, por lo que ahorré algo de dinero y compré una *licencia de sitio*. No obstante, me apena el pensar que nadie en nuestra compañía sabe utilizar las computadoras".

slot (ranura)

Pronunciación: *slot.*

Significado: Orificio largo y estrecho donde se conecta la tarjeta de expansión. Por lo general se denominan *ranuras de expansión.* Aunque en un famoso anuncio usted pueda ver que una PC cuenta con "ocho ranuras", lo que en realidad significa es que podrá conectar hasta ocho tarjetas de expansión. La palabra *ranura* es en realidad la parte fácil. Los nerds llaman *bus* al juego de ranuras y se refieren a él con términos como MCA, ISA, EISA y NuBus (véanse también *expansión card* y *expansion slot*).

Enunciado: "El conectar artefactos en la *ranura* de expansión de su PC hace que el mejorar su 'juguete' computarizado sea más fácil. Sólo recuerde apagar la computadora antes de realizar esta operación o las entrañas de su PC terminarán como un pan tostado".

small caps (versalitas)

Pronunciación: *smol kaps.*

Significado: Atributo de texto o estilo en el que las letras bajas son remplazadas con letras mayúsculas de tamaño menor. Por ejemplo, veamos el siguiente título en versalitas:

PEDRO MARTÍNEZ LANZA UN CLAMOR POPULAR

La primera letra de cada palabra es mayúscula. Eso es lo que se llama *mayúsculas iniciales.* Las letras subsecuentes también son mayúsculas, pero de un tamaño menor que las demás. Eso es lo que se denomina *versalitas.* Si todas las letras fueran mayúsculas normales, se llamaría *todas mayúsculas.*

Enunciado: "Los siete enanos de Blanca Nieves vinieron a mi computadora en busca de *versalitas*, pero se marcharon cuando les dije que sólo podrían encontrarlas en las minas".

Smalltalk

Pronunciación: *smol-tok.*

Significado: Uno de los primeros lenguajes de programación orientados a objetos que surgieron en el mundo. Desarrollada de manera original en el centro de investigaciones Xerox de Palo Alto, California, la interfaz Smaltalk ha sido responsable de las ideas para crear la interfaz gráfica para el usuario para Macintosh y Microsoft Windows. Ahora ya sabe quién tiene la culpa.

Enunciado: "Sólo los mejores programadores utilizan un lenguaje puro de programación orientado a objetos como el *Smalltalk* en lugar del C++. Pero supongo que debería cerrar la boca pues ninguno de mis programas ha funcionado como debería".

smart terminal (terminal inteligente)

Pronunciación: *smart tér-mi-nal.*

Significado: Computadora conectada a una red, que puede funcionar en forma independiente de ella. Las terminales inteligentes son por lo general computadoras personales que cuentan con su propio disco duro, unidad de disco y memoria. En comparación, las *terminales tontas* no son mas que un monitor y un teclado (véase también *dumb terminal*).

Enunciado: "Las *terminales inteligentes* asustan a la mayoría de los gerentes puesto que no pueden ser controladas de una manera fácil. ¿Quién podría saber si un empleado trabaja en su informe o en alguna tarea personal? Los gerentes que no confían en las terminales inteligentes son llamados 'gerentes tontos' y los gerentes que confían en las terminales inteligentes son denominados 'gerentes inteligentes'".

smoke and mirrors (humo y espejos)

Pronunciación: *smouk and mí-rors.*

Significado: Modismo que describe los efectos especiales verbales que produce un sonido más poderoso y tentador de lo que en realidad es. Las técnicas de humo y espejos se usan por lo general en la publicidad y las ventas. Una excelente historia de humo y espejos tiene mucho que ver con la computadora ancestro de la Macintosh, la desdichada Lisa (de muchas mane

ras, la computadora Lisa fue el "padre" o es la "madre" de la Macintosh y Windows, pero en cierta forma no lo es, puesto que robaron la idea de alguien más). Cuando la computadora Lisa original tuvo su demostración en la industria de las computadoras, ¡ni siquiera era una computadora! En realidad, y por debajo de la mesa, los diseñadores habían colocado varias computadoras Apple II, lo que en realidad controlaba a Lisa. Esto es un clásico efecto de humo y espejos.

Enunciado: "No escuche lo que dice ese vendedor. Sólo se trata de *humo y espejos* cuando dice que su programa de ventas puede hacer que usted gane dinero sin trabajar. Si eso es verdad, ¿cómo es posible que él aún trabaje como vendedor?"

SNOBOL

Pronunciación: *snóu-bol.*

Significado: Lenguaje especializado para el procesamiento de cadenas de caracteres (texto). Desarrollado en los labo

ratorios Bell en 1962, SNOBOL se utiliza
rara vez en la actualidad, excepto como
respuesta para algunas preguntas de
trivia sobre computadoras.

Enunciado: "*SNOBOL*, ALGOL y FORTH
son todos lenguajes de programación
que parecen haber perdido su popularidad. Si usted desea confundir a un
chico que aprende programación por
primera vez, haga que aprenda SNOBOL
para que después le cueste mucho trabajo entender lenguajes como el BASIC
o Pascal."

snow (nieve)

Pronunciación: *snou.*

Significado: Pequeños puntos parpadeantes que en ocasiones aparecen en ciertos monitores, producidos cuando la
imagen de la pantalla cambia demasiado rápido para la poca
capacidad del débil monitor. Por lo general se presentan en
los monitores CGA o en los VGA de muy mala calidad (véase
también *VGA*).

Enunciado: "Esta computadora me vuelve loco porque
cada vez que me desplazo en un documento, sólo observo
toda esta *nieve* sobre la pantalla. Odio las computadoras".

soft hyphen (guión suave)

Pronunciación: *soft jái-fen.*

Significado: Guión de los documentos de procesamiento de
palabras que aparece sólo cuando una palabra se acerca
demasiado al margen derecho, en cuyo caso el guión separa
la palabra. En ocasiones, este término también puede apli-
carse a cualquier carácter que se utilice para dividir una

palabra, contrario a los guiones duros que no deben dividir una palabra cuando ésta se encuentra muy cerca del margen derecho.

Enunciado: "No, si utilizas un *guión suave* no te llenarás los dedos de mantequilla".

software

Pronunciación: *sóft-wer.*

Significado: Programas para computadora. El software se refiere por lo general a cualquier tipo de programa de computadora, desde un sistema operativo como DOS, hasta una utilería para una aplicación de un programa almacenado en un chip ROM. Esto contrasta con el *hardware*, que es el lado físico de la computación. Es el software lo que hace que el hardware funcione. Sin él, el hardware no sería más que potencial, como un niño sin educación, pero sin la hiperactividad (véase *hardware*). (La palabra hard significa duro y la palabra soft significa suave en español.)

Enunciado: "La diferencia entre el *software* y el hardware es obvia. El software es lo suave. El hardware es lo duro".

sort (ordenamiento)

Pronunciación: *sort.*

Significado: Organización de acuerdo con un patrón o regla. El ordenamiento común se realiza en orden alfabético, pero también se puede tener una clasificación numérica. Los ordenamientos pueden ser ascendentes o descendentes. El ascendente empieza por el primero y termina por el último, del más pequeño al mayor o de la A a la Z. El descendente es lo contrario.

Enunciado: "Akiko debe estar muy ocupada. Le pedí que *ordenara* nuestra lista de clientes japoneses… en japonés".

source (fuente/origen)

Pronunciación: *sors*.

Significado: El original o la locación del original. Por lo general se utiliza al copiar archivos. El archivo fuente es el archivo original; el directorio o la unidad de disco *fuente* es el lugar de dónde los archivos han sido copiados. El *blanco* es el destino final, el lugar en dónde los archivos serán copiados o trasladados (véase también *target*).

Enunciado: "La primera *fuente* de todo debe ser su cerebro. O también pudiera ser el diablo, si es que usted está poseído".

source code (código fuente)

Pronunciación: *sors koud*.

Significado: Archivo original o instrucciones a partir de las cuales se crea un programa. El programador, lo llamaremos Melvin, empieza por escribir algún programa de computadora por medio de un editor de texto. Tal editor de texto crea un archivo que contiene el código fuente. Eso es tragado y manipulado en ciertas formas místicas hasta que otro archivo es creado, esto es, el programa final mismo.

Enunciado: "Melvin es un programador tan hábil, que su *código fuente* parece poesía. Bueno, en realidad se necesita ser muy extraño para apreciarlo".

space character (carácter de espaciado)

Pronunciación: *speis ká-rak-ter*.

Significado: El carácter o espacio en blanco que se produce al presionar la barra espaciadora. En las computadoras, el espacio es en realidad un carácter en la pantalla, justo como una A o el $ o la cosa ~.

Enunciado: "Le he dicho mil veces a Tom que la palabra 'verde' puede en realidad ser dos palabras (ver y de), pero cuando le señalé que insertara un *carácter de espaciado*, lo que hizo fue dibujar una imagen del capitán Garfio".

spacebar (barra espaciadora)

Pronunciación: *speis-bar.*

Significado: Es la tecla más larga de su teclado, la que produce el carácter de espaciado.

Enunciado: "¿Se denomina *barra espaciadora* o tecla espaciadora? ¿Es una barra o una tecla? Y por favor, ya basta de bromas espaciales de piña colada".

spaghetti code (código de espagueti)

Pronunciación: *es-pa-gué-ti koud.*

Significado: Es el programa escrito de una manera tan chapucera que no tiene un flujo normal o una lógica. Se dice de un programa cuya lectura es como seguir un trozo de espagueti. Tales programas son por lo general escritos por los novatos de la programación o por un comité de programadores.

Enunciado: "Bueno, supongo que si Pavarotti escribiera un programa, éste sería llamado *código de espagueti*".

SPARC

Pronunciación: *spark.*

Significado: Acrónimo que significa Scalable Performance ARChitecture. Un procesador RISC desarrollado por la compañía Sun Microsystems para su línea de estaciones de trabajo. Debe ser buena, pero nunca hemos visto una (véase también *RISC*). Sparc suena como la palabra en inglés que significa bujía en español.

Enunciado: "Esta estación de trabajo Sun corre algo lento. Tal vez se deba a que necesita otra conexión *SPARC*, o tal vez un cambio de bujías".

special characters (caracteres especiales)

Pronunciación: *spe-shal ká-rak-ters.*

Significado: Cualquier extrañeza o caracteres inusuales o aquellos caracteres que realizan funciones específicas. Por ejemplo, el carácter de marca registrada (™) es considerado como un carácter especial puesto que no se localiza en el teclado. La mayoría de los caracteres que no sean alfanuméricos o cierto puñado de símbolos, son caracteres especiales. Otros caracteres especiales pudieran tener la apariencia de caracteres normales, para realizar funciones específicas. Por ejemplo, un carácter comodín como el ?, puede ser un carácter especial.

Enunciado: "Oye, fíjate bien en el *carácter* J, ¿sabes lo que tiene de *especial*...?"

speed (velocidad)

Pronunciación: *spid.*

Significado: La medida de qué tan rápido puede ser algo. Con los microprocesadores, la velocidad se mide en MHz (Megahertz). La velocidad de la unidad de disco se mide en tiempo de acceso por milisegundos. Si hablamos en términos generales, entre mayor sea el número, más rápida será la operación del artefacto (y más rápido saldrá el dinero de su bolsillo). Véase también *MHz*.

Enunciado: "No diría que esta nueva impresora es rápida. Su velocidad es apenas una muesca después de cero".

spell checker (corrector ortográfico)

Pronunciación: *spel ché-ker.*

Significado: Programa que por lo general está interconstruido en un procesador de palabras, que examina cada palabra que usted ha escrito para corregir la ortografía y ofrecer posibles correcciones cuando localiza una palabra que no reconoce. En realidad, esto sólo es necesario en el idioma inglés, donde la ortografía todavía es un misterio, 150 años después de que Webster planteó la idea total.

Enunciado: "No podría vivir sin mi procesador de palabras y mi *corrector ortográfico*. Ahora ya no tendré que aprender a deletrear puesto que mi computadora lo hace por mí. Es por eso que mis resúmenes lucen así 'porrr ahííííí, veooo aa, ttuu perro que trrattta de ccommerse ttu comida".

spike (variación de voltaje)

Pronunciación: *spaik.*

Significado: Sobrecarga de la corriente que puede en forma potencial freir todo el equipo, pero que no tiene un efecto visible mayor que el hacer que la pantalla parpadee por algunos instantes. Asómese a la ventana, observe un árbol alto. Si un rayo cae sobre el árbol, enviará una sobrecarga en el circuito de la habitación donde usted se encuentre, lo que hará que las entrañas de su PC hagan ¡puff! Es también el nombre del perro de Joan Rivers (véase también *surge suppressor*).

Enunciado: "Compré un eliminador de voltaje para protegerme contra las *variaciones de voltaje*, pero no me fío y aun así desconecto la computadora durante las tormentas eléctricas".

Spock

Pronunciación: *spok.*

Significado: Personaje que representaba Leonard Nimoy en la serie original de televisión *Viaje a las estrellas*. Spock es admirado por la multitud que ama a las computadoras porque él mismo disfruta de ellas. Algunos grandes momentos Spock-computarizados de *Viaje a las estrellas* son:

"Esta computadora es la clave. Destrúyanla y el planeta entero se acabará".

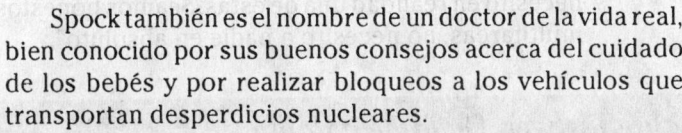

"¿Computadora? computen hasta el último dígito del valor pi (es aquí donde la computadora empieza a gritar)".

"Landru es una computadora".

"La computadora ha mentido".

Spock también es el nombre de un doctor de la vida real, bien conocido por sus buenos consejos acerca del cuidado de los bebés y por realizar bloqueos a los vehículos que transportan desperdicios nucleares.

Enunciado: "Bueno, señor *Spock*. Es su turno de ponerse la casaca roja y seguir por el buen camino".

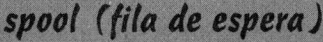

spool (fila de espera)

Pronunciación: *spul.*

Significado: Almacenamiento temporal de los datos antes de imprimirlos. La razón personal para realizar este procedimiento es liberar su computadora para que pueda ser utilizada y no tenga que esperar hasta que la impresora termine su trabajo. Esta característica es menos importante con sistemas operativos de multitareas como OS/2 y Windows (véanse también *buffer* y *print buffer*).

Enunciado: "Asegúrese de poner en *fila de espera* su documento al buffer de la impresora, pues de otra forma tendría que esperar a que la impresora termine de imprimir para poder utilizar su computadora".

spooler (fila de espera física)

Pronunciación: *spú-ler.*

Significado: Porción de la memoria que puede estar o no integrada a la impresora y que ha sido moldeada a partir de la memoria principal de la computadora o almacenada en una caja por separado que ha sido conectada entre la computadora y la impresora. En ocasiones denominada *fila de impresión* o *buffer de impresión*.

Enunciado: "Si no fuera por mi *spooler*, habría tenido que esperar a que mi impresora terminara su labor para volver a utilizar mi computadora. Ahora, con las multitareas, no necesito en realidad una de éstas. Seamos honestos, con las multitareas, no necesito a nadie en absoluto".

spreadsheet (hoja de cálculo)

Pronunciación: *spred shiit.*

Significado: Programa que organiza números, etiquetas y fórmulas en renglones y columnas para calcular resultados. La hojas de cálculo realizan su trabajo en forma rápida y precisa para obtener resultados por medio de fórmulas matemáticas. A los contadores les encantan las hojas de cálculo, igual que a los científicos, a los matemáticos y a las personas que no tienen otra cosa que hacer los sábados por la noche. Muchas hojas de cálculo cuentan con ecuaciones estadísticas, matemáticas y financieras integradas (llamadas *funciones*) por lo que los usuarios pueden enfocarse más en el manejo de sus números y preocuparse menos por crear las ecuaciones necesarias. Algunas de las hojas de cálculo más populares son Lotus 1-2-3, Excel, Quattro Pro y la parte posterior de los sobres y las servilletas en los restaurantes.

Enunciado: "Necesitaba una *hoja de cálculo* para poder manejar mis operaciones ilícitas de lavado de dinero. Funciona a la perfección, así que por fin puedo saber cuánto dinero me ahorro al no pagar impuestos al gobierno".

Sprite (duendecillos)

Pronunciación: *sprait.*

Significado: 1) Elemento movible de un desplegado gráfico, como los que se encuentran en los videojuegos. 2) Bebida azucarada y carbonatada que exagera sus virtudes refrescantes y que dos o tres programadores de corazón y uno que otro usuario prefieren en lugar de Coke, Pepsi o Kool-Aid de naranja.

Enunciado: "Siempre que me canso de ver esos *duendecillos* en mi computadora, bebo un poco de Sprite con la esperanza de que dentro de veinte años mis dientes no se caerán, padeceré cáncer o me envenenaré debido a todos esos saborizantes artificiales que se alojarán para siempre en mis células adiposas".

SS/DD

Pronunciación: *es-es-di-di.*

Significado: Acrónimo que significa Single-Sided/Double-Density (Un solo lado/doble densidad). Este tipo de discos es obsoleto y sólo las viejas computadoras los utilizan. Un disquete SS/DD de cinco y un cuarto pulgadas puede almacenar como norma hasta 180 K de datos.

Enunciado: "Siempre que compre disquetes, observe que tengan la etiqueta *SS/DD*. Si la tienen, no los compre, pues no deseará utilizar este tipo de discos a menos que usted tenga una computadora de verdad antigua".

SS/SD

Pronunciación: *es-es-es-di.*

Significado: Acrónimo de Single-Sided/Single-Density (Un solo lado/densidad sencilla). Este tipo de discos es obsoleto, pero algunas viejas computadoras aún los utilizan. Un disquete SS/SD de cinco y un cuarto pulgadas puede almacenar hasta 90 K de datos.

Enunciado: "Encontré esta vieja caja de disquetes *SS/SD* en mi armario. Pude haberlos utilizado, pero preferí abrirlos y utilizarlos como discos voladores para jugar".

stack (pila)

Pronunciación: *stak.*

Significado: Estructura de datos que utilizan los programadores para almacenar y eliminar datos en un orden 'último en entrar-primero en salir' (LIFO). Se utiliza de manera especial con el lenguaje ensamblador (véanse también *LIFO* y *POP*).

Enunciado: "A los programadores les encanta utilizar las *pilas*, porque los hace sentir que de verdad saben lo que hacen".

standard (estándar)

Pronunciación: *stán-dar.*

Significado: Creencia testaruda y mitificada que aportan los científicos para definir métodos específicos, presentaciones o equipo que el resto del mundo seguirá en forma voluntaria.

Enunciado: "El instituto nacional estadunidense de estándares (ANSI) aún trata de definir el lenguaje C. La organización internacional de estándares (ISO) trata de definir el lenguaje Pascal. Es una pena que los compiladores más populares para lenguaje C y Pascal rara vez sigan su *estándar*".

Star Trek (Viaje a las estrellas)

Pronunciación: *star trek.*

Significado: Programa televisivo de ciencia ficción con un intenso seguimiento, que cuenta la historia de una nave espacial que ha sido enviada de la Tierra para explorar la galaxia, confrontar formas de vida alienígenas que para nuestra sorpresa tienen la apariencia de actores que utilizan cantidades industriales de maquillaje y que hablan nuestro idioma a la perfección, así como obtener regalías de las ventas de camisetas, muñecos y convenciones anuales de *Viaje a las estrellas*.

Enunciado: "¿Cómo es posible que sólo los extras de la serie *Viaje a las estrellas* perezcan? Si algunos de los personajes principales resultaran heridos, mutilados o muertos de vez en cuando, estoy seguro que la popularidad de la serie aumentaría en gran forma".

Star Trek: The Next Generation (Viaje a las estrellas: la siguiente generación)

Pronunciación: Oh, por favor; seguro que podrá pronunciarla sin ayuda.

Significado: La muy popular primera secuela de la serie *Viaje a las estrellas* (véase el punto anterior). *ST:TNG* tiene varios amados personajes lo que incluye un androide llamado Comandante Data, un Klingon llamado Worf y el muy equilibrado y sofisticado capitán Picard. Algunos niños de 12 años de edad reconocerían a estos personajes aunque no sepan quiénes son Beto y Enrique (y ni siquiera vamos a mencionar a Barney). *ST:TNG* tiene ahora la compañía de la nueva serie *Star Trek: Deep Space Nine* (Viaje a las estrellas: la novena en el espacio profundo). No hemos tenido oportunidad de juzgar a esta serie.

Enunciado: "Si no es un telespectador de la serie *Viaje a las estrellas: la siguiente generación*, pudiera tener ciertos problemas al conversar con nerds, geeks y gurús. Será mejor que empiece a ver la televisión".

star-dot-star (asterisco-punto-asterisco)

Pronunciación: *star-dot-star.*

Significado: El comodín *.* en MS-DOS que le indica a la computadora que busque todos los archivos sin importar el nombre o la extensión que éstos tengan. Algunas personas menos letradas en el mundo computacional lo llaman "asterisco-punto-asterisco", pero los mejores usuarios siempre dicen "estrella-punto-estrella" (véase también *wildcard.*).

Enunciado: "Escriba **DEL *.*** y presione Enter para eliminar todos los archivos de su disco. Oh, ¿quiere decir que en realidad no deseaba hacer eso? Bueno, eso es lo que obtiene por pedirme ayuda cuando estoy bastante ocupado".

start bit (bit de arranque)

Pronunciación: *start bit.*

Significado: El pequeño fragmento de información que señala el principio de la transferencia de datos.

Enunciado: "Antes de que mi esposa empiece a regañarme por pasar demasiado tiempo junto a la computadora, aprieta los puños. Para mí, eso es un *bit de arranque* que me señala el principio de sus gritos".

start-up disk (disco de arranque)

Pronunciación: *start-op disk.*

Significado: Disco floppy o duro que utiliza la computadora cuando usted la enciende por primera vez. El disco de arranque difiere de otros discos, debido a que cuenta con comandos y programas especiales que le indican a la computadora cómo despertarse a sí misma.

Enunciado: "Mi disco duro es mi *disco de arranque*. No obstante, cuando este disco duro empieza a tener problemas, cuento con un disquete especial que puedo utilizar como disco de arranque. Si esto no funciona, entonces empiezo a llorar".

static (estática)

Pronunciación: *stá-tik.*

Significado: Ruido eléctrico que se produce al azar y que mutila la voz y la comunicación del módem por vía telefónica.

Enunciado: "Cada vez que intento marcar a las computadoras de la NASA, la *estática* interfiere y me veo obligado a colgar. Cada vez que llama mi suegra, hago ruidos extraños con mi boca y simulo que la estática me impide escuchar lo que ella me dice".

stop bit (bit de paro)

Pronunciación: *stop bit.*

Significado: Pequeño fragmento de información que señala el final de una transferencia exitosa de datos. El colgar el teléfono a mitad de una llamada NO es un ejemplo de un bit de paro.

Enunciado: "Algunos programas de comunicaciones le permiten elegir entre uno o dos *bits de paro*. La mayor parte del tiempo, un solo bit es suficiente a menos que la otra computadora señale de manera específica que requiere dos bits de paro".

storage (almacenamiento)

Pronunciación: *stó-rash.*

Significado: Lugar donde se coloca la información más valiosa con la esperanza de poder localizarla una vez más. Algunos dispositivos comunes de almacenamiento son las unidades de cinta, los disquetes, los discos duros y los discos CD-ROM.

Enunciado: "Para proteger nuestros registros, respaldamos todos nuestros discos duros en unidades de cinta para después crear copias que pudiéramos *almacenar*. Después, nuestro contador malversó todos nuestros fondos y de todas maneras tuvimos que declararnos en quiebra".

string (cadena)

Pronunciación: *string.*

Significado: Grupo de letras. Los humanos llaman *palabras* a los grupos de letras, pero las computadoras prefieren el término *cadenas.*

Enunciado: "Considero que mi nombre es una gran representación de mi historia ancestral, pero cuando lo escribo en mi base de datos, la computadora sólo piensa que se trata de una *cadena* de caracteres inútiles".

string variable (variable de cadena)

Pronunciación: *string vá-ri-a-bol.*

Significado: Símbolo que utiliza un programa para representar un grupo de caracteres. La mayoría de las bases de datos utiliza la variable de cadena NOMBRE para representar el nombre de una persona.

Enunciado: "Si usted escribe un programa para robar las contraseñas de otras personas, necesitará utilizar una *variable de cadena* para capturar todas las contraseñas que esos usuarios escriban".

structured programming (programación estructurada)

Pronunciación: *strúk-shurd pro-grá-ming.*

Significado: Método que se utiliza para escribir programas en pequeños subprogramas o módulos que son fáciles de leer y entender. Es un mito que los científicos computacionales persiguen con igual vehemencia que los exploradores españoles pioneros tenían cuando buscaban el Nuevo Mundo para localizar la Fuente de la Juventud y las Siete Ciudades del Oro. La programación estructurada enfatiza que los programas pueden ser escritos por medio de tres tipos de enunciados: secuenciales, condicionales y ciclos. Los enunciados secuenciales de un programa tienen lugar uno tras otro. Los enunciados condicionales son IF-THEN o CASE. Los enunciados de ciclo son WHILE-DO, DO-WHILE, FOR-DO y REPEAT-UNTIL. Si usted no tiene la menor idea de lo que esto significa, con seguridad no tendrá necesidad de saber nada acerca de la programación estructurada, con excepción del hecho que rara vez funciona y que es la razón por la cual los programas de hoy día tienen tantos problemas.

Enunciado: "En la *programación estructurada*, se supone que debo fragmentar un programa grande en varios subprogramas donde cada subprograma realice una sola tarea aislada. Debido a que cuando inicio la planeación por lo general no estoy al tanto de los problemas que pueden surgir, no tengo idea de cómo definir tales subprogramas de la manera adecuada. Aquí es donde surge la imperfección de la programación estructurada".

style (estilo)

Pronunciación: *stail.*

Significado: Formateo de texto y atributos de caracteres que se combinan en un solo punto. El estilo se refiere a la apariencia del texto. En algunos programas, usted mismo podrá formatear su texto por medio del comando Styles. En otras ocasiones, el estilo puede referirse a una colección de atributos de formateo y caracteres que son lanzados al texto de un solo golpe.

Enunciado: "Este nuevo procesador de palabras cuenta con tres *estilos* que se aplican en forma automática: feo, muy feo y demasiado burdo para imprimirse".

stylus (estilógrafo)

Pronunciación: *stái-lus.*

Significado: Artefacto largo, parecido a un lápiz. El estilógrafo es un tipo de dispositivo de entrada como el del ratón. Podrá utilizarlo para dibujar sobre un cuadernillo electrónico que cuenta con sensores integrados. Lo que dibuje se mostrará en la pantalla. Estos dispositivos son más caros que el clásico ratón para computadora, pero ofrecen un mayor grado de control (véase también *digitizer*).

Enunciado: "Si el Barón Lytton hubiera conocido las computadoras, habría dicho 'el *estilógrafo* es más poderoso que el ratón', pero correría el riesgo de ser encarcelado por tal declaración".

subdirectory (subdirectorio)

Pronunciación: *sob-dí-rek-to-ri.*

Significado: Directorio dentro o "bajo" el directorio actual. Todos los discos tiene directorios, en los cuales almacenan archivos. Los directorios también pueden almacenar otros directorios, que son llamados subdirectorios. En la práctica, el término sólo se aplica a los directorios "por debajo" de otro directorio. Por lo general, cualquier directorio en el disco —con excepción del directorio principal o directorio raíz— es denominado subdirectorio. El sistema operativo Macintosh también utiliza el concepto del subdirectorio, pero los subidrectorios son denominados "carpetas" (véase también *tree structure* para mayor confusión).

Enunciado: "Lo siento cabo, si desea localizar un *subdirectorio*, tendrá que buscar en las computadoras de las Fuerzas Navales".

submenu (submenú)

Pronunciación: *sob-mé-niu.*

Significado: Menú bajo otro menú. Por ejemplo, si se le presenta un menú de opciones y el seleccionar una de ellas despliega otro menú, eso quiere decir que usted tiene un submenú. En un GUI, un submenú es con frecuencia un menú secundario o terciario que se desprende del menú principal como un pedazo de goma de mascar.

Enunciado: "Los *submenús* de la actualidad ofrecen diferentes ítems: jamón, salami, pavo, suizo, manchego y una variedad de combinaciones".

subroutine (subrutina)

Pronunciación: *sob-rú-tin.*

Significado: Miniprograma que se localiza dentro de un programa mayor. Por ejemplo, un programa puede contar con una subrutina que despliegue texto en pantalla. El programa principal podría "llamar" a esa subrutina cada vez que deseara desplegar ese texto sobre la pantalla.

Enunciado: "Mi hijo todavía no puede terminar su tarea. Supongo que le hará falta alguna *subrutina*".

subscript (subíndice)

Pronunciación: *sobs-dript.*

Significado: Texto que aparece en un tamaño más pequeño y debajo del texto que lo rodea. Subíndice es un atributo de formateo de texto que se encuentra disponible en los procesadores de palabras y en los programas que le permiten manipular el texto. El número 2 en la fórmula H_2O es un subíndice (véase también *superscript*).

Enunciado: "Jacobo trataba de explicarme que la impresora se había descompuesto, pero resultó que la había colocado en el modo *subíndice* de manera accidental y no se había dado cuenta. Ay, qué cosas tiene el WordPerfect..."

Super VGA

Pronunciación: *sú-per vi-yi-ei.*

Significado: Más rápido que el VGA normal. Más poderoso que el EGA. Capaz de derrotar a los viejos CGAs de un solo golpe. Miren, está sobre la pantalla, tiene alta resolución, tiene un gran colorido. ¡Sí! Es el super VGA. IBM presentó su mejor estándar para gráficas de PC en el año de 1987, hablamos del VGA. Otros fabricantes gustaron de éste y ofrecieron una mejora denominada Super VGA, también conocido como SVGA. Si usted necesita adquirir una tarjeta de gráficas para su PC, el Super VGA es la mejor opción (véase también *VGA*).

Enunciado: "El *Super VGA* le da a las gráficas de mi amigo Felipe el poder necesario para observar su colección de trucos golfísticos GIF con una resolución total".

supercomputer (supercomputadora)

Pronunciación: *su-per kom-piú-ter.*

Significado: Más rápida que una computadora normal, una supercomputadora es una máquina muy grande, poderosa y rápida. Las supercomputadoras son utilizadas para alcanzar objetivos muy importantes como el dibujo de los dinosaurios en la película *Parque Jurásico*. A diferencia de un mainframe, la supercomputadora tiene un diseño especial que le permite  ser muy, muy rápida. Eso es todo lo que usted necesita saber puesto que nunca podrá tener una supercomputadora en su hogar; esto ocasionaría una baja de tensión en todos los hogares del vecindario.

Enunciado: "Escuché que los muchachos del laboratorio aman su nueva *supercomputadora*. Hacen una reverencia frente a ella cada vez que entran al laboratorio".

superscript (superíndice)

Pronunciación: *sú-per-skript.*

Significado: Texto que aparece en un tamaño más pequeño y sobre el texto que lo rodea. El superíndice es un atributo de formateo de texto que se encuentra disponible en los procesadores de palabras y programas similares que manejen texto. El número 10 en 2^{10} es un superíndice (véase también *subscript*, a menos que haya llegado a este punto después de leer aquél).

Enunciado: "Simon Nathaniel cuarto, considera que es más elegante si su nombre se imprime con un número 4 en *superíndice:* Simon Nathaniel4".

support (soporte/apoyo)

Pronunciación: *su-pórt.*

Significado: 1) El pago que realiza cuando usted paga algo extra. 2) Lo que no se obtiene a cambio cuando se paga algo extra. 3) Lo que se supone debe tener la computadora que compre, ya sea que pague una cantidad extra o no. 4) Entrenamiento o persona que está disponible para brindarle ayuda con su nueva PC, o el lugar donde ésta puede ser reparada. El soporte es el factor más importante al comprar una computadora, algo que muchas personas no toman en cuenta a cambio de un precio menor. El soporte incluye el servicio luego de la venta, así como el apoyo por vía telefónica, ayuda en el salón de clases y cualquier otro tipo de asistencia. Los vendedores de software con frecuencia ofrecen apoyo por vía telefónica, ya sea que el servicio sea gratuito o no, para que usted pueda plantearles sus preguntas. En algunas ocasiones esto de verdad funciona.

Enunciado: "El único *soporte* que resulta de pasar un largo tiempo junto al teléfono en espera de ayuda, es el soporte que brindo a la compañía de teléfonos con la gran cuenta que tendré que pagar".

surge (sobrecarga)

Pronunciación: *sorsh.*

Significado: Incremento en el nivel de la corriente eléctrica que emana del contacto. Las sobrecargas son graduales y pueden llegar a un punto en que dañen los componentes de su PC. Por lo general, esto se previene con un interruptor de circuito o —en ocasiones y en un increíble dechado de altruismo— si el suministro de corriente ofrece su vida para salvar el resto de los componentes de su computadora. Una sobrecarga es lo contrario de un apagón, cuando el suministro de corriente desciende a un nivel tan bajo que su PC no puede funcionar (véanse también *spike* y *surge suppressor*).

Enunciado: "Esperaba que una *sobrecarga* de la corriente hiciera que mi computadora corriera más rápido. Sin embargo, el interruptor de circuito se activó y, a pesar de que perdí mis datos, la computadora ha sido salvada una vez más de los peligros que representa la compañía de electricidad".

surge protector (regulador de voltaje)

Pronunciación: *sorsh pro-ték-tor.*

Significado: Dispositivo que actúa contra las sobrecargas de corriente (creo que se las come, o algo por el estilo) para que su computadora no explote.

Enunciado: "A pesar de que un *regulador de voltaje* es un buen dispositivo para proteger su PC, no le será de gran ayuda contra otro tipo de problemas en las líneas, como el caso de los pinchazos de corriente, el ruido y las personas que se tropiezan con los cables de la computadora".

suspend (suspender)

Pronunciación: *sus-pénd.*

Significado: Ocasionar un alto temporal, no es una parada completa, es más bien algo así como congelar la actividad.

Enunciado: "Cuando contesto el teléfono, debo *suspender* la operación de mi impresora de matriz de puntos, de otra forma no podría escuchar ni una maldita cosa".

SVGA

Pronunciación: *es-vi-yi-ei.*

Significado: Acrónimo de Super VGA, esto es un estándar de adaptador de gráficas para PC (véase también *Super VGA*).

switch (interruptor)

Pronunciación: *suich.*

Significado: 1) Perilla o botón que tiene dos posiciones, por lo general ON (encendido) y OFF (apagado). También puede ser una representación gráfica de una perilla o un botón en un GUI. 2) Una opción de comando o un parámetro; por ejemplo, el interruptor /F en el comando FORMAT de DOS se utiliza para indicarle al FORMAT qué tan grande es la sección del disco que debe formatear. 3) Cambio de un programa a otro en un ambiente de multitareas. En Windows y OS/2, podrá lograr esto si presiona la combinación de teclas Ctrl-Esc.

Enunciado: "En el argot IBM, el Gran *interruptor* rojo era el término para designar al interruptor de encendido y apagado en la computadora. En los primeros tiempos de las PCs, tal interruptor en realidad era grande y rojo. Hoy en día, los interruptores ya no son de color rojo y tampoco necesitan ser muy grandes".

synchronous (síncrono)

Pronunciación: *sín-kro-nus.*

Significado: Algo que sucede al mismo tiempo, en sincronía; por lo general se aplica a las comunicaciones. De esa manera, dos computadoras se comunican entre sí a un paso específico y envían bits de ida y vuelta "a un ritmo". Los modems para las microcomputadoras son dispositivos desincronizados y no envían información a un ritmo específico (véase también *asynchronous*)".

Enunciado: "No Bob, las comunicaciones *sincronizadas* no significan que debamos cantar bellas melodías al unísono".

syntax (sintaxis)

Pronunciación: *sín-taks.*

Significado: 1) Impuesto sobre la cerveza, el alcohol y los cigarros. 2) Reglas que especifican la manera en que un lenguaje se estructura. Esto se aplica tanto a los lenguajes de programación para computadora, como a los lenguajes humanos.

Enunciado: "Las computadoras son bastante quisquillosas. Si usted desobedece sus reglas de *sintaxis*, será como decirle a su vecino 'días buenos, hoy bello día es'".

syntax error (error de sintaxis)

Pronunciación: *sín-taks é-ror.*

Significado: Sucede cuando desobedece las reglas de la sintaxis. Por lo general, tiene lugar al escribir un programa de computadora. Si usted cambia de lugar las palabras o se equivoca al deletrear algo, el compilador del programa le escupirá un mensaje de error de sintaxis, lo que ocasionará que usted se rasque la cabeza al tratar de imaginar qué es lo que hizo mal.

Enunciado: "Las computadoras dicen Sintax Error (Error de sintaxis) porque las personas que las programan son demasiado perezosas como para escribir un mensaje más preciso".

sysop

Pronunciación: *síss-op.*

Significado: Abreviatura que significa System Operator (Operador del sistema), el amigo que está a cargo del sistema. Ese término tiene que ver en esencia con los tableros de boletines computarizados (BBSs). El lugar donde se encuentran el dueño de la computadora y el BBS es el sysop. Esta es una posición muy codiciada entre la gran multitud que utiliza los modems. Todos desean ser un sysop o tener el favor de uno de ellos (véase también *BBS*).

Enunciado: "Le supliqué al *sysop* para que me permitiera tener un acceso avanzado a su sistema; por fin, me otorgó el acceso al nivel seis. Lo más gracioso es que no hay nadie en dicho nivel".

system (sistema)

Pronunciación: *sís-tem.*

Significado: 1) Es la manera de hacer las cosas. 2) El programa que controla la computadora entera. 3) La computadora en sí. 4) La red. 5) Los poderes pertinentes. 6) Contra lo que no se puede luchar.

Enunciado: "Algo tiene que estar a cargo de la actividad y ese es el *sistema*. Regula la computadora. En la vida real, también existe un sistema, pero en realidad no regula nada. Más bien, es una conspiración la que está a cargo, nos monitorean por medio de la televisión por cable y escuchan nuestras llamadas telefónicas. Justo ahora hay un helicóptero sobre mi propiedad que me observa al momento de escribir estas líneas. Y supongo que ese individuo es un espía de algún grupo terrorista".

System 7 (Sistema 7)

Pronunciación: *sís-tem sé-ven.*

Significado: Sistema operativo utilizado en la mayoría de las computadoras Macintosh. El Sistema 7 no es lo mismo que el DOS para las PCs. La mayor parte del sistema operativo para Macintosh está codificado en su ROM. El Sistema 7 proporciona la interfaz llamada Finder, además de otras extensiones al sistema operativo interno de la Mac.

Enunciado: "Realicé una mejora al cambiar al *Sistema 7* porque pensé que sería una buena medida para la salud mental de mi Mac. Qué barbaridad, la computadora puede tener un estado de salud total, pero aún es tan lenta como siempre".

system clock (reloj del sistema)

Pronunciación: *sís-tem klok.*

Significado: Reloj interno que es mantenido por el sistema operativo. Este reloj se utiliza de manera principal para registrar la hora en que los archivos son guardados al disco.

Enunciado: "En cierta ocasión retrasé el *reloj del sistema* de mi PC con el propósito de probarle a mi jefe que terminaba mis trabajos antes de la fecha límite".

system disk (disco del sistema)

Pronunciación: *sís-tem disk.*

Significado: Disco que contiene el sistema, esto es, todos los programas necesarios para inicializar su computadora. Para la mayoría de nosotros, el disco del sistema es la unidad de disco duro, la cual inicia la computadora cada vez que la encendemos. De igual forma pudiera iniciar su computadora a partir de un disquete, lo que algunas personas hacen sólo para matar el tiempo.

Enunciado: "No podrá iniciar su computadora sin el *disco del sistema*. Es por esto que le recomendamos la creación de un 'disco de carga para emergencias' con el que podrá realizar la inicialización de su PC en momentos de desesperación".

System Folder (Carpeta del Sistema)

Pronunciación: *sís-tem fól-der.*

Significado: Subdirectorio especial de una computadora Macintosh que contiene todos los archivos del sistema. Esto es apenas equivalente al subdirectorio DOS de una PC. En la Carpeta del Sistema podrá colocar (o tener ya instalados) todos los archivos necesarios para lograr que el Sr. Mac pueda cargar en forma apropiada los archivos especiales y programas como fuentes, accesorios de escritorio, dispositivos para los paneles de control y otros tantos que escapan de mi memoria por el momento.

Enunciado: "El término *Carpeta del Sistema* suena agradable y elegante. No obstante, la realidad es que ésta es tal vez la carpeta más vieja y mal-tratada del disco".

system font (fuente del sistema)

Pronunciación: *sís-tem font.*

Significado: Fuente construida en el sistema operativo o GUI. Las fuentes del sistema son aquéllas que *deben* estar ahí. El texto de los menús y los cuadros de diálogo es por lo general compuesto por medio de la fuente del sistema. Y, sí, claro que puede haber más de una fuente.

Enunciado: "En realidad, la *fuente del sistema* es la fuente más aburrida que usted tiene. Le recomiendo compre otras fuentes más emocionantes con las que podrá crear mejores documentos".

system unit (unidad del sistema)

Pronunciación: *sís-tem yú-nit.*

Significado: Gabinete principal de la computadora, también denominada *consola*. La unidad del sistema por lo general da cabida al microprocesador de la computadora, a la memoria y las unidades de disco, además de contener las ranuras de expansión. Todos los demás dispositivos que se encuentran fuera de la unidad del sistema son los periféricos.

Enunciado: "Edmundo es genial. Con gran inteligencia ha disfrazado su *unidad del sistema* con el viejo gabinete de una televisión Philco".

tab (tabulador)

Pronunciación: *tab.*

Significado: Porción de espacios en blanco que se crean al presionar la tecla Tab. Este fragmento de espacios es considerado como una unidad por lo que, si desea eliminar el espacio del tabulador, tendría que eliminar el espacio completo y no un carácter en blanco  a la vez. En la mayoría de los programas de base de datos y de hoja de cálculo, podrá moverse de un campo a otro y de una celda a otra al presionar la tecla Tab. También podrá moverse en retroceso a travéz de los campos y celdas si presiona la tecla Tab junto con la tecla Shift. Esto se conoce como "retroceso de Tab".

Enunciado: "Esto es sorprendente. Presioné la *tecla Tab* y de inmediato esta bebida dietética surgió de mi unidad de disco".

Tab key (tecla Tab)

Pronunciación: *tab kii.*

Significado: Es la tecla que produce el "carácter" del tabulador. En la mayoría de los programas, si escribe algo y después presiona la tecla Tab, se colocará en la siguiente parada del tabulador, ya sea que el fragmento de espacios se localice en un procesador de palabras, el campo en una base de datos o una celda de una hoja de cálculo.

Enunciado: "En la mayoría de las PCs, la *tecla Tab* tiene dos flechas impresas que apuntan en direcciones diferentes, lo que me lleva a pensar que esta tecla no sabe cuál dirección es cuál".

table (tabla)

Pronunciación: *téi-bol.*

Significado: Forma de organización de datos o de texto en renglones y columnas, en especial si se trata de una base de datos. No necesitará ornamentos especiales para esta tabla y tampoco necesitará demostrar sus buenos modales. Una tabla de datos es en esencia una manera de almacenar información y, en los procesadores de palabras, una forma de presentación para que la información luzca nítida y pulcra.

Enunciado: "Las *tablas* de impuestos listan los ingresos en el costado izquierdo y las categorías de impuestos en la parte superior. En la parte media podrá localizar la monstruosa cantidad que deberá de pagar al gobierno".

tape (cinta)

Pronunciación: *teip.*

Significado: Medio magnético de almacenamiento de datos (esa tira larga de color café), que es en esencia el mismo material en los casetes de audio y de video. Las ventajas de este medio son su bajo costo y su alta densidad (su capacidad para almacenar grandes cantidades de información).

La desventaja consiste en que sólo permite un acceso lineal o secuencial, lo que significa que se debe adelantar o retroceder la cinta hasta localizar el punto deseado. En contraste, las unidades de disco permiten un acceso aleatorio con lo que se puede llegar al punto deseado en una fracción de segundo y además, no se necesita adelantar o retroceder el dispositivo. Por lo general, las cintas sólo se usan para almacenar copias de respaldo (véase también *sequential access*).

Enunciado: "Bueno, ¿quién es el bromista que ha puesto esta cinta adhesiva en el interior de la unidad de *cinta?*"

tape drive (unidad de cinta)

Pronunciación: *teip draiv.*

Significado: Máquina en la que se inserta un casete de cinta para registrar los datos y otros asuntos. Esta máquina es parecida a las grabadoras de carrete, que escriben y leen la información de la cinta. Es así como los usuarios sofisticados de la PC respaldan sus datos. Para respaldar, compran esos cartuchos de cinta, los lanzan al interior de la unidad de cinta y después corren algún programa especial para respaldar. No se necesita realizar un intercambio de cintas (siempre y cuando éstas puedan almacenar suficientes datos) y el respaldo solamente toma algunos minutos. Las unidades de cinta son casi tan caras como las nuevas unidades de disco duro. Existen varios formatos disponibles: cartuchos de un cuarto de pulgada, cartuchos VCR de 8 mm, cartuchos de 4 mm para audio y cartuchos de 9 pistas.

Enunciado: "Siento mucho que te hayan descendido de puesto, Bart, pero el dispositivo que confundiste con un tostador de pan es en realidad nuestro nuevo *sistema de respaldo en cinta* DAT de dos mil dólares".

task (tarea)

Pronunciación: *task.*

Significado: Una tarea es algo que usted realiza con la computadora. Por ejemplo, si utiliza un procesador de palabras, la tarea de la computadora será el procesamiento de palabras. Esto sería un proceso demasiado redundante si no fuera por las multitareas, que proporcionan a una computadora la capacidad de realizar varios procedimientos, varias tareas, al mismo tiempo.

Enunciado: "La mayor parte del tiempo, la *tarea* principal de la computadora es ignorarme".

task switching (intercambio de tareas)

Pronunciación: *tas-ka suí-ching.*

Significado: Cuando las computadoras pueden realizar multitareas (esto es, correr más de un programa a la vez), el arte del intercambio entre los programas que corren se denomina intercambio de tareas. En Windows, podrá lograrlo al presionar Ctrl-Esc, Alt-Esc, Alt-Tab o al hacer clic en la ventana específica que represente al programa. Cuando se desplace de una aplicación abierta (tarea) a otra, habrá realizado un intercambio de tareas.

Enunciado: "Mi jefe me advirtió que no debería utilizar con tanta frecuencia mi *intercambio de tareas* entre el programa Word y mi juego de Solitario".

TCP/IP

Pronunciación: *ti-si-pi-ai-pi.*

Significado: Significa Tome Cafeína Periódicamente/Intravenosamente, Preferentemente. Ja,ja,ja, en realidad significa Transfer Control Protocol /Internet Protocol (Transferencia del protocolo de control al Internet), pero ¿a quién le importa el significado? Es sólo un protocolo (un grupo de estándares) que permite las conexiones de datos entre terminales Internet o simuladores. Sólo los intensos dweebs de las comunicaciones en red usan este protocolo —y entienden el concepto.

Enunciado: "Acudí a una entrevista de trabajo donde solicitaban cierto conocimiento *TCP/IP*. Cuando les pregunté a que se referían, me dijeron '¡Teníamos la esperanza que usted supiera!'"

TeachText

Pronunciación: *tich tekst.*

Significado: Un programa simple para edición de texto que utiliza la Mac para leer y desplegar archivos README.

Enunciado: "No considero que el *TeachText* me haya enseñado nada".

tear-off menus (menús desprendibles)

Pronunciación: *tír-of mé-nius.*

Significado: Son los menús que podrá desprender de la barra de menús (de una manera simbólica, claro) y colocar en cualquier lugar conveniente de la pantalla. Por ejemplo, podría presionar Ctrl al momento que hace clic en el menú File para desprenderlo. Después podrá arrastrarlo a cualquier punto de la pantalla. Los menús desprendibles no son utilizados con mucha frecuencia.

Enunciado: "Si utiliza un *menú desprendible*, ¿tendrá que usar cinta adhesiva para volver a pegarlo en su lugar?"

techno weenie (tecnoweenie)

Pronunciación: *ték-no wí-ni.*

Significado: Persona que aspira a ser un geek, nerd o dweeb bien adiestrado, pero que no es lo bastante inteligente para manejar las computadoras, no tiene una obsesión apremiante por las computadoras o tiene demasiadas habilidades sociales. El gurú de oficina es un geek. Bill, su "letrado" vecino, es un tecnoweenie.

Enunciado: "En la universidad, es fácil saber quiénes son los *tecnoweenies* porque toman cursos como Física para poetas… y fracasan".

technology (tecnología)

Pronunciación: *tek-nó-lo-yi.*

Significado: La piedra que se usaba para dar forma a otra piedra (como se hacía en la Edad de Piedra) puede ser considerada tecnología. Se puede decir, en un amplio sentido, que la tecnología significa la utilización de las herramientas. Las herramientas de poder, los grandes taladros de perforación, los enormes vehículos para todo terreno. Ah, la tecnología. Con mayor frecuencia, la palabra se utiliza para referirse a la "alta" tecnología, que se caracteriza por ser abstracta y estar oculta a la simple vista. Si abriera el cofre del motor de un buen auto estadunidense, podría saber con exactitud lo que sucede al observar la manera en que las partes embonan y cómo se mueven. Esto no es una alta tecnología. Sin embargo, cuando se habla de la electrónica, las relaciones no son aparentes. Podrían existir millones de transistores en un solo chip de silicio sin que usted tuviera la menor idea del tipo de relación que cada uno tiene con su vecino o de la manera en que se adaptan.

Enunciado: "La palabra *tecnología* en realidad proviene del antiguo vocablo griego que traducido a grosso modo quiere decir 'si su videocasetera muestra las 12:00 en un reloj parpadeante y usted no puede hacer nada al respecto, con seguridad tampoco entenderá nada de lo que aquí hemos mencionado'".

telecommunications (telecomunicaciones)

Pronunciación: *te-le-ko-miu-ni-kéi-shons.*

Significado: Campo de la tecnología que tiene que ver con las comunicaciones a distancia. Incluye, pero no se limita,

a la telefonía, telegrafía, radio de consumidor, difusora de televisión, televisión por cable, televisión vía satélite, radar, radio de banda CB, dos latas conectadas por un hilo y la transferencia de datos.

Enunciado: "Las *telecomunicaciones* le permiten tener una gran confusión a mayores distancias".

telephony (telefonía)

Pronunciación: *te-lé-fo-ni*.

Significado: El arte y ciencia de hacer que los teléfonos funcionen (supongo que bien pudo haber sido llamada "telefonología", pero tal vez en aquel momento el editor estaba un poco perdido y la palabra se acortó). En esencia, lo que sucede en el proceso telefónico es que la voz —y todos esos vergonzosos y molestos ruidos de fondo— se convierte en señales eléctricas que viajan por medio de los cables y que al llegar a su destino se vuelven a convertir en sonido. Todo esto es el resultado de que Alexander Graham Bell haya utilizado un par de vasos ordinarios y algo de cable para hacer funcionar el primer teléfono de la historia.

Enunciado: "Por medio de nuestra nueva tecnología de discriminación de voz, es mucho más fácil utilizar la *telefonía* para llamar desde un teléfono verdadero".

teletype (teletipo)

Pronunciación: *te-le-táip*.

Significado: Viejo artefacto metálico parecido a una máquina de escribir que "como por arte de magia" escribía, gracias a algunos cables remotos que controlaban el teclado. En los primeros tiempos de la computación, las máquinas de teletipo se utilizaban para comunicarse con las monstruosas computadoras de la época. Para lograr el objetivo, se debía escribir Klunka-wunka y la computadora respondería Klunka-wunka en forma más rápida. Todo esto sería transcrito en una larguísima hoja de papel que debería ser alimentada a la máquina de teletipo. En aquellos emocionantes y liberales días de la computación; el teletipo se utilizaba para describir la forma más tonta y menos sofisticada de conectar una computadora con otra. Se abrevia TTY debido a que la mayoría de los nerds de la computadora no recuerdan si la palabra teletipo se escribe con una sola L o con dos.

Enunciado: "A principios de los años ochentas solía comunicarme con mis amigos que tenían computadoras caseras, por medio de los entonces muy veloces modems de 2400 bps. Al mismo tiempo, la 'línea caliente' que conectaba a la Casa Blanca con el Kremlin corría sobre un viejo teletipo de sólo 300 bps. Eso significa que en el tiempo que le tomaría a Ronald Reagan el enviar la frase 'Ivan, eres un*#$%!&,' yo podía haber corrido mi juego Tetris".

template (plantilla)

Pronunciación: *tem-pléit.*

Significado: Documento "maestro" para un procesador de palabras, hoja de cálculo o cualquier otra aplicación que se utilice como punto de arranque o de selección de otros documentos. Por lo genèral, la plantilla contiene todo el formateo, por lo que todo lo que usted tiene que hacer es llenar los espacios en blanco. Algunos paquetes de software cuentan con numerosas plantillas por lo que ni siquiera tendrá necesidad de aprender a utilizar el programa. Word para Windows, por ejemplo, cuenta con 17 de éstas que le permiten de manera fácil generar cartas, resúmenes, memos, propuestas y hojas de presentación de fax. Podrá crear sus propias plantillas si realiza el formateo y la composición del texto que aparecerá en cada documento de ese tipo. Después, cada vez que necesite, digamos, una factura, podrá abrir el archivo de plantilla, llenar los espacios en blanco e imprimir el documento. Más aún, podrá guardar las adiciones al archivo (como nuevo archivo, para no arruinar la plantilla) o no hacerlo.

Enunciado: "Este año sí voy a utilizar una *plantilla* al escribir mi carta para Santa Claus".

tera-

Pronunciación: *té-ra.*

Significado: Prefijo que significa un billón (que por cierto está relacionado de alguna manera con las palabras *terrible* y *déficit nacional*). Por lo general se utiliza en el habla computacional cuando se mencionan los terabytes, que es algo muy cercano a un billón de bytes (lo cual es equivalente a mil gigabytes o un millón de megabytes). La medida real de un terabyte es 1, 099,511,627,776 bytes.

Enunciado: "Si usted tuviera un dólar por cada byte en un *tera*byte, le tomaría 134 años a Bill Gates el igualar su fortuna, aun si él ganara ocho mil millones de dólares al año (sin contar los intereses ni los impuestos)".

terminal

Pronunciación: *tér-mi-nal.*

Significado: Monitor conectado a una computadora central, cuyo significado se deriva de la raíz de la palabra latina que significa *muerte*. Al igual que las personas, las terminales pueden ser inteligentes o tontas y la única manera de averiguar qué tan tontas o inteligentes son, es verificar el modo en que se relacionan con la computadora. Si una computadora tiene una mente propia, eso quiere decir que es una terminal inteligente. Esto significa que tiene procesadores, quizás también un CPU e incluso una unidad de disco duro donde puede almacenar sus propios datos. Con tales capacidades, la terminal no necesita confiar en la unidad principal para sus operaciones. Pero si todo lo que tiene es un monitor y un teclado (y(o) dispositivos periféricos similares), eso quiere decir que es bastante tonta.

Enunciado: "Las personas son susceptibles de contraer una enfermedad terminal si se sientan frente a sus *terminales* durante toda su vida".

terminal emulation (emulación de terminal)

Pronunciación: *tér-mi-nal e-miu-leí-shon.*

Significado: Es la habilidad de una computadora de escritorio ordinaria y promedio para hacerse pasar de manera inteligente por cierto tipo de terminal conectada a un mainframe. Esto sólo se puede lograr con el software adecuado, llamado software de emulación determinado. Sólo tendrá que preocuparse por esto cuando en realidad *desee* estar conectado a un mainframe, una rara circunstancia para la mayoría de nosotros los mortales.

Enunciado: "Por fin han perfeccionado el *emulador de terminal* Macintosh para PC. Todo funciona muy, muy lento y el sistema se colapsa justo antes de guardar su archivo en el disco (¿piensa que bromeamos?)"

terminate-and-stay-resident program (programa 'terminar y quedar residente')

Pronunciación: *tér-mi-neit and stei ré-si-dent pró-gram.*

Significado: Tipo especial de programa que siempre permanece en la RAM y que puede ser activado con facilidad por medio de un teclazo o una "tecla caliente". También conocido como TSR o programa residente en memoria. Estos programas se volvieron populares cuando el SideKick de Borland fue introducido a mediados de la década de los ochentas. El SideKick le permitía un acceso instantáneo a un montón de pequeños e interesantes programas, todo esto al presionar las teclas Ctrl-Alt al mismo tiempo. El SideKick "saltaría" justo por encima de cualquier otro programa que usted corriera. En esa época, esto probó ser de gran utilidad. Otros programadores aprendieron el secreto del SideKick y, muy pronto, docenas de TSRs y programas desplegables aparecieron en el mercado. El problema consistía en que Borland había hecho trampa para lograr el efecto desplegable y debido a esto, ninguno de los TSRs podría cooperar con los demás. Una PC equipada con TSR se colapsaba con frecuencia y los programas entraban en conflicto. Hoy en día, el tipo desplegable del programa TSR ya ha perdido toda su popularidad gracias a los programas de multitareas, como es el caso de Windows y los avanzados sistemas operativos como el OS/2. Los TSRs aún existen, pero en esencia sólo son programas que mejoran las características de DOS sin entrar en conflicto con otros programas. Los TSRs más populares incluyen al manejador del ratón, el manejador CD-ROM, el mejorador de teclado DOSKEY y ciertas utilerías de recuperación de archivos (véase también *memory resident programs*).

Enunciado: "Por favor, Sr. Martínez, no se moleste tanto sólo porque sus suegros han llegado a su casa y adoptado la tendencia del software *terminar y quedar residentes*".

text (texto)

Pronunciación: *tekst.*

Significado: Letras, números y otros caracteres o símbolos que se localizan en su teclado. Sólo la escritura simple, sin el formateo u otras características elegantes (véase también *ASCII*).

Enunciado: "El *texto* es demasiado aburrido".

text box (cuadro de texto)

Pronunciación: *tekst boks.*

Significado: Cuadro sobre la pantalla que demarca un área sobre la que se puede escribir texto. También pudiera ser llamado cuadro de entrada. Oh, por cierto, también se puede editar texto en el cuadro de texto. ¿Qué más? Nada más por el momento. Ya es tarde y *Viaje a las estrellas* está a punto de empezar.

Enunciado: "He aquí un buen punto: cuando busque su texto, escriba 'mi cerebro' dentro del *cuadro de texto*; después, haga clic al botón OK. Como resultado, la computadora no localizará el texto y desplegará un mensaje que dice 'error: no encuentro mi cerebro'. Ja, ja, ja".

text editor (editor de texto)

Pronunciación: *teks é-di-tor.*

Significado: Un programa, en realidad una versión burda de un procesador de palabras que le permite modificar ("editar") archivos de texto. Los editores de texto son utilizados por los programadores para editar los archivos del código fuente de los programas. Esto es una medida útil ya que los editores de texto no necesitan del formateo, ni de las gráficas ni de ningún detalle elaborado. Todo lo que los programadores desean es algo con lo que puedan escribir con facilidad sus instrucciones de programación, sin necesidad de molestarse con el formateo. Nosotros, los simples mortales también tomamos ventaja de los editores de texto, aun si sólo los utilizamos como procesadores de palabras, si así lo deseamos. No obstante, son de gran utilidad al trabajar con pequeños archivos. En realidad, este libro fue creado en un principio por medio de un editor de texto para que Dan, Wally y Chris tuvieran un formato de archivo en común (texto simple o archivos ASCII) para trabajar. De manera eventual todos nos trasladamos al Microsoft Word para Windows debido a que la compañía IDG nos dijo que habíamos trabajado muy rápido (véase también *editor*).

Enunciado: "El premio para el peor *editor de texto* de todos los tiempos lo merece con toda honra el viejo y pésimo EDLIN de DOS".

text file (archivo de texto)

Pronunciación: *teks fail.*

Significado: Archivo que sólo contiene texto o caracteres ASCII. Muchos programas de procesamiento de palabras, de base de datos y de hoja de cálculo le proporcionan la opción de guardar su material como "sólo texto" o como archivo de texto. Esto significa que se pierde el formateo y los caracteres especiales que no están asociados con los archivos de texto, pero también significa que la información puede ser digerida de manera fácil por casi cualquier otro programa de cualquier otra computadora (véase también *ASCII*).

Enunciado: "Los *archivos de texto* son el tipo más común de formato para los archivos".

thermal wax printer (impresora térmica)

Pronunciación: *tér-mal waks prín-ter.*

Significado: Es un tipo de tecnología de impresión ya pasado de moda que utiliza una clase especial de papel sobre el cual se transfieren las letras por medio de calor. Por ejemplo, Lucy descansa en la playa. Ha frotado su cuerpo con esa nueva crema especial que le brinda un rápido bronceado. Entre la espalda de Lucy y el sol, se encuentra Carlos su novio, que sostiene una pieza de cartón que tiene su nombre marcado a base de perforación de letras y, con el transcurrir de los minutos, el sol marca esta imagen, CARLOS, sobre la espalda de Lucy. Es así como funciona la impresión térmica pero, en este caso, la impresora es la que suministra el calor para que la imagen sea grabada sobre el papel.

Enunciado: "Mi *impresora térmica* cuenta con la reputación de tener tan mal olor como insoportable es el ruido que produce mi impresora de matriz de puntos".

thesaurus (diccionario de sinónimos)

Pronunciación: *té-so-ros.*

Significado: Si hablamos en serio, esta es una colección de palabras y otras palabras con el mismo significado. En el ámbito de las computadoras, se refiere a la capacidad de un programa de procesamiento de palabras para proporcionar sinónimos que se acoplen a la palabra que usted ha elegido. Usted podrá resaltar una palabra, pedir al diccionario que le proporcione los sinónimos y el software generará una lista de alternativas o sugerencias. Existe una ley de Murphy para el diccionario: entre más seguro esté usted de que existe un sinónimo con el enfoque adecuado, mayor será la probabilidad de que su diccionario ni siquiera liste la palabra de su referencia y sólo incluya sus sinónimos favoritos.

Enunciado: "¿Qué piensa que ofrecería el *diccionario de sinónimos* si usted buscara los vocablos que significan 'Epitaxia de rayo molecular'?"

three-dimensional spreadsheet (hoja de cálculo tridimensional)

Pronunciación: *tri di-mén-sho-nal spréd-shiit.*

Significado: En la tecnología de las hojas de cálculo, es la práctica de la creación de un grupo de hojas de cálculo y su organización en forma de páginas para un libro. Por lo tanto, éstas contarán con profundidad y no sólo renglones y columnas. La profundidad es la tercera dimensión de las hojas de cálculo.

Enunciado: "Empezaba a aprender cómo poder utilizar una *hoja de cálculo tridimensional*, pero me perdí porque mi cerebro solamente es bidimensional".

tick (tic)

Pronunciación: *tik.*

Significado: 1) Un nombre más para el carácter de apóstrofo. 2) En una utilería de distribución como la que se encuentra en Excel, una marca tic es una muesca en el eje de otro esquema que denota un incremento. Por ejemplo, si el eje de las Ys representa dólares, cada tic pudiera representar cien dólares. 3) Ritmo de funcionamiento de esa cosa que marca el tiempo en el interior de la computadora. Las computadoras PC generan 18.5 tics por segundo. Por eso, si escucha a algún nerd decir "¿Cuántos tics tuvo tu interrupción?" ya sabrá que un tic de reloj equivale a casi $1/8$ de segundo y podrá mover su cabeza en señal de desaprobación.

Enunciado: "Existía un campo POW en la Segunda Guerra Mundial. Un día de verano, el comandante reunió a todos los prisioneros y los hizo colocarse bajo el sol. Les dijo: "el día de hoy realizarán ejercicios especiales. Deseo que muevan su cabeza hacia la derecha y luego hacia la izquierda. Cuando muevan su cabeza hacia la izquierda deberán decir *¡tic!* cuando muevan su cabeza hacia la derecha deberán decir *¡toc!* ¡He dicho todos! Así que todos los prisioneros empezaron a ladear sus cabezas, tic-toc, tic-toc debajo del ardiente sol, con el sudor que escurría por sus rostros. Todos lo hicieron así con excepción de un prisionero. Este hombre sólo movía su cabeza hacia la izquierda y decía 'tic,tic,tic'. El comandante se dio cuenta de esto y caminó hacia el tipo, lo miró con desprecio y le dijo: 'hey tú, será mejor que obedezcas o podría obligarte a hacer toc' ".

TIFF

Pronunciación: *tif.*

Significado: Acrónimo que significa Tagged Image File Format. Un formato de archivo de gráficas de mapeo que se utiliza con frecuencia para leer las imágenes por medio de un digitalizador. Los archivos TIFF son imágenes punteadas de alta resolución.

Enunciado: "No, nosotros no apoyamos ese estándar de gráficas en este lugar. Aquí sólo soportamos PCX, GIF, *TIFF* y cualquier cosa que hayan pintado Picasso y Van Gogh".

tiling (mosaico)

Pronunciación: *tái-ling.*

Significado: Técnica que se utiliza para arreglar varias ventanas en una interfaz gráfica para el usuario, de tal manera que luzcan con un tamaño adecuado y diseminadas en forma de mosaico, sin sobreponerse entre sí. La clave consiste en "no sobreponer". Otra posibilidad para el arreglo es la "cascada" (véase también *cascade*).

Enunciado: "El *mosaico* es una buena elección cuando no tiene importancia el hecho de que las imágenes de cada ventana estén mutiladas y sean difíciles de leer".

time sharing (tiempo compartido)

Pronunciación: *taim shé-ring.*

Significado: Empleo estratégico de los recursos (microprocesador, impresora, unidades de disco) con las computadoras mainframe o la red. El tiempo que se comparte es el tiempo de procesamiento de la computadora. Como norma, se comparte entre varios usuarios y también se puede compartir entre varios programas.  En una situación de tiempo compartido, la computadora se programa de tal manera que pueda saber cómo utilizar sus recursos de procesamiento para atender las necesidades con base a las prioridades.

Enunciado: "Ya que nuestra computadora sabe muy bien cómo administrar el *tiempo compartido,* pienso que debería dedicar mis esfuerzos a conseguir mi propio programa de tiempo compartido para poder dividir mi   tiempo entre mis hijos, mi esposa y mi trabajo".

time slice (fracción de tiempo)

Pronunciación: *taim slais.*

Significado: Tiempo de procesamiento que se otorga a una aplicación y que por lo general se mide en milisegundos. Por ejemplo, si usted corre varios programas al mismo tiempo en Windows, cada programa obtiene una "fracción" del tiempo de la computadora. El tamaño de la porción de tiempo puede ajustarse para permitir que los programas más importantes utilicen más tiempo que los programas no tan importantes (véase también *mutitasking*).

Enunciado: "Roy consiguió esta vieja película de los años cuarentas. En ella, Albert Einstein crea *fracciones de tiempo* con un cuchillo Ginsu".

title bar (barra de título)

Pronunciación: *tái-tl bar.*

Significado: Tanto en GUI como en Windows y el sistema Mac, esto es el, bueno, qué puedo decir, el título. Este se despliega de manera prominente sobre una larga barra que se coloca a todo lo ancho de la parte superior de la ventana. Es un invento muy efectivo porque gracias a él podrá saber dónde está sin tener que llamar al departamento de servicio al cliente para que lo localicen. Como norma, incluye tanto el nombre de la aplicación que se utiliza como el nombre del documento con el que se trabaja. Aun si todavía no ha dado nombre a su archivo, el programa dará un nombre provisional al documento como "Untitled" (sin título) o "Document" (documento), hasta que usted tenga su propio nombre para el trabajo.

Enunciado: "Estaba perdido sin esperanza hasta que observé la *barra de título,* la cual decía que por el momento trabajaba en Microsoft Word con el documento T.DOC".

toaster (tostador)

Pronunciación: *tóus-ter.*

Significado: Dispositivo de computadora tan hogareño, amigable e intuitivo, que es casi como el tostador de pan que usted utiliza por las mañanas. El diseño original Macintosh fue denominado con cariño "el tostador" por sus admiradores. La computadora Amiga utiliza un dispositivo llamado Tostador de Video, que le permite crear videos caseros con calidad de estudio de filmación.

Enunciado: "La computadora original Macintosh tenía el cariñoso sobrenombre de *'el tostador'* debido a su alta popularidad. Hoy en día, con frecuencia recibe el sobrenombre de 'taburete' ".

toggle (basculador)

Pronunciación: *tó-gl.*

Significado: Tipo de interruptor que por lo general alterna entre dos modos, on (encendido) y off (apagado). Un ejemplo común es el botón de su televisión que sirve para encenderla y apagarla. Cuando la televisión está apagada, el botón la enciende y viceversa. En un programa de computación, un basculador pudiera ser un botón gráfico o cualquier otra opción que pueda activarse o desactivarse. El seleccionar tal botón activa el dispositivo y una selección más sirve para desactivarlo.

Enunciado: "Con frecuencia tengo que utilizar este *basculador* para cambiar entre el modo lento y el superlento de mi PC. Como si no hubiera pagado suficiente dinero por este artefacto".

token ring network (red de token ring)

Pronunciación: *tóu-ken ring nét-work.*

Significado: Formato de red al cual se conectan las PCs de alguna manera. Las computadoras utilizan esta cosa que se transmite por medio de un cable entre las computadoras de una red con la finalidad de decidir quién será el primero en tener acceso. Creo que esto es lo máximo que puedo lograr en esta definición. En realidad, se trata de cuestiones cerebrales IBM. La mayoría de los usuarios usa redes Ethernet porque son más fáciles de entender. Por mi parte, siempre que pienso en este concepto, lo relaciono con esos artefactos giratorios donde se depositan las monedas para abordar el autobús (los tokens son pequeñas monedas o boletos que se depositan en las cajas recolectoras de algunos transportes).

Enunciado: "Nuestra *red de token ring* ya está bastante oxidada".

toner (tóner)

Pronunciación: *tóu-ner.*

Significado: Esa sustancia negra y poco sofisticada que utilizan las impresoras láser para realizar su trabajo. En la práctica, el tóner consta de partículas de tinta cargadas en forma electrónica con un alto índice carcinógeno, justo como una fotocopiadora. Este material se utiliza para formar la imagen sobre el papel. En realidad, la impresora láser "fija" el tóner al papel por medio de calor y diminutos rayos láser manipulados por unos enanitos.

Enunciado: "El cambio del cartucho de *tóner* puede convertirse en una tarea infernal".

toner cartridge (cartucho de tóner)

Pronunciación: *tóu-ner cár-trish.*

Significado: Un cartucho, o contenedor, que utilizan las impresoras láser (o cualquier otro tipo de máquina, como las fotocopiadoras y las máquinas de fax) para almacenar el tóner. Esta tecnología hace que un trabajo insoportable se convierta en algo horrible. En las máquinas más antiguas, se tenía que llenar el cartucho con tóner en polvo, lo cual tenía la ventaja de permitirle concentrar el efecto de seis años de fumar cigarrillos en sólo diez minutos. Hoy en día, el proceso equivale a sólo un paquete de cigarrillos.

Enunciado: "Si recicla sus *cartuchos de tóner* podrá ahorrar mucho dinero y ayudar a salvar el planeta en que vivimos".

toolbox (caja de herramienta)

Pronunciación: *túl-bóks.*

Significado: Para los desarrolladores de software, es un juego de programas que puede ser utilizado como bloques de construcción para la creación de aplicaciones, con lo que se evita la necesidad de volver a inventar la rueda cada vez que se escribe un programa; para los usuarios de software, representa una colección de herramientas que sirven a un propósito en común (véase también *tools*).

Enunciado: "Por medio de la *caja de herramientas* cualquier usuario puede crear un programa de excelente apariencia con sólo unas semanas de entrenamiento intensivo".

tools (herramientas)

Pronunciación: *tuls.*

Significado: Juego de herramientas "electrónicas" que podrá utilizar con una aplicación de software en un momento dado y que tienen un efecto similar a las herramientas manuales, que es de donde han obtenido su nombre. Apóyeme en este punto. Como un ejemplo, podemos citar los "pinceles" de diferentes diámetros, el rodillo y la lata de spray que se incluyen en ciertos programas de pintura. Estas son las herramientas que usted puede utilizar en el programa para llevar a cabo un trabajo específico.

Enunciado: "Me he divertido tanto al jugar con estas *herramientas*, que en realidad no sé cuándo empezaré a pintar ese paisaje que tanto necesito".

top-down programming (programación 'de arriba abajo')

Pronunciación: *top-daun pro-grám-ing.*

Significado: Inicio de un programa y cada uno de sus módulos con un enunciado (en inglés) acerca de lo que éste debe hacer y la manera en que debe lograrlo, es algo así como una misión.

Enunciado: "La *programación de arriba abajo* no significa que usted tiene que construir el techo de un programa y después el piso. El concepto es más aproximado a escribir la sensación total del programa, para más tarde resanar los orificios".

topology (topología)

Pronunciación: *to-pó-lo-yi.*

Significado: La topología se refiere al estudio del actor Topol. En las computadoras, se refiere a la configuración de una red de área local, la manera en que la red es esquematizada de manera física. Los tipos básicos son el centralizado y el descentralizado; los formatos básicos son la topología estrella (centralizada) y las topologías de bus y de anillo (descentralizadas). Entienda este concepto y usted, sí, usted, también podrá ganar enormes sumas de dinero si trabaja como coordinador de red.

Enunciado: "La *topología* se refiere a la forma en que se esquematiza una red".

touch pad (almohadilla de toque)

Pronunciación: *toch pad.*

Significado: Dispositivo de entrada en el cual todo lo que necesita hacer es tocar un punto para que éste sea registrado como una señal en la computadora. Los "puntos" son en realidad teclas o botones con un excelente disfraz y la superficie de la almohadilla de toque es en realidad una capa de plástico suave.

Enunciado: "Caminaba por el ala de dispositivos de entrada en el almacén de computadoras, cuando me topé con la sección de *almohadillas de toque*. De inmediato todas ellas me susurraron: '¡Tócame!' '¡No, tócame a mí!' '¡No, por aquí!'".

TPI

Pronunciación: *ti-pi-ai.*

Significado: Abreviatura que significa Tracks Per Inch (Pistas por pulgada). Mide la cantidad de información que puede ser almacenada en un disco. Mientras más pistas por pulgada existan en un disco, mayor será su "densidad" y mayor será la cantidad de datos que éste podrá almacenar. También es una buena forma para distinguir los discos de alta de los de baja densidad. Los discos de más baja densidad usan 40 u 80 TPI. Los discos de alta densidad funcionan con 135 TPI.

Enunciado: "He utilizado las computadoras durante más de 12 años y no conozco a nadie que emplee el término *TPI* al hablar de disquetes".

track (pista)

Pronunciación: *trak.*

Significado: Un "anillo" de información en el disco; la mayoría de los discos graban la información al almacenar tales datos en varios anillos concéntricos o "pistas" que se encuentran pregrabadas sobre la superficie del disco. Este asunto es complejo y tiene que ver con el formateo del disco. La pista contiene sectores, cada uno de los cuales puede almacenar 512 bytes de información, lo que usted guarda en el disco. El saber algo acerca de las pistas y los sectores no es importante para utilizar un disco. La información sólo puede surgir cuando trabaja con utilerías especiales de disco (programas de diagnóstico y reparación de disco) o cuando formatea el disco. El término cilindro también puede ser utilizado para referirse a una pista de información en el disco.

Enunciado: "Este disco no sirve. Mi archivo INDICAR no hace más que rodar sobre las *pistas*".

trackball

Pronunciación: *trak ból.*

Significado: Dispositivo de entrada que opera en forma muy similar al ratón. Un ratón tiene una pequeña bola en la parte inferior que rueda sobre su escritorio; en el caso del trackball, la bola se encuentra en la parte superior y usted la mueve al rotarla con sus dedos. Los trackball son muy populares en el medio artístico pues los artistas encuentran  a este dispositivo más fácil de manipular que el tosco y escurridizo ratón. También son comunes en las computadoras notebooks, debido a que de esta manera no hay necesidad de que un dispositivo cuelgue del exterior de la máquina y tampoco tendrá que rodarlo sobre una superficie plana que en este caso sólo pudiera ser su muslo.

Enunciado: "El *trackball* no sólo es más fácil de utilizar que un ratón, sino que también evita el problema de los objetos que caen del escritorio, algo muy común en el ratón".

tractor feed (alimentación de tractor)

Pronunciación: *trák-tor fid.*

Significado: Mecanismo que alimenta el papel en las impresoras de matriz de puntos. Este tipo de papel es lo que se conoce como "papel para computadora", ese material que tiene una serie de orificios en los costados. Por cierto, sería un buen momento para decirle que en realidad existe un nombre —elegido en un concurso— para los bordes de tal papel, mismos que contienen esa secuencia de orificios que el mecanismo sujeta para impulsarlo. Se denomina "snaf".

Enunciado: "Siempre tengo problemas para alinear los pequeños orificios de tal forma que el papel pueda ser *alimentado con el tractor* sin que mi alimentación sea excesiva".

tractor food (alimento del tractor)

Pronunciación: *trák-tor fud.*

Significado: Los documentos más valiosos que son atrapados en las mandíbulas del mecanismo de alimentación de tractor.

Enunciado: "No pude hacer otra cosa que observar cómo mi precioso resumen anual se volvía *alimento del tractor* en cuestión de segundos".

transparent (transparente)

Pronunciación: *trans-pá-rent.*

Significado: Función de la computadora que está muy cercana a ser invisible en su acción. Cualquier cosa que sucede sin involucrar al usuario, la atención de éste o la entrada de datos, es transparente. Por ejemplo, el envío de un fax mientras usted trabaja con otro documento puede ser considerado como una operación transparente.

Enunciado: "Mi software de comunicaciones envía documentos a otros usuarios de manera *transparente*. De hecho, es tan transparente que ni siquiera se ve el documento cuando llega".

trash (papelera)

Pronunciación: *trash.*

Significado: En el sistema Mac, es un lugar especial donde se coloca todo tipo de documentos y archivos no deseados. El icono de la papelera en los escritorios Mac, tiene la apariencia de un bote de basura y todo lo que usted tiene que hacer para depositar el material indeseable en este lugar es hacer clic con el ratón sobre el ítem en cuestión y arrastrarlo hasta el bote de basura. Una útil característica del basurero Mac es que sus costados se expanden cuando se han colocado archivos en él y no vacía su contenido hasta que usted le proporcione un comando para realizar esta operación, ¡justo como en la vida real!

Enunciado: "La característica más agradable acerca de la *papelera* en la Mac, es que los perros no lo tiran ni vacían su contenido todos los jueves por la noche".

tree structure (estructura de árbol)

Pronunciación: *tri strúk-shur.*

Significado: Uno de los conceptos más visuales al organizar los archivos en una unidad de disco duro. Los archivos se almacenan en "directorios", cada uno de los cuales se conecta a otros directorios como si fueran ramas de un árbol. El directorio principal de cada disco es denominado directorio raíz. Otros directorios se ramifican a partir de la raíz y otros más se ramifican a partir de éstos, lo que hace que luzca como un árbol genealógico electrónico (véanse también *path* y *pathname*).

Enunciado: "Casi me da un ataque cardiaco cuando vi a Eduardo caminar con las tijeras de jardinería, al tiempo que me decía que tenía que arreglar la *estructura de árbol de su unidad de disco duro.*"

trigonometry (trigonometría)

Pronunciación: *tri-go-nó-me-tri.*

Significado: Rama de las matemáticas que tiene que ver con las relaciones en las partes de un triángulo. Si escucha términos como seno, coseno y tangente, ya podrá hacer un ademán de sabiduría y decir: '¡Ah, se trata de trigonometría!' La trigonometría le será de gran ayuda para descifrar las medidas desconocidas de un triángulo (como los ángulos o los lados) basado en los elementos conocidos.

Enunciado: "Podrá utilizar la *trigonometría* para descifrar la altura de una montaña distante si sabe la lejanía de la montaña, el ángulo de la vista con respecto a la cima y si hay alguien que le susurre al oído la altura de la montaña".

triple-clicking (triple clic)

Pronunciación: *trí-pol clic.*

Significado: Consiste en hacer clic con el botón del ratón en tres ocasiones consecutivas para tener acceso a funciones muy raras y poco comunes. El triple clic no es muy peculiar y sólo se utiliza en programas cuyos diseñadores no pudieron descifrar un medio más efectivo para lograr el acceso a ciertas características.

Enunciado: "Siempre que doy un *triple clic* sobre este icono, la computadora despliega un mensaje que dice: 'ya no bebas tanto café'".

troglodyte (troglodita)

Pronunciación: *tró-glo-dit.*

Significado: Se deriva del vocablo griego que significa "habitante de las cavernas". Es un tipo especial de nerd que prefiere habitar en la oscuridad de algunos cuartos de computadora y que ha desarrollado hábitos nocturnos de alimentación como los murciélagos y los topos.

Enunciado: "La cafetería de la universidad ha designado un horario especial —sin mencionar la dieta específica— para los *trogloditas* del campus".

Trojan horse (caballo de Troya)

Pronunciación: *tróu-yan jors.*

Significado: Engañoso programa de computadora que en forma muy sagaz se esconde en el interior de un programa legítimo. Proviene de la estrategia utilizada en la guerra de Troya, donde los griegos simularon obsequiar a los troyanos un enorme caballo de madera como símbolo de paz. Al caer la noche y cuando los troyanos dormían, todos los soldados griegos que se habían escondido dentro del caballo, salieron y atacaron la ciudad, estrategia que los historiadores consideran una medida muy inteligente y furtiva. Los programas escurridizos de computadora que pretenden tener una función, pero ocultan una nefasta intención, son denominados caballos de Troya. Es más posible que pueda encontrar un caballo de Troya contenido en el shareware o el freeware que en el software comercial que se vende en los almacenes.

Enunciado: "Existe un argumento detrás de la noción de que Microsoft Windows es un caballo de Troya".

true (verdadero)

Pronunciación: *tru.*

Significado: Es lo opuesto de "falso". Pero también pudiera significar "sí" o "encendido." En las matemáticas binarias (también llamadas matemáticas booleanas), el valor verdadero significa 1 o positivo y el valor falso significa 0 o negativo.

Enunciado: "El considerar que una computadora me ahorraría tiempo y esfuerzo ha resultado demasiado bello para ser *verdadero*".

TrueType font (fuentes TrueType)

Pronunciación: *tru-taip font.*

Significado: Categoría de fuentes creada de manera conjunta por las compañías Apple Computer y Microsoft que evita la necesidad de un lenguaje de descripción de página (véase también PDL) o utilería, que hace que las fuentes puedan ser desplegadas sobre la pantalla. En lugar de esto, el inteligente proceso que traduce la fuente a la pantalla o a la impresora se mantiene dentro de la misma fuente. En los viejos tiempos, usted habría tenido que pagar una suma estratosférica por contar con programas e impresoras que pudieran entender, desplegar e imprimir una multitud de fuentes. Las fuentes TrueType se ocupan de los detalles y hacen que todo luzca y se imprima en forma nítida. Las fuentes TrueType también se denominan fuentes escalables, lo que significa que podrá seleccionar cualquier tamaño de escritura sin preocuparse por las distorsiones.

Enunciado: "Al utilizar las populares y no muy caras *fuentes TrueType*, por fin he podido diseñar un documento que luce tan mal como mi escritura hecha a mano".

TSR

Pronunciación: *ti-es-ar.*

(Véase también *terminate-and-stay-resident program.*)

TTL

Pronunciación: *ti-ti-el.*

Significado: He aquí algo extraordinario: Transistor-to-Transistor Logic (Lógica de transistor a transistor) es lo que esto significa. ¿De qué se trata? ¿Quién sabe? ¿A quién le importa? ¿Por qué molestarse? Con frecuencia podrá observar las letras TTL listadas como el tipo del monitor, por lo general es el viejo tipo de monitores monocromáticos. Si todos le preguntaban: "¿Qué significa TTL?" Ahora ya lo sabe.

Enunciado: "No tiene idea de qué tan enriquecido me siento ahora que por fin sé lo que significa *TTL*".

TTY

Pronunciación: *ti-ti-wai.*

Significado: Abreviatura para teletype (teletipo). También es el nombre de un tipo de emulador de terminal, por lo general (y esto es un secreto) significa "nada de simulación en absoluto". TTY manifiesta con mucha frecuencia su fea apariencia en UNIX y se ha incorporado a muchos comandos UNIX. Tales comandos se utilizan para controlar las varias terminales, monitores y teclados —incluso los modems— conectados a la máquina UNIX. Se necesita ser un verdadero experto en UNIX para entender todo el concepto (véase también *terminal emulation*).

Enunciado: "¡Aja! ¡Así que tú eres el tonto que utiliza *TTYP3* y colapsa el sistema!"

Turing machine (máquina de Turing)

Pronunciación: *tó-ring ma-shin.*

Significado: Computadora simple desarrollada por A.M. Turing en los años treintas. Se suponía que debería poder diagnosticar los problemas que podrían ser resueltos por las máquinas, operaba al leer un pedazo de cinta de papel. La máquina de Turing sólo podía mover el papel hacia adelante, colocar una marca en él, borrar la marca o detenerse al instante. Turing alegaba que la máquina podría resolver cualquier problema que estuviera expresado como algoritmo (un procedimiento paso por paso que se utiliza para resolver un problema).

Enunciado: "No creo que pueda encontrar un uso para la *máquina de Turing*. En realidad sólo deseo solucionar mis problemas y no me importa saber si tienen solución o no".

turnkey system (sistema "llave en mano")

Pronunciación: *tórn-ki sís-tem.*

Significado: Sistema de computadora empaquetada y listo para realizar una tarea específica. El sistema podrá completarse con la computadora, el monitor, el teclado, las unidades de disco, el software y otros periféricos. El término se deriva de la industria automotriz donde usted inserta la llave del vehículo, la hace girar y de inmediato opera al vehículo sin nada más que comprar, instalar, ajustar o aprender.

Enunciado: "Siempre pensé que *llave en mano* tenía algo que ver con esas latas de sardinas que se abren con una llavecita".

tutorial

Pronunciación: *tu-tó-rial.*

Significado: Sesión de entrenamiento que guía al estudiante paso por paso a lo largo de un procedimiento. Son de interés particular los tutoriales que están empaquetados con muchos programas contemporáneos de software. Por lo general, son interactivos por lo que usted podrá jugar y oprimir teclas para que el programa continúe.

Enunciado: "El *tutorial* de mi paquete de contabilidad tiene instrucciones precisas acerca de cómo cargar una pistola en caso de ser necesario".

tweak (acomodo)

Pronunciación: *tuik.*

Significado: Consiste en personalizar, cortar a la medida, ajustar, reacomodar, o sólo entrometerse. De manera más específica, quiere decir un cambio de ajuste en algún componente del hardware o software para que sus necesidades sean mejor atendidas.

Enunciado: "Me gustaría *acomodar* mi programa de procesamiento de palabras para que dejara de producir esos horribles bips cada vez que cometo un error de escritura".

Twinkie

Pronunciación: *tuin-ki.*

Significado: Artículo de primera necesidad en la dieta de los programadores y los nerds de las computadoras. Se adapta a la mayoría de los alimentos de los cuatro grupos básicos. Asimismo, el consumo de Twinkies se ha utilizado como defensa en los crímenes más escandalosos. Por tanto, si llega a necesitar un chivo expiatorio, sólo invoque a la defensa Twinkie (véase también *M&Ms*).

Enunciado: "Ya que hoy tendré que realizar una programación de servicio pesado, he decidido comer unos *Twinkies* para redondear un desayuno".

twisted pair (par trenzado)

Pronunciación: *tuís-ted per.*

Significado: Cable que en realidad es un par de cables que se trenzan entre sí. Es el tipo de cable que se usa para los sistemas telefónicos comerciales. El cable está "trenzado" porque al hablar en la bocina el sonido se escucha por el auricular. Si el cable no estuviera de esta manera, el sonido que se trasmite por la bocina se escucharía en la misma bocina. El término se utiliza también en las redes de área local, en especial aquellas que utilizan un cableado telefónico común para conectar las computadoras (el cableo telefónico común es lo mismo que el "par trenzado"). Lo mejor acerca del par trenzado es su bajo costo y su ubicuidad; la desventaja es que no trasmite tanta información como el cable coaxial (ese artefacto que se utiliza para trasmitir la televisión por cable).

Enunciado: "Aquí viene nuestro gurú de la red y su acompañante femenina. Cielos, ¿No es ese un *par trenzado?* "

TXT

Pronunciación: *ti-eks-ti.*

Significado: Abreviatura para Text (texto). Sufijo utilizado para los archivos de texto, por lo general en la computación con base en DOS. Los ejemplos incluyen SARDINA.TXT y DEPESCA.TXT.

Enunciado: "Cuando le indico a mi procesador de palabras que guarde mis archivos como 'sólo de texto', en forma automática les asigna la extensión *.TXT.* ¿No son inteligentes las computadoras?"

type-ahead (escritura adelantada)

Pronunciación: *táip-ajéd.*

Significado: Término que designa el buffer (una parte de la memoria) que le permite escribir algo antes de que aparezca en la pantalla. Por ejemplo, podrá iniciar la escritura del siguiente comando DOS, aun si por el momento DOS está ocupado con el copiado de los archivos a la unidad de disco.

Por supuesto, en el buffer de escritura adelantada de DOS sólo puede almacenar 15 caracteres, por lo que después de escribir el carácter número 15, DOS empieza a hacer bip: ¡Bip! ¡Ya estoy llena! ¡Deja de escribir! ¡Bip! Por cierto, lo que usted haya escrito aparecerá tan pronto como DOS se desocupe.

Enunciado: "Gracias al buffer de *escritura adelantada* en Windows, puedo introducir varios comandos y esperar a que la computadora me alcance, con lo que doy la impresión de que trabajo mucho".

typeface (tipo de escritura)

Pronunciación: *táip-feis.*

Significado: Diseño de los caracteres en una fuente. El tipo de escritura se refiere a los caracteres físicos de una familia de letras y números. El ajuste de tipos se ha convertido en un arte y el número de tipos de escritura disponibles en la actualidad —incluso para los usuarios de computadoras personales— es casi infinito. La principal división entre las categorías de tipo de escritura recae en el uso de serifs, esas pequeñas curvaturas y ganchillos de las letras. Es por eso que se denominan tipos de escritura serif o sans serif. Otras categorías incluyen el desplegado de tipos y las caritas decorativas.

Enunciado: "Uno de mis *tipos de escritura* favoritos es Omar Serif".

U

UART

Pronunciación: *yú-art.*

Significado: Acrónimo que significa Universal Asynchronous Receiver/Transmitter (Receptor/transmisor universal asíncrono). El UART es una inovación —en realidad se trata del circuito integrado— en una computadora, que cambia la corriente de datos en paralelo del interior de la computadora a una corriente de datos serial. De alguna manera toma a los bits que marchan en filas de ocho en su computadora y los alinea en una sola hilera para el puerto serial. Este procedimiento es necesario para los dispositivos que utilizan el puerto serial, como el módem (véanse también *bit, modem* y *serial port*).

Enunciado: "Parece ser que hay un embotellamiento de tráfico en mi *UART*".

UMB

Pronunciación: *yu-em-bi.*

Significado: Siglas de Upper Memory Block (Bloque de memoria alta). Es un área de la memoria alta que puede ser "llenada" con memoria real por medio de algún truco mágico de administración de la memoria que sólo los genios cabezones pueden entender. Un manejador de la memoria como el EMM386.EXE de DOS se hace necesario para crear los UMBs. Después, por medio de otro artificio mágico de administración de memoria que requiere demasiado esfuerzo mental como para mencionarlo aquí, los programas pueden ser *cargados en alto* en esos UMBs, lo que crea más memoria disponible para sus programas. ¡Es algo mágico! (Véanse también *conventional memory, low memory, high memory, memory* y *terminate-and-stay-residen program.*)

Enunciado: "Hola, mi nombre es Jim. Alguna vez escuché que mi PC sólo contaba con miserables 384 K de memoria disponible, lo cual no es suficiente para correr WordPerfect. Me sentí devastado. Fue entonces cuando compré un administrador de memoria para mi clon 386. Ahora, puedo atiborrar mis unidades de disco y mis TSRs en los *UMBs*. No sólo tengo más memoria disponible, sino que también he aprendido algunos términos enigmáticos y acrónimos que hacen evidente el aumento de mi coeficiente intelectual cuando voy a una fiesta de coctel".

undelete (recuperación)

Pronunciación: *on-de-lít.*

Significado: Consiste en colocar algo como estaba antes de ser eliminado. Esto es, restituir un archivo una vez que ha sido borrado o, lo que es lo mismo, resucitarlo. DOS incluye un comando de recuperación que intenta restituir los archivos que por accidente hayan sido enviados a otra dimensión. Otros sistemas operativos también cuentan con coman-  dos similares, porque para aquellos que escriben el software para computadora es bastante notorio que los usuarios (eso es, usted y yo) tenemos una marcada tendencia a eliminar por accidente los objetos que no deseábamos eliminar (véanse también *key* y *unerase*).

Enunciado: "El hecho de que DOS cuente con un comando de *recuperación* no significa que podrá ser descuidado con el comando delete (de eliminación)".

underline (subrayado)

Pronunciación: *ón-der-lain.*

Significado: 1) En el procesamiento de palabras o de auto-edición, es el atributo que se aplica al texto para hacer aparecer un subrayado. El texto subrayado solía utilizarse en los manuscritos para indicar que esa sección debería ser escrita con cursiva. Y se debe a que las máquinas de escribir pueden subrayar, pero no pueden escribir con cursivas. Las computadoras sí pueden utilizar las cursivas, por lo que el subrayado ha sido marginado como un atributo de texto por esas personas burocráticas y de mente estrecha que aún se sorprenden con el texto subrayado. 2) Carácter de subrayado en su teclado, que es por sí mismo un carácter muy importante en algunos lenguajes de programación (véase también *underscore*).

Enunciado: "Conocí a un chico que trataba de subrayar con este método: escribía una palabra, retrocedía (lo cual borraba la palabra) y después utilizaba el carácter de *subrayado*. No obstante que esta técnica funciona con las máquinas de escribir, al utilizar la computadora deberá emplear un comando especial que subraye el texto por usted".

underscore (subrayado)

Pronunciación: *ón-der-skor.*

Significado: Otro término que representa al subrayado, que tal vez fue introducido por los usuarios con pensamiento musical (véase también *underline*).

Enunciado: "Mira, Miguel, ya que eres un usuario de poder, deberás evitar el uso de la palabra underline para referirte al subrayado. De ahora en adelante, será mejor que utilices *underscore*".

undo (deshacer)

Pronunciación: *on-dú.*

Significado: Colocar la situación de la manera en que se encontraba antes de estropearla. En la mayoría de las aplicaciones, este comando le da la posibilidad de cancelar el efecto de cualquier cosa que haya hecho en última instancia. Podrá cancelar los comandos de escritura y formateo, pero no se haga ilusiones con respecto a su trabajo, pues no podrá cancelarlo todo.

Enunciado: "Sólo espero que cuando muera, Dios utilice conmigo el comando de *deshacer*".

undocumented (no documentado)

Pronunciación: *on-dó-kiu-men-ted.*

Significado: Característica del hardware o el software que no se explica en el manual del usuario. Esto puede deberse a que el fabricante lo olvidó, no consideró que fuera importante, no ha descifrado la manera en que funciona el procedimiento o sólo porque la compañía no desea que usted o la competencia conozcan el secreto. A los autores de libros sobre computación les encanta localizar características no documentadas en los productos de software; ¡es su medio de vida!

Enunciado: "En el camino, me topé con una característica *no documentada* que hace que Windows corra cien veces más rápido".

unerase (recuperación)

Pronunciación: *ón-i-reis.*

Significado: Es justo como undelete, sólo que este término fue forjado por el gurú de las utilerías para DOS, Peter Norton, cuando surgió con la idea de la recuperación de los archivos a principio de la década de los ochentas. Norton creó un programa denominado UnErase —el primero de su clase— que recuperaba los archivos eliminados. Con esto, ganó toneladas de dinero y fundó una categoría completa de software para computadora denominada "programas de utilería" (véanse también *guru, undelete* y *utility*).

Enunciado: "¡Alabemos a Peter Norton! Gracias, gran Peter, por vuestra gracia y vuestro *UnErase*".

UNIX

Pronunciación: *yú-niks.*

Significado: Sistema operativo que se utiliza en especial dentro de los contextos multiusuarios de la computación, tal como es el caso de las minicomputadoras y las estaciones de trabajo. También es posible instalar UNIX en las computadoras personales y los mainframes. UNIX fue escrito en lenguaje C y desarrollado a finales de la década de los sesentas en los laboratorios Bell de AT&T. Al principio, cobró gran popularidad por su uso en las minicomputadoras de las universidades y las comunidades científicas.

Las ventajas de UNIX recaen en su portabilidad de un sistema a otro y en su apoyo para una gran variedad de programas de aplicación, muchas utilerías para programadores, así como lenguajes de programación, lo que lo ha hecho popular entre las sectas tecno-nerd y experto-geek. En esencia, UNIX es un sistema operativo de línea de comandos, muy similar a DOS, pero mucho más crudo y enigmático. Varios GUIs se encuentran disponibles para UNIX, lo que incluye XWindows, Open Look, NeXTStep y otros. En forma incidental, el nombre UNIX es un juego de palabras; es una parodia de un sistema operativo llamado Multics. Multi, Uni. ¿Comprende? (Véase también *C, DOS, K&R, operating system, OS/2, plataform* y *Windows.*)

Enunciado: "Cuando un programador se ve en la necesidad de proteger su harem de PCs, sólo consigue algo de UNIX y asunto arreglado".

up (arriba)

Pronunciación: *op.*

Significado: En general, se refiere a la dirección en que se localizan el techo y el cielo, a menos que usted se encuentre en Australia (sólo quería saber si estaba usted atento aún). "Up" se utiliza para referirse a la sección en la parte superior del documento, aun si la parte superior no se localiza en la pantalla y sólo es otro feliz recuerdo electrónico en su computadora (véanse también *down* y *up arrow*).

Enunciado: "Para desplazarse hacia *arriba*, dé algunos codazos a la tecla con la flecha ascendente".

up arrow (flecha hacia arriba)

Pronunciación: *op á-rou.*

Significado: Flecha que apunta hacia arriba, como la que se localiza en una de sus teclas de cursor. El presionar la tecla de flecha hacia arriba mueve el cursor en dirección a la parte superior del documento, una línea a la vez. Existe también otra flecha ascendente en la parte alta de la barra vertical de desplazamiento en la mayoría de las aplicaciones gráficas. El hacer clic con el ratón sobre la flecha hacia arriba en las aplicaciones gráficas, por lo general mueve el contenido de la ventana una línea a la vez o algo por el estilo. Sí, en realidad la flecha ascendente mueve los contenidos hacia abajo, pero eso es sólo para que usted pueda observar la línea que se encuentra "arriba" de la actual, esto es, la línea precedente. Raro, a la inversa, y difícil de entender, sí; es así como una computadora nos hace la vida más fácil. Si tan sólo el volante de mi auto funcionara de esa manera… (véanse también *down* y *up*).

Enunciado: "No podrá creer esto: presioné la tecla de *flecha hacia arriba* y mi computadora empezó a levitar".

upload (envío)

Pronunciación: *óp loud.*

Significado: Transmisión de un archivo de su computadora a otra. Si usted transfiere un archivo a otra computadora, habrá realizado un envío. Aquella computadora, por otra parte, habrá recibido el archivo. No importa quién inició la transmisión de archivos o qué computadora utilice, si usted traslada un archivo, habrá realizado el proceso del envío (véanse también *BBS, download* y *network*).

Enunciado: "Con frecuencia *envío* mis archivos de procesamiento de palabras a CompuServe para que sean enviados a los publicadores en los lugares más recónditos del planeta, como es el caso del estado de Indiana".

uppercase (altas/mayúsculas)

Pronunciación: *ó-per-keis.*

Significado: Letras mayúsculas. La terminología viene de los primeros días del ajuste de tipos, cuando las letras individuales de metal que se montaban en los bloques, eran almacenadas en charolas. La persona encargada del ajuste de tipos, debería elegir las letras necesarias para el trabajo y arreglarlas sobre una placa. Las letras mayúsculas se almacenaban en la parte superior (alta) y las letras minúsculas se almacenaban en la parte inferior (baja). Véanse también *case-sensitive* y *lowercase.*

Enunciado: "El texto escrito sólo con letras *altas* es difícil de leer. De hecho, casi parece como si el escritor le GRITARA EN SU CARA".

upper memory (memoria alta)

Pronunciación: *ó-per mé-mo-ri.*

Significado: En una PC, este término se refiere a la porción de memoria que no ha sido utilizada por DOS para correr los programas. Al principio fue denominada "memoria reservada" y colocada a un lado en la primera PC de la IBM para "futura expansión". DOS recibió el resto de la memoria, un total de 640 K para jugar consigo mismo y correr programas.

El resto de la memoria de la primera PC, esto es, 384 K de memoria, fue hecha a un lado. En la terminología de la administración de la memoria, esa área recibe el nombre de memoria alta. Y, en un rompimiento con toda lógica, la memoria que DOS utiliza, no se denomina "memoria baja", sino memoria principal (véanse también *conventional memory, high memory, lower memory, memory* y *UMB*).

Enunciado: "Cada vez que mi amigo Felipe se corta el cabello, pierde algo de su *memoria alta*".

UPS

Pronunciación: *yu-pi-es.*

Significado: Acrónimo de Uninterruptible Power Supply (Suministro ininterrumpible de corriente). Un término elegante para designar la batería de respaldo, una fuente de suministro de emergencia en caso de que la corriente que emana del contacto en la pared se corte, o que Jim, el experto en mercadotecnia de la compañía se tropiece y desconecte el cable de la PC. El contar con un UPS significa con frecuencia que tendrá tiempo suficiente para guardar sus asuntos y apagar la computadora en caso de un apagón. En realidad, no podrá trabajar por mucho tiempo con la energía de la batería del respaldo en el UPS.

Enunciado: "Este apagón ha sido terrible, pero miren, ahí está Jim en su oficina y su PC es la única que funciona, debido a que está conectada al *UPS*. Vamos a desconectarlo y hacer algo de verdad útil, como jugar Nintendo, por ejemplo".

uptime (tiempo de alta)

Pronunciación: *op-taim.*

Significado: Es el tiempo en que la computadora de verdad funciona y usted puede lograr completar alguna tarea, en contraparte con el tiempo de baja, que es cuando la computadora no se siente muy bien y nada funciona (véase también *downtime*).

Enunciado: "Ese perro es bastante letárgico. Doctor, ¿cómo podemos incrementar su *tiempo de alta*?"

upward compatible (compatible a futuro)

Pronunciación: *óp-ward kom-pá-ti-bol.*

Significado: Esto significa que algo ha sido diseñado con la mente puesta en el futuro. El ítem en cuestión, por lo general un documento o un archivo creado por alguna aplicación o componente de hardware, podrá funcionar con la siguiente versión del producto o con componentes que aún no se encuentran en el mercado. Como norma, el software sólo es compatible con el anterior, lo que significa que las versiones más recientes de la aplicación podrán funcionar con los archivos generados por las versiones previas, pero las versiones previas no funcionarán con los archivos creados en la nueva versión (véanse también *compatibility* y *downward compatible*).

Enunciado: "¡Recórcholis! Esta nueva computadora de verdad ha sido diseñada para ser *compatible a futuro*. Tiene un contacto en su parte posterior que dice 'Conexión R2-D2, Star Wars'".

USENET

Pronunciación: *yús-net.*

Significado: Acrónimo de USEr NETwork (Red de usuarios). Una facilidad de Internet que ofrece una amplia variedad de grupos noticiosos, tableros de boletines y foros públicos. Corre en la red UUCP (copia UNIX a UNIX), una red de área internacional con todo tipo de computadoras UNIX, todas ellas interconectadas como una telaraña (véanse también *BBS*, *Internet*, *network*, *UNIX* y *wide area network*).

Enunciado: "Con el simple acceso a *USENET*, podrá obtener las últimas noticias desde Helsinki, Finlandia y otras partes del mundo, sin levantarse del cómodo sillón de su oficina en Silicon Valley".

user (usuario)

Pronunciación: *yú-ser.*

Significado: Es la persona que utiliza la computadora y el software como herramienta, en contraste con el programador o los ingenieros del hardware. El término no tiene nada que ver con el grado de destreza de la persona que está frente al teclado. Incluso los nerds del sacerdocio de la alta programación son simples usuarios cuando se sientan frente a la computadora (véanse también *user-friendly, user group* y *user-hostile*).

Enunciado: "La industria de las computadoras es la única industria legítima que denomina *usuarios* a sus clientes".

user group (grupo de usuarios)

Pronunciación: *yú-ser grup.*

Significado: Club o reunión de usuarios de computadora que se dedican al estudio de un componente en particular de software o hardware. Existen grupos de usuarios para Macintosh, dBASE, Adobe Photoshop y muchos, muchos más. Los grupos de usuarios con frecuencia incluyen grupos de interés especial (SIGs) para todos aquellos usuarios que comparten intereses o productos en común (véanse también *compuServe, GEnie, Internet, network, Prodigy* y *SIG*).

Enunciado: "Los *grupos de usuarios* son una valiosa fuente de información y un excelente lugar donde podrá realizar preguntas acerca de su computadora o su paquete de software. Si llega tarde a la reunión, sólo únase al grupo y escuche la conversación. Le digo esto, porque pudiera haberse topado por error con una reunión de las damas de la vela perpetua".

user ID (identificación de usuario)

Pronunciación: *yú-ser ai-di.*

Significado: Sí, usted podrá ser "fichado" por su computadora. La identificación del usuario es un número o palabra código que le asigna el administrador del sistema o uno que crea usted mismo. Se utiliza con frecuencia para indicarle a la computadora quién es usted en lugar de proporcionar su nombre. Por ejemplo, la identificación de Bill Gate en el sistema interno de correo de Microsoft es "billg". No confunda la identificación con la contraseña. La identificación es algo que lo hace ser reconocido por otros usuarios de la computadora. En contraste, la contraseña es secreta y logra que la computadora esté segura de que el tipo que la utiliza como billg es en realidad Bill Gates y no cualquier tonto de la competencia que trata de entender todos los secretos de Microsoft (véanse también *password* y *user*).

Enunciado: Escuché esto hace algunos días en la oficina del administrador del sistema de una gran compañía de software: "No, lo siento, la *identificación de usuario* 'Dios' ya ha sido tomada. Tendrá que considerar otra posibilidad".

user interface (interfaz para el usuario)

Pronunciación: *yú-ser ín-ter-feis.*

Significado: Es lo que usted observa cuando enciende su computadora. Es el juego de indicadores, cursores y dispositivos de software con los que interactúa para tener resultados favorables en un programa. La interfaz es lo que usted ve, justo en su cara, es decir, la manera en que se comunica con la computadora (esperamos que así sea) para poder llevar a cabo su trabajo (véanse también *DOS, GUI, interface* y *Windows*).

Enunciado: "La mejor *interfaz para el usuario* es la de Viaje a las estrellas, donde en realidad le indican a la computadora lo que debe hacer. ¿O acaso ha escuchado alguna vez que la computadora del Enterprise haya respondido 'comando o nombre de archivo incorrecto?'"

user name (nombre de usuario)

Pronunciación: *yú-ser neim.*

(Véase también *user ID.*)

user profile (perfil del usuario)

Pronunciación: *yú-ser pró-fail.*

Significado: En una red o un tablero de boletines, es un anuncio efusivo acerca de un miembro o un usuario al cual pueden tener acceso los demás, de tal manera que tengan una mejor idea de quién es la persona con quien se comunican. Los usuarios escriben sus propios anuncios que pueden incluir su nombre, edad, situación geográfica, tipo de computadora que utilizan y los intereses que los relacionan con ese tablero de boletines específico (véanse también *BBS, network* y *user*).

Enunciado: "Para mi buena fortuna, mi *perfil del usuario* no incluye el hecho de que tengo 12 corbatas de marca muy prestigiada".

user-friendly (amigable para el usuario)

Pronunciación: *yú-ser frénd-li.*

Significado: Se supone que esto implica que el software o el hardware es lo bastante fácil como para que incluso usted y yo lo podamos entender. También se denomina intuitivo o a prueba de tontos. Esto significa que usted podrá descifrar el procedimiento sin necesidad de utilizar el manual del usuario o la línea de ayuda al cliente. Sí, ¡es correcto! (véanse también *user* y *user-hostile*).

Enunciado: "Ya usted sabe, Windows puede ser una interfaz de usuario muy *amigable* una vez que usted entienda todos los trucos e innovaciones, la manera en que funcionan, cómo se utilizan y la finalidad que tienen".

user-hostile (hostil al usuario)

Pronunciación: *yú-ser jós-til.*

Significado: Es lo contrario del término amigable. Esto significa que no importa qué tan bien trate a su computadora y el software que haya instalado, estos componentes no moverán un dedo para hacer su vida más fácil. El epítome de la hostilidad al usuario es el cursor parpadeante en una pantalla, que si no fuera por el pequeño carácter, estaría en blanco por completo; claro, hablo del indicador de DOS (véanse también *user* y *user-friendly*).

Enunciado: "En alguna ocasión trabajé con una computadora que me obligaba a introducir el código <pi14,69> siempre que deseaba imprimir el signo más. Ahora sé que *esa* era una máquina *hostil*".

utility (utilería)

Pronunciación: *yu-tí-li-ti.*

Significado: Software encaminado a proporcionarle ayuda para reparar, acomodar o mejorar su sistema. A diferencia de una verdadera aplicación, un programa de utilería no produce documentos o una salida de datos en concreto. En lugar de esto, éstas están diseñadas para que el trabajo con la computadora o el sistema operativo sea más fácil. En alguna ocasión, las utilerías fueron denominadas herramientas de software y tenían la intensión de ser utilizadas en primera instancia por los programadores para facilitar el penoso trabajo de la programación. Hoy en día, son una legítima categoría de software. Las utilerías más populares incluyen Norton Utilities, PC Tools, Stacker y FastBack (véanse también *backup, debugger, file compression, undelete, unerase* y *virus*).

Enunciado: "Hace algún tiempo, cuando el virus 'Miguel Ángel' estaba en pleno apogeo, las ventas de las *utilerías* anti-virus subieron en buena medida. Esto nos lleva a preguntarnos quién fue el causante de ese terrible virus".

vaccine (vacuna)

Pronunciación: *vák-sain.*

Significado: Utilería desinfectante o antivirus que ayuda a su computadora a librar la batalla contra los virus. Funciona al localizar los síntomas de la actividad del virus, tales como intentos sospechosos para infiltrarse en áreas de aislamiento relativo del disco duro, somnolencia y fiebre alta (véase también *virus*).

Enunciado: "Bueno, permítame poner esto bien claro, ¿de verdad intentó librar a su PC de un posible virus al introducir una naranja enmohecida en su unidad de disco duro? La próxima vez será mejor que utilice una *vacuna*".

vacuum tube (bulbo)

Pronunciación: *vá-kium tiub.*

Significado: Tecnología pasada de moda que se utilizó en las computadoras pioneras. Es un dispositivo que transmite información al controlar el flujo de los electrones, de la misma forma en que los diodos semiconductores y los transistores lo hacen en las computadoras modernas.

Enunciado: "Un *bulbo* es algo que usted puede observar en algún museo, como el grandioso Museo de la Computadora de Boston que, por una maravillosa coincidencia, se localiza en la ciudad de Boston".

Vaporware

Pronunciación: *véi-por-wer.*

Significado: Productos, ya sean de hardware o software que aún tienen que aparecer en el mercado, pero que son promocionados como si su utilización fuera a revolucionar la industria de las computadoras. En muchos casos, existen razones más que suficientes para creer que tales productos ni siquiera lograrán introducirse al mercado, al menos no durante la vida terrenal de sus proveedores.

Enunciado: "Cualquier cosa que haya escuchado acerca de la industria de las computadoras y que todavía no se encuentre en los aparadores para su venta, es *vaporware*".

VAR

Pronunciación: *var.*

Significado: Acrónimo para *Value-Added Reseller* (Valor agregado de reventa). Un individuo o un negocio que integra componentes proporcionados por los *Fabricantes de Equipo Original* (OEMs) y los empaca y documenta de manera adecuada a fin de ser utilizados por los usuarios finales que por lo general necesitan las campanas y los silbatos. Los VARs ofrecen paquetes de hardware, software, entrenamiento, documentación, e incluso servicios de personalización de software para las industrias especializadas (véanse también *OEM, end user* y *bells and whistles*).

Enunciado: "Hemos comprado un enorme sistema médico de un *VAR*. La ventaja principal es que, si tenemos problemas, podremos quejarnos a un solo concesionario por todas las fallas".

variable

Pronunciación: *vá-ria-bol.*

Significado: En la programación, es un símbolo que representa un valor numérico o una cadena de texto que se ha utilizado en el programa. El uso de las variables brinda al programador la flexibilidad de cambiar el valor en cualquier punto del programa, aun si parece no existir la necesidad de tal flexibilidad al momento del ajuste (véase también *wildcard*).

Enunciado: "El contenido de una *variable* puede cambiar en cualquier momento. Esto sólo me lleva a la conclusión de que el cerebro de Bill Clinton contiene demasiadas variables".

VAX

Pronunciación: *vaks*.

Significado: Línea de computadoras producidas por la compañía Digital Equipment Corp. (DEC). En los viejos tiempos, el término VAX se utilizaba con frecuencia para referirse a una computadora enorme, poco maniobrable, aunque muy capaz y poderosa. La noción "una VAX en su escritorio" solía relacionarse con la ciencia ficción. En 1988 o algo así, se volvió una realidad al tiempo que las microcomputadoras de la época alcanzaban las capacidades de procesamiento de las primeras computadoras VAX.

Enunciado: "No, no es verdad que la primera computadora Apple haya sido el resultado de que los ingenieros dejaron una *VAX* hembra y una *VAX* macho sin supervisión durante toda la noche".

VDISK

(Véase también *virtual disk*.)

VDT

Pronunciación: *vi-di-ti*.

Significado: Acrónimo que significa *Video Display Terminal* (Terminal de desplegado de video), también conocido como monitor (con todo y su teclado). Sin embargo, el término VDT, tiene mayor relación cuando se habla acerca de los efectos negativos que producen estas máquinas en la salud, mismos que van desde la vista cansada hasta los defectos de nacimiento en los bebés. Los monitores producen una cantidad sustancial de radiación electromagnética, misma que puede ser o no la causa de todas las enfermedades que se atañen a estos dispositivos. Por protección, es posible utilizar cierto tipo de pantallas que filtran tales campos electromagnéticos. Las pantallas que polarizan la salida visual, esto es, evitan el reflejo dañino, son los dispositivos más populares (véase también *radiation*).

Enunciado: "Me gusta mi *VDT*, pero me preocupan los EMFs que produce. Estoy muy preocupado acerca del RSI o el CTS que puedo contraer por tanto escribir. No obstante, la parte peligrosa de la computación es lo que me proporciona muchas de las mayores emociones en mi vida".

vector graphics (gráficas de vector)

Pronunciación: *vék-tor grá-fiks.*

(Véase también *graphis*.)

verify (verificar)

Pronunciación: *vé-ri-fai.*

Significado: Confirmación de la existencia de algo. En la computación, con frecuencia se refiere a la doble revisión que se realiza después de copiar un archivo. Usted deberá verificar que el duplicado sea idéntico al original. Este procedimiento toma un poco más de tiempo debido a que la computadora tiene que verificar una segunda vez, pero es una buena forma de asegurarse que no se han producido errores durante el proceso de la aplicación.

Enunciado: "Ya que los medios de disco son mucho más confiables que los sistemas de los viejos tiempos, la mayoría de los usuarios de DOS ni siquiera se molestan en *verificar* las copias de sus archivos".

version (versión)

Pronunciación: *vér-shon.*

Significado: La edición de un producto. Las versiones por lo general se designan con un número, como es el caso de "Word 2.0 para Windows," en el cual el número 2.0 se refiere a la versión, esto es, la segunda versión en su primera edición. No podrá contar con que los números se encuentren en un orden secuencial (no sabemos el por qué), pero es común que el número uno venga antes del dos, el dos venga antes del tres, etc. La parte decimal del número de la versión representa por lo general una pequeña mejora o la eliminación de algún problema que se haya presentado en la versión anterior, de tal forma que la versión 2.1 siempre será más confiable que la versión 2.0. Las versiones intermedias tienen más dígitos en la parte decimal, tal es es caso de Windows 3.1.1, que es en realidad la forma en que Microsoft trata de evitar la vergüenza que le ocasiona el lanzar toda una nueva versión.

Enunciado: "La *versión* 1.0 de cualquier producto —la primera que sale del horno— es, por lo general, la peor de todas. Es por eso que le recomendamos que espere a que salga la versión 1.1 antes de comprar cualquier programa".

vertical (vertical)

Pronunciación: *vér-ti-kal.*

Significado: Relacionado con la dirección hacia arriba y hacia abajo. En las computadoras, podemos hablar acerca de los mercados verticales, el centrado vertical, las columnas verticales, la alineación vertical así como el desplazamiento vertical. Todo esto se aplica de alguna manera a las posiciones arriba y abajo.

Enunciado: "Sí, podríamos decir que los elevadores computarizados acaparan una sección *vertical* del mercado".

vertical scroll bar
(barra de desplazamiento vertical)

Pronunciación: *vér-ti-kal skrol bar.*

Significado: Barra que se localiza en el costado derecho de la ventana de las aplicaciones gráficas. Al hacer clic con el ratón sobre esta barra o al utilizar las teclas del cursor, podrá mover el contenido de la ventana hacia arriba y hacia abajo en forma gradual. El pequeño indicador que viaja a lo largo de la barra es denominado *cuadro elevador*. Éste le muestra qué tan lejos ha llegado usted en el documento (véase también *horizontal scroll bar*).

Enunciado: "Para llegar al final de mi documento, coloco a estos enanitos dentro del cuadro elevador de la *barra de desplazamiento vertical* y digo: '¡caída libre!' Después, arrastro con violencia el cuadro elevador hacia la parte baja de la barra. Esto pudiera ser una experiencia terrorífica para mis enanitos, pero logro llegar al final de mi documento de una manera muy rápida".

VGA

Pronunciación: *vi-yi-ei.*

Significado: Acrónimo de *Video Graphics Array* (Arreglo de gráficas de video) o *Video Gate Array* (Arreglo de compuertas de video). Es un estándar para el desplegado de las gráficas en color que mejoró a sus predecesores en términos de selección de color, resolución y precisión de la imagen. Un monitor VGA puede desplegar hasta 256 colores al mismo tiempo. La resolución indica la calidad de la imagen y, con el VGA, eso significa 640 pixeles horizontales por 480 líneas verticales. Los monitores Super VGA son aún más impresionantes, con resoluciones que alcanzan el índice de 1,024 x 768 (véanse también *monitor, CGA, EGA, graphics, resolution* y *SVGA*).

Enunciado: "El estándar actual para las gráficas de PC es *VGA*. Si usted tiene algo diferente, le recomendamos que se

actualice, en especial porque acabamos de comprar un gran
lote de monitores VGA y podemos ofrecerle un muy buen
precio".

video

Pronunciación: *ví-dio.*

Significado: Esta palabra se utiliza con mucha soltura a fin
de describir todas las actividades que involucran imágenes en movimiento (películas). De manera más específica,
se puede referir a la función de desplegado en su computadora (esto es, el desplegado de video) o el acto de incorporar dispositivos de video (videocaseteras y equipo
para grabación de video) a la tecnología computarizada.
Los estándares de video que han sido establecidos por la
Asociación de estándares electrónicos de video son una
ayuda para asegurarse de que los componentes de nuestras computadoras funcionan en armonía y de tal forma
que al menos podamos ver algo sobre la pantalla (lo cual
es muy agradable). Ese es el tipo de video que está relacionado con las computadoras.

Enunciado: "Regalé a mi padre un programa de *video* en su
cumpleaños y ahora pasa todo el día frente a la computadora con sus lentes oscuros, un megáfono y gritando '¡corte!'
a cada momento".

video adapter (adaptador de video)

Pronunciación: *ví-dio a-dáp-ter.*

Significado: Tarjeta de expansión que se conecta en alguna
de las ranuras de expansión de su PC, lo que permite que
su software y el monitor de su PC hablen entre sí. Los adaptadores estándar de video incluyen al VGA, SVGA, EGA, CGA
y el Hercules. También se denomina *tarjeta de video* (véanse
expansión slot, VGA, EGA, CGA y SVGA).

Enunciado: "Las gráficas de su PC constan de dos elementos: el monitor y el *adaptador de video*. Al monitor, usted lo puede ver. El adaptador de video se encuentra en las entrañas de su PC".

video card (tarjeta de video)

Pronunciación: *ví-dio kard.*

(Véase también *video adapter.*)

video memory (memoria de video)

Pronunciación: *ví-dio mé-mo-ri.*

Significado: Parte especial de la RAM en donde la memoria almacena imágenes que han sido desplegadas en la pantalla (véanse también *memory* y *RAM*).

Enunciado: "Entre más *memoria de video* tenga, más colores y mejor resolución obtendrá en su PC. Sólo recuerde siempre que la memoria de video se encuentra separada de la memoria que utilizan sus aplicaciones y DOS".

video mode (modo de video)

Pronunciación: *ví-dio moud.*

Significado: Las varias resoluciones y el número de colores que están disponibles para los diferentes tipos de adaptadores de gráficas utilizados por las computadoras compatibles con IBM. En la actualidad, existen veinte modos de video, que van desde 0 hasta 19. Las características incluyen el desplegado de sólo texto o sólo gráficas, desplegado en color o monocromático, número de colores, resolución (altura y anchura de los pixeles) y, en el modo de sólo texto, el número de columnas (que significa el número de caracteres que pueden acomodarse en una sola línea). Véase también *mode.*

Enunciado: "No importa saber qué *modo de video* utilizo; sólo deseo que la pantalla muestre lo mismo que la impresora escupe".

video RAM (RAM de video)

Pronunciación: *ví-dio RAM.*

Significado: Los chips RAM utilizados para crear la memoria de video. Éstos se construyen en tableros adaptadores de video (véanse también *RAM* y *video memory*).

Enunciado: "Los megalones utilizaron una *RAM de video* para irrumpir en la fortaleza secreta del Capitán Video".

videotext (videotexto)

Pronunciación: *ví-dio-teks.*

Significado: Palabras y números que llegan a su computadora (o a su televisor, por tratarse de lo mismo) por medio de los cables. Los tipos de videotexto que se transmiten de manera común incluyen noticias, información del estado del tiempo y datos de la bolsa de valores. En Europa, el sistema de videotexto fue diseñado para utilizarse con la televisión por cable. Por medio de un tipo especial de computadora, podrá conectarse al sistema y tendrá acceso a la información desde la comodidad de su hogar. Los estadunidenses deben haber pensado que este sistema es demasiado tonto puesto que nunca se han molestado en implementarlo.

Enunciado: "El *videotexto* es un formato apropiado para las noticias de último minuto, pero debe ser transmitido de inmediato para no perder su valor. La transmisión de noticias podría incluir algo como: '¡Hey! ¡Alguien acaba de introducirse a tu casa. Corre y revisa tu recámara!'"

virtual disk (disco virtual)

Pronunciación: *vír-chu-al disk.*

Significado: Un disco que no existe en realidad, es algo así como los platillos voladores. En realidad, disco virtual es sólo un término elegante para denominar al disco RAM, un disco que ha sido creado a partir de la memoria de la computadora (véase también *RAM disk*).

Enunciado: "Cuando el consultor de sistemas me indicó que había configurado un *disco virtual* en mi computadora, le dije que pronto le mandaría su pago con un cheque virtual".

virtual machine (máquina virtual)

Pronunciación: *vír-chu -al ma-shin.*

Significado: Software que simula ser otra computadora. Las máquinas virtuales son de gran utilidad para realizar pruebas de software para las computadoras muy grandes, como es el caso de mainframes. Por ejemplo, un grupo de ingenieros pudiera crear una nueva computadora con base en una computadora mainframe y después realizar pruebas para saber cómo actúa dicha computadora. Todo esto se realiza antes de que la primera máquina verdadera sea fabricada con la finalidad de eliminar las fallas que sean detectadas. Los nuevos microprocesadores se crean de manera similar. En las PCs 386 y modelos más recientes, una máquina virtual se refiere al modo especial de operación, en donde el microprocesador simula ser varias computadoras 8088 que corren al mismo tiempo. Es así como los programas tales como Windows y DESQview pueden realizar *multitareas* (correr más de un programa a la vez).

Enunciado: "Los programadores asombran a sus amigos al crear *máquinas virtuales* que contienen máquinas virtuales. Al final, logran llevar a cabo su trabajo... con gran virtud".

virtual memory (memoria virtual)

Pronunciación: *vír-chu-al mé-mo-ri.*

Significado: El uso del almacenamiento de la unidad de disco para simular la RAM. Algunos sistemas operativos (no es el caso de DOS) toman partes de la unidad de disco e intercambian porciones masivas de memoria en un archivo del disco, un *archivo de intercambio*. De esa manera, la verdadera memoria (RAM) se hace disponible para los programas que la necesitan. La memoria que ha sido guardada en el disco puede devolverse a la memoria verdadera cuando se necesite más adelante (véanse también *RAM, memory* y *hard disk*).

Enunciado: "Yo utilizo un cuaderno de notas en lugar de mi *memoria virtual*. Escribo mis asuntos en él y luego lo olvido. Más tarde, leo las notas que escribí en mi cuaderno y esto me recuerda mis asuntos pendientes. Supongo que las computadoras que son distraídas como yo también necesitan memoria virtual".

virtual reality (realidad virtual)

Pronunciación: *vír-chu-al ri-á-li-ti.*

Significado: Término absurdo que describe un nuevo y entusiasta mundo de tecnología computarizada que crea un ambiente multidimensional simulado para el usuario. Tal usuario es, por lo general, enjaulado en el ambiente o ataviado con un casco protector, lentes, guantes y un cinturón que se utilizan como dispositivos de entrada. El estar "dentro del espacio" lo hará sentirse  como si estuviera atrapado en un mundo de sueños. Dentro de un ambiente de realidad virtual, podrá ver, oír y sentir su camino en una aplicación de software. En la actualidad, la realidad virtual se utiliza de manera principal para el diseño y la ingeniería, así como en la creación de videojuegos.

Enunciado: "En ocasiones pienso que mi vida entera tan sólo es una gran máquina de *realidad virtual*, en especial cuando los gatos platican conmigo".

virus

Pronunciación: *vái-rus.*

Significado: Un despreciable tipo de programa que ha sido elaborado por personas despreciables y que es capaz de duplicarse a sí mismo y causar daños severos en los componentes de los sistemas. Para proteger su sistema contra los virus, deberá: 1) comprar su software sólo en lugares con buena reputación, 2) correr una utilería antivirus y 3) con gran religiosidad, respaldar su unidad de disco duro para que los datos perdidos puedan ser remplazados en forma rápida y confiable (véase también *vaccine*).

Enunciado: "Si no puede curar su computadora de algún *virus* que haya atrapado, al menos deberá dejarla descansar en cama y alimentarla con una buena dosis de caldo de pollo".

visual programming (programación visual)

Pronunciación: *ví-shu-al pro-gra-ming.*

Significado: Una manera de crear software al realizar elecciones de menú con el ratón, además de cortar y pegar ítems con el objeto de que la escritura y el pensamiento lineal sean minimizados. Los ejemplos son el Visual BASIC de Microsoft y ObjectVision de Borland. El lado positivo consiste en que no tendrá que saber mucho acerca de la programación para poder trabajar con esta tecnología y producir resultados.

El lado negativo estriba en que muchas de las opciones serán creadas por usted y con frecuencia no existe una manera de personalizar ciertas opciones (véase también *programming*).

Enunciado: "La *programación visual* hace posible que alguien tan inexperto como el tío Ramón sea capaz de crear aplicaciones personalizadas. ¿Recuerdas el gabinete que construyó? ¿No te hace estremecer el simple hecho de pensar en el tío Ramón frente a una computadora?"

VLSI

Pronunciación: *vi el es ai.*

Significado: Acrónimo que significa *Very Large Scale Integration* (Integración a escala muy grande), una tecnología que se refiere a los chips semiconductores. Esto significa realizar la ingeniería del chip para que pueda acomodar un gran número de transistores y ser aún más funcional (véanse también *CMOS, MOS* y *semiconductor*).

Enunciado: "Los circuitos *VLSI* no son más grandes que otros chips; sólo contienen más información".

voice recognition (reconocimiento de voz)

Pronunciación: *vois re-kog-ní-shon.*

Significado: La tecnología que puede reconocer y funcionar a partir de la palabra hablada. Traduce las señales de sonido y las convierte en señales digitales que pueden ser procesadas y analizadas por la computadora. El concepto ofrece un nuevo mundo de oportunidades para las computadoras: el ser capaz de hablar con su computadora tal como habla con sus amigos (o, para ser más precisos, con sus niños) y el poder encargarse de sus plantas o remodelar su cocina mientras realiza algún trabajo con su computadora.

La tecnología de reconocimiento de voz se encuentra en un estado bastante primitivo en la actualidad (véase también *voice synthesis*).

Enunciado: "Lo primero que haré cuando implante la tecnología de *reconocimiento de voz*, será decirle bien claro a DOS lo que puede hacer con su odioso mensaje de error Comando o nombre de archivo incorrecto".

voice synthesis (sintetización de voz)

Pronunciación: *vois sín-te-sis.*

Significado: Es lo opuesto al reconocimiento de voz. Aquí, la computadora puede crear algo que suene como un discurso a partir del texto que lee del disco. La sintetización de voz es mucho más fácil que la creación del reconocimiento de voz, es por eso que las computadoras hablan como computadoras (véase también *voice recognition*).

Enunciado: "Siempre había imaginado que mi computadora pertenecía al sexo femenino. No obstante, cuando conecté la unidad de expansión para la *sintetización de voz*, escuché una voz como la de Arnold Schwarzenegger".

volatile memory (memoria volátil)

Pronunciación: *vó-la-til mé-mo-ri.*

(Véase también *RAM.*)

volume (volumen)

Pronunciación: *vó-lium.*

Significado: Otro nombre para denominar al disco, ya sea duro o floppy. Surge de los inicios de la computación cuando en lugar de tener un disco en el interior de la computadora, los técnicos montaban un volumen en una máquina de cinta de alta velocidad. El término funciona para el almacenamiento computarizado de la misma manera que un volumen es un solo libro de una gran colección de trabajos (véanse también *floppy disk, disk* y *hard disk*).

Enunciado: "Como observé un mensaje en la computadora que decía No hay volumen en la unidad A, le subí todo el volumen a mi estéreo".

volume label (etiqueta de volumen)

Pronunciación: *vó-lium léi-bol.*

(Véase también *label.*)

von Neumann

Pronunciación: *fon noi-man.*

Significado: Es el tipo que inventó una arquitectura que creaba un embotellamiento de datos. En esencia, tiene que ver con una muy rápida CPU y un rápido almacenamiento, pero el procesamiento se reduce al ritmo de transmisión de los datos de un lugar a otro.

Enunciado: "Claro, fue el Dr. *von Neumann* quien inició esta revolución computarizada y no un tipo llamado fulano de tal".

voodoo (vudú)

Pronunciación: *vu-dú.*

Significado: Tecnología probada y comprobada que se utiliza cuando todo lo demás falla. En lugar de presionar teclas y hacer clic con el ratón, se cantan invocaciones, se efectuan bailes rituales y se suministran infusiones de yerbas exóticas a la computadora en un esfuerzo por lograr que la máquina coopere. Es similar a la economía vudú; véase *Diccionario republicano para inexpertos*.

Enunciado: "Si su PC funcionaba muy bien el día de ayer y por alguna razón se niega a trabajar el día de hoy —aun si usted no realizó cambios que pudieran afectarla— no lo dude, es *vudú*".

wait state (estado de espera)

Pronunciación: *weit steit.*

Significado: Pequeña demora que ocurre cuando un microprocesador accesa los datos de la memoria. Debido a que el microprocesador es por lo general más rápido que los chips de la memoria, espera a que éstos lo "alcancen" y se sienta por ahí a beber una taza de café durante el período de un estado de espera cada vez que llega a la memoria. Un *procesador de estado de espera cero* es mucho más rápido y puede aprovechar los chips de memoria más rápidos. ¿Qué tanto tiempo dura un estado de espera?, esto depende de qué tan rápido sea el procesador. En cualquier caso, la fracción de tiempo será demasiado rápida para que un humano la experimente (véanse también *microprocessor* y *zero wait state*).

Enunciado: "El día de ayer tuve que pedir auxilio técnico para mi computadora laptop por vía telefónica. Los técnicos dijeron que mi máquina había tenido un *estado de espera*. ¡Más tarde fui al correo y en forma repentina, mi computadora ganó 40 estados de espera!"

wallpaper (papel tapiz)

Pronunciación: *wol péi-per.*

Significado: Imagen gráfica que se coloca en el escritorio o el plano de fondo de su GUI. Si cierra todas las ventanas de su GUI, podrá ver el papel tapiz por debajo. El papel tapiz no tiene un propósito en particular, pero puede ser interesante y divertido para sus amigos.

Enunciado: "Mi *papel tapiz* favorito es el que tiene la imagen de la pintura de Nagel llamada 'Sushi'".

wapro

Pronunciación: *woo-pro.*

Significado: Término que utilizan los japoneses para designar al procesador de palabras (en realidad proviene de una pronunciación defectuosa). Pensamos que sería una buena medida plasmarlo aquí, pues no es uno de esos términos que se encuentran en todos los diccionarios.

Enunciado: "La respuesta apropiada cuando algún japonés le haga la pregunta '¿*Wapro*?' es: 'Wa-kari-mas-en', que significa 'no entiendo una sola palabra'".

warm boot (carga en caliente)

Pronunciación: *worm but.*

Significado: Proceso de reinicio de su computadora al presionar la teclas Ctrl-Alt-Delete o un botón equivalente. La carga en caliente tiene lugar cuando usted reinicia la computadora sin haberla apagado. Este tipo de carga es mucho más rápida que la carga en frío, que se realiza cuando usted apaga la computadora y la vuelve a encender (véanse también *cold boot, reboot* y *Ctrl-Alt-Del*).

Enunciado: "Después de instalar cierto tipo de software en mi disco duro, el programa me indica que reinicie la computadora al presionar Ctrl-Alt-Delete, lo que le proporciona una *carga en caliente*. Eso parece ser mucho más cómodo que el enfoque de la carga en frío".

warp coils (tejido de arillos)

Pronunciación: *worp koils.*

Significado: 1) Los arillos masivos de metal que permiten que una nave espacial se desplace a gran velocidad sin ningún tipo de retraso cronográfico. 2) Cualquier cosa demasiado avanzada o misteriosa en el interior de su computadora, que usted no puede entender.

Enunciado: "¡La PC no quiere cargar! ¿Por qué no verifican los acopladores intertubulares, las microtuercas de ajuste de la fase quantum o el *tejido de arillos*".

watch icon (icono de reloj)

Pronunciación: *wach ái-kon.*

Significado: Un icono que tiene la forma de un pequeño reloj de pulsera. El icono del reloj, propio de la computadora Macintosh, le indica que en este momento la máquina piensa en un procedimiento, por lo que usted tendrá que esperar. En los principios de la Macintosh, las manecillas del reloj no tenían movimiento. Hoy en día, estos iconos son mucho más sofisticados (véanse también *hourglass icon* y *beachball pointer*).

Enunciado: "Laboratorio espacial, esta es la base Houston. Tendrán que esperar un poco para recibir información acerca del programa de emergencia para evitar la colisión con los meteoros. Todavía tenemos el *icono de reloj* en las computadoras, cambio…"

watt (vatio)

Pronunciación: *wat.*

Significado: Unidad de medida para el consumo de corriente. Los watts equivalen a los voltios multiplicados por los amperes. Es por eso que una fuente de poder de 10 voltios y 10 amperes, equivale a 100 watts de poder. Esto nos lleva a pensar en términos de las bombillas eléctricas. Una bombilla de 100 W es mucho más brillante que una de 60 K. Los estudios de televisión utilizan reflectores de 1000 W para iluminar sus escenarios, lo que es algo muy, muy brillante. La PC común utiliza 250 W de poder, justo como una bombilla de 250 W (véanse también *amp* y *troglodyte*).

Enunciado: "Utilizo bombillas de 50 *watts* en mi cuarto de computadora, con la finalidad de no ocasionar demasiado reflejo sobre la pantalla. También se debe en cierta medida a que soy un troglodita y este ambiente semioscuro me trae recuerdos de mis antepasados cavernícolas".

what if (qué pasa si)

Pronunciación: *wat if.*

Significado: Término empleado para probar una hoja de cálculo con diferentes valores, lo que genera resultados diferentes para el análisis. Por ejemplo, "si ganara millones de dólares, ¿qué porcentaje utilizaría para pagar la renta de mi casa?"Ahora, podríamos introducir un valor negativo: "¿Qué tal si trabajara en McDonalds? Hey, ¿puede esta cosa manejar números negativos?" Las pruebas "Qué pasa si" se usan por lo general en las hojas de cálculo, donde podrá utilizar diferentes valores en diferentes celdas de la hoja de cálculo para que las fórmulas vuelvan a calcular los resultados en base a los diferentes escenarios.

Enunciado: "Jimmy usaba una hoja de cálculo para utilizar varios *Qué pasa si* y de esta manera calcular su malversación de fondos. Ahora purga una condena de cinco a diez años, pero intenta que el juez considere un *Qué pasa si* por buena conducta".

Whetstone

Pronunciación: *wet ston.*

Significado: Nombre de un programa que se utiliza para probar la velocidad de un microprocesador. Whetstone se emplea como una prueba estándar para la velocidad de los microprocesadores (véanse también *MIPS* y *microprocessor*).

Enunciado: "Hey, mi computadora puede lograr 1500 *Whetstones* y lo logra con uno de sus cables atado en la parte posterior".

wide area network (WAN) (red de área amplia)

Pronunciación: *waid é-ria nét-work.*

Significado: Red de computadoras que cubre una gran distancia, en contraste con la red de área local que enlaza a las computadoras dentro de un mismo edificio (véanse también *LAN, network, network operating system* y *node*).

Enunciado: "Los corredores de bienes raíces pueden tener acceso a una *red de área amplia* que proporciona listados múltiples y otros servicios para su computadora. De esa manera podrán enviar mensajes como '¡Hey! El Sr. y la Sra. Inocente en busca de un duplex, ignorancia en bienes raíces. ¡Estén pendientes!'".

widow (viuda)

Pronunciación: *wi-dou.*

Significado: La primera línea de un párrafo de texto que se ha separado del resto del párrafo. Una línea viuda aparece en la parte inferior de una página, mientras que el resto del párrafo aparece en la parte superior de la siguiente página. Muchos procesadores de palabras porporcionan un mecanismo eliminar las viudas a fin de evitar este vergonzoso problema (véase también *orphan*).

Enunciado: "En ocasiones, si su documento está lleno de *viudas*, podrá escribir algo acerca de un puñado de solterones empedernidos para que éstas desaparezcan".

wildcards (comodines)

Pronunciación: *waild-kards.*

Significado: Caracteres o símbolos utilizados en lugar de varias posibles combinaciones. Los comodines representan uno o más caracteres que "pueden ser cualquier cosa" en busca de un comando. Por ejemplo, si el símbolo * es un comodín, el texto de búsqueda *s*ing* localiza cualquier palabra

o ítem que inicie con una *s* y termine con *ing* (véanse también **.**, *star-dot-star* y *?*).

Enunciado: "Los *comodines* tienen gran utilidad cuando se realiza la búsqueda de un texto pero se desconoce la forma de deletrearlo, cuando se buscan archivos y no se saben los nombres completos de éstos, así como cuando se juega Shanghai con los cuñados y se cuenta con una pésima mano".

WIMP

Pronunciación: *wimp.*

Significado: Un acrónimo desacreditado para las ventanas, iconos, menús y dispositivos apuntadores (la palabra 'wimp' significa debilucho). Es la forma mediocre de GUI para utilizar la computadora, en contraste con el uso de la línea de comandos (véanse también *window, menu, mouse, icon* y *command line*).

Enunciado: "¡No me den esa interfaz *WIMP!* ¡Yo soy un hombre de verdad! ¡Tráiganme al indicador de DOS uno de estos días!"

Winchester disk (disco Winchester)

Pronunciación: *wín-ches-ter disk.*

Significado: Un tipo de disco duro. Por años, las unidades de disco duro fueron denominadas discos Winchester. Esto no tenía nada que ver con alguna compañía de nombre Winchester que fabricara unidades de disco. Más bien, se refería a la primera unidad de disco duro IBM que podía almacenar treinta megabytes de información en cada lado. Ya que la unidad era 30-30, las personas la bautizaron como disco Winchester en honor a los famosos rifles Winchester. Hasta mediados de la década de los ochentas, las unidades de disco duro con frecuencia eran llamadas discos Winchester. Esto volvía locas a las personas, porque suponían que alguna persona o compañía llamada Winchester era el fabricante de las unidades, pero no era así. Hoy en día estos dispositivos sólo se llaman discos duros, así de simple (véanse también *hard disk* y *disk*).

Enunciado: "Sí, señora, nuestros discos duros tienen tres presentaciones: *Winchester,* Colt y Margarita".

window (ventana)

Pronunciación: *win dou.*

Significado: Una ventana es un *puerto de vista* (algo a través de lo cual se pueden observar las cosas) de la pantalla que despliega datos, programas e información. Una ventana

puede ser desplazada, cambiada de tamaño, abierta y cerrada, lo que le permitirá organizar los datos en la pantalla
de su computadora. Podrá cambiar su
posición entre ventanas al hacer clic en
la ventana de su elección. Sin embargo,
sólo podrá trabajar en una ventana,
que se denomina ventana activa, a la
vez (véase también *active window*).

Enunciado: "En ocasiones me aloco y abro 20 o 30 *ventanas*
al mismo tiempo. Esta táctica tiene como resultado que el
portero del edificio se acerque con cara de preocupación al
tiempo que balbucea algo acerca de un terremoto".

Windows

Pronunciación: *win-dous.*

Significado: Versión corta de *Microsoft Windows*, una interfaz gráfica para el usuario en las computadoras DOS.
Microsoft Windows provee una forma común de utilizar
los programas, lo que hace más fácil su aprendizaje; además, Windows, administra la forma en que su PC funciona
y se ocupa de labores comunes, como el trabajo con la
impresora y la unidad de disco. Por ejemplo, cuando usted
ajusta la impresora en Windows, tal impresora estará disponible en forma automática para todos sus programas
Windows. Esto nos permite a nosotros, los pobres usuarios, concentrarnos en nuestro trabajo en lugar de lidiar
con la computadora, los manejadores de impresora y cosas
por el estilo. Microsoft Windows también le proporciona
el acceso a la memoria extendida de su computadora (la
memoria que se encuentra por arriba del primer megabyte en su computadora) y permite las multitareas con las
computadoras 386 y modelos más recientes (véanse también *GUI* y *Microsoft*).

Enunciado: "En ocasiones *Windows* es un lugar divertido
para trabajar. Ahora, regresemos a la realidad".

wiz (semimago)

Pronunciación: *wiz.*

Significado: Usuario de computadora muy eficiente, veloz y que luce muy bien junto a la computadora. Un semimago no es tan apto como un mago (véanse también *wizard, guru* y *hacker*).

Enunciado: "Gracias por no llamarme *semimago* en sus cartas. Rebajarían mi categoría".

wizard (mago)

Pronunciación: *wi-zard.*

Significado: Usuario de gran calibre. No es tan experto como un gurú, pero un mago de la computadora puede resolver gran parte de los problemas en la mayoría de los casos sin necesidad de ningún tipo de ayuda (véanse también *guru, wiz* y *hacker*).

Enunciado: "No, Luis no es un gurú. Él es más bien un *mago*, alguien que sabe cómo resolver un problema, pero que no puede explicar cómo lo hizo".

word (palabra)

Pronunciación: *word.*

Significado: 1) Colección de bits de datos que son procesados como unidad. En la PC y la mayoría de las microcomputadoras, una palabra contiene dos bytes de datos, esto es, 16 bits de "ancho". Algunas veces una palabra es tan pequeña como un byte (8 bits). El tamaño varía, es por eso que nuestra definición es tan vaga. 2) Programa de procesamiento de palabras (Word) creado por la compañía Microsoft. 3) Unidad en el idioma, tal como *bah*.

Enunciado: "Es verdad, Microsoft *Word* puede escribir documentos completos, lo que nos lleva a preguntarnos por qué no lo llamaron Microsoft Document".

word processor (procesador de palabras)

Pronunciación: *word pro-cé sor.*

Significado: Aplicación que le permite escribir y editar documentos. Los procesadores de palabras por lo general tienen la capacidad de copiar y movilizar el texto (por palabras individuales, frases o párrafos), buscar palabras o frases específicas, insertar y eliminar texto, formatear el documento (lo que incluye el ajuste de los márgenes, las fuentes y los estilos de caracteres) y, por supuesto, la impresión del documento. Los procesadores de palabras más populares incluyen a Microsoft Word, WordPerfect y AmiPro (véanse también *application, editor* y *text editor*).

Enunciado: "Mi *procesador de palabras* tiene características que me permiten crear tablas y columnas. Hey, casi pensé que éste era un proyecto de construcción en lugar de un memo".

word wrap (escritura continua)

Pronunciación: *word rap.*

Significado: La escritura continua se refiere a la manera en que un procesador de palabras determina en forma automática si la palabra que usted escribe se ajustará al margen derecho y, en caso de que no sea así, colocará la palabra en la siguiente línea. Con la escritura continua, no tendrá que presionar la tecla Enter al final de cada línea (véase también *hyphenation*).

Enunciado: "La *escritura continua* solía ser considerada como una característica adicional en los primeros procesadores de palabras. Hoy en día, una característica adicional podría ser la función integrada de un simulador de nave espacial o un módulo de cálculo de física avanzada".

worksheet (hoja de trabajo)

Pronunciación: *work-shiit.*

Significado: Archivo de datos creado por un programa de hoja de cálculo. No todos los programas de hoja de cálculo se refieren a sus datos como hojas de trabajo; algunos los llaman hojas de cálculo, otros tan sólo los denominan hojas o páginas y algunos incluso se refieren a ellos como documentos. En cualquier caso, una hoja de trabajo debe ser guardada como un archivo en el disco (véanse también *document* y *spreadsheet*).

Enunciado: "Guardé la *hoja de trabajo* de mi presupuesto en un disco, bajo el nombre PRESUP-A y después guardé el presupuesto que entregué a la oficina de impuestos bajo el nombre PRESUP-B".

workstation (estación de trabajo)

Pronunciación: *work stei-shon.*

Significado: Término nebuloso que se emplea para describir una computadora muy poderosa que, por lo general, sólo se utiliza con las aplicaciones científicas o de ingeniería, como es el CAD. Una estación de trabajo tiene, por lo común, toneladas de RAM, montones de espacio de almacenamiento en el disco, un adaptador y un monitor para gráficas de alta resolución, así como un poderosísimo microprocesador. Las estaciones de trabajo utilizan como norma el sistema operativo UNIX, pero algunas máquinas DOS, Macintosh y OS/2 de alto término también califican como estaciones de trabajo (véanse también *network, PC* y *mainframe*).

Enunciado: "En la oficina cuento con una *estación de trabajo* en mi computadora 486; sin embargo, en mi hogar cuento con una estación de juego en mi computadora 386".

WORM

Pronunciación: *worm.*

Significado: 1) Acrónimo de *Write Once Read Many* (Escriba una sola vez, lea muchas veces). WORM se refiere al medio del disco en el que se pueden escribir los datos una sola vez, pero leerlos con tanta frecuencia como se desee. Los discos ópticos de la primera generación son medios WORM. Sin embargo, los discos CD-ROM no son medios WORM, porque el fabricante es la única persona que puede suministrar la información en el disco. No se puede "escribir" en un CD-ROM; estos discos son de sólo lectura (ROM). 2) Un tipo de virus (véanse también *RAM, ROM* y *SCSI*).

Enunciado: "Los dos mejores acrónimos en toda la computación son SCSI y *WORM.* Es muy posible tener una unidad SCSI WORM y, si éste es su caso, refiérase a ello como tal. Tal vez logre molestar a alguien".

wristwatch pointer (apuntador de reloj pulsera)

Pronunciación: *wríst-wach póin-ter.*

(Véase también *watch icon.*)

write error (error en la escritura)

Pronunciación: *rait é-ror.*

Significado: Error que tiene lugar al intentar guardar los datos en un disco. Los errores en la escritura pueden ocurrir debido a imperfecciones en la superficie del disco, el no contar con suficiente espacio en el mismo o cuando se intenta guardar en un disco protegido contra escritura. Una buena interfaz para el usuario podrá "capturar" el error, darle alguna pista acerca del problema que ha ocurrido y, tal vez, si la computadora está de buen humor, indicarle la manera de solucionarlo. De otra forma, el sistema podría colapsarse.

Enunciado: "Nada induce un mayor pánico con la computadora que el tener un hermoso documento en la memoria y no poder guardarlo en el disco debido al *error en la escritura*. Por ahora, será mejor que intente con otro disco".

write protect
(protección contra escritura)

Pronunciación: *rait pro-tekt.*

Significado: Modificación de un disco o archivo para que éste no tenga el deseo de editar o de borrar sus datos. Podrá proteger un disco contra escritura si activa la ceja protectora, un pequeñísimo dispositivo que coloca un bloqueo físico contra la escritura. En los discos de tres y media pulgadas, esto se logra al cambiar de posición la ceja protectora, de tal manera que exponga (abra) el orificio del disco. En los discos de cinco y un cuarto pulgadas, el objetivo se alcanza al colocar un pequeño pedazo de cinta adhesiva sobre la muesca de protección en un lado del disco. La protección contra escritura es muy útil cuando se copian discos y se desea proteger el original.

Enunciado: "Cuando le doy mis archivos a mi colega para que los examine, *protejo contra escritura* los discos con la finalidad de que esta mujer no modifique los archivos. No obstante, como una medida extra de seguridad, hago una copia de respaldo y mantengo a su esposo y sus hijos como rehenes".

WYSIWYG

Pronunciación: *wí-zi-wig.*

Significado: Acrónimo que significa *What You See Is What You Get* (Lo que ve, es lo que obtiene). WYSIWYG describe el fenómeno de poder ver en la pantalla justo lo que verá sobre la página cuando imprima su documento. Existen diferentes grados de WYSIWYG en el ámbito computacional, pero la mayoría de los usuarios está de acuerdo en que los ambientes Windows y Macintosh ofrecen un verdadero WYSIWYG. De hecho, WYSIWYG es tan común en la actualidad que el término pronto podría pasar de moda.

Enunciado: "Si la distribución de página de este programa ofrece un desplegado *WYSIWYG*, ¿para qué necesita un comando de presentación preliminar?"

X

X ray (rayos X)

Pronunciación: *eks rei.*

Significado: Radiación electromagnética de onda corta (menos de 100 angstroms) que puede atravesar las paredes, los cuerpos y otros objetos sólidos. Las computadoras no producen rayos X (pero no confíe demasiado en nosotros). Las máquinas de rayos X de los aeropuertos pudieran o no dañar su computadora laptop; lo mejor será que entregue su computadora al encargado mientras cruza por la citada máquina, para evitar un posible daño a causa de los rayos X.

Enunciado: "Superman tenía una excelente visión de *rayos X*".

X.25

Pronunciación: *eks dot tuén-ti-faiv.*

Significado: Protocolo para el arreglo de datos en paquetes que incluyen la identificación tanto del receptor como de la persona que envía los datos. La mayor parte de este asunto son cuestiones avanzadas que tienen que ver con las redes y usted no necesitará un gran conocimiento en esta materia a menos que planee convertirse en un gurú de las redes y ganar toneladas de dinero (véase también *network*).

Enunciado: "Nuestra red ya no funciona porque alguien volvió a escribir todos nuestros protocolos *X.25* sin previo aviso al administrador de la red". Ya sé que este enunciado no tiene mucho sentido, pero lo hará sentirse importante cuando lo repita.

Xanadu

Pronunciación: *zá-na-du.*

Significado: Ciudad mítica en Kubla Khan, conocida por su increíble belleza y romance. También se rumora que es un sistema muy avanzado de red e información que está disponible para todas las PCs del mundo. Bueno, tal vez algún día lo esté (véase también *network*).

Enunciado: "El otro día pensé que me había topado con *Xanadu*, pero sólo era el almacén local de computadoras".

XCMDs

Pronunciación: *eks si em dis.*

Significado: Comandos externos disponibles para el lenguaje Macintosh de programación HyperCard. El tener acceso a los XCMDs significa que un programador de Hyper-Card tiene más funciones y pizzasss disponibles que si sólo utilizara el HyperCard (véase también *HyperCard*).

Enunciado: "José utilizó un puñado de excelentes *XCMDs* para aderezar su base de datos HyperCard de champiñones".

XENIX

Pronunciación: *zí-niks.*

Significado: Versión del sistema operativo UNIX que fue adaptada por Microsoft para correr con las computadoras personales. En los viejos tiempos, no se podía "comprar" una copia de UNIX del mismo modo que hoy se puede comprar una copia de DOS, Sistema 7 u OS/2. Es por eso que Microsoft empaquetó su propia versión de UNIX, a la cual denominó XENIX. Ahora las personas utilizan SCO XENIX o SCO UNIX de la compañía Santa Cruz Operation, Inc. (véase también *UNIX*).

Enunciado: "David se las arreglaba para manejar el club de computadoras con su viejo repertorio de arcaicos sistemas *XENIX*".

XGA

Pronunciación: *eks yi ei.*

Significado: Abreviatura de *Extended Graphics Array* (Arreglo extendido de gráficas). Un tipo de adaptador para video que proporcionaba mayor resolución que los adaptadores previos (véanse también *VGA* y *SVGA*).

Enunciado: "En realidad, no creo que nadie utilice las gráficas *XGA*. Si yo fuera usted, me quedaría con el Super VGA".

XMODEM

Pronunciación: *eks-móu-dem.*

Significado: Protocolo que se utiliza para transferir archivos entre computadoras (y con frecuencia por vía telefónica) y detectar errores que ocurren durante la transferencia. Esto asegura que el archivo enviado es idéntico al archivo recibido. XMODEM era en realidad el nombre de un programa que incluía el protocolo de transferencia de archivos XMODEM. Hoy en día, sólo se refiere a la forma en que el archivo es enviado. Otros protocolos de transferencia, como el YMODEM y el ZMODEM, han mejorado la idea original del XMODEM al permitir una más rápida transferencia de datos en paquetes mayores (porciones) y la capacidad de continuar la transmisión de datos aun cuando los valores de las sumas de revisión no sean idénticos (véanse también *CRC, YMODEM, Kermit, checksum* y *protocol*).

Enunciado: "Oh, Carlos, querido, ¡por favor actualízate!, ya nadie utiliza el viejo y aburrido *XMODEM*".

XMS

Pronunciación: *eks em es.*

Significado: Abreviatura de *Extended Memory Specification* (Especificación de memoria extendida). Un estándar de la administración de la memoria que permite que las aplicaciones DOS puedan tener acceso a la memoria extendida. El software de administración de memoria XMS proporciona acceso a la memoria extendida por medio del estándar XMS, que es un juego de reglas desarrollado por la compañía Microsoft y otros grandes cerebros de la industria de las computadoras. DOS tiene un administrador de memoria XMS denominado HIMEM.SYS (véase también *expanded memory, extended memory* y *extended memory specification*).

Enunciado: "Voy a necesitar un nuevo administrador *XMS* para mi PC. Si no realizo este movimiento, toda mi memoria extendida amenaza con irse a la huelga".

XON/XOFF

Pronunciación: *éks-on/éks-of.*

Significado: Señales que inician o detienen el flujo de datos durante la transmisión entre computadoras. XON/XOFF permite que la computadora receptora detenga el flujo de información para que pueda ser procesado conforme se introduce. El carácter XON es por lo general Control-S, producido al pulsar la combinación de teclas Ctrl-S. Esto detiene el envío de los datos, y no sólo eso, sino que también le permite mantenerse al paso de la pantalla y poder leerla; por ejemplo, si DOS escribe un archivo, podrá presionar Ctrl-S para que se mantenga en pausa hasta que usted presione otra tecla. El caracter XOFF es Ctrl-Q. Este no es utilizado por DOS para ningún movimiento interesante, pero en otros sistemas, Ctrl-Q es el único carácter que puede volver a poner las cosas en movimiento después de haber sido congeladas por Ctrl-S.

Enunciado: "Nosotros utilizamos las señales *XON/XOFF* con nuestros radios de comunicación".

XOR

Pronunciación: *eks ou ar.*

(Vease también *exclusive OR.)*

XT

Pronunciación: *eks ti.*

Significado: Abreviatura de *Extended Technology* (Tecnología extendida). XT se aplicaba a un modelo de computadora PC que extendía la arquitectura de las computadoras PC 8080 al añadir más ranuras de expansión y una mayor unidad de disco. Hoy en día, las computadoras XT sólo pueden ser excelentes anclas para los barcos (véanse también *AT, PC* y *boat anchor*).

Enunciado: "Cuando le pregunté a mi hijo si utilizaba la computadora *XT* que le había regalado para sus trabajos en la universidad, me dijo: '¿Qué?, ¿acaso eso era una computadora?'"

Y

yacc

Pronunciación: *yack*.

Significado: Acrónimo de *Yet Another Compiler Compiler* (Un compilador más), una herramienta UNIX que se utiliza para crear otros lenguajes y compiladores (véase también *UNIX*).

Enunciado: "La herramienta *yacc* por lo general acompaña a *lex*, un analizador de léxico de UNIX".

YMODEM

Pronunciación: *wai móu-dem*.

Significado: Protocolo de transferencia basado en el estándar XMODEM. YMODEM permite una más rápida transmisión de datos (véanse también *XMODEM* y *protocol*).

Enunciado: "Mi paquete de comunicaciones ofrece los protocolos XMODEM, *YMODEM* y ZMODEM, ¿qué será lo siguiente, AAMODEM?"

Y

Sistema operativo...

Sistema operativo: Así se llama al... Amstrad Complier Compiler CCD... computador y que... una herramienta UNIX que se utiliza para... otros lenguajes y compiladores (véase también **AWK**).

Emuladora: "La herramienta... por lo general acompaña a los... analizador de fondo de UNIX.

comunicación con módem

Significado: Explicación de un término... el... radial **MODEM**. **MODEM** permite dos más rápida... físicos de líneas (véase también **MODEM** y protocol)

Emulado: "Un paquete de comunicaciones ofrece los... ficheros **XMODEM**, **YMODEM** y **ZMODEM**, que está lo si guiente **XMODEM**."

Z80

Pronunciación: *zi-ei-ti.*

Significado: Nombre de un viejo microprocesador de 8 bits utilizado en los días de CP/M. El microprocesador Z80 fue ensombrecido por el más rápido 8080, el cerebro de la primera PC IBM (véase también *CP/M*).

Enunciado: "Hace apenas diez años, el microprocesador *Z80* era considerado la cima de la tecnología. En la actualidad, eso y dos dólares será apenas suficiente para comprar una taza de café".

zap (destruir)

Pronunciación: *zap.*

Significado: El dar zap a un archivo consiste en removerlo en forma permanente del disco. A diferencia de la eliminación de un archivo, el darle zap lo elimina por completo sin que exista la posibilidad de una futura recuperación (véase también *undelete*).

Enunciado: "Dí *zap* a mi archivo de los impuestos en el disco, en caso de que el auditor de Hacienda sepa cómo recuperar archivos por medio del comando undelete".

Zephram Cochrane

Pronunciación: *zí-fram ko-krein.*

Significado: El hombre que inventó la *unidad de tejido.* Este hombre estaba perdido en el espacio profundo y fue a parar en un remoto planeta donde la fuerza energética femenina podía mantener su vida, juventud y virilidad por cientos de años, algo así como el *Sunset Boulevard* espacial. Por supuesto, el capitán Kirk lo localizó y lo rescató al permitir que esa fuerza energética también pudiera habitar el cuerpo de Betty, la protagonista de la serie *Papá tiene la razón.* Zephram y Betty se casaron y vivieron felices por siempre en ese planeta.

Enunciado: "Una noticia: *Zephram Cochrane* no es un personaje de la vida real".

zero wait state (estado de espera cero)

Pronunciación: *zi-rou weit steit.*

(Véase también *wait state.*)

ZIP

Pronunciación: *zip.*

Significado: Sufijo que se aplica a los archivos que han sido comprimidos con la utilidad PKZIP.Un archivo ZIP puede ser desde el 5 % hasta el 95% más pequeño que el archivo original o el grupo original de archivos, si es que la compresión incluye más de un archivo. Este aspecto es de utilidad tanto para transferir archivos con un módem como para ahorrar espacio en el disco.

Enunciado: "Necesitará el programa PKUNZIP para descomprimir los archivos almacenados en un archivo *ZIP* que haya sido creado con el programa PKZIP".

ZMODEM

Pronunciación: *zi móu-dem.*

(Véase también *XMODEM* y *YMODEM.*)

zoom (ampliación/reducción)

Pronunciación: *zuum.*

Significado: Habilidad de cambiar la forma en que los datos aparecen sobre la pantalla. Podrá utilizar esta función para aumentar el tamaño de los datos de tal forma que se vean mucho más grandes en la pantalla, o reducirlos para ver cómo lucirán con relación a la página en que se encuentran. Esto por lo general se logra con un comando Zoom.

Enunciado: "Intenté utilizar el comando *Zoom* para hacer que mi computadora corriera más rápido, pero sólo logré que mi texto se hiciera más grande".

zoom box (cuadro de zoom)

Pronunciación: *zuum boks.*

Significado: área o botón de una ventana gráfica que incrementa el tamaño de la ventana hasta cubrir la pantalla entera (véase también *button*).

Enunciado: "Jugaba con mi ventana cuando de pronto, ¡ay, ay, ay!, ¡se hizo tan grande como una casa! Debo haberme tropezado con el *cuadro de zoom*".

Analog

Head Crash

Crosshairs

ELIZA

Diccionario ilustrado de computación para inexpertos ™

Supercomputer

Wildcard

640K Limit

Virus